Hofmannsthal · Erzählungen

# Hugo von Hofmannsthal

# Erzählungen

Auswahl und Nachwort
von Ursula Renner

Reclam

RECLAMS UNIVERSAL-BINBLIOTHEK Nr. 18035
Alle Rechte vorbehalten
© 2000 Philipp Reclam jun. GmbH & Co. KG, Stuttgart
Gesamtherstellung: Reclam, Ditzingen. Printed in Germany 2014
RECLAM, UNIVERSAL-BIBLIOTHEK und
RECLAMS UNIVERSAL-BIBLIOTHEK sind eingetragene Marken
der Philipp Reclam jun. GmbH & Co. KG, Stuttgart
ISBN 978-3-15-018035-8

www.reclam.de

# Inhalt

Erzählungen

# Der Geiger vom Traunsee

(Eine Vision zum St. Magdalenentag)

Montag 22. Juli 1889 Maria Magdalena

Die schwere drückende Glut eines wolkenlosen Julinachmittages lag über Berg und See. Kein Hauch bewegte die weite metallisch blinkende Fläche. Kein Hauch spielte um die Wipfel des mächtigen Waldes, der sich, ein düster schleppender Mantel, von den Schultern des Bergriesen herabzieht bis hart ans Ufer. Hier, an der Grenze von Wald und Flut bilden sich zahllose kleine Buchten, dem landenden Kahne günstig, bieten wechselnde Einschnitte, schattig überhangende Lauben ein wechselnd bewegtes Bild, das Bild friedlicher Ruhe, sorgloser Geborgenheit, doppelt wohltuend nach dem furchtbar großartigen Bilde der wildabstürzenden Felswand, der schroff aufragenden Klippen an der Stirnseite des Traunstein. Im Schatten einer dieser Buchten, wo sich ein kristallhelles Bächlein den Weg durch schwellende Moospolster an das kiesige Ufer bahnte, hatte ich nach langem Suchen gefunden, was ich suchte, ein Fleckchen Erde, weltvergessen und weltentlegen; belebende Kühle umfing mich, sowie mein Kahn den weißen Sand der kleinen Bucht streifte, und mir war, als hätte sich gleich mir alles hierhergeflüchtet vor der sengenden Glut da draußen was keimt und blüht, was sproßt und gedeiht. Tief sank der Fuß in den schwellenden Moosteppich der selbst die unfruchtbaren Geschiebe des Ufers überwuchert hatte, so daß ihn nur mehr ein schmaler Streifen weißen Sandes vom Wasser trennte. Und dicht wie der Teppich war auch das Blätterdach das sich zur traulichen Laube wölbte, kaum hie und da fiel ein Sonnenstrahl in eine Lücke, vergoldete mit feuchtem Glanz den Stamm.

Wer mag die Magda gewesen sein, die sich ein halbes Jahrhundert vor mir dies Lieblingsplätzchen erlesen; die hier gesessen in der Tracht unsrer Großmütter, den schlanken Hals mit dem vormärzlichen Seidentuch umwunden, den zierlichen Fuß in winzige französische Seidenschuhe gepreßt? war sie hierhergekommen mit Claurens Mimili dem empfindsamen Geläute heimkehrender Herde zu lauschen, eine bleiche, geheimnisvolle Liebe im Herzen, hatte sie sich hierhergeflüchtet, um mit Jean Paul in wehmütigem Genuß seliger Beschränktheit zu schwelgen oder um sich dem bestrickenden Zauber romantischer Waldeinsamkeit hinzugeben? vielleicht lebt sie noch, vielleicht gehe ich täglich an ihr vorüber, einer alten korpulenten Beamtenswitwe, die als ehrsame Frau Magdalena beim Schälchen Kaffee mit einem unterdrückten Seufzer der Magda von einst und des lauschigen Plätzchens gedenkt. Während meine Gedanken also müßig umherschlenderten, suchte ich auf dem Brette eifrig nach einer Inschrift, einem Verslein, mit dem ja gefühlvollere Menschenkinder so gern ihrer Begeisterung beim Anblick ewig junger Naturschönheiten Worte verleihen. Umsonst, mühsam hob ich das Brett vollends aus seinem feuchten Lager unzähliges Gewürm aufstörend, da auf der Unterseite Worte, Verse, eine unentschiedene, frauenhafte Schrift: bald weich und liegend, dann wieder starr aufgerichtet, voll u. kräftig. Eine Flechte bedeckte die letzten Zeilen, vorsichtig hob ich sie mit dem Taschenmesser ab: Am St. Magdalenentage 1839. Nik. Lenau. Dieser Name warf wie ein Blitz sein Licht in mein Gedächtnis. Ja, das waren die Züge, in die ich mich mit wehmütigen Seligkeiten vertieft hatte, sooft mir mein Schurz 2 Blicke in die reiche handschriftliche Hinterlassenschaft seines Schwagers gewährt hatte. Laut pochte mein Herz vor freudiger Aufregung, einen Augenblick war ich wie geblendet. Dann suchte ich mit freudebebenden Händen meinen Schatz zu entziffern. Aber ach, vergebens, wohl ließ sich Vers, metrische Form und Zeilenzahl des Gedichtes erkennen, wohl ließen sich einige Zeilen zu verständlichen Sätzen mit leichter Mühe ergänzen, aber Sinn des Gedichtes zu erschließen, das mußte ich alle Hoffnung aufgeben. So wie ich, so öd, ohnmächtig qualvoll mußte sich der Bettler fühlen, vor dessen Füßen ein gleißender Schatz in die Tiefe sank? Eine heiße Träne der Enttäuschung und bitterer Hilflosigkeit fiel auf die grauen Zeichen. Es war ein Sonnett; eine Dichtungsart, die Lenau nicht gern gebrauchte, denn er liebte es, was ihm Herz und Sinn durchstürmte, frei entströmen zu lassen wie die ungebundenen Tonfluten seiner Geige, nicht es zu feilen und zusammenzupressen in die enge Schranke der kunstvoll verschlungenen 14 Zeilen. Was sich erkennen ließ, war abgerissen und unzusammenhangend:

Du fielst, ein Weib, wie tausend Weiber sanken,
Dein Heiland hörte deines Herzens Stöhnen
Die Reu, wie das Vergehen, ohne Schranken
Mein Wollustmeer ist eine Welt von Tönen
Und Zechgenossen sind mir die Gedanken
Du warst ein Weib wohl dir du konntest weinen
Und heute preisen Heil'ge dich Legenden
Dein Platz ist bei den Makellosen Reinen
Wann wird die Qual wann die Verfolgung enden?

Eine Säule eines verschütteten Palastes, ein abgerissener Akkord, vom Wind verweht. Und doch ein Akkord, der wieder und wieder erklingt im tosenden Kampfgetümmel der Albigenser, im leisen Flüstern der Schilflieder; stets die eine quälende Frage an das Schicksal bald gesteigert zum verzweifelten Aufschrei aus wunder Brust bald gedämpft zur kindlich-vertrauenden, demütigen Bitte. Wann wird die

Qual, wann die Verfolgung enden. Alle Saiten meiner Seele tönten nach, melodisch begleitet von den rauschenden Blättern, den schlaftrunken plätschernden Wellen. Vor meinem Aug stiegen zwei Bilder auf, die schöne Büßerin im Schmuck des niederwallenden Haares den seligen Glanz überstandener Prüfung im Auge, und der bleiche Mann mit der Rätselfremde im sehnenden Aug und dem halb traurigen halb spöttischen Zug um die vollen Lippen, wie er in Schurz' Arbeitszimmer hing. Über meine Stirn schwebte ein Falter; gedankenlos zerknickte ich eine dunkle Orchis, die im Bereich meiner Finger stand. Gedankenlos lauschte ich den ruhigen Atemzügen der schlafenden Flut. Da mischte sich in das Plaudern und Murmeln der Wellen ein seltsames Klingen, wie ferner Geigenton. Leise und doch vernehmlich klang es aus der Tiefe, als schlängen Nixen ihren Reihen durch die feuchten Bogen und Hallen der versunkenen Stadt. Fester schloß ich die Augen, denn ich fürchtete zu erwachen und die süßen Klänge zu verscheuchen. Aber sie zogen näher und näher, und immer sehnsüchtiger, lockender erklang die Weise. Endlich schien mir, als drängen sie dicht vor mir aus dem Boden, ich riß die Augen auf, vor mir stand ein ernster, bleicher Mann, in der förmlichen, spießbürgerlichen Tracht unsrer Vorfahren, die großen dunklen Augen fragend vor sich hin gerichtet, um die vollen weichen Lippen ein Lächeln, halb traurig halb spöttisch. Im Arm aber ruhte ihm eine unscheinbare dunkle Geige, auf der er fort und fort spielte, langsam weitergehend, ohne meiner oder des Weges zu achten. Tausend Empfindungen stürmten auf mich ein, aber so sehr mir die Brust vor Erregung bebte und arbeitete, kein Wort entrang sich meiner Kehle, stumm stand ich da, ohne den Blick von dem wundersamen Geiger abwenden zu können. Ohne abzubrechen, war er aus dem lockenden Reigen übergegangen in ein leises inniges Flehen. Da war's mir als hielte gleich mir die ganze Schöpfung den Atem an, dem sehnsuchtsvollen Werben zu lauschen. Und wo er ging, da leuchteten die weißen Sternblumen heller, und durch die Bäume ging ein wonniges Beben. Und wie die Töne immer heißer, inniger flehten, da öffnete sich die unentwirrbar grüne Wand, die verschlungenen Äste lösten sich lautlos und vor uns lag ein grüner Waldpfad. Da erklang es wie gestilltes Liebessehnen, goldne Töne schwangen sich auf zu den alten Wipfeln, die rauschend zusammenschlugen. Der unbeschreiblich süße Hauch, der auf den Märchen unserer Kindheit liegt, umschwebte mich wieder, dazwischen scholl das Lied, mit dem mich meine Mutter in den Schlaf gesungen. Dann schmetterten wilde kriegerische Töne durch den horchenden Wald, wie die empörten Wogen eines Gießbaches schwollen die Töne an, klirrend stießen sie aneinander, die Erde erdröhnte vom wütenden Anprall; endlich floß allesbrausender Siegesruf, der Schrei der Verzweiflung, ohnmächtiges Stöhnen in *einen* brausenden Chorgesang zusammen, fessellos und unergründlich wie das tobende Meer. Schaurig hallte es an den Wänden. Alles was in meinem Herzen übrig geblieben von flammender Begeisterung heißem Ringen der Jugend schlug noch einmal lodernd auf. Noch hallten die Schwingungen des wilden chaotischen Tonsturmes von Stamm zu Stamm, als schon wieder neue Lieder aus der Geige quollen, zart, wie wenn im silbernen Mondstrahl Elfenreigen um Moor und Halde schweben. Süßes Vergessen, sorglose Verborgenheit, von Blumenglück und Blumenleid, von langen Wintern, da die Erde schläft und von seligem Erwachen des Frühlings plauderten und flüsterten die Töne. Ich weiß nicht, wie lang wir so dahinschritten durch den dunklen hohen Wald, er unermüdlich spielend, ich horchend mit jeder Faser meines Herzens. Aber als wir heraustraten aus dem Dunkel an den kahlen Felsgrat, da stand die Sonne tief im Westen; schwere bleigraue Wolken waren heraufgezogen

und ein rauher Windstoß fegte den felsigen Abhang herab
uns entgegen, und der See tief zu unsern Füßen sah tief-
blau fast drohend herauf, und hie und dort trug er weiße Schaumkronen. Unser Pfad ward eng und schwindlich
und zu beiden Seiten schroffe Abstürze, von phantastischen
Klippen und Zacken unterbrochen. Kaum hie und da ge-
währte die Wurzel einer verkrüppelten Föhre dem Fuß einen sicheren Anhaltspunkt. Er schritt dahin ohne auszuglei-
ten, ohne sein Spiel zu unterbrechen, es schien ihn die Gewalt seiner Töne emporzutragen und zu leiten. Mühvoll,
keuchend, mit blutenden Händen jede Zacke, jeden Ast be-
nutzend folgte ich ihm, wie gebannt von der Gewalt dieser
Töne. Einmal bei einer Biegung, konnte ich ihm ins Gesicht
sehen, es war bleich wie früher, aber die Augen glühten, und
der Mund war weit geöffnet. Immer heißer, unstäter scholl
sein Spiel. Mich ergriffs ins Herz mit schmerzlicher Gewalt,
wie die Klänge flehten und rangen, tobten und weinten.
Wie ich schaudernd über den Abgrund hinab blickte, über
den der Wind sie mir zuwehte, war mir, als stünde ich vor
dem großen Rätselhaften, das ein Menschengemüt bewegt.
Da verfinsterte sich die Sonne, sausend flog der Wind um
den nächsten Vorsprung, die ersten schweren Regentropfen
fielen mir auf die glühende Stirn. Vor mir aber suchten und
knirschten, wühlten und wimmerten die Geigentöne und
übertäubten das Heulen der Wogen, die tief drunten in ohn-
mächtiger Wut gegen die unerschütterliche Felswand tobten, bis sie zu weißer Gischt zersprühten. Wilder jagte der
Wind daher, der See war eine weiße Fläche, stöhnend hob
und senkte sich der Wald. An die Felswand geschmiegt, mit
beiden Händen eine Zacke umklammernd, stand ich, mein
Blick aber hing an ihm, wie er höher und höher stieg, ohne
zu wanken, ohne Atem zu schöpfen. Ich hörte sein Spiel
nicht mehr, denn um mich zischte der Wind in den Nadeln,
donnerten Blöcke die grundlose Tiefe hinab. Nur dann und

wann warf mir der Sturm mit einem Gusse eisigen Regens
ein paar losgerissene kreischende Töne zu. Er war schon
weit, weit von mir, und mir war, als sähe er sich nach mir
um mit dem stummen, hilflosen herzzerreißenden Blick der
Verzweiflung. Da fegte der Sturm eine schwarze Wolke
über die Schluchten; die Schroffen und Zinken streckten
ihre Fangarme nach den gehetzten Wolken aus, sie zu Fetzen zerreißend, ein feuchter erstickender Schleier füllt den
Abgrund zu meinen Füßen aus, die Steine, an denen ich
hänge, wanken, krachend stürzen sie hinab, noch hänge ich
mit beiden Händen an der Wurzel; eine schwache Wurzel
einer Zwergfichte; ich fühle, wie sie meinem Gewicht nach-
gibt, ihre Fasern lösen, und ich stürze.

   Als ich erwachte, war ich durchnäßt, und rings um mich
triefen die Bäume.

# Age of Innocence

## Stationen der Entwicklung

Er war von dem Geschlecht, das, siebzehnjährig, im Gymnasium, losgerissene Blätter von »Hedda Gabler« und »Anna Karenina« zwischen den Seiten des Platon und Horaz liegen hatte, und dann, in den neunziger Jahren des 19. Jahrhunderts das Leben lebte, dessen äußere und innere Gebärden das Produkt blaguierender französischer Bücher und manierierter deutscher Schauspieler waren.

Damals war er acht Jahre alt.

Sein Lieblingsbuch, von früher her, war ein englisches Bilderbuch: »The Age of Innocence«. Es handelte von Kindern für Kinder, sagte die Dame, die die Vorrede geschrieben hatte. Er hatte es hauptsächlich bekommen, um darin Englisch lesen zu lernen. Als er so viel Englisch lesen konnte, um die Vorrede zu lesen – die er für die erste Erzählung hielt –, verstand er das nicht; zwar die Worte wohl, aber nicht den Sinn. Denn die Bilder hatte er schon angesehen und es war ihm nie der Gedanke gekommen, daß das Kinder sein sollten, Kinder wie er, diese blonden, mit den Greenaway-Hüten, mit den stilisierten Stumpfnäschen der Unschuld und der wohlerzogenen Drolligkeit der Bewegungen.

Seine Augen waren nicht so rund und lachten nicht so; und seine Bewegungen waren auch anders, heftiger und häßlicher.

Er dachte nicht weiter darüber nach und behandelte sie wie Indianer oder sprechende Tiere, als etwas, dessen Exi-

stenz man nicht weiter leugnet, dem man aber wahrscheinlich nicht begegnen wird. Auch ihre Gespräche hatten für
ihn nicht das Interesse, wie etwas Lebendiges und Ver-
wandtes, und für die Spiele, die sie auf der gelben Düne
oder auf grünem Gras unter blauem Himmel spielten, hatte
er gar keinen Sinn. Trotzdem hatte er das Buch sehr gern
und seine erste Konzeption der Schönheit war die blonde,
zarte, auf der gelben Düne oder auf grünem Gras unter
blauem Himmel. Er spielte anders, schon weil er meistens
allein war.

Nachmittag, wenn er allein zuhause war, kniete er vor
dem Ofen und sah regungslos in das Schwelen und Knistern der Glut und sog den heißen Hauch ein, der um seine
Wangen leckte, bis ihm die Augen tränten und die Stirn
glühte. Da bog er sich zurück, und schrie manchmal, wie in
einer Trunkenheit, und warf sich auf den Teppich, zuckend
und sehr glücklich. Oder er lief in die Küche – die war leer
– und schlug mit dem Holzmesser auf den Holzklotz in
bacchantischer Zerstörungslust und atemlosem Wohlsein.
Dann trank er Wasser in langen schlürfenden Zügen.

An Frühlingsabenden aber, wenn er allein war und die
Fenster offen, beugte er sich aus dem Fenster weitüber und
hing lange, mit gepreßter Brust, die laue Luft im Haar, bis
ihm schwindelte und vor dem Stürzen graute. Dann lief er
zu seinem Bett und vergrub den Kopf in die Kissen, tiefein-
wühlend, und Tücher und Decken in erstickendem Knäuel
darüber: vor seinen Augen strömte es dunkelrot, seine
Schläfen hämmerten und nachbebende Angst schüttelte ihn.

Aber ihm waren das heimliche Orgien und er liebte die
Augenblicke, vor denen ihm graute. – –

Auch mit der Angst im Dunkeln spielte er gern und sich
selbst zu quälen machte ihm Vergnügen. Dazu benützte er
spitze Nägel, das heiße Wachs und Blei von Kerzen und geschmolzenen Spielsoldaten, das Berühren von Raupen und

Tieren, vor denen ihm ekelte, oder auch harte Aufgaben, die
er sich stellte, asketische Verzichtleistungen. Dies alles be-
trieb er anfangs ohne bestimmten Zweck, aus unklar ge-
fühltem Wohlgefallen an der Macht über sich selbst und
weil er seine Empfindungen gleichsam auskostete, wie man
eine Weinbeere erst ausschlürft und aussaugt und dann mit
den Zähnen preßt und zerquetscht, bis dahin, wo ihre Süße
herb und bitter wird.

– – – – – – – – – – – – – – – – – – – – – – – – – – – –

... Später pflegte er diese Martern der heiligen Dreifaltig-
keit aufzuopfern, die ihm nichts war als eine Dreizahl, von
der er besessen war, der zu Ehren er eine Zeitlang alles
Unangenehme und Peinliche dreimal oder dreimal dreimal oder dreimal dreimal dreimal tat, ja sogar Gedanken,
die ihm Angst machten, Erinnerungen, vor denen er sich
schämte, dreimal durchzudenken suchte.

Das war auch die Zeit, wo die Augen des Muttergottes-
bildes drohten oder lächelten und wo er den Ausgang aller
Dinge von dem Eintreffen gewisser Ereignisse abhängig
machte: zum Beispiel, ob das vierte Haus am Weg drei-
stöckig sein wird, oder ob ein Regentropfen in die Mitte
eines Pflastersteines fallen wird ... Diese Zeit dauerte aber
nicht lange ...

– – – – – – – – – – – – – – – – – – – – – – – – – – – –

Dann kam ein ängstliches Denken an den Tod, den eigenen und den der Verwandten (... wann Weltuntergang
und Jüngstes Gericht sein wird? ... ob eine Revolution
sein muß, jedesmal, wenn ein neuer Kaiser kommt?) ...
und ein Ausrechnen von Lebensaltern und Wahrscheinlich-
keiten.

Dann kam ein fieberhaftes Verlangen nach Besitz, nach
Übersicht, Einteilung, Ordnung: ... wie viele Kasten und
Klaviere und Bücher man erben könnte, und geschenkt be-
kommen, und rauben? ... und unter welchen Umständen?

und wie ungestraft bleiben und das Erworbene nie wieder hergeben müssen?

Und er fing an, seine kleinen Sachen zu zählen, zu ordnen und in ein Notizbuch einzutragen; und sie noch mehr zu eigen zu haben, beschrieb er sie in dem Notizbuch mit Worten und unbeholfenen Strichen und schrieb die schönsten Stellen aus den schönsten Büchern wörtlich ab. Bald aber ließ er das ängstlich Umklammerte wieder los und nach einer Zeit des Hütens kam wieder eine Zeit des Sammelns.

- - - - - - - - - - - - - - - - - - - - - - - - - - - - - -

Damals bekam er die historischen Erzählungen für die reifere Jugend in die Hand. Das antiquarische Detail, die exotischen Namen, die Titel, das Kostüm nahmen ihn sehr ein: er fing an, sich in Kostüm zu sehen und in kostümierten Redensarten zu denken. Er genoß das seltsame Glück, seine Umgebung zu stilisieren und das Gewöhnliche als Schauspiel zu genießen. Das Erwachen kam über ihn und das Erstaunen über sich selbst und das verwunderte Sich-leben-Zusehen. Da wurden die Gerüche lebendig und die Farben leuchtend; die Aufeinanderfolge des Alltäglichen wurde Ereignis und die Umgebung Bild. Und es kam eine süße Hast und Unruhe über ihn, als ob die unmittelbare Zukunft irgend etwas bringen müßte und der kommende Tag irgendeinen großen Sinn haben.

Damals riß er sich einmal auf der Straße beim Spazierengehen von dem Fräulein los und lief durch die Straßen, von einem unbestimmten Bann getrieben, atemlos und wie berauscht. Er schrie vor sich hin, heiser vor sinnloser Aufregung; in das Rasseln und Klirren und Dröhnen der Wagen mengte er seine schrille Stimme und der Schauer lief von seinen Haarwurzeln den Rücken herab, den er immer hatte, wenn er hohe Trompeten hörte oder Glocken, und das Weinen quoll ihm die Kehle herauf; so lief er durch die Straßen.

Dann wurde es halbfinster und er wurde müde und der Rausch verging; er hatte Halsschmerzen und aufgesprungene Lippen und brennende Wimpern. Er hatte sich nicht einmal verlaufen. Kreisend war er dort hingekommen, von wo er sich leicht nach Hause finden konnte. Zu Hause waren sie geängstigt und böse; er hatte den Geschmack von unsäglicher schaler bitterer Enttäuschung auf der Zunge.

Ihr ganzes brutales Nichtverstehen war ihm widerlich und er log. Er log mit dem dumpfen Bestreben, einen Mantel um sich zu machen und irgend etwas Heimliches nicht preiszugeben.

Er log aus Schamhaftigkeit der Nerven.

- - - - - - - - - - - - - - - - - - - - - - - - -

Ein Vorhang, ein dolchartiges Messer, ein Tuch, sein eigener Körper, die Beweglichkeit seiner Mienen, die Kleider, die man an- und ausziehen kann, Lampenlicht und Halbdunkel und vollständiges Dunkel, das waren ihm die Ereignisse unzähliger Dramen oder eigentlich eines einzigen monatelangen Mysteriums.

Er spielte und sah zu, fühlte die Schauer des Mordes und das Grauen des Opfers, weidete sich an seinen eigenen Qualen, brachte sich selbst Botschaft von sich selbst, weinte aus Rührung über seine eigene Stimme, verriet sich selbst die Geheimnisse seines Innern und erweiterte die Skala seiner Empfindlichkeiten, sein eigenes reiches Reich.

So erlangte er die peinliche Geschicklichkeit, sich selbst als Objekt zu behandeln.

Manchmal verlor er den Faden seines Dramas, und wurde von dem bloßen Beben seiner Stimme durch eine Reihe von Affekten ohne Vorstellungsinhalt willenlos mitgerissen – sinnlose Worte vor sich hinsprechend, die ihn berauschten. – Dieses Vibrieren der Nerven, das er durch bewußte Führung und Wahl der Worte nie zu erreichen vermochte, hatte für ihn den großen Reiz des Unverständlichen und brachte ihm die Hochachtung vor unverständlich gewordenen Dingen und den Kultus der Erinnerung bei.

Mit acht Jahren fand er den größten Reiz an dem Duft halbvergessener Tage und tat manches nur mit dem dumpfen Instinkt, zukünftige hübsche Erinnerungen auszusäen. So gewöhnte er sich resigniert, den Wert und Reiz der Gegenwart erst von der Vergangenheit gewordenen zu erwarten.

- - - - - - - - - - - - - - - - - - - - - - - - - - -

Einmal, anfangs Juni, da war eine merkwürdige Nacht. Es war eine sehr heiße Zeit; die Wassergläser waren immer angelaufen und abends atmeten die Steine lauen Qualm aus. An den offenen Fenstern in der Vorstadt saßen abends die Leute im Hemd. Damals hatte die Mama das Fräulein fortgeschickt und er schlief allein. Früh in der Nacht schrak er auf aus einem Traum; das Fenster war offen, der laue Wind spielte mit den Vorhängen; gegenüber, hinter den Rauchfängen, stand der gelbe Vollmond.

Sein Herz pochte, ihm war, als hätte ihn jemand gerufen, er lauschte mit angehaltenem Atem, man hörte nichts als das nächtige Knistern der Möbel. Er richtete sich im Bette auf; das Alleinsein war ihm Ereignis. In der Ecke stand des Fräuleins großer Ankleidespiegel, leise glitt er vom Bette herunter und stand, atmend, die nackten Füße auf der kühlen Matte. Mit einem Schritte stand er vor dem Spiegel, und genoß den wohlbekannten Schauer des Erschreckens, als ihm seine eigene weiße Gestalt aus dem Halbdunkel entgegensprang. Dann spielte er vor dem Spiegel: das betende Kind (die Ofenfigur im Vorzimmer); der Kaiser Napoleon in Fontainebleau mit finsterer Stirne im Armsessel (der Kupferstich hängt in Papas Zimmer); dann der Wahnsinnige, den ihm das Fräulein einmal vorgemacht hatte, um ihn zu erschrecken, mit stieren, hervorstehenden Augen, wo man das Weiße unten sieht, und verzerrten Lippen.

Den machte er immer zuletzt und zitterte jedesmal vor seiner eigenen Schöpfung.

Aber schließlich wird auch das Grauen langweilig. Horchend trat er ans Fenster, das ging in den Hof, um den rings in jedem Stockwerk ein offener Gang führte. Gegenüber lag das Mondlicht auf den grauweißen saftlosen Blättern eines verstaubten Efeugitters, das da stand und auf den Regen wartete. Von irgendwoher drangen halbverwehte Geigentöne; er bemühte sich, sich den Menschen vorzustellen, der jetzt Geige spielte. Er mußte alt sein wie der pensionierte Ministerialbeamte vom dritten Stock und zitternde Hände haben und tränende Augenwinkel; das las er aus dem Spiele heraus.

Zum erstenmal bekam die Außenwelt für ihn ein selbständiges Interesse, die anderen Menschen, die gar keine Bekannten sind, und an denen man sonst immer nur vorübergeht. Da schwirrte etwas vor seinen Augen vorbei und fiel unten klatschend auf; dann hörte man Lachen von Menschen, die sich aus den Fenstern beugten. Das mußte bei der Dame mit dem Mops sein, die immer einen gelben Hut auf hatte und immer abends mit ihrem Dienstmädchen spazierenging, und über die die Mama sich beim Hausadministrator beschwert hatte.

- - - - - - - - - - - - - - - - - - - - - - - - - - - - -

Er empfand plötzlich eine Sehnsucht danach, in fremde Zimmer hineinzuschauen und fremde Menschen fühlen zu fühlen.

Die »Anderen« hatten für ihn einen Sinn bekommen ... Er hatte einen neuen Reiz des kontemplativen Lebens entdeckt.

- - - - - - - - - - - - - - - - - - - - - - - - - - - - -

### Kreuzwege

Was man also den Lebensweg nennt, ist kein wirklicher Weg mit Anfang und Ziel, sondern er hat viele Kreuzwege, ja er besteht wohl eigentlich nur aus Kreuzwegen, und jeder Punkt ist der mögliche Ausgangspunkt zu unendlichen Möglichkeiten; und das Schicksal nannten darum die Griechen sehr geistreich »Tyche«, das Zufällig-Zugefallene.

Es geht immerfort die Wahrheit an uns vorbei, die wir vielleicht hätten verstehen können, und die Frau, die wir vielleicht hätten lieben können ...

... car j'ignore où tu fuis, tu ne sais où je vais,
ô toi que j'eusse aimée, ô toi qui le savais ...

Das ist beinahe traurig, aber es ist für mich wirklich erlebte Erfahrung; es gehört zu meiner Resignationsphilosophie. Nervöse Menschen kann es aber auch zu einem seltsamen Suchen und Sehnen führen, schmerzlich und ohne Zuversicht, aber doch ohne Ende.

Deutlich wie alle Erfahrung hab ich längst gewußt, seit jeher, aber deutlich, lebendig geworden ist es mir erst damals. Damals ... aber ich erinnere mich so genau, ich könnte das Ganze in ein Tagebuch bringen: ein nachträgliches Tagebuch. Das wäre wenigstens ein Tagebuch ohne Pathos, mit den graziösen unaufdringlichen Dimensionen des Entrückten und dem kühlen reservierten Ton des nicht mehr Wirklichen. Also gut.

Anfang Jänner 1886.

Ich komme seit einigen Wochen sehr viel zu W. – Heddy ist nämlich wirklich in ihrem Boudoir viel hübscher als überall anders. Sie kann sehr hübsch sitzen und lehnen, mit einer leichten Andeutung des frierenden Kauerns. In ihren Négligés imitiert sie ein bißchen die Anziehtechnik der Sarah Bernhardt, aber nicht sklavisch: viele Spitzen und wei-

che Falten und die hohen mattgoldenen Empiregürtel, die
ich so gern habe. Ihr Gespräch ist eigentlich merkwürdig
geradlinig; nur fragt sie viel und manchmal mit so eigenen
suchenden Augen.

Einmal sah ich eine Biskuitgruppe an, die auf ihrem Kamin steht, gutes französisches Rokoko, kleine Stumpfnasen
in der Manier der Frauen von Watteau und Largillière.

»Wie hübsch das ist«, sag ich.

»Warum?« fragt sie.

Ich war einen Augenblick verlegen; endlich sagte ich:
»Warum, weil es Stil hat.« Sie schwieg und wir redeten von
etwas anderem.

Nach ein paar Tagen sagte sie plötzlich, ganz ohne Übergang

– – – – – – – – – – – – – – – – – – – – – – – – – – – – – – –


Wie mein Vater ...

Wie mein Vater, der alte Herr mit dem traurigen Lächeln
und dem eigentümlichen Parfum in den Seidentaschentü-
chern und den gestickten Westen, starb, war ich noch ein
Kind. Dann lebte ich weiter allein, mit einem alten Diener,
der zugleich Koch war, in der altmodischen Wohnung, ein
seltsam puppenhaftes gespenstisches Dasein. Mein großes,
viel zu großes Bett in der Alkove und die Kupferstiche nach
Danhauser und Fendi, Eysen und Greuze mit galanten Versen und die großen gelbroten Möbel der Kongreßzeit und
der rätselhafte Geruch nach Äpfeln und alten Büchern
machte das lichte saalartige Zimmer anders als alle anderen
Zimmer auf der Welt. Nur eines war sehr schön: zwischen
den weißen Gardinen sah ein heller grüner Garten herein
und in Sommernächten schwebten vor der Mondscheibe auf

dem schwarzblauen Nachthimmel weißleuchtende Kirsch-
blütenzweige. Hier lebte ich eine altkluge Kindheit in
selbstgenügsamer Harmonie. Ein feiner glatter pedantesker
Tanz, ein graziöses resigniertes Menuett. Wie ich klein war,
hatte ich bei meinem Vater viel Musik gehört; alle Sonntag
abends kamen drei Freunde zu ihm, alte Hofbeamte wie er,
und spielten Kammermusik. Seit der Zeit aber war keine
Musik mehr und ich tupfte nur manchmal ängstlich in der
Abenddämmerung auf die Tasten des Klaviers, vor dem ich
Furcht hatte. Aber das langsame Verklingen der Töne war
sehr schön. Ich suchte mich oft an die wirkliche Musik zu
erinnern, an die von damals: ich sah dann eine metallene
Landschaft mit rotglühendem Himmel, oder ein goldenes
Meer mit emailblauen Inseln, ein blaues Meer mit phos-
phorschäumenden Lichtbüscheln und weißem lichtdurch-
sickertem Nebel oder große weiße Stiegen [. . .] mit Blättern
rostbraun und korallenrot und grün, denn alle Töne hatten
für mich eine Farbe, Farben von unsagbarer sehnsüchtiger
Schönheit, viel schöner als alle wirklichen Dinge, Farben,
die ich gar nicht nennen kann und die ich nirgends wieder-
finde.

Dann kam meine Universitätszeit. Ich erlebte nichts und
schrieb in ein lichtgelb gebundenes Tagebuch hochmütige
und enttäuschte Verse, die ziemlich deutlich eine empfind-
same und unruhig fröstelnde Seele ausdrückten mit Sehnsucht nach vielerlei, ohne Zuversicht und mit manierierter
Scheu vor den lauten heftigen Worten. Ich glaube nicht, daß
jemand diese Verse zu Gesicht gekommen sind. Gleichviel.
Es kam im März ein lauer fast schwüler Abend, so einer wo
im Wind auf den Wegen der Duft und Atem des ganzen
Frühlings ist und über den kahlen Bäumen feuchtwarme
Sommerwolken hintreiben. Ich ging lange durch die Gassen; mir fielen gewisse Dinge mit einer Deutlichkeit ein, die

mich angenehm beschäftigte. Es waren an sich ganz gleich-
gültige Dinge, aber sie waren interessant wie ein Traum. Besonders eine bestimmte alte tändelnde Melodie und ein
Duft, der Duft eines Vormittags, einmal im Schwarzenberggarten, und der braungrüne Teich mit den Sandsteintritonen
und die vielen jungen Mädchen und die warme einschlä-
fernde Luft. Warum das so sehnsüchtig schön schien, so getaucht in die Schönheit, die weinen macht, diese alltäglichen
Dinge.

Wie schlafwandelnd war ich in eine alte schlecht erleuchtete Straße der Inneren Stadt gekommen. Aus dem Fenster
eines dritten Stocks drang Musik, Harmonien und Singen.
Ich blieb stehen. Es war eine Frauenstimme, nicht sehr stark
und nicht sehr schön, aber eine von denen, die uns an Dinge
erinnern, die heimlich in uns sind. Dann fiel mir ein, daß ich
diese Wohnung kenne. Dort wohnt der Vater eines Schulka-
meraden, ein ehemaliger Hofsekretär. Samstag abends kommen junge Leute hin zu Kaffee, Gugelhupf und Musikma-
chen. An die Tochter erinnerte ich mich gar nicht. Obwohl
ich die Einladung nie angenommen hatte, fühlte ich doch
plötzlich eine Lust hinaufzugehen. – – –

In der halbdunkeln Hausflur stand in einer Nische die
Madonna, in hölzerner lächelnder Anmut, ganz umwunden
mit Blumen und Flitterkränzen und kleinen buntglimmen-
den Glaslampen.

Als ich oben eintrat, wunderte sich niemand. Im ersten
Zimmer ging der Alte auf und ab und hörte der Musik zu,
die aus dem Nebenzimmer in dunkelschwerem Schwellen
kam. Auf dem alten Ledersofa lag ein gestickter Polster, ein
violetter Pudel auf gelbem Grund. Auf dem Tisch stand ein
Einsiedlglas mit kandiertem Obst, aus dem der Alte jedesmal beim Vorübergehen mit langen, schmalen, gepflegten
Fingern eine Frucht nahm. Er bewillkommnete mich mit
unangenehmer Höflichkeit; seine Stimme paßte ganz zu sei-

nen kurzsichtigen, blauen, vorstehenden Augen und dem
gelbgrauen hochgelockten Haar.

Die Musik hörte auf, und er rief ins Nebenzimmer:
Madeleine. Unhörbar herangetreten stand sie plötzlich in
der Tür und reichte mir die Hand. Sie war mittelgroß und
zart, hübsch, aber unbedeutend; nur die schmalen fest auf-
einandergepreßten Lippen und der matte Perlglanz der
Wangen gaben dem Kindergesicht einen eigentümlichen
Reiz wie von leisem Leiden. Ihr faniertes großblumiges
Kleid hatte noch den hohen Gürtel und den Ausschnitt der
Kongreßzeit und um den Hals war ein Stückchen Schleier
gewunden.

Im andern Zimmer lehnten am Klavier zwei junge Leute,
mein Schulkamerad und ein älterer, den ich auch schon
kannte, etwa fünfundzwanzigjährig, häßlich, mit einem nervösen Zucken und wasserhellen unstäten Augen. Ein dritter
mit eigentümlich traurigem Blick stand am Fenster. Madeleine nannte seinen Namen: »Hammer«, und ließ mich neben ihm stehen. Dann setzte sie sich ans Klavier und ihr
Bruder nahm die Geige. Sie spielten Melodien, etwas, worin
kindische verträumte Anmut war zugleich mit wehmütiger
Herzlichkeit und verwirrender leichtfertiger Grazie, wie
wenn einer ans Abschiednehmen denkt, und zugleich wieder alte vertraute Dinge und wieder lachendes Vergessen. Es
werden wohl Tänze von Lanner gewesen sein.

Ich saß mit halbgeschlossenen Augen und hörte zu; einmal war mir, als wäre alles angefüllt mit rosenroten Rosen,
ich fühlte den betäubenden Geruch, ja den Geschmack;
dann tauchte wieder der Alte auf, tänzelte nach dem Takt,
nahm eine kandierte Birne aus einem Topf, der hier am
Ofen stand, und tänzelte wieder hinaus; dann kam wieder
der Schwarzenberggarten mit dem grünbraunen Teich, aber
auf einer Sandsteinbank saßen unter blühenden Kastanien
die Madonna von der Stiege mit lapisblauem Holzmantel

und einer roten Glaslampe in der Hand und Madeleine mit
dem großblumigen Kleid und dem Stück Schleier um den
Hals.

Als ich wieder unten auf der Gasse stand, hatte ich ein
unerklärliches, bitter aufquellendes Gefühl wie von Enttäuschung und Entbehrung.

Neben mir ging schweigend der junge Mensch [aus] der
Fensterecke.

Und sonderbar, dann kamen wir auf das Problem des
Glücks zu sprechen. Von seinem Wesen ging eine tiefe an-
steckende Traurigkeit aus.

----------------------------------

# Gerechtigkeit

Ich saß mitten im Garten. Vor mir lief der Kiesweg zwischen zwei blaßgrünen Wiesen aufwärts, bis wo der Hügel abbrach und sich der dunkelgrün gestrichene Lattenzaun scharf in den hellen Frühlingshimmel hineinzeichnete. Wo der Weg aufhörte, hatte der Zaun eine kleine Tür. In der dünnen durchsichtigen Luft schwebten Bienen zwischen den rosenroten über und über blühenden Pfirsichbäumen hin und her. Da knarrte oben das Lattentürchen und zuerst sprang ein Hund in den Garten, ein großes hochbeiniges zierliches Windspiel. Hinter dem Hund trat, das Türchen hinter sich zudrückend, ein Engel ein, ein junger blonder schlanker Engel, einer von den schlanken Pagen Gottes. Er trug Schnabelschuhe, an der Seite hing ihm ein langer Stoßdegen und im Gürtel ein Dolch. Brust und Schultern deckte ein feiner stahlblauer Panzer, auf dem spielte die Sonne, und weiße Blüten fielen auf sein dichtes langes goldblondes Haar. So ging er den Kiesweg herunter, die feine schmächtige Gestalt im enganschließenden smaragdgrünen Wams, die Ärmel von der Schulter bis zum Ellbogen gepufft, von da an eng bis über die Knöchel der hübschen Hände. Er ging langsam, zierlich, die linke Hand spielte mit dem Griff des Dolches; der Hund sprang neben des Herren Weg im Grase her, von Zeit zu Zeit mit Liebe zu ihm aufschauend. Jetzt war er kaum mehr so weit, wie ein fünfjähriges Kind den Ball wirft.

»Wird er mich ansprechen, wenn er herkommt?«

In der Wiese spielte das kleine Kind des Gärtners mit abgefallenen Blüten. Es wackelte jetzt auf den Engel zu und

schaute ihm auf die Füße. »Schöne Schuh hast du, sehr
schöne!« sagte es. »Ja«, sagte der Engel, »freilich, die sind
vom Mantel der Mutter Gottes«.

Jetzt sah ich: die Schuhe waren aus Goldstoff und irgendwelche rote Blumen oder Früchte eingewebt. »Der heilige
Apostel Petrus lief einmal der Mutter Gottes nach«, sagte
der Engel zu dem Kind, »weil er ihr etwas zu sagen hatte
und sie hörte ihn nicht rufen und blieb nicht stehen. Und da
lief er ihr nach und trat ihr in seiner Hast ein Stück vom
nachschleppenden Mantel ab. Da wurde der Mantel weggelegt und für uns auf Schuh verschnitten.« »Sehr schön sind
die Schuh!« sagte das Kind noch einmal. Dann ging der Engel weiter, den Kiesweg weiter, der ihn an meiner Bank vor-
beiführen mußte. Eine unsägliche Gehobenheit kam über
mich bei dem Gedanken, daß er auch zu mir reden würde.
Denn auf den einfachen Worten, die über seine Lippen
sprangen, lag ein Glanz, als dächte er dabei an ganz etwas
anderes, dächte verschwiegen und mit unterdrücktem Jubel
an paradiesische Glückseligkeiten. Da stand er vor mir. Ich
nahm grüßend den Hut ab und erhob mich. Als ich aufsah,
erschrak ich über den Ausdruck seines Gesichts. Es war von
wundervoller Feinheit und Schönheit der Züge, aber die
dunkelblauen Augen blickten finster, fast drohend, und das
goldene Haar hatte nichts Lebendiges, sondern gab ein
unheimliches metallisches Blinken. Neben ihm stand der
Hund, ein Vorderbein zierlich gehoben, und schaute mich
auch mit aufmerksamen Augen an.

»Bist du ein Gerechter?« fragte der Engel streng. Der Ton
war hochmütig, fast verächtlich. Ich versuchte zu lächeln:
»Ich bin nicht schlimm. Ich habe viele Menschen gern. Es
gibt so viele hübsche Dinge.« »Bist du gerecht?« fragte der
Engel wieder. Es war, als hätte er meine Rede vollkommen
überhört; in seinen Worten war ein Schatten von der herri-
schen Ungeduld, wie wenn man einem Diener einen Befehl

wiederholt, weil er nicht gleich verstanden hat. Mit der
rechten Hand zog er den Dolch ein klein wenig aus der
Scheide. Ich wurde ängstlich; ich versuchte ihn zu begreifen,
aber es gelang mir nicht; mein Denken erlosch, unfähig den
lebendigen Sinn des Wortes zu erfassen; vor meinem inneren Auge stand eine leere Wand; qualvoll vergeblich suchte
ich mich zu besinnen. »Ich habe so wenig vom Leben ergriffen«, brachte ich endlich hervor, »aber manchmal durch-
weht mich eine starke Liebe und da ist mir nichts fremd.
Und sicherlich bin ich dann gerecht: denn mir ist dann, als
könnte ich alles begreifen, wie die Erde rauschende Bäume
herauftreibt und wie die Sterne im Raum hängen und kreisen, von allem das tiefste Wesen, und alle Regungen der
Menschen . . .«

Ich stockte unter seinem verächtlichen Blick, ein solches
vernichtendes Bewußtsein meiner Unzulänglichkeit über-
kam mich, daß ich fühlte, wie ich vor Scham errötete. Der
Blick sagte deutlich: »Was für ein widerwärtiger hohler
Schwätzer!« Nicht eine Spur von Entgegenkommen oder
Mitleid lag darin.

Ein hochmütiges Lächeln verzog seine schmalen Lippen.
Er wandte sich zum Gehen. »Gerechtigkeit ist alles«, sagte
er; »Gerechtigkeit ist das Erste, Gerechtigkeit ist das Letzte.
Wer das nicht begreift, wird sterben.« Damit kehrte er mir
den Rücken und ging mit elastischen Schritten den Weg
nach abwärts; wurde unsichtbar hinter der Geißblattlaube,
tauchte dann wieder auf und stieg endlich die Steintreppe
hinunter; ruckweise verschwindend, erst die schlanken
Beine bis zum Knie, dann die Hüften, endlich die dunkelge-
panzerten Schultern, das goldene Haar und das smaragd-
grüne Barett. Hinter ihm lief der Hund, zeichnete sich
am obersten Stiegenabsatz in zierlich-scharfen Konturen ab
und sprang dann mit einem Satz ins Unsichtbare.

# Das Glück am Weg

Ich saß auf einem verlassenen Fleck des Hinterdecks auf einem dicken, zwischen zwei Pflöcken hin- und her gewundenen Tau und schaute zurück. Rückwärts war in milchigem, opalinem Duft die Riviera versunken, die gelblichen Böschungen, über die der gezerrte Schatten der schwarzen Palmen fällt, und die weißen, flachen Häuser, die in unsäglichem Dickicht rankender Rosen einsinken. Das alles sah ich jetzt scharf und springend, weil es verschwunden war, und glaubte den feinen Duft zu spüren, den doppelten Duft der süßen Rosen und des sandigen, salzigen Strandes. Aber der Wind ging ja landwärts, schwärzlich rieselnd lief er über die glatte, weinfarbene Fläche landwärts. So war es wohl nur Täuschung, daß ich den Duft zu spüren glaubte. Dann sprangen dort, wo golden der breite Sonnenstreifen auf dem Wasser lag, drei Delphine auf und sprudelten sprühendes Gold und spielten gravitätisch und haschten sich heftig rauschend und tauchten plötzlich wieder unter. Leer lag der Fleck und wurde wieder glatt und blinkte. So tanzen vor einem feierlichen Festzug radschlagende Gaukler und Lustigmacher, so liefen betrunkene, bocksfüßige Faune vor dem Wagen des Bakchos einher ...

Jetzt hätte es dort aufrauschen müssen, und wie der wühlende Maulwurf weiche Erdwellen aufwerfend den Kopf aus den Schollen hebt, so hätten sich die triefenden Mähnen und rosigen Nüstern der scheckigen Pferde herausheben müssen, und die weißen Hände, Arme und Schultern der Nereiden, ihr flutendes Haar und die zackigen, dröhnenden Hörner der Tritonen. Und in der Hand die rotseidenen Zügel, an denen grüner Seetang hängt und tropfende Algen, müßte er im Muschelwagen stehen, Neptun, kein langweiliger, schwarzbärtiger Gott, wie sie ihn zu Meißen aus Porzellan machen, sondern unheimlich und reizend, wie das Meer selbst, mit reicher Anmut, frauenhaften Zügen und Lippen, rot wie eine giftige rote Blume …

Über das leere, glänzende Meer lief schwärzlich rieselnd der leise Wind. Am Horizont, nicht ganz dort, wo in der kommenden Nacht wie ein schwarzblauer Streif der bergige Wall von Korsika auftauchen sollte, stand ein winziger schwarzer Fleck.

Nach einer Stunde war das Schiff recht nahe gegen unseres gekommen. Es war eine Yacht, die offenbar nach Toulon fuhr. Wir mußten sie fast streifen. Mit guten Augen unterschied man schon recht deutlich die Maste und Rahen, ja sogar die Vergoldung, dort, wo der Name des Schiffes stand. Ich wechselte meinen Platz, trug meinen englischen Roman ins Lesezimmer zurück und holte mein Fernglas. Es war ein sehr gutes Glas. Es brachte mir einen bestimmten runden Fleck des fremden Schiffes ganz nahe, fast unheimlich nahe. Es war, wie wenn man durchs Fenster in ein ebenerdiges Zimmer schaut, worin sich Menschen bewegen, die man nie gesehen hat und wahrscheinlich nie kennen wird; aber einen Augenblick belauscht man sie ganz in der engen dumpfen Stube, und es ist, als ob man ihnen da unsäglich nahe käme.

Den runden Fleck in meinem Glas begrenzte schwarzes Tauwerk, messingeingefaßte Planken, dahinter der tiefblaue Himmel. In der Mitte stand eine Art Feldsessel, auf dem lag, mit geschlossenen Augen, eine blonde, junge Dame. Ich sah alles ganz deutlich: den dunklen Polster, in den sich die Absätze der kleinen lichten Halbschuhe einbohrten, den moosgrünen breiten Gürtel, in dem ein paar halboffener Rosen steckten, rosa Rosen, La France-Rosen …

Ob sie schlief?

Schlafende Menschen haben einen eigentümlichen, naiven, schuldlosen, traumhaften Reiz. Sie sehen nie banal und nie unnatürlich aus.

Sie schlief nicht. Sie schlug die Augen auf und bückte sich um ein heruntergefallenes Buch. Ihr Blick lief über mich, und ich wurde verlegen, daß ich sie so anstarrte, aus solcher Nähe; ich senkte das Glas, und dann erst fiel mir ein, daß sie ja weit war, dem freien Auge nichts als ein lichter Punkt zwischen braunen Planken, und mich unmöglich bemerken könne. Ich richtete also wieder das Glas auf sie und sie sah jetzt wie verträumt gerade vor sich hin. In dem Augenblick wußte ich zwei Dinge: daß sie sehr schön war, und daß ich sie kannte. Aber woher? Es quoll in mir auf, wie etwas Unbestimmtes, Süßes, Liebes und Vergangenes. Ich versuchte es, schärfer zu denken: ein gewisser kleiner Garten, wo ich als Kind gespielt hatte, mit weißen Kieswegen und Begonienbeeten ... aber nein, das war es nicht ... damals mußte sie ja auch ein kleines Kind gewesen sein ... ein Theater, eine Loge mit einer alten Frau und zwei Mädchenköpfe, wie biegsame lichte Blumenköpfe hinter dem Zaun ... ein Wagen, im Prater, an einem Frühlingsmorgen ... oder Reiter? ... Und der starke Geruch der taufeuchten Lohe und Kastanienblütenduft und ein gewisses helles Lachen ... aber das war ja jemand anderes Lachen ... ein gewisses Boudoir mit einem kleinen Kamin und einem gewissen hohen Louis-Quinze-Feuerschirm ... alles das tauchte auf und zerging augenblicklich und in jedem dieser Bilder erschien schattenhaft diese Gestalt da drüben, die ich kannte und nicht kannte, diese schmächtige lichte Gestalt und die blumenhaft müde Lieblichkeit des kleinen Kopfes und darin die faszinierenden, dunklen, mystischen Augen ... Aber in keinem der Bilder blieb sie stehen, sie zerrann immer wieder, und das vergebliche Suchen wurde unerträglich.

Ich kannte sie also nicht. Der Gedanke verursachte mir ein unerklärliches Gefühl von Enttäuschung und innerer Leere; es war mir, als hätte ich das Beste an meinem Leben versäumt. Dann fiel mir ein: Ja, ich kannte sie, das heißt, nicht wie man gewöhnlich Menschen kennt, aber gleichviel, ich hatte hundertmal an sie gedacht, hunderte von Malen, Jahre und Jahre hindurch.

Gewisse Musik hatte mir von ihr geredet, ganz deutlich von ihr, am stärksten Schumannsche; gewisse Abendstunden auf grünen Veilchenwiesen, an einem rauschenden kleinen Fluß, darüber der feuchte, rosige Abend lag; gewisse Blumen, Anemonen mit müden Köpfchen ... gewisse seltsame Stellen in den Werken der Dichter, wo man aufsieht und den Kopf in die Hand stützt und auf einmal vor dem inneren Aug die goldenen Tore des Lebens aufgerissen scheinen ... Alles das hatte von ihr geredet, in all dem war das Phantasma ihres Wesens gelegen, wie in gläubigen Kindergebeten das Phantasma des Himmels liegt. Und alle meine heimlichen Wünsche hatten sie zum heimlichen Ziel gehabt: in ihrer Gegenwart lag etwas, das allem einen Sinn gab, etwas unsäglich Beruhigendes, Befriedigendes, Krönendes. Solche Dinge *begreift* man nicht: man weiß sie plötzlich.

Ja, ich wußte noch viel mehr; ich wußte, daß ich mit ihr eine besondere Sprache reden würde, besonders im Ton und besonders im Stil: meine Rede wäre leichtsinniger, beflügelter, freier, sie liefe gleichsam nachtwandelnd auf einer schmalen Rampe dahin; aber sie wäre auch eindringlicher, feierlicher, und gewisse seltsame Saitensysteme würden verstärkend mittönen.

Alle diese Dinge dachte ich nicht deutlich, ich schaute sie in einer fliegenden, vagen Bildersprache.

In dem Augenblick war uns das fremde Schiff recht nah; näher würde es wohl kaum kommen.

Ich wußte noch mehr von ihr: ich wußte ihre Bewegungen, die Haltung ihres Kopfes, das Lächeln, das sie haben würde, wenn ich ihr gewisse Dinge sagte. Wenn sie auf der Terrasse säße, in einer kleinen Strandvilla in Antibes (ganz ohne Grund dachte ich gerade Antibes), und ich käme aus dem Garten und bliebe unter ihr stehen, drei Stufen unter ihr (und mir war, als wüßte ich ganz genau, das würde hundertmal geschehen, ja beinahe, als wäre es schon geschehen ...), dann würde sie mit einer undefinierbaren reizenden kleinen Pose die Schultern wie frierend in die Höhe ziehen und mich mit ihren mystischen Augen ernst und leise spöttisch von oben herab ansehen ...

Es liegt unendlich viel in Bewegungen: sie sind die komplizierte und fein abgetönte Sprache des Körpers für die komplizierte und feine Gefallsucht der Seele, die eine Art Liebesbedürfnis und eine Art Kunsttrieb ist; Koketterie ist ein sehr plumpes Wort dafür. In dieser kleinen Pose lag für mich eine Unendlichkeit von Dingen ausgedrückt: eine ganz bestimmte Art, ernsthaft, zufrieden und in Schönheit glücklich zu sein; ganz bestimmte graziöse, freie, wohltuende Lebensverhältnisse und vor allem mein Glück lag darin ausgedrückt, die Bürgschaft meines tiefen, stillen fraglosen Glückes. Alle diese Gedanken waren ohne Sentimentalität, mit einer sicheren ruhigen Anmut erfüllt. Dabei sah ich ununterbrochen hinüber. Sie war aufgestanden und sah gerade zu uns her. Und da war mir, als ob sie leise, mit unmerklichem Lächeln den Kopf schüttelte. Gleich darauf bemerkte ich mit einer Art stumpfer Betäubung, daß die Schiffe schon wieder anfingen, sich leise voneinander zu entfernen. Ich empfand das nicht als etwas Selbstverständliches, auch nicht als eine schmerzliche Überraschung, es war einfach, als glitte dort mein Leben selbst weg, alles Sein und alle Erinnerung, und zöge langsam, lautlos gleitend, seine tiefen, langen Wurzeln aus meiner schwindelnden Seele, nichts zurücklassend als unendliche, blöde Leere. Mir war, als fühlte ich fröstelnd, wie durch diese Leere ein Lufthauch lief. Stumpf, gedankenlos aufmerksam sah ich zu, wie sich zwischen sie und mich ein leerer, reinlicher, emailblauer, glänzender Wasserstreifen legte, der immer breiter wurde. In hilfloser Angst sah ich ihr nach, wie sie mit langsamen Schritten schlank und biegsam eine kleine Treppe hinabstieg, wie Ruck auf Ruck in der Luke der grüne Gürtel verschwand, dann die feinen Schultern und dann das dunkelgoldene Haar. Dann war nichts mehr von ihr da, nichts. Für mich war es, als hätte man sie in einen schmalen, kleinen Schacht gelegt und darüber einen schweren Stein und darauf Rasen. Als hätte man sie zu den Toten gelegt, ja gar nichts konnte sie mehr für mich sein. Wie ich so hinstarrte auf das schwindende Schiff, das sich ein wenig gedreht hatte, kehrte sich mir unter Bord etwas Blinkendes zu. Es waren vergoldete Genien, goldene, an das Schiff geschmiedete Geister, die trugen auf einem Schild in blinkenden Buchstaben den Namen des Schiffes: »La Fortune« . . .

# Das Märchen der 672. Nacht

Ein junger Kaufmannssohn, der sehr schön war und weder
Vater noch Mutter hatte, wurde bald nach seinem fünfund-
zwanzigsten Jahre der Geselligkeit und des gastlichen Lebens überdrüssig. Er versperrte die meisten Zimmer seines
Hauses und entließ alle seine Diener und Dienerinnen, bis
auf vier, deren Anhänglichkeit und ganzes Wesen ihm lieb
war. Da ihm an seinen Freunden nichts gelegen war und
auch die Schönheit keiner einzigen Frau ihn so gefangen-
nahm, daß er es sich als wünschenswert oder nur als erträg-
lich vorgestellt hätte, sie immer um sich zu haben, lebte er
sich immer mehr in ein ziemlich einsames Leben hinein,
welches anscheinend seiner Gemütsart am meisten entsprach. Er war aber keineswegs menschenscheu, vielmehr
ging er gerne in den Straßen oder öffentlichen Gärten spa-
zieren und betrachtete die Gesichter der Menschen. Auch
vernachlässigte er weder die Pflege seines Körpers und seiner schönen Hände noch den Schmuck seiner Wohnung. Ja,
die Schönheit der Teppiche und Gewebe und Seiden, der geschnitzten und getäfelten Wände, der Leuchter und Becken
aus Metall, der gläsernen und irdenen Gefäße wurde ihm so
bedeutungsvoll, wie er es nie geahnt hatte. Allmählich
wurde er sehend dafür, wie alle Formen und Farben der
Welt in seinen Geräten lebten. Er erkannte in den Ornamenten, die sich verschlingen, ein verzaubertes Bild der verschlungenen Wunder der Welt. Er fand die Formen der
Tiere und die Formen der Blumen und das Übergehen der
Blumen in die Tiere; die Delphine, die Löwen und die Tulpen, die Perlen und den Akanthus; er fand den Streit zwi-

schen der Last der Säule und dem Widerstand des festen
Grundes und das Streben alles Wassers nach aufwärts und
wiederum nach abwärts; er fand die Seligkeit der Bewegung
und die Erhabenheit der Ruhe, das Tanzen und das Totsein;
er fand die Farben der Blumen und Blätter, die Farben der
Felle wilder Tiere und der Gesichter der Völker, die Farbe
der Edelsteine, die Farbe des stürmischen und des ruhig
leuchtenden Meeres; ja, er fand den Mond und die Sterne,
die mystische Kugel, die mystischen Ringe und an ihnen
festgewachsen die Flügel der Seraphim. Er war für lange
Zeit trunken von dieser großen, tiefsinnigen Schönheit, die
ihm gehörte, und alle seine Tage bewegten sich schöner und
minder leer unter diesen Geräten, die nichts Totes und
Niedriges mehr waren, sondern ein großes Erbe, das göttliche Werk aller Geschlechter.

Doch er fühlte ebenso die Nichtigkeit aller dieser Dinge
wie ihre Schönheit; nie verließ ihn auf lange der Gedanke an
den Tod, und oft befiel er ihn unter lachenden und lärmenden Menschen, oft in der Nacht, oft beim Essen.

Aber da keine Krankheit in ihm war, so war der Gedanke
nicht grauenhaft, eher hatte er etwas Feierliches und Prunk-
endes und kam gerade am stärksten, wenn er sich am Denken schöner Gedanken oder an der Schönheit seiner Jugend
und Einsamkeit berauschte. Denn oft schöpfte der Kaufmannssohn einen großen Stolz aus dem Spiegel, aus den
Versen der Dichter, aus seinem Reichtum und seiner Klug-
heit, und die finsteren Sprichwörter drückten nicht auf seine
Seele. Er sagte: »Wo du sterben sollst, dahin tragen dich
deine Füße«, und sah sich schön, wie ein auf der Jagd verirr-
ter König, in einem unbekannten Wald unter seltsamen
Bäumen einem fremden wunderbaren Geschick entgegen-
gehen. Er sagte: »Wenn das Haus fertig ist, kommt der
Tod«, und sah jenen langsam heraufkommen über die von
geflügelten Löwen getragene Brücke des Palastes, des fer-

tigen Hauses, angefüllt mit der wundervollen Beute des
Lebens.

Er wähnte, völlig einsam zu leben, aber seine vier Diener
umkreisten ihn wie Hunde, und obwohl er wenig mit ihnen
redete, fühlte er doch irgendwie, daß sie unausgesetzt daran
dachten, ihm gut zu dienen. Auch fing er an, hie und da
über sie nachzudenken.

Die Haushälterin war eine alte Frau; ihre verstorbene
Tochter war des Kaufmannssohnes Amme gewesen; auch
alle ihre anderen Kinder waren gestorben. Sie war sehr still,
und die Kühle des Alters ging von ihrem weißen Gesicht
und ihren weißen Händen aus. Aber er hatte sie gern, weil
sie immer im Hause gewesen war und weil die Erinnerung
an die Stimme seiner eigenen Mutter und an seine Kindheit,
die er sehnsüchtig liebte, mit ihr herumging.

Sie hatte mit seiner Erlaubnis eine entfernte Verwandte
ins Haus genommen, die kaum fünfzehn Jahre alt war, diese
war sehr verschlossen. Sie war hart gegen sich und schwer
zu verstehen. Einmal warf sie sich in einer dunkeln und jähen Regung ihrer zornigen Seele aus einem Fenster in den
Hof, fiel aber mit dem kinderhaften Leib in zufällig aufge-
schüttete Gartenerde, so daß ihr nur ein Schlüsselbein
brach, weil dort ein Stein in der Erde gesteckt hatte. Als
man sie in ihr Bett gelegt hatte, schickte der Kaufmannssohn seinen Arzt zu ihr; am Abend aber kam er selber und
wollte sehen, wie es ihr ginge. Sie hielt die Augen geschlossen, und er sah sie zum ersten Male lange ruhig an und war
erstaunt über die seltsame und altkluge Anmut ihres Gesichtes. Nur ihre Lippen waren sehr dünn, und darin lag etwas Unschönes und Unheimliches. Plötzlich schlug sie die
Augen auf, sah ihn eisig und bös an und drehte sich mit zornig zusammengebissenen Lippen, den Schmerz überwin-
dend, gegen die Wand, so daß sie auf die verwundete Seite
zu liegen kam. Im Augenblick verfärbte sich ihr totenblas-

ses Gesicht ins Grünlichweiße, sie wurde ohnmächtig und fiel wie tot in ihre frühere Lage zurück.

Als sie wieder gesund war, redete der Kaufmannssohn sie durch lange Zeit nicht an, wenn sie ihm begegnete. Ein paarmal fragte er die alte Frau, ob das Mädchen ungern in seinem Hause wäre, aber diese verneinte es immer. Den einzigen Diener, den er sich entschlossen hatte, in seinem Hause zu behalten, hatte er kennengelernt, als er einmal bei dem Gesandten, den der König von Persien in dieser Stadt unterhielt, zu Abend speiste. Da bediente ihn dieser und war von einer solchen Zuvorkommenheit und Umsicht und schien gleichzeitig von so großer Eingezogenheit und Bescheidenheit, daß der Kaufmannssohn mehr Gefallen daran fand, ihn zu beobachten, als auf die Reden der übrigen Gäste zu hören. Um so größer war seine Freude, als viele Monate später dieser Diener auf der Straße auf ihn zutrat, ihn mit demselben tiefen Ernst, wie an jenem Abend, und ohne alle Aufdringlichkeit grüßte und ihm seine Dienste anbot. Sogleich erkannte ihn der Kaufmannssohn an seinem düsteren, maulbeerfarbigen Gesicht und an seiner großen Wohlerzogenheit. Er nahm ihn augenblicklich in seinen Dienst, entließ zwei junge Diener, die er noch bei sich hatte, und ließ sich fortan beim Speisen und sonst nur von diesem ernsten und zurückhaltenden Menschen bedienen. Dieser Mensch machte fast nie von der Erlaubnis Gebrauch, in den Abendstunden das Haus zu verlassen. Er zeigte eine seltene Anhänglichkeit an seinen Herrn, dessen Wünschen er zuvorkam und dessen Neigungen und Abneigungen er schweigend erriet, so daß auch dieser eine immer größere Zuneigung für ihn faßte.

Wenn er sich auch nur von diesem beim Speisen bedienen ließ, so pflegte die Schüsseln mit Obst und süßem Backwerk doch eine Dienerin aufzutragen, ein junges Mädchen, aber doch um zwei oder drei Jahre älter als die Kleine. Dieses junge Mädchen war von jenen, die man von weitem, oder wenn man sie als Tänzerinnen beim Licht der Fackeln auftreten sieht, kaum für sehr schön gelten ließe, weil da die Feinheit der Züge verloren geht; da er sie aber in der Nähe und täglich sah, ergriff ihn die unvergleichliche Schönheit ihrer Augenlider und ihrer Lippen, und die trägen, freudlosen Bewegungen ihres schönen Leibes waren ihm die rätselhafte Sprache einer verschlossenen und wundervollen Welt.

Wenn in der Stadt die Hitze des Sommers sehr groß wurde und längs der Häuser die dumpfe Glut schwebte und in den schwülen, schweren Vollmondnächten der Wind weiße Staubwolken in den leeren Straßen hintrieb, reiste der Kaufmannssohn mit seinen vier Dienern nach einem Landhaus, das er im Gebirg besaß, in einem engen, von dunklen Bergen umgebenen Tal. Dort lagen viele solche Landhäuser der Reichen. Von beiden Seiten fielen Wasserfälle in die Schluchten herunter und gaben Kühle. Der Mond stand fast immer hinter den Bergen, aber große weiße Wolken stiegen hinter den schwarzen Wänden auf, schwebten feierlich über den dunkelleuchtenden Himmel und verschwanden auf der anderen Seite. Hier lebte der Kaufmannssohn sein gewohntes Leben in einem Haus, dessen hölzerne Wände immer von dem kühlen Duft der Gärten und der vielen Wasserfälle durchstrichen wurden. Am Nachmittag, bis die Sonne hinter den Bergen hinunterfiel, saß er in seinem Garten und las meist in einem Buch, in welchem die Kriege eines sehr großen Königs der Vergangenheit aufgezeichnet waren. Manchmal mußte er mitten in der Beschreibung, wie die Tausende Reiter der feindlichen Könige schreiend ihre Pferde umwenden oder ihre Kriegswagen den steilen Rand eines Flusses hinabgerissen werden, plötzlich innehalten, denn er fühlte, ohne hinzusehen, daß die Augen seiner vier Diener auf ihn geheftet waren. Er wußte, ohne den Kopf zu heben, daß sie ihn ansahen, ohne

ein Wort zu reden, jedes aus einem anderen Zimmer. Er
kannte sie so gut. Er fühlte sie leben, stärker, eindringlicher,
als er sich selbst leben fühlte. Über sich empfand er zuweilen leichte Rührung oder Verwunderung, wegen dieser aber
eine rätselhafte Beklemmung. Er fühlte mit der Deutlichkeit eines Alpdrucks, wie die beiden Alten dem Tod entge-
genlebten, mit jeder Stunde, mit dem unaufhaltsamen leisen
Anderswerden ihrer Züge und ihrer Gebärden, die er so gut
kannte; und wie die beiden Mädchen in das öde, gleichsam
lustlose Leben hineinlebten. Wie das Grauen und die tödliche Bitterkeit eines furchtbaren, beim Erwachen vergessenen Traumes, lag ihm die Schwere ihres Lebens, von der sie
selber nichts wußten, in den Gliedern.

Manchmal mußte er aufstehen und umhergehen, um seiner Angst nicht zu unterliegen. Aber während er auf den
grellen Kies vor seinen Füßen schaute und mit aller Anstrengung darauf achtete, wie aus dem kühlen Duft von
Gras und Erde der Duft der Nelken in hellen Atemzügen
zu ihm aufflog und dazwischen in lauen, übermäßig süßen
Wolken der Duft der Heliotrope, fühlte er ihre Augen und
konnte an nichts anderes denken. Ohne den Kopf zu heben,
wußte er, daß die alte Frau an ihrem Fenster saß, die blutlosen Hände auf dem von der Sonne durchglühten Gesims,
das blutlose, maskenhafte Gesicht eine immer grauenhaftere
Heimstätte für die hilflosen schwarzen Augen, die nicht ab-
sterben konnten. Ohne den Kopf zu heben, fühlte er, wenn
der Diener für Minuten von seinem Fenster zurücktrat und
sich an einem Schrank zu schaffen machte; ohne aufzusehen,
erwartete er in heimlicher Angst den Augenblick, wo er
wiederkommen werde. Während er mit beiden Händen
biegsame Äste hinter sich zurückfallen ließ, um sich in der
verwachsensten Ecke des Gartens zu verkriechen, und alle
Gedanken auf die Schönheit des Himmels drängte, der in
kleinen leuchtenden Stücken von feuchtem Türkis von oben

durch das dunkle Genetz von Zweigen und Ranken herun-
terfiel, bemächtigte sich seines Blutes und seines ganzen
Denkens nur das, daß er die Augen der zwei Mädchen auf
sich gerichtet wußte, die der Größeren träge und traurig,
mit einer unbestimmten, ihn quälenden Forderung, die der
Kleineren mit einer ungeduldigen, dann wieder höhnischen
Aufmerksamkeit, die ihn noch mehr quälte. Und dabei
hatte er nie den Gedanken, daß sie ihn unmittelbar ansahen,
ihn, der gerade mit gesenktem Kopfe umherging, oder bei
einer Nelke niederkniete, um sie mit Bast zu binden, oder
sich unter die Zweige beugte; sondern ihm war, sie sahen
sein ganzes Leben an, sein tiefstes Wesen, seine geheimnisvolle menschliche Unzulänglichkeit.

Eine furchtbare Beklemmung kam über ihn, eine tödliche
Angst vor der Unentrinnbarkeit des Lebens. Furchtbarer,
als daß sie ihn unausgesetzt beobachteten, war, daß sie ihn
zwangen, in einer unfruchtbaren und so ermüdenden Weise
an sich selbst zu denken. Und der Garten war viel zu klein,
um ihnen zu entrinnen. Wenn er aber ganz nahe von ihnen
war, erlosch seine Angst so völlig, daß er das Vergangene
beinahe vergaß. Dann vermochte er es, sie gar nicht zu beachten oder ruhig ihren Bewegungen zuzusehen, die ihm so
vertraut waren, daß er aus ihnen eine unaufhörliche, gleichsam körperliche Mitempfindung ihres Lebens empfing.

Das kleine Mädchen begegnete ihm nur hie und da auf der
Treppe oder im Vorhaus. Die drei anderen aber waren häufig
mit ihm in einem Zimmer. Einmal erblickte er die Größere in
einem geneigten Spiegel; sie ging durch ein erhöhtes Nebenzimmer: in dem Spiegel aber kam sie ihm aus der Tiefe entgegen. Sie ging langsam und mit Anstrengung, aber ganz auf-
recht: sie trug in jedem Arm eine schwere hagere indische
Gottheit aus dunkler Bronze. Die verzierten Füße der Figuren hielt sie in der hohlen Hand, von der Hüfte bis an die
Schläfe reichten ihr die dunklen Göttinnen und lehnten mit

ihrer toten Schwere an den lebendigen zarten Schultern; die dunklen Köpfe aber mit dem bösen Mund von Schlangen, drei wilden Augen in der Stirn und unheimlichem Schmuck in den kalten, harten Haaren, bewegten sich neben den atmenden Wangen und streiften die schönen Schläfen im Takt der langsamen Schritte. Eigentlich aber schien sie nicht an den Göttinnen schwer und feierlich zu tragen, sondern an der Schönheit ihres eigenen Hauptes mit dem schweren Schmuck aus lebendigem, dunklem Gold, zwei großen gewölbten Schnecken zu beiden Seiten der lichten Stirn, wie eine Königin im Kriege. Er wurde ergriffen von ihrer großen Schönheit, aber gleichzeitig wußte er deutlich, daß es ihm nichts bedeuten würde, sie in seinen Armen zu halten. Er wußte es überhaupt, daß die Schönheit seiner Dienerin ihn mit Sehnsucht, aber nicht mit Verlangen erfüllte, so daß er seine Blicke nicht lange auf ihr ließ, sondern aus dem Zimmer trat, ja auf die Gasse, und mit einer seltsamen Unruhe zwischen den Häusern und Gärten im schmalen Schatten weiterging. Schließlich ging er an das Ufer des Flusses, wo die Gärtner und Blumenhändler wohnten, und suchte lange, obgleich er wußte, daß er vergeblich suchen werde, nach einer Blume, deren Gestalt und Duft, oder nach einem Gewürz, dessen verwehender Hauch ihm für einen Augenblick genau den gleichen süßen Reiz zu ruhigem Besitz geben könnte, welcher in der Schönheit seiner Dienerin lag, die ihn verwirrte und beunruhigte. Und während er ganz vergeblich mit sehnsüchtigen Augen in den dumpfen Glashäusern umherspähte und sich im Freien über die langen Beete beugte, auf denen es schon dunkelte, wiederholte sein Kopf unwillkürlich, ja schließlich gequält und gegen seinen Willen, immer wieder die Verse des Dichters: »In den Stielen der Nelken, die sich wiegten, im Duft des reifen Kornes erregtest du meine Sehnsucht; aber als ich dich fand, warst du es nicht, die ich gesucht hatte, sondern die Schwestern deiner Seele.«

## II

In diesen Tagen geschah es, daß ein Brief kam, welcher ihn einigermaßen beunruhigte. Der Brief trug keine Unterschrift. In unklarer Weise beschuldigte der Schreiber den Diener des Kaufmannssohnes, daß er im Hause seines früheren Herrn, des persischen Gesandten, irgendein abscheuliches Verbrechen begangen habe. Der Unbekannte schien einen heftigen Haß gegen den Diener zu hegen und fügte viele Drohungen bei; auch gegen den Kaufmannssohn selbst bediente er sich eines unhöflichen, beinahe drohenden Tones. Aber es war nicht zu erraten, welches Verbrechen angedeutet werde und welchen Zweck überhaupt dieser Brief für den Schreiber, der sich nicht nannte und nichts verlangte, haben könne. Er las den Brief mehrere Male und gestand sich, daß er bei dem Gedanken, seinen Diener auf eine so widerwärtige Weise zu verlieren, eine große Angst empfand. Je mehr er nachdachte, desto erregter wurde er und desto weniger konnte er den Gedanken ertragen, eines dieser Wesen zu verlieren, mit denen er durch die Gewohnheit und andere geheime Mächte völlig zusammengewachsen war.

Er ging auf und ab, die zornige Erregung erhitzte ihn so, daß er seinen Rock und Gürtel abwarf und mit Füßen trat. Es war ihm, als wenn man seinen innersten Besitz beleidigt und bedroht hätte und ihn zwingen wollte, aus sich selber zu fliehen und zu verleugnen, was ihm lieb war. Er hatte Mitleid mit sich selbst und empfand sich, wie immer in solchen Augenblicken, als ein Kind. Er sah schon seine vier Diener aus seinem Hause gerissen, und es kam ihm vor, als zöge sich lautlos der ganze Inhalt seines Lebens aus ihm, alle schmerzhaftsüßen Erinnerungen, alle halbunbewußten Erwartungen, alles Unsagbare, um irgendwo hingeworfen und für nichts geachtet zu werden, wie ein Bündel Algen und Meertang. Er begriff zum erstenmal, was ihn als Knabe immer zum Zorn gereizt hatte, die angstvolle Liebe, mit der er ein Vater an dem hing, was er erworben hatte, an den Reichtümern seines gewölbten Warenhauses, den schönen, gefühllosen Kindern seines Suchens und Sorgens, den geheimnisvollen Ausgeburten der undeutlichen tiefsten Wünsche seines Lebens. Er begriff, daß der große König der Vergangenheit hätte sterben müssen, wenn man ihm seine Länder genommen hätte, die er durchzogen und unterworfen hatte vom Meer im Westen bis zum Meer im Osten, die er zu beherrschen träumte und die doch so unendlich groß waren, daß er keine Macht über sie hatte und keinen Tribut von ihnen empfing als den Gedanken, daß er sie unterworfen hatte und kein anderer als er ihr König war.

Er beschloß, alles zu tun, um diese Sache zur Ruhe zu bringen, die ihn so ängstigte. Ohne dem Diener ein Wort von dem Brief zu sagen, machte er sich auf und fuhr allein nach der Stadt. Dort beschloß er vor allem das Haus aufzusuchen, welches der Gesandte des Königs von Persien bewohnte; denn er hatte die unbestimmte Hoffnung, dort irgendwie einen Anhaltspunkt zu finden.

Als er aber hinkam, war es spät am Nachmittag und niemand mehr zu Hause, weder der Gesandte, noch einer der jungen Leute seiner Begleitung. Nur der Koch und ein alter untergeordneter Schreiber saßen im Torweg im kühlen Halbdunkel. Aber sie waren so häßlich und gaben so kurze, mürrische Antworten, daß er ihnen ungeduldig den Rücken kehrte und sich entschloß, am nächsten Tage zu einer besseren Stunde wiederzukommen.

Da seine eigene Wohnung versperrt war – denn er hatte keinen Diener in der Stadt zurückgelassen –, so mußte er wie ein Fremder daran denken, sich für die Nacht eine Herberge zu suchen. Neugierig, wie ein Fremder, ging er durch die bekannten Straßen und kam endlich an das Ufer eines

kleinen Flusses, der zu dieser Jahreszeit fast ausgetrocknet
war. Von dort folgte er in Gedanken verloren einer ärmlichen Straße, wo sehr viele öffentliche Dirnen wohnten.
Ohne viel auf seinen Weg zu achten, bog er dann rechts ein
und kam in eine ganz öde, totenstille Sackgasse, die in einer
fast turmhohen, steilen Treppe endigte. Auf der Treppe
blieb er stehen und sah zurück auf seinen Weg. Er konnte
in die Höfe der kleinen Häuser sehen; hie und da waren
rote Vorhänge an den Fenstern und häßliche, verstaubte
Blumen; das breite, trockene Bett des Flusses war von einer
tödlichen Traurigkeit. Er stieg weiter und kam oben in ein
Viertel, das er sich nicht entsinnen konnte, je gesehen zu
haben. Trotzdem kam ihm eine Kreuzung niederer Straßen
plötzlich traumhaft bekannt vor. Er ging weiter und kam
zu dem Laden eines Juweliers. Es war ein sehr ärmlicher Laden, wie er für diesen Teil der Stadt paßte, und das Schaufenster mit solchen wertlosen Schmucksachen angefüllt,
wie man sie bei Pfandleihern und Hehlern zusammenkauft.
Der Kaufmannssohn, der sich auf Edelsteine sehr gut verstand, konnte kaum einen halbwegs schönen Stein darunter
finden.

Plötzlich fiel sein Blick auf einen altmodischen Schmuck
aus dünnem Gold, mit einem Beryll verziert, der ihn irgendwie an die alte Frau erinnerte. Wahrscheinlich hatte er
ein ähnliches Stück aus der Zeit, wo sie eine junge Frau gewesen war, einmal bei ihr gesehen. Auch schien ihm der
blasse, eher melancholische Stein in einer seltsamen Weise
zu ihrem Alter und Aussehen zu passen; und die altmodi-
sche Fassung war von der gleichen Traurigkeit. So trat er in
den niedrigen Laden, um den Schmuck zu kaufen. Der Juwelier war sehr erfreut, einen so gut gekleideten Kunden
eintreten zu sehen, und wollte ihm noch seine wertvolleren
Steine zeigen, die er nicht ins Schaufenster legte. Aus Höflichkeit gegen den alten Mann ließ er sich vieles zeigen,

hatte aber weder Lust, mehr zu kaufen, noch hätte er bei
seinem einsamen Leben eine Verwendung für derartige Geschenke gewußt. Endlich wurde er ungeduldig und gleichzeitig verlegen, denn er wollte loskommen und doch den
Alten nicht kränken. Er beschloß, noch eine Kleinigkeit zu
kaufen und dann sogleich hinauszugehen. Gedankenlos betrachtete er über die Schulter des Juweliers hinwegsehend
einen kleinen silbernen Handspiegel, der halb erblindet war.
Da kam ihm aus einem anderen Spiegel im Innern das Bild
des Mädchens entgegen mit den dunklen Köpfen der ehernen Göttinnen zu beiden Seiten; flüchtig empfand er, daß
sehr viel von ihrem Reiz darin lag, wie die Schultern und
der Hals in demütiger kindlicher Grazie die Schönheit des
Hauptes trugen, des Hauptes einer jungen Königin. Und
flüchtig fand er es hübsch, ein dünnes goldenes Kettchen an
diesem Hals zu sehen, vielfach herumgeschlungen, kindlich
und doch an einen Panzer gemahnend. Und er verlangte,
solche Ketten zu sehen. Der Alte machte eine Tür auf und
bat ihn, in einen zweiten Raum zu treten, ein niedriges
Wohnzimmer, wo aber auch in Glasschränken und auf offenen Gestellen eine Menge Schmucksachen ausgelegt waren.
Hier fand er bald ein Kettchen, das ihm gefiel, und bat den
Juwelier, ihm jetzt den Preis der beiden Schmucksachen zu
sagen. Der Alte bat ihn noch, die merkwürdigen, mit Halb-
edelsteinen besetzten Beschläge einiger altertümlichen Sät-
tel in Augenschein zu nehmen, er aber erwiderte, daß er sich
als Sohn eines Kaufmannes nie mit Pferden abgegeben habe,
ja nicht einmal zu reiten verstehe und weder an alten noch
an neuen Sätteln Gefallen finde, bezahlte mit einem Goldstück und einigen Silbermünzen, was er gekauft hatte, und
zeigte einige Ungeduld, den Laden zu verlassen. Während
der Alte, ohne mehr ein Wort zu sprechen, ein schönes Seidenpapier hervorsuchte und das Kettchen und den Beryll-
schmuck, jedes für sich, einwickelte, trat der Kaufmanns-

sohn zufällig an das einzige niedrige vergitterte Fenster und
schaute hinaus. Er erblickte einen offenbar zum Nachbarhaus gehörigen, sehr schön gehaltenen Gemüsegarten, dessen Hintergrund durch zwei Glashäuser und eine hohe
Mauer gebildet wurde. Er bekam sogleich Lust, diese Glashäuser zu sehen, und fragte den Juwelier, ob er ihm den
Weg sagen könne. Der Juwelier händigte ihm seine beiden
Päckchen ein und führte ihn durch ein Nebenzimmer in den
Hof, der durch eine kleine Gittertür mit dem benachbarten
Garten in Verbindung stand. Hier blieb der Juwelier stehen
und schlug mit einem eisernen Klöppel an das Gitter. Da es
aber im Garten ganz still blieb, sich auch im Nachbarhaus
niemand regte, so forderte er den Kaufmannssohn auf, nur
ruhig die Treibhäuser zu besichtigen und sich, falls man ihn
behelligen würde, auf ihn auszureden, der mit dem Besitzer
des Gartens gut bekannt sei. Dann öffnete er ihm mit einem
Griff durch die Gitterstäbe. Der Kaufmannssohn ging sogleich längs der Mauer zu dem näheren Glashaus, trat ein
und fand eine solche Fülle seltener und merkwürdiger Narzissen und Anemonen und so seltsames, ihm völlig unbe-
kanntes Blattwerk, daß er sich lange nicht sattsehen konnte.
Endlich aber schaute er auf und gewahrte, daß die Sonne
ganz, ohne daß er es beachtet hatte, hinter den Häusern un-
tergegangen war. Jetzt wollte er nicht länger in einem fremden, unbewachten Garten bleiben, sondern nur von außen
einen Blick durch die Scheiben des zweiten Treibhauses
werfen und dann fortgehen. Wie er so spähend an den
Glaswänden des zweiten langsam vorüberging, erschrak er
plötzlich sehr heftig und fuhr zurück. Denn ein Mensch
hatte sein Gesicht an die Scheiben und schaute ihn an. Nach
einem Augenblick beruhigte er sich und wurde sich bewußt,
daß es ein Kind war, ein höchstens vierjähriges, kleines
Mädchen, dessen weißes Kleid und blasses Gesicht gegen
die Scheiben gedrückt waren. Aber als er jetzt näher hinsah,

erschrak er abermals, mit einer unangenehmen Empfindung des Grauens im Nacken und einem leisen Zusammenschnüren in der Kehle und tiefer in der Brust. Denn das Kind, das ihn regungslos und böse ansah, glich in einer unbegreiflichen Weise dem fünfzehnjährigen Mädchen, das er in seinem Hause hatte. Alles war gleich, die lichten Augenbrauen, die feinen bebenden Nasenflügel, die dünnen Lippen; wie die andere zog auch das Kind eine der Schultern etwas in die Höhe. Alles war gleich, nur daß in dem Kind das alles einen Ausdruck gab, der ihm Entsetzen verursachte. Er wußte nicht, wovor er so namenlose Furcht empfand. Er wußte nur, daß er es nicht ertragen werde, sich umzudrehen und zu wissen, daß dieses Gesicht hinter ihm durch die Scheiben starrte.

In seiner Angst ging er sehr schnell auf die Tür des Glashauses zu, um hineinzugehen; die Tür war zu, von außen verriegelt; hastig bückte er sich nach dem Riegel, der sehr tief war, stieß ihn so heftig zurück, daß er sich ein Glied des kleinen Fingers schmerzlich zerrte, und ging, fast laufend, auf das Kind zu. Das Kind ging ihm entgegen, und ohne ein Wort zu reden, stemmte es sich gegen seine Knie und suchte mit seinen schwachen kleinen Händen ihn hinauszudrängen. Er hatte Mühe, es nicht zu treten. Aber seine Angst minderte sich in der Nähe. Er beugte sich über das Gesicht des Kindes, das ganz blaß war und dessen Augen vor Zorn und Haß bebten, während die kleinen Zähne des Unterkiefers sich mit unheimlicher Wut in die Oberlippe drückten. Seine Angst verging für einen Augenblick, als er dem Mädchen die kurzen, feinen Haare streichelte. Aber augenblicklich erinnerte er sich an das Haar des Mädchens in seinem Hause, das er einmal berührt hatte, als sie totenblaß, mit geschlossenen Augen, in ihrem Bette lag, und gleich lief ihm wieder ein Schauer den Rücken hinab, und seine Hände fuhren zurück. Sie hatte es aufgegeben, ihn wegdrängen zu

wollen. Sie trat ein paar Schritte zurück und schaute gerade
vor sich hin. Fast unerträglich wurde ihm der Anblick des
schwachen, in einem weißen Kleidchen steckenden Puppen-
körpers und des verachtungsvollen, grauenhaften blassen
Kindergesichtes. Er war so erfüllt mit Grauen, daß er einen
Stich in den Schläfen und in der Kehle empfing, als seine
Hand in der Tasche an etwas Kaltes streifte. Es waren ein
paar Silbermünzen. Er nahm sie heraus, beugte sich zu dem
Kinde nieder und gab sie ihm, weil sie glänzten und klirrten. Das Kind nahm sie und ließ sie ihm vor den Füßen nie-
derfallen, daß sie in einer Spalte des auf einem Rost von
Brettern ruhenden Bodens verschwanden. Dann kehrte es
ihm den Rücken und ging langsam fort. Eine Weile stand er
regungslos und hatte Herzklopfen vor Angst, daß es wiederkommen werde und von außen auf ihn durch die Scheiben schauen. Jetzt hätte er gleich fortgehen mögen, aber es
war besser, eine Weile vergehen zu lassen, damit das Kind
aus dem Garten fortginge. Jetzt war es in dem Glashaus
schon nicht mehr ganz hell, und die Formen der Pflanzen
fingen an, sonderbar zu werden. In einiger Entfernung
traten aus dem Halbdunkel schwarze, sinnlos drohende
Zweige unangenehm hervor, und dahinter schimmerte es
weiß, als wenn das Kind dort stünde. Auf einem Brette
standen in einer Reihe irdene Töpfe mit Wachsblumen. Um
eine kleine Zeit zu übertäuben, zählte er die Blüten, die in
ihrer Starre lebendigen Blumen unähnlich waren und etwas
von Masken hatten, heimtückischen Masken mit zugewach-
senen Augenlöchern. Als er fertig war, ging er zur Türe und
wollte hinaus. Die Tür gab nicht nach; das Kind hatte sie
von außen verriegelt. Er wollte schreien, aber er fürchtete
sich vor seiner eigenen Stimme. Er schlug mit den Fäusten
an die Scheiben. Der Garten und das Haus blieben totenstill. Nur hinter ihm glitt etwas raschelnd durch die Sträu-
cher. Er sagte sich, daß es Blätter waren, die sich durch die

Erschütterung der dumpfen Luft abgetrennt hatten und niederfielen. Trotzdem hielt er mit dem Klopfen inne und bohrte die Blicke durch das halbdunkle Gewirr der Bäume und Ranken. Da sah er in der dämmerigen Hinterwand etwas wie ein Viereck dunkler Linien. Er kroch hin, jetzt schon unbekümmert, daß er viele irdene Gartentöpfe zertrat und die hohen dünnen Stämme und rauschenden Fächerkronen über und hinter ihm gespenstisch zusammenstürzten. Das Viereck dunkler Linien war der Ausschnitt einer Tür, und sie gab dem Druck nach. Die freie Luft ging über sein Gesicht; hinter sich hörte er die zerknickten Stämme und niedergedrückten Blätter wie nach einem Gewitter sich leise raschelnd erheben.

Er stand in einem schmalen, gemauerten Gange; oben sah der freie Himmel herein, und die Mauer zu beiden Seiten war kaum über mannshoch. Aber der Gang war nach einer Länge von beiläufig fünfzehn Schritten wieder vermauert, und schon glaubte er sich abermals gefangen. Unschlüssig ging er vor; da war die Mauer zur Rechten in Mannsbreite durchbrochen, und aus der Öffnung lief ein Brett über leere Luft nach einer gegenüberliegenden Plattform; diese war auf der zugewendeten Seite von einem niedrigen Eisengitter geschlossen, auf den beiden anderen von der Hinterseite hoher bewohnter Häuser. Dort, wo das Brett wie eine Enterbrücke auf dem Rand der Plattform aufruhte, hatte das Gitter eine kleine Tür.

So groß war die Ungeduld des Kaufmannssohnes, aus dem Bereich seiner Angst zu kommen, daß er sogleich einen, dann den anderen Fuß auf das Brett setzte und, den Blick fest auf das jenseitige Ufer gerichtet, anfing, hinüberzugehen. Aber unglücklicherweise wurde er sich doch bewußt, daß er über einem viele Stockwerke tiefen, gemauerten Graben hing; in den Sohlen und Kniebeugen fühlte er die Angst und Hilflosigkeit, schwindelnd im ganzen Leibe, die Nähe des Todes. Er kniete nieder und schloß die Augen; da stießen seine vorwärts tastenden Arme an die Gitterstäbe. Er umklammerte sie fest, sie gaben nach, und mit leisem Knirschen, das ihm, wie der Anhauch des Todes, den Leib durchschnitt, öffnete sich gegen ihn, gegen den Abgrund, die Tür, an der er hing; und im Gefühle seiner inneren Müdigkeit und großen Mutlosigkeit fühlte er voraus, wie die glatten Eisenstäbe seinen Fingern, die ihm erschienen wie die Finger eines Kindes, sich entwinden und er hinunterstürzt, längs der Mauer zerschellend. Aber das leise Aufgehen der Tür hielt inne, ehe seine Füße das Brett verloren, und mit einem Schwunge warf er seinen zitternden Körper durch die Öffnung hinein auf den harten Boden.

Er konnte sich nicht freuen; ohne sich umzusehen, mit einem dumpfen Gefühle, wie Haß gegen die Sinnlosigkeit dieser Qualen, ging er in eines der Häuser und dort die verwahrloste Stiege hinunter und trat wieder hinaus in eine Gasse, die häßlich und gewöhnlich war. Aber er war schon sehr traurig und müde und konnte sich auf gar nichts besinnen, was ihm irgendwelcher Freude wert schien. Seltsam war alles von ihm gefallen, und ganz leer und vom Leben verlassen ging er durch die Gasse und die nächste und die nächste. Er verfolgte eine Richtung, von der er wußte, daß sie ihn dorthin zurückbringen werde, wo in dieser Stadt die reichen Leute wohnten und wo er sich eine Herberge für die Nacht suchen könnte. Denn es verlangte ihn sehr nach einem Bette. Mit einer kindischen Sehnsucht erinnerte er sich an die Schönheit seines eigenen breiten Bettes, und auch die Betten fielen ihm ein, die der große König der Vergangenheit für sich und seine Gefährten errichtet hatte, als sie Hochzeit hielten mit den Töchtern der unterworfenen Könige, für sich ein Bett von Gold, für die anderen von Silber; getragen von Greifen und geflügelten Stieren. Indessen war er zu den niedrigen Häusern gekommen, wo die Soldaten

wohnen. Er achtete nicht darauf. An einem vergitterten
Fenster saßen ein paar Soldaten mit gelblichen Gesichtern
und traurigen Augen und riefen ihm etwas zu. Da hob er
den Kopf und atmete den dumpfen Geruch, der aus dem
Zimmer kam, einen ganz besonders beklemmenden Geruch. Aber er verstand nicht, was sie von ihm wollten. Weil
sie ihn aber aus seinem achtlosen Dahingehen aufgestört
hatten, schaute er jetzt in den Hof hinein, als er am Tore
vorbeikam. Der Hof war sehr groß und traurig, und weil es
dämmerte, erschien er noch größer und trauriger. Auch waren sehr wenige Menschen darin, und die Häuser, die ihn
umgaben, waren niedrig und von schmutziggelber Farbe.
Das machte ihn noch öder und größer. An einer Stelle waren in einer geraden Linie beiläufig zwanzig Pferde ange-
pflöckt; vor jedem lag ein Soldat in einem Stallkittel aus
schmutzigem Zwilch auf den Knien und wusch ihm die
Hufe. Ganz in der Ferne kamen viele andere in ähnlichen
Anzügen aus Zwilch zu zweien aus einem Tore. Sie gingen
langsam und schlürfend und trugen schwere Säcke auf den
Schultern. Erst als sie näher kamen, sah er, daß in den offenen Säcken, die sie schweigend schleppten, Brot war. Er sah
zu, wie sie langsam in einem Torweg verschwanden und so
wie unter einer häßlichen, tückischen Last dahingingen und
ihr Brot in solchen Säcken trugen wie die, worin die Traurigkeit ihres Leibes gekleidet war.

　　Dann ging er zu denen, die vor ihren Pferden auf den
Knien lagen und ihnen die Hufe wuschen. Auch diese sahen
einander ähnlich und glichen denen am Fenster und denen,
die Brot getragen hatten. Sie mußten aus benachbarten Dörfern genommen sein. Auch sie redeten kaum ein Wort untereinander. Da es ihnen sehr schwer wurde, den Vorderfuß
des Pferdes zu halten, schwankten ihre Köpfe, und ihre müden, gelblichen Gesichter hoben und beugten sich wie unter
einem starken Winde. Die Köpfe der meisten Pferde waren

häßlich und hatten einen boshaften Ausdruck durch zu-
rückgelegte Ohren und hinaufgezogene Oberlippen, welche
die oberen Eckzähne bloßlegten. Auch hatten sie meist
böse, rollende Augen und eine seltsame Art, aus schiefgezo-
genen Nüstern ungeduldig und verächtlich die Luft zu stoßen. Das letzte Pferd in der Reihe war besonders stark und
häßlich. Es suchte den Mann, der vor ihm kniete und den
gewaschenen Huf trockenrieb, mit seinen großen Zähnen in
die Schulter zu beißen. Der Mann hatte so hohle Wangen
und einen so todestraurigen Ausdruck in den müden Augen, daß der Kaufmannssohn von tiefem, bitterem Mitleid
überwältigt wurde. Er wollte den Elenden durch ein Geschenk für den Augenblick aufheitern und griff in die Tasche nach Silbermünzen. Er fand keine und erinnerte sich,
daß er die letzten dem Kinde im Glashause hatte schenken
wollen, das sie ihm mit einem so boshaften Blick vor die
Füße gestreut hatte. Er wollte eine Goldmünze suchen,
denn er hatte deren sieben oder acht für die Reise einge-
steckt.

In dem Augenblick wandte das Pferd den Kopf und sah
ihn an mit tückisch zurückgelegten Ohren und rollenden
Augen, die noch boshafter und wilder aussahen, weil eine
Blesse gerade in der Höhe der Augen quer über den häßlichen Kopf lief. Bei dem häßlichen Anblicke fiel ihm blitzartig ein längst vergessenes Menschengesicht ein. Wenn er
sich noch so sehr bemüht hätte, wäre er nicht imstande gewesen, sich die Züge dieses Menschen je wieder hervorzu-
rufen; jetzt aber waren sie da. Die Erinnerung aber, die mit
dem Gesicht kam, war nicht so deutlich. Er wußte nur, daß
es aus der Zeit von seinem zwölften Jahre war, aus einer
Zeit, mit deren Erinnerung der Geruch von süßen, warmen,
geschälten Mandeln irgendwie verknüpft war.

Und er wußte, daß es das verzerrte Gesicht eines häßlichen armen Menschen war, den er ein einziges Mal im La-

den seines Vaters gesehen hatte. Und daß das Gesicht von Angst verzerrt war, weil die Leute ihn bedrohten, weil er ein großes Goldstück hatte und nicht sagen wollte, wo er es erlangt hatte.

Während das Gesicht schon wieder zerging, suchte sein Finger noch immer in den Falten seiner Kleider, und als ein plötzlicher, undeutlicher Gedanke ihn hemmte, zog er die Hand unschlüssig heraus und warf dabei den in Seidenpapier eingewickelten Schmuck mit dem Beryll dem Pferd unter die Füße. Er bückte sich, das Pferd schlug ihm den Huf mit aller Kraft nach seitwärts in die Lenden, und er fiel auf den Rücken. Er stöhnte laut, seine Knie zogen sich in die Höhe, und mit den Fersen schlug er immerfort auf den Boden. Ein paar von den Soldaten standen auf und hoben ihn an den Schultern und unter den Kniekehlen. Er spürte den Geruch ihrer Kleider, denselben dumpfen, trostlosen, der früher aus dem Zimmer auf die Straße gekommen war, und wollte sich besinnen, wo er den vor langer, sehr langer Zeit schon eingeatmet hatte: dabei vergingen ihm die Sinne. Sie trugen ihn fort über eine niedrige Treppe, durch einen langen, halbfinsteren Gang in eines ihrer Zimmer und legten ihn auf ein niedriges eisernes Bett. Dann durchsuchten sie seine Kleider, nahmen ihm das Kettchen und die sieben Goldstücke, und endlich gingen sie, aus Mitleid mit seinem unaufhörlichen Stöhnen, einen ihrer Wundärzte zu holen.

Nach einer Zeit schlug er die Augen auf und wurde sich seiner quälenden Schmerzen bewußt. Noch mehr aber erschreckte und ängstigte ihn, allein zu sein in diesem trostlosen Raum. Mühsam drehte er die Augen in den schmerzenden Höhlen gegen die Wand und gewahrte auf einem Brett drei Laibe von solchem Brot, wie die es über den Hof getragen hatten.

Sonst war nichts in dem Zimmer als harte, niedrige Betten und der Geruch von trockenem Schilf, womit die

Betten gefüllt waren, und jener andere trostlose, dumpfe
Geruch.

Eine Weile beschäftigten ihn nur seine Schmerzen und die
erstickende Todesangst, mit der verglichen die Schmerzen
eine Erleichterung waren. Dann konnte er die Todesangst
für einen Augenblick vergessen und daran denken, wie alles
gekommen war.

Da empfand er eine andere Angst, eine stechende, minder
erdrückende, eine Angst, die er nicht zum ersten Male
fühlte; jetzt aber fühlte er sie wie etwas Überwundenes.
Und er ballte die Fäuste und verfluchte seine Diener, die ihn
in den Tod getrieben hatten; der eine in die Stadt, die Alte
in den Juwelierladen, das Mädchen in das Hinterzimmer
und das Kind durch sein tückisches Ebenbild in das Glashaus, von wo er sich dann über grauenhafte Stiegen und
Brücken bis unter den Huf des Pferdes taumeln sah. Dann
fiel er zurück in große, dumpfe Angst. Dann wimmerte er
wie ein Kind, nicht vor Schmerz, sondern vor Leid, und die
Zähne schlugen ihm zusammen.

Mit einer großen Bitterkeit starrte er in sein Leben zurück und verleugnete alles, was ihm lieb gewesen war. Er
haßte seinen vorzeitigen Tod so sehr, daß er sein Leben
haßte, weil es ihn dahin geführt hatte. Diese innere Wildheit
verbrauchte seine letzte Kraft. Ihn schwindelte, und für eine
Weile schlief er wieder einen taumeligen schlechten Schlaf.
Dann erwachte er und wollte schreien, weil er noch immer
allein war, aber die Stimme versagte ihm. Zuletzt erbrach er
Galle, dann Blut, und starb mit verzerrten Zügen, die Lippen so verrissen, daß Zähne und Zahnfleisch entblößt waren und ihm einen fremden, bösen Ausdruck gaben.

## Soldatengeschichte

Auf dem langen Holzbalken, der längs der Hinterwand des Stalles hinläuft, saßen die Dragoner der Schwadron und aßen ihr Mittagbrot. Sie saßen in einem schmalen Streifen Schatten, den das überhängende Stalldach gerade auf ihre gebückten Köpfe hinabließ und auf die zinnernen Eßschalen, die jeder Mann auf seinen Knien stehen hatte. Ein paar Schritte weiter unter einem Nußbaum, der spärliche Flekken schwarzen Schattens auf den ausgetrockneten Boden warf, hatten die Unteroffiziere: 3 Zugsführer, der Eskadronistentrompeter und ein paar Korporäle, eine aus 2 Fässern und einem Brett gebaute Bank. In dem Schattenstreif an der Wand lief eine Art von Gespräch hin und her: es war ein halblautes dumpfes Gespräch, wie es niedere Menschen führen, wenn sie sich beengt und unfrei fühlen. Dann und wann lief ein halblautes Lachen, ein gemurmelter billiger Scherz, den jeder wiederholte, durch die Reihe: aber er lief nicht ungebrochen durch die Reihe, hatte einen toten Punkt, einen traurigen Menschen in der Mitte, an dem sich die von rechts und links kommenden Wellen harmlosen Geschwätzes brachen. Das war ein Mensch, in dessen magerem langen Gesicht mit den großen Ohren nichts besonderes lag als daß die Ohren abstehend waren und rötlich schimmerten und durch ihren eingelegten wie gefalteten oberen Rand etwas ängstliches hatten. Er hatte wie die andern seine Eßschale auf den Knien; aber während bei den andern schon der zinnerne Boden durch den Brei aus zerdrückten fetten Erdäpfeln blinkte, war seine Schale noch halbvoll. Trotzdem stand er plötzlich auf, stellte die Eßschale auf den

Platz, wo er gesessen hatte, und ging mit großen ungelenken Schritten fort. Der Zugsführer Schillerwein hob das sommersprossige Raubvogelgesicht und sah dem Mann nach. Schwendar! schrie er hinter ihm her, als der Dragoner um die Ecke gebogen war. Ein kurzhalsiger Korporal neben ihm sah ihn fragend an. »Der Mann gefällt mir schon lang nicht«, sagte der Zugsführer. »Der Kerl muß krank sein oder was« und aß weiter. Schwendar war um die Ecke gebogen, hatte seinen Namen hinter sich schreien gehört und war mit gesenktem Kopf längs der nach erwärmtem Kalk riechenden Mauer weitergegangen, über ihm die wütende Glut der funkelnden Sonne, vor der die durchsichtige Luft in ungeheuern bläulichen Massen hing, wie Dunst gewordenes dunkles Metall. Der Dragoner überschritt den breiten Hof, der zwischen den Stallungen liegt, und das blendende Licht des weißen Bodens und der kalkbestrichenen Mauer verwischte alle entfernten Formen und zehrte den Weg vor seinen Füßen auf, so daß er wie im Leeren dahinging.

Plötzlich fielen seine gesenkten Blicke auf ein dunkles tiefes Wasser, und er schrak zusammen bis ins Mark der Knochen, obwohl er sich augenblicklich bewußt wurde, daß es nichts weiter war als das große, halb in den Boden gesenkte Faß, aus dem man die Tränkeimer für die Pferde füllte. Aber seiner Seele war in der Kinderzeit ein tiefer Schauer vor leisem beschattetem Wasser eingedrückt worden: zuhause in der Ecke des kleinen Gartens zwischen einem hohen Stoß verfaulender dumpfriechender Blätter und einem mit feuchtkühlem Schatten erfüllten riesigen Holunderstrauch war das Regenwasserfaß gestanden, in dem sich kurz vor seiner Geburt seiner Mutter jüngere Schwester, ein alterndes Mädchen, aus Angst vor der ewigen Verdammnis und dem Feuer der Hölle ertränkt hatte, indem sie mit der geheimnisvollen eisernen Willenskraft der Schwachsinnigen den Kopf hinein tauchte, bis sie tot über den Rand hing. Dem Knaben schien in dämmernden Abendstunden der unheimliche Winkel den schlaff überhängenden Leib der Toten zu zeigen, aber fürchterlich vermengte sich dieses Bild mit seinem eignen tiefsten Leben, wenn er an heißen Mittagsstunden sich über den dunklen feuchten Spiegel bog und ihm aus der Tiefe, die ihm grün schien, sein eigenes Gesicht entgegenschwebte, dann aber wieder sonderbar zerrann, von schwarzen und blinkenden Kreisen verschluckt, und ein gestaltloser Schatten sich nach aufwärts zu drängen schien, daß er schreiend entlief, und doch immer wieder zurückkam und hineinstarrte. Daß ihn aber die Erinnerung daran in diesem Augenblick mit solcher Heftigkeit anfiel, war nur ein Teil des sonderbaren Zustandes, der sich des Soldaten seit Wochen immer mehr bemächtigt hatte, einer schwermütigen Nachdenklichkeit, die ihn in eine immer tiefere Traurigkeit hineintrieb, ihm im Bett die Augen aufriß und den Druck seines schweren Blutes fühlen ließ, ihm beim Essen die Kehle zuschnürte und sein Gemüt für alles Beängstigende und Traurige empfänglich machte. Nun wußte er, er würde sich umsonst aufs Bett legen: die glühende Sonne machte ihn nur müde nicht schläfrig und von innen war er unerklärlich aufgeregt:

Die Erinnerungen der Kindheit lagen entblößt in seinem erschütterten Gemüt, wie Leichen, die ein Erdbeben emporgeschüttelt hat: die Schauer der ersten Beicht, des ersten Gewitters, die grellen und dumpfen Erinnerungen der Schultage, drängten ihm ein Kind entgegen, zu dem er mehr als Du, zu dem er Ich sagen sollte, und doch war in ihm ein solches Stocken der Liebe, daß er nicht wußte, was er mit dieser Gestalt anfangen sollte, die ihm fremd war wie ein fremdes Kind, ja unverständlich wie ein Hund. Diese traurige Trunkenheit, dieser unerklärliche innere Sturm war ihm lästiger als die frühere Niedergeschlagenheit; er wollte lieber

versuchen, sich zu zerstreuen und ging in den Marodenstall,
um nachzusehen, ob neue kranke Pferde dazugekommen
wären. Er fand aber in dem großen dunstig dämmernden
Raum nur die drei, die er schon kannte: Der alte blinde
Schimmel, dessen Farbe an den Flanken ins gelbliche ging,
trat webend in seinem Stand nach rechts und nach links und
ohne Unterlaß wieder nach rechts und nach links.

Im benachbarten Stand lag das dämpfige Pferd: es ruhte
nicht mit untergeschlagenen Beinen wie gesunde Pferde
tuen, sondern es lag sonderbar mit halbangespannten Ge-
lenken, als wenn es unaufhörlich bereit sein müßte aufzuspringen, und der Kopf mit den großen suchenden Augen
war krampfhaft nach oben gerichtet, um mit weitaufgerissenen verzweifelten Nüstern all die Luft einzuziehen, derer
seine Brust und die wogenden schlaffen Flanken bedurften.
Dies war die einzige Lage, welche es ertrug, ohne das Ersticken befürchten zu müssen. Das röchelnde Atmen dieses
Pferdes und das dumpfe taktmäßige Hin- und Hertreten
des webenden Schimmels gaben zusammen den Ton, der
das Leben dieses Raumes ausmachte: von der Ecke, wo das
dritte Pferd stand, ging nichts aus als Totenstille. Es war ein
großes Tier und stand mit gesenktem Kopf auf seinen vier
Füßen, als ob es schliefe. Aber es schlief nicht: unterm Fressen hatte es sich vergessen, wie es sich unterm Gehen vergessen konnte und geradeaus in eine Mauer oder in ein
Wasser laufen wie in leere Luft. Es lebte, aber das Leben
war ihm so völlig verloren wie einem Stein, der in einen
Teich gesunken ist: in seinem dumpfen Wahnsinn stand es
nicht schlafend und nicht wach, vom Leben und vom Tod,
ja selbst von der Möglichkeit des Sterbens durch eine unsichtbare undurchdringliche Wand abgeschlossen: seine Augen waren offen, aber sie sahen nicht, er wußte unter dem
Fressen in Bewußtlosigkeit, auf seinen großen herabhängenden Lefzen klebten viele Haferkörner und zwischen ih-

nen hing eine winzige hellgelbe Made, die sich voll Leben wand und krümmte.

Als der Dragoner wieder über den Hof zurückging, hörte er aus einer Stalltür lautes wieherndes Lachen. Zwei Korporäle standen unter der Tür und unterhielten sich damit, den Dragoner Moses Last um die Namen des Herrn Brigadiers und des Herrn Korpskommandanten zu fragen. Dieser Mensch war schwachsinnig; seine Ausbildung im Reiten hatte man nach kurzer Zeit wegen unüberwindlicher Feigheit aufgegeben, und da er von Haus aus Schneider war, so steckte man ihn ins sogenannte Professionistenzimmer; außerdem wurde er aber zur Pferdewartung verwendet, und stundenlang konnte man ihn unter dem Leib der ihm anvertrauten Pferde knien sehen mit lautloser Emsigkeit darin verloren, ihre Hufe mit einem kleinen fetten Lappen so heftig zu reiben, bis sie glänzten wie poliertes Horn. Aber es war unmöglich, ihm sonst die geringste militärische Ausbildung zu geben. Wenn der Rittmeister, dem er in hündischer Art anhänglich war, vor der Stalltür vom Pferd stieg, lief er hinaus, nahm die Kappe ab, und sagte, indem er das Gesicht vor Freude verzog, »Guten Tag, Herr Rittmeister«. Davon war er weder durch Krummschließen noch durch Dunkelarrest abzubringen, ebensowenig aber durch irgendein Mittel dahinzubringen, daß er sich den Namen des Rittmeisters oder denjenigen eines anderen Vorgesetzten gemerkt hätte.

Schwendar machte die Kopfwendung, um die beiden Unteroffiziere zu grüßen und indessen seine Augen während dreier Doppelschritte auf ihnen hafteten, prägte sich der Anblick des Schwachsinnigen ihm heftig ein: er stand zitternd, in krampfhaft steifer Haltung, mit vorgestrecktem Kinn und Hals: in seinem aufgedunsenen Gesicht ging ein schiefer, gleichsam gesträubter Blick auf seine Quäler; hinter seinen dicken Lippen arbeitete es mühsam. Endlich flog ein schwacher Lichtschein über sein Gesicht; er quetschte

Worte hervor, und im Eifer schob er sich dem einen Korporal auf den Leib, und er faßte ihn mit einer beweglichen Gebärde bei den Knöpfen der Uniform. Dann brüllte der Korporal irgendein Kommando, und Schwendar sah noch das aufgedunsene Gesicht vor einer geballten zum Schlag ausholenden Faust zurückfahren. Er ging mit schnellen Schritten weiter, hinauf ins Mannschaftszimmer, und weil doch Sonntag war, so zog er die Ausgehmontur an und nahm Helm und Säbel, um in die Stadt zu gehen. Als er fertig war, griff er aus Gewohnheit nach seiner alten silbernen Taschenuhr und erinnerte sich sogleich, daß er sie nicht mehr besaß und daß er seit 2 Monaten täglich danach griff und sich täglich mit dem gleichen Gefühl von Demütigung und dumpfem Schmerz auf die Umstände ihres Verlustes besann. Der Dieb war sein einziger Freund. Es war der Eskadronsriemer Thoma, der jetzt im Spielberg saß.

Immer tiefer trieb es ihn in den Wald hinein. Mit nachschleppendem Säbel und in den Nacken zurückgeschobenem Helm, stampfte er zwischen den Birken hin wie ein Betrunkener. Die niedrigen Zweige schlugen in sein erhitztes Gesicht, seine Füße ließen in dem moorigen Boden tiefe Spuren zurück, die sich gurgelnd mit schwarzbraunem Wasser füllten. Dieses Geräusch brachte ihm den Gedanken an den Tod so nah wie am Vormittag der Anblick des Wassereimers, und um es nicht länger zu hören, veränderte er seine Richtung und lief mehr als er ging einen Durchhau entlang, der festeren Boden hatte. Vor ihm schien der Wald sich zu lichten. Etwas Rötliches schwebte vor seinen Augen, ein rötlichblauer Schimmer zog sich quer über den Weg. Als er näher kam, waren es viele Salbeiblüten zwischen den dämmernden Büschen. Er sah sie aufmerksam an, aber wie er die Augen hob und weiterging, flog das Rötliche wieder vor ihm wie ein schwebender Schleier. Dann lag es auf dem

Stamm einer vorgeneigten Birke, die halbversteckt lauernd
seitwärts, wie ein roter Fleck. Dann kam es von allen Seiten
ein ganzer blutroter Schleier, warf blutige große Flecken auf
das kugelige Grün der dichten Büsche, auf die weißen
Stämme. Lachen von Blut standen da, dort über dem dunkelnden Erdboden. Zehn Sprünge, zu deren jedem sein
klopfendes Herz die Kraft verweigern zu wollen schien,
brachten ihn an den Rand des Waldes. Blutend, von einem
übermäßig angespannten Glanz, wie mit dem letzten Blick
eines brechenden Auges starr und regungslos angeglüht lag
die endlose wellenförmige Ebene vor ihm. Hinter dem großen Eisenbahndamm, bis zu welchem es 2 Stunden zu reiten
war, sank die Sonne. Nur mehr der oberste Rand der nackten glühenden Scheibe blinkte über den Damm, wie das
oberste eines vom Lid entblößten Auges: dann fiel auch dieses letzte funkelnde hinab, und allmählich sank der Glanz
des Landes in seinen Abgrund, aus dem roter Rauch empor-
wehte, ins Tote. Erschöpft von Angst und Laufen hatte sich
Schwendar am Rand des Waldes niedergesetzt. Als er den
schweren Helm abnahm und ihn neben sich ins Gras stellte,
war ihm, als träfe ihn aus dem Gebüsch von der Seite her
ein kalter, aufmerksamer und doch teilnahmsloser Blick,
und er fühlte seine Brust von einem Gefühl zusammenge-
schnürt, das mit einer fernen ganz fernen Erinnerung verknüpft sein mußte. Es war die Erinnerung an jenen Tag, an
welchem seine Mutter gestorben war, eine dumpfe Erinnerung des Körpers mehr als der Seele. Er fühlte das Stocken
seines Atems und das Frieren im Rücken, als die Kranke
sich plötzlich aufrichtete und mit einer fremden, harten und
starken Stimme sagte: Es ist die heilige Jungfrau Maria, sie
winkt mir mit einem Licht, und dann noch einmal, sie
winkt mir mit einem Licht. Dann gingen die Blicke der
Sterbenden langsam, mit einem Ausdruck von Strenge und
ohne alle Teilnahme über den Knaben hin, über ihn und

über alles was noch im Zimmer war, zuletzt über die Erhöhung der Bettdecke, dort wo die eigenen mageren Füße waren, und blieben endlich stehen, starr und voll gespannter mühsamer Aufmerksamkeit wie nach innen gerichtet, während in die Seele des Knaben sich lautlos das Grauen hineinschraubte über dieses Entsetzliche, daß eine Gestalt, die er nicht sehen konnte, winkte und die Mutter ihr nachgehen mußte und dieser Fremden so verfallen war, daß ihre offenen Augen nichts mehr sahen, ihn nicht und nichts in der Welt. Alle diese Dinge stiegen in ihm empor und brachten eine Bitterkeit mit sich, gegen die es keine Rettung gab. Von neuem durchfühlte er das innere Erstarren des Kindes bei der Einsicht, daß so etwas geschehen konnte; jetzt aber, da es schon so lange geschehen war, sah er es in einem neuen fürchterlichen Lichte: er haßte seine Mutter dafür, daß sie sich so aus dem Leben fortgestohlen hatte mit einem kalten, leeren Blick auf ihn und alles, was sie in dieser Hölle zurückließ. Den Rasen, auf dem er saß, fühlte er als einen Teil der großen undurchdringlichen Decke, unter der die Toten sich verkrochen, um nicht mehr dabei zu sein. Wie Schläfer, die sich in den Dunst ihrer Betten einbohren und ihr Gesicht in den Polster graben, lagen sie unter ihm, und ihre Ohren waren voll Erde, daß sie sein Stöhnen nicht hören konnten und nicht achten auf seine Verlassenheit. Er sprang auf und schlug mit den Füßen gegen den Boden, daß die Sporen tiefe Risse in der Erde ließen und die streifigen Fetzen des Rasens gegen den Himmel flogen. Dann zog er den Säbel und fing an, auf die Büsche und kleinen Bäume einzuhauen vor Wut sinnlos und berauscht vom Gefühl des Zerstörers. Er glaubte einen schwachen Widerstand und den empörten Atem der Wesen zu spüren, die ihm unterlagen. Zerfetzte Blätter erfüllten die Luft und der Saft der verwundeten Zweige sprühte dem Soldaten auf Gesicht und Hände. Der Säbel schlug klaffende Streifen in das kühle

Dunkel, das ihm wie aus Kellerlöchern entgegenquoll. Er
fuhr zurück, denn diesmal berührte ihn ein starrer totenhaf-
ter Blick aus deutlicher Nähe, zu seinen Füßen schien ein
elendes Wesen im Dunkel zusammengekauert, sein Säbel
sauste auf einen weichen Körper nieder, und als er es her-
ausschleuderte, war es die klägliche kleine Leiche eines
verendeten Hasen, deren starre Augen jetzt mit leblosem
Glotzen in das Weite des hohen kühlen Himmels schauten.
Dieser erbärmliche Anblick erhöhte die dumpfe Wut des
Elenden; von neuem stürzte er auf das tote Tier zu und
schleuderte es in einem starken Bogen seitwärts, daß es
klatschend gegen einen harten Stamm schlug und in der
Höhe ein Schwarm erschreckter Dohlen sich jäh mit wider-
lichem Rufen und knarrenden Flügeln flüchtend in die stille
Luft warf. Ihr Schreien zog den Blick des Soldaten aufwärts.
Aus dem Gewipfel einer ungeheuren Ulme schwang der
häßliche Schwarm sich weg, die auf uralten Wurzeln ruhend
mit der Last einer grünen auf jähem Abhang aufgetürmten
Bergstadt spielend schien. Zur Seite der Ulme aber stiegen
2 riesige Pappeln auf und drängten mit strebenden Kronen
hoch ins Dämmernde empor. Die 3 Bäume waren nicht ineinander verwachsen, aber ihr grenzenlos starkes Streben
schien sich aufeinander zu beziehen: Die dreifach anset-
zende Wipfelmacht der Ulme nahm den kletternden Blick
wie mit gewaltigen hebenden Armen mit, eine lebendige
schattenerfüllte Wölbung reichte ihn der andern empor, bis
ihn die letzte an die Pappeln abgab, die wie von inneren
Flammen lautlosen Wettkampfes ergriffen still nebeneinander in den Raum hinaufwuchsen. Der Anblick der drei
Bäume, die in der dunkelnden Stunde immer mehr ins rie-
senhafte wuchsen, legte sich wie ein Alp auf Schwendar: der
Gedanke, mit seinem Säbel gegen diese unerschütterlichen
Stämme zu schlagen, machte seinen Arm schwer, wie ein
lahmes Glied. Die Macht dieser verhaltenen Riesenkräfte

raubte seinem sinnlosen Spiel den trunkenen Schein von
Überlegenheit, der ihn für Augenblicke über das Gefühl
seiner Schwäche und Angst hinweggebracht hatte, unter-
band sein Blut und wies ihn ins Leere zurück. Er nahm seinen Helm mit abgewendeten Augen vom Boden auf und
lief fort, quer über die offene Hutweide der Kaserne zu, den
bloßen Säbel in der einen, den Helm in der andern Hand.
Er hatte keinen anderen Gedanken als den, nicht länger allein zu sein: seine Angst hatte Bestimmtheit gewonnen, ihm
war, als würfe sich nun bald die Last, mit der diese riesigen
Bäume spielten, auf seine Seele. Schon war er ein weites
Stück gelaufen, als er zwischen dem Klopfen seiner Adern
die wütend schnellen Hufschläge eines Pferdes wahrnahm,
das hinter ihm herjagen mußte und mit jedem dumpfen
Dröhnen ein Stück des trennenden Bodens hinter sich warf.
Ohne Überlegung warf er sich seitwärts wie ein gehetzter
Hase und stürmte in weiten Sätzen dem Walde zu. Wo die
Schleuse des herrschaftlichen Karpfenteiches an den Waldrand tritt, sprang er über den trockenen Ablaßgraben und
lief am Teich weiter mit dem wilden Schatten seiner toll-
gewordenen Messnergestalt die großen dunklen Fische
erschreckend, daß sie wie von einem Steinwurf getroffen
im Kreis auseinanderschossen und in die grünschwarze,
feuchte, dunkle Tiefe verschwanden. Der junge Offizier, der
ihm aus Neugierde nachgaloppiert war, parierte am Rand
des Teiches den großen heftig atmenden Fuchsen und sah
der unbegreiflichen Gestalt nach, die mit den Sprüngen eines Wilden, Helm und Säbel in langen Armen krampfhaft
schwingend, zwischen den Bäumen herflüchtete.

Er richtete sich auf. Helles Mondlicht lag über den 2 langen Reihen gleichförmiger Betten, und dunkle starke Schatten trennten wie Abgründe die Leiber der Schlafenden.
Ihren Gesichtern gaben die dunklen Stellen, die unter den

Augen und Lippen lagen, etwas Fremdes, Vergrößertes.
Schwendar hatte sich aufgesetzt. Die Hände, deren Schwere
er fühlte, als wenn sie tot wären, hatte er vor sich auf der
Decke liegen. Seine Augen liefen mit einem unruhigen und
leeren Ausdruck über die Schlafenden hin. Das Wachsein
war nicht besser als der Halbschlaf mit geschlossenen Augen. Es war als schwebe der schwere Stein, der auf seiner
Brust gelegen war, in einiger Entfernung vor ihm, rechts in
der Gegend der halbdunkeln Ecke, wo die Zugtrompete
hing, als schwebe er dort regungslos in der Dämmerung
und beängstige von dort her seine Brust mit derselben läh-
menden Last wie früher. Er wandte den Kopf nach der
Seite, um ihn nicht zu sehen, und spannte seine ganze Kraft
an, um sein Denken auf das zu drängen, was er vor Augen
hatte. Es war ihm, als müsse es möglich sein, mit einer übermenschlichen Anstrengung die Gedanken nach außen zu
drücken, so daß sie dem, was ihn im Innern ängstigte, den
Rücken wenden mußten. Der Mann, welcher ihm zunächst
lag, war der Korporal Taborsky. Er war im Zivil ein Schu-
ster. Er lag kerzengerade auf dem Rücken. Die Arme hatte
er auch gerade ausgestreckt, einen rechts einen links. Er war
ein gutmütiger Mensch, der etwas auf Manieren hielt. Aus
dem zufrieden aussehenden Gesicht stand das strohgelbe
Schnurrbärtchen unter der Stumpfnase freundlich empor
und bewegte sich bei den ruhigen Atemzügen. In der gewissermaßen wohlwollenden Regelmäßigkeit der Atemzüge
lag das ausgedrückt, was ihn auch beim Dienst auszeichnete.
Niemand sah mit soviel Wohlwollen einem Pferd fressen
zu, niemand hörte mit einem so freundlichen überlegenen
Gesicht Schimpfen und Klagen an. Er konnte stundenlang
im Stall auf- und abgehen, jedesmal in jede der Spiegelscher-
ben, die, zum Richten der Halsstreifen an den Holzpfeilern
angebracht, einen freundlichen Blick werfen, gleichmütig
aber nicht ohne Ironie nicken und wieder weitergehen. Un-

ter seinem Kopfkissen lag ein zusammengefaltetes Taschen-
tuch, das er nie benützte, und einige Blätter eines Kolpor-
tageromans. In diesen liebte er gern und mit einer gewissen
Ostentation zu lesen, noch mehr liebte er es aber, gefragt zu
werden, warum er denn gar so gern lese, und darüber Auskunft zu geben und im allgemeinen über den Unterschied
von gebildeten Menschen und solchen, die sind wie das
liebe Vieh, zu reden. Auf einmal, und mit einem Schlag,
wußte Schwendar, daß nun alles zu Ende gedacht war, was
er im Stande wäre, über diesen Mann zu denken und daß
ihn länger anzuschauen ebenso nutzlos wäre wie für einen
Durstenden einen Krug zu haben, der keinen Tropfen Wasser mehr in sich hält. Und schon spürte er im Innern, wie
aus großer Entfernung unaufhaltsam näherkommend das
Wiederkehren der Angst, welche diesen elenden aus Sand
aufgeführten Damm, dieses Denken an den Mann, der neben ihm lag, unaufhaltsam fortspülen würde, wenn er ihn
nicht schnell schnell verstärkte. Aber er hatte kaum den
Mut, seinen Blick von dem Korporal weg und nach dem
nächsten Bett hin zu drehn, denn dabei mußte er den dunklen Raum zwischen diesen beiden Betten streifen, und in
diesem mit Schatten gefüllten Abgrund schien ihm die Be-
stätigung des Entsetzlichen zu liegen, die Unabwendbarkeit
des Wirklichen und die lächerliche Nichtigkeit der schein-
baren Rettungen. Wie ein feiger Dieb zwischen zwei Atemzügen über den Schlafenden den Fuß hebt, vom eignen
Herzklopfen so umgeben, daß ihm der Boden weit weit
weg vorkommt und die Möglichkeit seine Füße zu beherrschen unendlich gering. Er hob verstohlen und bebend den
Blick über den dunklen Streifen und ließ ihn wie liebkosend
mit aller Kraft über das Gesicht des nächsten Mannes gleiten, der beide Arme unter dem Kopf hatte, und mit offenem Mund schlief, daß man die starken hübschen Zähne
seines Mundes sehen konnte und die Nüstern seiner aufge-

worfenen Nase. Es war der Dragoner Cypris, ein kindischer
Mensch, in dessen braunen Wangen Grübchen erschienen,
wenn er lachte. Und er lachte überaus gerne. Schwendar
versuchte, sich den Klang seines leisen und unerschöpflichen Lachens ins Gedächtnis zu rufen: es war wie das sil-
berhelle Glucksen im Hals einer Glasflasche. Dieser Cypris
war in seine Decke eingerollt wie ein Kind. Ihm gegenüber
in der anderen Bettreihe lag der starke Nekolar. Er war
zwanzigjährig, aber riesengroß und der stärkste Mann im
Zug. Sein Haar war fein kurz und dicht wie das Fell eines
Otters und von der Farbe wie glänzendes Strahlen. Er lag,
das Gesicht in dem Kopfpolster eingegraben, und seine
großen Glieder waren über das Bett geworfen, als wäre es
ein großes, mißfärbiges Tier, mit dem er ränge und das er
mit der Spannkraft seines jungen riesigen Körpers gegen
den Boden drückte. Mit düsterer Verwunderung wandte
Schwendar den Blick von ihm ab und sah seinen Nachbar
an. Der Mann hieß Karasek. Häßlich und gemein war sein
Gesicht und häßlich lag er im Bett, die Decke unter sein fet-
tes Kinn hinaufgerissen, die Knie in die Höh gezogen,
gleichzeitig feig und unverschämt. Von ihm zogen sich
Schwendars Blicke traurig und mit Ekel zurück und blieben
auf der leeren Schlafstelle liegen, die unmittelbar neben seiner eigenen war, der Schlafstelle seines Freundes, des Rie-
mers Thoma, der im Stockhaus saß. Da kam das Gefühl seiner Verlassenheit unendlich stark über ihn: verraten und
verkauft hatte ihn sein Freund, seine Mutter war unter die
Erde gegangen, seine Kehle verschnürte sich gegen das Essen, seine Glieder wollten ihn nicht mehr tragen und der
Schlaf warf ihn aus. Stumpfsinnig stützte er sich erst auf einen Arm dann auf den andern. Dann mehr in einem Fieber-
drang die Stellung zu verändern, als mit einer inneren Absicht, warf er die Decke ab und kniete in seinem Bette nieder. Mein Gott mein Gott mein Gott stöhnte er halblaut

vor sich hin und drehte die Augen in den Höhlen wie ein
leidendes Tier. Immer heller wurde das Zimmer, immer
mehr beklemmte ihn die Nähe dieser Menschen, die eingehüllt in ihren schlafenden Leib dalagen und seiner Qualen
nicht achteten. Eine dunkle Erinnerung gab ihm die Worte
in den Mund. Mein Gott, mein Herr, laß du diesen Kelch an
mir vorübergehn! Er wiederholte sie 3 oder 4 mal, bis sich
plötzlich etwas Unbegreifliches ereignete. In dem Licht, das
das ganze Zimmer mit stiller Helle erfüllte, ging eine Veränderung vor sich. Es währte nur einen Augenblick lang: es
schien von innen, es mochte von außen gekommen sein. Es
war nichts als ein Aufzucken, wie das Winken eines fernen
Lichtes. Dann sank das stille Licht wieder in sich zusammen, und alles war wie früher. Aber seiner Seele bemächtigte sich mit übernatürlicher Schnelligkeit die Ahnung, die
Gewißheit, daß es ein Zeichen gewesen war, ein Zeichen für
ihn, der Widerschein des geöffneten Himmels, der Abglanz
eines durch das Haus gleitenden Engels. Mit offenem Mund
und gelösten Gliedern drehte er sich auf den Knien dem
Fenster zu.

Der schwarzblaue in ungeheurem Schweigen leuchtende
Himmel trat vor seinen Blicken zurück und schien von
nichts zu wissen. Auf der Erde aber lag das weiche Licht des
tiefstehenden Mondes, umgab die Schmiede und das rot-
gedeckte Haus, in welchem Unteroffiziere wohnten, mit
einem fremdartigen Schein, ließ die Barrieren der offenen Reitschulen schlanker erscheinen, rundete die Kanten
der frisch aufgeworfenen Gräben ab und machte aus den
Äckern und dem großen Exerzierplatz ein einziges mit
schwimmendem Glanz bedecktes weites Gefilde, um dessen
fernen Rand der große finstere Damm den Blick aufnahm,
um ihn mit sich fortzureißen wie ein erhöhter riesiger pfeil-
gerader Weg ins Unbekannte. Schwendars Augen aber, die
ein feuchter Glanz zu erfüllen anfing, suchten in dem gan-

zen großen Raum ein Etwas, das kleiner sein mochte, wie
der aufblitzende Blick eines Menschenauges und doch so
groß, daß es durch den Zwischenraum des Himmels und
der Erde hinwehte und alle menschlichen Maße zunichte
machte. Seine Augen suchten den Ort, von dem das Zeichen
ausgegangen war, denn er wußte, daß es ein Zeichen gewesen war und daß es ihm gegolten. Mit einem gewaltigen
lautlosen Schwung war in seine leere Seele der Glaube zu-
rückgesprungen und durchdrang ihn wie eine weiche stille
von geheimnisvoller Lauheit getragene Flut. Schon nicht
mehr wie das Nichts, dessen Inneres ausgehöhlt war von
Leere und Kummer, von unfruchtbarem Stöhnen, schon
verwandelt, eines unverlierbaren Glückes dumpf bewußt,
kniete er in seinem weißen Hemd mit seinen schweren Au
gen, seinen sehnsuchtoffenen Lippen über den Leibern dieser Schlafenden, die sich in den Dunst ihrer Betten hinein-
bohrten, und mit den Zähnen gegen das Dunkel knirschten.
Aber noch einmal wollte er das unsägliche Glück dieses Anfangs genießen, das ihm schon begehrenswerter schien als
die Minuten, die seitdem verflossen waren, noch einmal den
Anhauch fühlen, das lautlose Aufleuchten, mit dem etwas
Ungeheures, unter dessen Vorüberwehen die Helle des
Mondes lautlos anschwoll und wieder in sich zusammen-
sank, durch die schweigende Nacht hin sich ihm zugeneigt
hatte. Daß aber die Wiederholung des Zeichens ausbleiben
und damit alles in Nichts zusammensinken könnte, dem
vorzubauen, formte er den Gedanken des Wunsches mit einem kaum ihm selber deutlichen inneren Vorbehalt, er er-
laubte dem Herrn im Voraus, sein zweites Zeichen zurück-
zuhalten, und auch das sollte nichts Böses bedeuten. Sein
Gesicht nahm einen schlauen und furchtsamen Ausdruck
an: er wurde sich des Geräusches bewußt, das sein Atmen
machte, und hielt ein. In diesem Augenblick durchdrang ihn
die Überzeugung, daß sich an einem Teil des Himmels, den

seine Blicke nicht bedeckten, etwas ereignet hatte. Er wußte nicht, was es war, aber Es war eingetroffen. Eine innere Gewalt bog ihn näher gegen das Fenster und heftete seinen Blick auf das Stück des seitlichen Horizontes, das sich nun hervorschob. Dort war es: dort wo zwischen 2 riesigen Pappeln eingeklemmt eine Ulme den Bau von Ästen geisterhaft gegen den dunkel undurchdringlichen Himmel hob, dort war Es, halb Bewegung halb Leuchten, lag es zwischen den Wipfeln, als hätte die Ferse eines Engels im Hinunterfahren den schaukelnden schwarzen Baldachin gestreift, unmerklich wie das Flügelheben eines kleinen Vogels in hoher heller Luft, und doch Bewegung ungeheuerer Art, wie wenn auf den großen Hutweiden hinter fernen kleinen Staubwolken sich viele Schwadronen ordneten, deren Näherkommen den Boden in fühlbaren Wellen erdröhnen ließ wie unterirdischer Donner.

Nach der Wiederholung des Zeichens ließ sich Schwendar leise niedergleiten und drückte die Stirn mit dem Gefühl innigen Glückes auf das Fußende des Bettes. Ihm war leicht wie einem neugeborenen Kind: alle Schwere, alle Qualen schienen in der Ferne abschwellend hinzusinken, wie das Rauschen der Bäche aus tiefsten Tälern für den, der auf den Gipfel des ungeheuren Berges emporgehoben ist.

Er zog die Stallschuhe und die Zwilchmontur an, dann setzte er sich auf sein Bett und wartete leichten Herzens, bis er auf der Treppe die schweren Tritte des Tageskorporals hörte, der die Stallwarten ablösen ging. Da stand er auf und ging in den Stall. Auf der Stiege begegneten ihm die 3 oder 4 Abgelösten, die schlafen gingen. Ihre stumpfen mürrischen Gesichter und ihre Hast, ins Bett zu kriechen, erregte in ihm eine behagliche Verwunderung, wie das Treiben kleiner Kinder in einem Erwachsenen. An der Stalltür, wo es dunkel war, stieß ein betrunkener Wachtmeister, der sich einbildete, er sei der Inspektionsoffizier und müßte Ordnung schaffen, so heftig an ihn, daß er in den kleinen Graben, der um jeden Stall läuft, hineintaumelte: aber das innerliche Glücksgefühl, das ihn erfüllte, wurde unter jeder Berührung nur immer stärker, und unwiderstehlich quoll aus seinem tiefsten Herzen eine Freudigkeit, die auf seinem Gesicht zu einem Lächeln wurde, wie bei einem stark Verliebten. Zu einem Lächeln, das immer neu aufstieg wie leichte Luftblasen am Ende eines Wasserrohres. Alles nährte seine Heiterkeit: das hastige Herumlaufen zwischen den Ställen, wie es immer zur Zeit der Ablösung, das Fluchen des betrunkenen Wachtmeisters, das sich in der Ferne verlor. Als ein Dragoner, der zu einem andern Zug gehörte, aus Irrtum barfuß in seinen Stall gelaufen kam, um seine vergessenen Stallschuhe zu holen, mußte er laut lachen und sagte innerlich zu sich selber: »da gehts zu wie bei einer Hochzeit.« Behaglich ging er in dem halbdunklen Stall zwischen den stillen Pferden, die liegend oder stehend schliefen, auf und nieder, mit behaglichen wiegenden Schritten wie ein reicher Bauer, nur daß er die Hände nicht am Rücken hielt, sondern vor dem Leib gefaltet.

# Geschichte der beiden Liebespaare

ich frage Anna: kann sie Felix lieben
Antwort: so viel sie eben kann!

dann gibt Theres selbst Antwort, indem sie mit Clemens
sonderbar erregt zärtlich ist

hatte sich dicht neben mich gesetzt und das störte uns. Bei
der nächsten Station stiegen noch andere Leute ein. Eine
Frau mit 2 Kindern, ein Buckliger, ein dicker Offizier. Paula
saß da, die Hände zwischen den Knien vorgebeugt wie ein
Bub und sah zum Fenster hinaus. Ich sah auf ihre Hände,
der eine Handschuh war offen zurückgestreift und ließ ein
Stück des Handgelenkes frei: meine Augen blieben auf dieser Stelle, auf diesem kahlen, kinderhaft unfertigen Glied,
aber eigentlich dachte ich an die Sachen die sie geredet hatte
und wie sie sie geredet hatte. Dann wie ich aufsah, war mir
wieder, als hätte ich die ganze Zeit an die kindische Mager-
keit dieses Handgelenkes gedacht und dabei irgend etwas
empfunden, oder gewußt? oder bestätigt gefunden? Indessen hatten die anderen Leute zu reden angefangen. Die Frau
mit den Kindern klagte über irgend etwas. Der junge Bucklige gab ihr Recht aber in einer zornigen, verachtungsvollen
Weise. Der dicke rotblonde Trainoffizier sagte etwas Gut-
mütiges. Es war jetzt so dämmerig in dem Wagen, daß
ich die Gesichter nicht sehr deutlich sah. Aber ihre Stimmen schienen mir durchtränkt vom Leben. Die Stimme der
Frau war gesättigt mit kleinem dumpfem unterdrücktem

Schmerz und einem süßlichen selbstgefälligen Ton und doch
weinerlich. Die Stimme des Buckligen war hart, man fühlte
in ihn die zornigen Bewegungen des Kehlkopfs, sie war gar
nicht einfach: und wenn sie sich hob, drückte sie eine große
innere Kraft, eine bösartige Überlegenheit aus. Der große
schlichtaussehende Mann der sich neben mich gesetzt hatte
hörte zu. Von Zeit zu Zeit seufzte er. Sein Seufzen war tief
und ich fühlte, daß es aus einer Brust kam, in der die unablässigen Sorgen gruben und lagen und das Blut schwer
machten.

Jetzt kommt gleich die Endstation sagte die Paula und
stand auf. Ich wunderte mich über ihre Stimme, in der so
gar nichts lag. Wie nichts war sie, farblos wie Wasser, die
Kopfstimme eines Schulkindes.

Wir stiegen aus und sie ließ sich begleiten. Ihre Wohnung
war noch ziemlich weit von dort. Wieder fragte ich und
wieder kam Antwort auf Antwort mit dieser sonderbaren
wasserhellen unmenschlichen Offenheit. Mir war, als hätte
ich in diesen 2 Viertelstunden ihr junges Leben erfahren, alles. Es war fast nichts: es war wie unfertige Gärten mit dünnen Bäumen, wie leere Sommerwohnungen mit offenen Türen und ungemütlichen lichten Cretonmöbeln auf denen nie
ein Mensch gesessen zu sein scheint. »Was ist das für ein
Geschöpf?« dachte ich. Da wohn ich, sagte sie da oben. Sie
zeigte auf ein Haus. Es war ein häßliches ganz neues Vor-
stadthaus mit 5 Stockwerken. Eine Menge Wohnungen waren noch unbewohnt. In den bewohnten waren die meisten
Fenster offen. So sagte ich. Ja, häßlich ist es schon sagte sie
und lachte ein bißchen. Mein Leben ist überhaupt nicht besonders hübsch. Ich wüßt schon etwas hübscheres. Dabei
wandte sie mir das knaben-mädchenhafte Gesicht zu, mit
dem ruhigen forschenden Blick, in dem nichts lag als Jugend. Adieu, sagte sie. Ich möchte sie aber sehen, geht denn
das nicht, sagte ich. O ja das geht schon, wenn Sie wollen,

sagte sie. Morgen? nein morgen nicht, übermorgen auch
nicht. Aber am Donnerstag da geh ich erst um 11 ins Geschäft. Da können wir vorher im Volksgarten miteinander
spazierengehn wenn sie wollen. Gut, sagte ich, am Donnerstag um ½ 10. Lieber um 10 sagte sie oder gut, um ½ 10
ich werd halt ein bissel zu spät kommen. Mir wär lieber
wenn sie nicht zu spät kommen, sagte ich. Sie lachte.
Warum lachen sie auf einmal fragte ich. Ich weiß nicht, sagte
sie, wahrscheinlich weil ich schläfrig bin. Adieu. und ging in
das Haus hinein, dessen Eingang ⟨mit⟩ Sandsteinornam⟨en-
ten⟩ von falschem Barockgeschmack überladen war und
nach frischem Neubau roch.

   Langsam ging ich die lange Straße zurück die aus lauter
solchen neuen Häusern bestand. Ich fand die Schönheit von
dem, was ich immer als sehr häßlich empfunden hatte. Ich
stellte mir diese Zimmer diese gestern gebauten Stiegen
ohne Heimlichkeit bevölkert vor mit jungen Menschen, die
fast gar keine Erinnerungen hatten. Als ich an dem letzten
Haus vorüberging bewegte sich in einer Parterrewohnung
das Licht durch die offenen Zimmer, wie wenn ein Mensch
der allein zuhause ist etwas sucht. Ich meinte Paula zu sehen
wie sie mit dem Licht in der Hand durch die Zimmer ging,
vorbei an den Betten der Brüder, mit denen sie nichts gemein hatte, in ihr eignes kahles halbleeres Zimmer und sich
niederlegte wie ein junges Tier, ohne auf irgend etwas um
sie zu achten. Ich war sonderbar bezaubert von dem Gedanken dieser Leerheit. Eine Kinderei kam mir plötzlich ins
Gedächtnis. Ich hatte mir als Kind immer gewünscht der
Kronprinz zu sein, um jeden Abend in einem andern der
unzähligen leeren Zimmer des Schönbrunner Schlosses
schlafen gehn zu dürfen. Ich wußte, daß ich mich gefürchtet
hätte: aber der geheimnisvolle Reiz dieses immer neuen
Schlafengehens und Aufwachens in dem reinen stillen weißen Zimmer mit den Goldlüstern war stärker. Mit neuer

wunderbarer Kraft kam mir mein damaliger Zustand zurück und deutlich das Gefühl wenn die Finger meiner Mutter durch meine halblangen Haare gingen. Ich stellte mir vor Paulas Haare anzurühren und mir war, als ob in denen der ganze Reiz ihrer Jugend für mich läge und darin daß sie meinen eigenen von damals so ähnlich waren. Und diese beiden Gefühle, kindische Sehnsucht nach dem Unwiederbringlichen und Wunsch des Erwachsenen spielten sonderbar durcheinander, bis ich zuhaus war und einschlief.

Während der zwei Tage, Dienstag und Mittwoch, verliebte ich mich in die Erinnerung an das wie sie gesagt hatte »Wahrscheinlich weil ich schläfrig bin«. Nicht das knabenmädchenhafte Gesicht war, nicht die unglaublich jungen unglaublich dünnen lichtbraunen Haare waren es, mit denen die Ohren zugedeckt waren, nicht die wundervolle bestrickende Unfertigkeit der Bewegungen, dieser Bewegungen die an ein kindisches Reh erinnerten, sondern es war die Art dieser 5 Worte. Es war in ihnen das Geheimnisvolle eines jungen Wesens, das sich gehörte, und die geheimnisvolle Möglichkeit diesen Besitz herüberzuziehen, Herr darüber zu werden. So sind diese Dinge. Es ist besser wenn man nicht versucht, sie zu beschreiben. Und ich wußte es auch nicht auf einmal. Den ganzen folgenden Tag und die Hälfte des nächsten dachte ich nicht sehr viel an sie. Ja ich bemerkte daß ich den Namen des Geschäftes und den Namen der Gasse wo sie wohnte vergessen hatte und beides störte mich nicht sehr. Da ging ich am Mittwoch nachmittag zufällig am Vorgarten vorüber. Hinter dem schwarzen Gitter mit den vergoldeten Lanzen standen die Fliederbüsche und lagen die Wiesen so grün so wirklich von innen heraus grasgrün wie sie nur im frühen Mai sind und niemehr später. Ich ging hinein und setzte mich auf eine Bank. Als ich eine Weile gesessen war und die Luft eingeatmet hatte in der nichts als Frische war, kühle leichte nicht einmal Duft, denn hier war der Flieder noch nicht aufgebrochen, kam ein kleines Mädchen auf mich zu. Sie hatte ein weißes Kleid, schwarze Strümpfe und dunkelblonde Haare. Sie trug eine Springschnur in der Hand, ihr kleines Gesicht war erhitzt und ihre Augen waren dunkelblau und sehr gescheit. Bitte sagte sie, sind Sie nicht der Herr Doktor. Welcher Herr Doktor fragte ich. Der Herr Doktor was immer mit der kleinen Maxi gegangen ist. Ich schüttelte den Kopf. Da muß ich mich aber wirklich geirrt haben sagte die Kleine und sah mich lange ernst und nachdenklich an. Dann lief sie weg. Und von jenseits der Wiese sah sie noch einmal nach mir her, mit einem wunderlichen Kopfschütteln tiefer Enttäuschung und ging dann langsam weiter. Und in diesem Augenblick wußte ich, daß ich in Anna verliebt war. So sind diese Dinge. Und wie aus einem Brunnen der lange verstopft war die Garben von Wasser unaufhaltsam hervorschießen, so zwang es mich unaufhaltsam ihren Namen vor mich hin zu sagen: Anna Anna Anna. So sind diese Dinge.

Am nächsten Tag war ich sonderbar verworren und empfand etwas wie ein dumpfes Gefühl von Schuld und Beschämung. Und ich verlangte mir, nicht mit Anna allein zu sein. Am Nachmittag standen wir wieder vor der Tür von Theresens Garten.

Der Diener hatte den Auftrag, zuerst Clemens zu holen. Wir blieben an den Stufen der Veranda stehen. Clemens kam nicht aus dem Haus, sondern vom Garten her. Er war sehr verwundert. »Der Professor war da, sagte er. Es geht Therese sehr schlecht. So schlecht, daß er es für überflüssig hält ihr noch irgend etwas zu verbieten was ihr Vergnügen macht. Ihr dürft Euch über nichts wundern. Sie hat sich geschminkt. Und sie nimmt sehr viel Parfüm.« Er sagte diese Sätze sehr einfach. Nach dem letzten Wort hatte seine magere Kehle eine Bewegung, wie bei einem Verdursteten der

mit Mühe schlingt. Es war etwas Großes an ihm, etwas sehr
Einfaches und Großes. Am Weg sagte er nur noch eines: er
sagte es wie einen Befehl. »Man muß achtgeben, ihr nicht
merken zu lassen, wie schlecht sie sieht. Das ist auch seit
heute Nacht. Wenn sie etwas fallen läßt muß man es unauffällig aufheben.«

Hinter den Blutbuchen stand die Nachmittagssonne. Von
der zweiten Wiese, die frisch gemäht war, kam der laue
Duft herüber. Ringsum mischte sich der Geruch von erwärmtem Gras und fetter dunkler Gartenerde.

Theresens Korb stand mitten in der Wiese, wie das
Gehäuse einer großen schwachen und sonnenbedürftigen
Blume und wir gingen langsam auf sie zu, mit leichten lautlosen Schritten wie 2 junge Fremde, die von weitem gekommen sind, das Wunder dieses Gartens zu sehen. Wenige
Schritte vor dem Korb schwebte in der heißen Luft der
sehnsüchtige übermäßig starke Geruch von russischen Veilchen. Wir standen ganz nah vor ihr, sie richtete die Augen
auf uns mit einem langen mühsamen Blick: endlich erkannte
sie uns und lächelte schwach. An ihre Knie gelehnt standen
die beiden kleinen Kinder des Gärtners, ein Knabe und ein
Mädchen. Sie spielten mit Theresens Ringen, die in ihrem
Schoß lagen; die wachsbleichen Hände der Kranken aber lagen auf den Köpfen der Kinder, eingegraben in die kurzen
Löckchen, die die Farbe von frischen Hobelspänen hatten
und zwischen denen wie bei jungen Tieren, die gesunde
junge rötliche Haut durchschimmerte. In dem warmen
Halbdunkel des Strandkorbes, das der übermäßig starke
sehnsüchtige Geruch von russischen Veilchen durchsetzte,
war sie anzusehen wie das geschmückte Wachsbild einer
seltsamen und entzückenden Heiligen. Ihre geschminkten Wangen leuchteten, die mystisch veilchenfarbnen Augen
waren noch größer als sonst und die Krone von aschblon-

dem Haar schien wie mit einem wundervollen Zierrat mit
den kleinen Ohren auszulaufen, an denen schwere Gehänge
von alten Türkisen und Diamanten schwebten. Wie ein Gitter trennten die 5 Schnüre gelblicher Perlen, die den Hals
umschlossen, die strahlende Schönheit des Kopfes von dem
schwachen Leib, der in Spitzen eingehüllt war wie der Leib
eines Kindes oder einer Toten, und der in die blutlosen un-
geschmückten kläglichen Hände auslief.

Sie sagte: »Ich hab mich so angezogen, wie ich will daß
ihr mich dann aufbahren laßt, wenn die Leute mich anschauen kommen.« Sie sagte es mit einem sonderbaren Lächeln, das »dann« halb wegwerfend wie etwas selbstverständliches, worüber man längst einig ist, und wir fanden
keiner etwas zu entgegnen. Etwas entsetzliches, gespenster-
haft-gassenbübisches war drin. Es war so ganz etwas anderes, aber es erinnerte mich wie mit einem Schlag an den
Ton, wie Anna damals gesagt hatte: »Nun wirst du mich
doppelt so gern haben weil mein Haar so riecht wie deine
Sachets.«

Dann später ging Anna hinauf sich umkleiden. Und Clemens und ich gingen auf der Wiese auf und ab, auf der jetzt
die langen hagern Schatten der Rosensträucher lagen. Ich
fühlte daß wir beide immerfort an das gleiche dachten. Endlich blieb er vor einem Rosenstrauch stehen, dessen magere
Zweige voll schwerer blaßgelber Knospen waren. »Glaubst
du daß sie es weiß, wirklich weiß.« fragte er? »Sie hat es
freilich schon immer gewußt vor den Ärzten, aber das mein
ich nicht, ich mein das Wirkliche jetzt, das Nahe, das ist
doch etwas ganz anderes.« Er sah mich an. Ich antwortete
augenblicklich: »Keinesfalls weiß sie es wirklich, in den Augenblicken wo sie so davon redet. Es ist möglich, daß sie
immer schwächer wird, je näher es kommt, und in ihren
Schlaf versinkt wie in Wasser. Ein schrecklicher und mühse-
liger Tod kann nicht ihr Tod sein.« Diese Worte sagte ich ei-

gentlich ohne sie zu denken: Die Worte fielen mir schnell ein und kamen schnell aus meinem Mund heraus aber sie enthielten eigentlich nicht das was ich sagen wollte. Ein großer dunkler einfacher Gedanke lag auf dem Grund meines Bewußtseins: ich dachte sie kann nur ihren eigenen Tod sterben und der muß eins sein mit ihrem Leben. Und die vogelhafte Schwäche ihres Lebens muß ihren Tod schwach machen. Aber was ich sagte, kam anders heraus: Ich hörte meiner Stimme reden zu und verwunderte mich über den Schein von Vernünftigkeit. Meine Stimme schien mir selbst unnatürlich hoch und dünn. Ich sah nach Therese zurück, weil ich fürchtete sie könnte uns gehört haben. Sie saß ganz ruhig, vorgeneigt die Ellbogen auf den Knien. Sie hielt einen kleinen silbernen Handspiegel, in dem sie sich ernst und regungslos betrachtete. Zu ihren Füßen spielten die plumpen kleinen Körper der Kinder, auf allen vieren halb aufgerichtet, mit den weichen ungeschickten Bewegungen kleiner Tiere. Wie eine geheimnisvolle Göttin Herrin ihres eigenen unfruchtbaren rührenden Geschickes saß sie da, gehüllt in ihre große Schönheit und Schwäche über den Spiegel gebeugt, während die Schatten des Abends den leichten Korb mit Dunkel füllten und an ihren unmütterlichen Knien die Kinder eines andern Weibes mit den großen Köpfen und den dicken kleinen Händen gegeneinander spielten. Da ich mich lange nach ihr umsah, folgte Clemens meinem Blick. Aber sogleich wandte er sich wieder um und seine Finger gruben sich in das Fleisch einer gelben Rosenknospe. »Du glaubst sie sieht ihr Gesicht an?« sagte er. »Sie sieht ihre Lippen an, oder ihr Zahnfleisch heute, wo die Lippen geschminkt sind. Sie hat irgendwie erraten, daß das ein Zeichen ist. Und damit quält sie sich. Heut früh, wie es schon licht in unserm Zimmer war, und sie geglaubt hat ich schlafe, hat sie es auch getan. Immer hat sie den Spiegel bei sich. Und es sieht schön so aus.« Und dabei hielt er mir den

blaßgelben fast farblosen zerrissenen Kern der Rose hin
und warf ihn dann mit einer traurigen und bitteren Gebärde
nach seitwärts auf den Boden. Wiederum war etwas großes
an ihm etwas sehr einfaches und großes. Wir sahen Anna
zwischen den Sträuchern auf uns zukommen und gingen ihr
langsam entgegen.

Als wir zu dem Korb zurückkamen, waren die Kinder
wach Therese eingeschlafen. Auf ihrem Schoß lag zwischen
den mageren Händen der Spiegel und warf blinkend einen
Schein des hellen Himmels zurück. Anna bückte sich, um
die Ringe aufzuheben die verstreut im Gras lagen. »Schau!«
sagte sie und hielt mir kniend die beiden flachen Hände
entgegen, auf denen zwischen den Edelsteinen kleine Tau-
tropfen bebten. »Es wird feucht«, sagte ich zu Clemens,
»wir müssen sie hineintragen.« Aber sie schien so glücklich
zu schlafen, daß wir nicht den Mut hatten, sie aufzuwecken.
Ihr Mund war halboffen und zwischen den geschminkten
Lippen schimmerten die kleinen Zähne feucht hervor. Auf
einmal veränderte sich das Gesicht der Schlafenden. Wie
im Schmerz zog sich die Oberlippe hinauf und entblößte
die ganze milchweiße Reihe der oberen Zähne. Zugleich erschien ein böser und leidender Zug zwischen den Augenbrauen. Allmählich wurde der Ausdruck ihres Gesichtes
entsetzlich. Wir standen vor ihr und beugten uns über sie
und riefen leise ihren Namen um sie aufzuwecken. Ihr Gesicht drückte eine martervolle hilflose Angst aus. Clemens
rührte ihre Hand an und da wachte sie endlich auf. Sie sah
uns erschreckt und unsäglich traurig an. Dann traten ihr
2 große Tränen aus den Augen und rollten lautlos über die
geschminkten Wangen. Und lange weinte sie trostlos unaufhaltsam vor sich hin, zusammenschauernd in ihrem hilflosen Jammer wie ein Tier. Wir trugen sie hinein und sie
weinte immer weiter und schüttelte sich vor Leid, wie ein
Kind. Als wir sie in ihrem Zimmer niederstellten, hörte sie

zu weinen auf und sah lange mit einem entsetzlichen Blick
vor sich hin. Dann sagte sie: »Ihr könnt es doch nicht verstehen, wenn Ich's Euch auch erzähl. Man kann nicht erzählen was es wirklich ist.« »Du hast dich im Traum gefürchtet« sagte Clemens und küßte ihre Stirn. »Freilich, sagte sie,
still und gut wie ein Kind, freilich. Ich hab geträumt, ich bin
dann geworden wie der Hund von dem ihr erzählt habt.
Der Hund von dem da eine Photographie ist wiederholte sie
gutmütig der ertrunken ist. Zuerst bin ich gestorben. Ich
hab gespürt wie ich geworden bin, ganz, und nur die Zähne
sind weiß und schön geblieben.« Wir versuchten sie anzulä-
cheln, aber keiner vermochte es. Denn in ihrem Blick der
gegen die Ecke des Zimmers ging lag das, was sie nicht aus-
zusprechen vermochte. Und mit einer Gebärde, die ich
nicht vergessen kann, weil sie nichts menschliches hatte,
fuhr sie sich mit dem Rücken der Hand an der Schneide der
oberen Zähne entlang. Das war der erste Tag.

In den 3 Tagen die nun kamen, schien sie nichts von dem
zu spüren, was kommen mußte. Die Ärzte kamen und gingen und fanden nichts zu sagen. Clemens und ich aber erwarteten nach der verhüllten Qual des Traumes einen zweiten unverhüllteren Anhauch des Unentrinnbaren, wie einer nach einem dumpfen Anfall körperlicher Schmerzen
schmerzlos daliegt angstvoll in sich hineinspähend und einen neuen erwartet, der aber dann ganz anders kommt,
scharf und nackt wie Messerklingen und mit noch gesteiger-
ter Gegenwart.

Sie schlief viele Stunden des Tages und sie aß fast nichts.
Und der Geruch der russischen Veilchen der wie eine unsichtbare Wolke um ihren Korb und ihr Bett schwebte
wurde fast unerträglich stark. Und noch etwas tauchte in ihr
auf, das eine sonderbare Ähnlichkeit hatte, mit dieser kläglichen Verschwendung des Duftes der ihren geschwächten
Sinnen nie genug tat: sie hatte eine neue eine sonderbar ge-

steigerte und veränderte Zärtlichkeit für Clemens. Wie nun
ihre schwachen Kinderarme wild seinen Hals umklammer-
ten, und immer wieder ihr Mund, ihr ganzer vogelhafter
Leib sich ihm entgegenbog, ihre Augen glühend seinen
Schritten nachhingen wie die Augen eines Hundes, darin
ging ihr kraftloses Wesen unheimlich über sich selbst hinaus. Es war etwas verbotenes darin, eine tiefe Verletzung
der natürlichen Scham, es war demütigend und schmerzlich
anzusehen wie die Gier eines Kindes, die Wut eines Schwachen. Sie hatte ein in sich Zusammensinken mit lüsternen
feuchten Augen und eine verwandelte verliebte Stimme wie
die Trunkenen. Aber wenn sie den Geliebten in ihren Armen hielt, schien sie unschuldiger, einem sonderbar verstör-
ten Kinde gleich, das eine Puppe glühend umschlingt. Ihre
Zärtlichkeit entzündete sich nicht an ihm, kam an ihm nicht
zur Ruhe. Ihre Hingebung war ohne Ziel; sie schien einem
inneren Zwang zu gehorchen.

  Daß aber diese Veränderung die Maske der Liebe trug
machte sie fürchterlicher als ihr lautloses Weinen oder ihre
große Schwäche. Wenn sie einmal einschlief ließ sich Clemens auf einen Stuhl fallen, wie vor den Kopf geschlagen
von dieser allzugroßen Traurigkeit und Demütigung. Seine
magere Stirn war beladen mit Schmerzen und Müdigkeit;
seine langen Arme hingen herab, die Arme die den Druck
ihrer freudlosen trunkenen Zärtlichkeit halb aufgenommen
halb abgewehrt hatten; sein Blick ging unter den hochgeho-
benen angeschwollenen Lidern starr gegen einen Punkt, wie
die Augen eines großen gefangenen Vogels. Das ist zuviel,
sagte er mit einer zerbrochenen Stimme: das ist wie wenn
man sehen müßte, wie ein fremder Teufel sie in seiner Gewalt hat. Sie war aber in keiner Gewalt als der ihres Wesens
welches das sterbende Leben noch einmal nach allen Seiten
trieb wie der Kreisel bevor er hinfällt und taumelnd noch
einmal in einem krampfhaften Schwung den ganzen Schau-

platz seines traumhaft-kleinen Lebens umtanzt. Wie in einer Komödie der Schauspieler, der die Bewegungen der Mitspieler im Voraus weiß und doch darauf wartet, daß sie sie wirklich machen, sah ich sie unter der Herrschaft des Todes die sonderbaren unbewußten Wege wieder gehen die sie einmal in einer anderen Trunkenheit vor mir gegangen war. Ihr kleiner Leib dem die tiefe starke Zärtlichkeit versagt war, ihre machtlosen Augen ihre schwachen Gebärden tanzten den Tanz in dem sie ihre eigene Schönheit und ihre eigene Glückseligkeit fanden, jetzt da sie mit dem Schicksal anderer Menschen nichts mehr zu tun hatten. Wieder sah ich ihr zu die Julia spielen und wenn sie sich bückte um Clemens Hand zu küssen und wenn sie Wasser trank und wenn sie sich aus dem Schlaf aufrichtete, waren es scheinhafte, unbegreifliche Gebärden. Sie gehörte sich selber, wie die Verzückten, ihrem schwachen leeren kleinen Selbst.

Dies dauerte 3 Tage. Dann kam ein Morgen, an dem es zum ersten mal seit langer Zeit kühl war und regnete. Als wir hinunterkamen, lag Therese auf der Chaiselongue. Ihr Gesicht war weißer als der Polster, auf dem es lag. Sie war es müde geworden sich zu schminken. Ihre Hände ruhten todmüd und geduldig auf der mattseidenen Decke. Ihre Augen gingen matt und gleichgiltig über Anna über mich, über Clemens hin. Was 3 Tage in ihr gewesen war, gleichviel was, es war erloschen. Sie schlief viele Stunden. Wenn sie wach war redete sie von ihrer Schwäche und von gleichgiltigen Dingen. Sie klagte über nichts, sie redete nicht von der Zukunft. Langsam aber unaufhaltsam schien sie zu versinken. Es regnete den nächsten Tag, und den nächsten. Die Tage vergingen leer und lautlos wie in einer Betäubung.

Am Abend des 3ten Tages wurde es hell. Über den Blaubuchen und den Silberpappeln trieben im Weiten lichte kleine Wolken. Am Boden, zwischen den Stämmen, an den Rändern der Wipfeln schwebte etwas Goldiges. Therese

wollte aufstehen: da fiel sie ohnmächtig zurück. Aber sie
kam schnell wieder zu sich und hatte in den Haaren auf den
Händen auf der mattseidenen Decke das blasse Gold der
hinuntereilenden Sonne. Sie verlangte innig, ins freie zu
kommen. Clemens und ich und der Diener trugen sie mit
ihrem Ruhebett auf die Veranda. Von weitem sah sie die
Gärtnerskinder über die Wiese laufen auf der das Goldige
schon dunkelte und nur die Salbeiblüten da und dort tief
purpurblau aufglühten. Sie ließ die Kinder herrufen, gab ihnen Obst und ließ sie mit ihren Ringen spielen. Neben den
runden Gesichtern der Kinder war ihr Gesicht entsetzlich
schattenhaft; es war als hätten die allzuschweren aschblon-
den Haare alle Kraft des Lebens aus diesem Kopf gesogen.
Die Luft war still und nur das dünne abgebrochene Plaudern der Kinder flackerte auf und verstummte wieder wie
Vogelgezwitscher. Die Schatten des Abends legten sich auf
uns. Clemens Stirn schien noch magerer und sorgenvoller,
rührend! Anna's Gesicht nahm einen harten und leeren
Ausdruck an: es schien wie das Gesicht der Jugend selbst
knabenmädchenhaft, aber ohne Glanz und ohne Liebe; die
dünnen braunen Haare, die wie ein Schleier ihre Ohren zu-
deckten, schienen fest und dicht wie ein sonderbares Tuch.
Das Gesicht der Kranken hatte die Farbe erkalteter Asche.
Ihre Lippen waren zusammengepreßt. Sie sah über die Kinder weg vor sich hin. Plötzlich kam in ihr Gesicht der Ausdruck entsetzlicher Angst. Sie richtete sich jäh auf und
streifte die Ringe die auf ihrem Schoß lagen, heftig zu Boden wie eine Last deren Druck sie marterte. Ihre weißen
Lippen bewegten sich wie um laut zu klagen, dann nahm
der Mund einen tief schmerzlichen verachtungsvollen Zug
an und sie sagte nur sehr laut: Die Kinder machen mich ja
doch müd und schwindlig!

    Clemens ging zu ihr und wollte ihre Hand nehmen aber
sie entzog sie ihm und kehrte ihren Hals nach der andern

Seite wie ein gequältes Tier. Ich nahm die beiden Kinder bei
der Hand und führte sie weg. Hinter mir hörte ich Theresens Stimme sagen: Kein Mensch hilft mir. Es war ein entsetzlicher Ton, wie aus dem schwersten Traum heraus. Es
lag keine Klage drin, kein Vorwurf sondern etwas ärgeres,
das zusammenschnürende entsetzliche Alleinsein mit dem
Unabwendbaren. Die Kinder gingen neben mir durch den
stillen Garten und redeten kein Wort, weil sie nicht verstanden, was geschehen war und sich fürchteten. Das Gärtner-
haus lag versteckt hinter einer kleinen Böschung am Ende
des Gartens, dort wo er sich gegen die alte Landstraße
senkte. Die Fenster des kleinen Hauses waren offen. Zwischen den Spargelbeeten lag ein alter Hund und schlief. Ich
trat in die Küche und suchte jemand, dem ich die Kinder
übergeben könnte. Es war niemand da. Die niedrige Decke
und die lauwarmen Wände auf denen große Fliegen saßen
schienen meinen Ruf zu verschlucken. Die warmen kleinen
Hände der Kinder hingen fest an meinen Händen. Es war
als ob sie sich vor der verlassenen Wohnung fürchteten. Ich
stieß eine angelehnte Tür auf und trat in ein halbdunkles
Zimmer, das feuchtkühl und mit dem unbestimmten Geruch der ärmlichen Wohnungen erfüllt war.

Auf einem niedrigen Bett lag der Gärtner, in Unterklei-
dern, den rechten Fuß mit Tüchern dick umwunden. Er
wandte mir sein schlaftrunkenes aufgedunsenes Gesicht zu.
»Ich bring die Kinder zurück«, sagte ich; und dann fragte
ich noch: »Was haben Sie denn da am Fuß.« »Mein Gott,
gnädiger Herr«, sagte er, »die Harken ist mir hineingegangen.« »So« sagte ich und ging. Als ich hinten am Glashaus
vorüberging, kam die Gärtnersfrau heraus und unmittelbar
hinter ihr ein junger Bursche, den sie zur Aushilfe hatten.
Denn der Garten war sehr groß. Die Frau hatte ein großes
farbloses Gesicht mit kleinen falschen Augen. Der Bursche
hatte eine Mähne von Haar und einen Mund mit feuchten

aufgeworfenen Lippen. Als ich um die Ecke bog und an ihnen vorbei kam, stieß sie mit dem Ellenbogen nach dem Burschen und blieb stehen und grüßte sehr tief. Und er nahm den Strohhut ab und beugte sein Gesicht auf dem ein halb verlegenes und halb freches Lachen war, hinter ihre Schulter. Ich sah das alles, wie ich sah, daß auf meinem Wege zwei frische Tannenzapfen lagen, und wie ich in der Wiese die niedergedrückte viereckige Stelle bemerkte wo immer Theresens Strandkorb gestanden war und wie ich im dämmernden Gebüsch einen großen hochbeinigen Vogel über den Boden hüpfen sah, der einen seltsamen häßlichen Ruf ausstieß. Ich sah alle diese Dinge ohne daß ich einen Augenblick aufgehört hätte, an die Sterbende zu denken. Aber es kam plötzlich irgend etwas störendes zwischen mich und mein Denken, irgend ein solcher Schleier von Unsicherheit wie bei einem, der getrunken hat. Es war als wäre das nicht mehr mein unmittelbares nächstes Geschick, daß ich nun hingehn mußte und zusehn wie Therese sterben würde, oder als wäre es wohl mein Geschick, aber als wäre sein Stachel abgebrochen, die dumpfe Drohung, das unaussprechlich Schwere, das für mich dahinter zu liegen schien, gestaltlos aber doch voll erdrückender unentrinnbarer Gewalt über mein ganzes Leben. Geheimnisvoll wie die Ketten des Lebens von einem abgleiten, war mir, als hätte sich der unmittelbare Zusammenhang zwischen meinem Geschick und dem der anderen Menschen in diesem Haus gelöst. Ich ging wie einer den im Traum die Luft des Lebens berührt und die Ahnung, daß er träumt. Aber ich kam schon auf die verlassene Veranda zurück, ging schon durch die dunkelnden Zimmer hatte schon die Hand an der Türe die zu Therese und den andern führte und konnte noch nicht finden was denn das unbestimmte befreiende gewesen sei, dieses rätselhafte dunkle Bewußtsein, als ob bald die Schwere von mir abfallen könnte, wie die dumpfe Täuschung eines Traums.

Und wie ich die Türe hinter mir schloß, schien das unbestimmte befreiende auch draußen zurückzubleiben.

Therese sprach. Sie sprach laut wie eine Zornige und ununterbrochen in dem gleichen erregten Ton. Clemens ging auf und ab, mit gleichen, hastigen Schritten und kehrte vor der andern Wand sich um wie die Tiere im Käfig. Dann schien er sich zusammenzunehmen. Blieb stehn und hielt die Hände mit krampfhaft verschlungenen Fingern auf dem Rücken. Anna stand am Fenster die Stirn an die Scheiben gelehnt. In einer Ecke im Dunkel, war der Arzt. Vom blassen Gesicht der Kranken, das wie ein unbestimmter lichter Fleck in der Dämmerung verschwamm, kam die unermüdliche Stimme her, getragen von einem großen unstillbaren Zorn, in dem ihr kraftloses Wesen zum letzten Mal unheimlich über sich selbst hinausging. Getrieben von ihrer vergeblichen zornigen Sehnsucht, schien die kleine Seele noch einmal die unfruchtbare Welt ihres kinderhaften leeren Daseins hastig zu umkreisen. In ihren sonderbaren harten Klagen zog ihr ganzes Leben vorüber wie in einem entsetzlichen leeren Licht, das nicht Tag und nicht Nacht mehr gleicht. Sie schien nicht zu wissen, daß Clemens da war, oder es bedeutete ihr nichts mehr: Das ganze scheinhafte Spiel der Liebe war in dieser Stunde vor ihren Augen nichts, so nichtig wie ihr ganzes Leben. Wie durch leere Luft strichen ihre Klagen über den Raum hin, wo die Erinnerungen der Liebe ihnen hätten entgegenstehen sollen. Dann schien sie mit ihrer Mutter und ihren Geschwistern zu sprechen: »hab ich Euchs nicht immer gesagt«, sagte sie sehr laut, »ich werd einmal sterben und nicht wissen für was ich gelebt hab.« Und entsetzlicher als daß sie dieses Letzte sagen mußte, war der Ton in dem sie es sagte: denn es lag ein grauenhafter dürrer Stolz des Rechtbehaltens drin.

In dieser Nacht verfiel ich für einige Stunden in eine Art von Betäubung. Aber ich schlief nicht wirklich: ununter-

brochen wiederholte mein Kopf einzelne von den Sätzen
die Therese geredet hatte, oder abgerissene Worte, genau in
ihrem Ton mit marternder unermüdlicher Kraft. Dazwischen drängten sich in fast gleichmäßigen Abschnitten die
Bilder der Dinge die ich in den letzten Stunden gesehen
hatte: die Fliegen an den Wänden in der Küche des Gärtners, das schlaftrunkene rote Gesicht des Menschen und
sein umwickelter Fuß, und das halb freche halb verlegene
Gesicht des Gehilfen, das sich hinter die Schulter der Frau
beugte. Dann kamen wieder aus meinem Innern Theresens
Klagen mit entsetzlicher Deutlichkeit, wie von außen her,
die zornige Kraft ihrer Stimme, das erbarmungslose Durchwühlen ihres freudlosen kleinen Lebens diese grauenvolle
Weise über sich selber zu reden wie über eine ungeliebte
Tote. Endlich hatte ich die Kraft diesen dumpfen quälenden
Halbschlaf zu zerreißen. Ich schlug die Augen auf und war
mit einem Mal wach, übermäßig wach. Mit einem Schlag
war der Schlaf aus meinen Gliedern hinausgegossen wie das
Wasser aus einem umgestürzten Krug springt. Ich war
wach, wie einer der nie mehr schlafen wird. Das Zimmer
war hell, aber nicht von der Sonne. Meine kalten sonderbar
lieblosen Blicke gingen durch die Scheiben: es war der grün-
lich-bleiche Himmel vor Sonnenaufgang. Alles im Zimmer
war deutlich sichtbar, aber alles schien unerfreulich, seltsam
starr und nüchtern. Anna lag neben mir: sie atmete ruhig,
ihr Kopf lag auf dem zurückgeworfenen Arm. Etwas in ihrem Gesicht und ihrem Daliegen erinnerte an einen Knaben. Ich stand leise auf und ging von ihr weg ins Nebenzimmer. Ich wußte daß ich nicht mehr schlafen werde. Ich zog
Schuhe und einen langen Mantel an und stellte mich ans
Fenster. Der Garten stand totenstill, so starr wie nie bei
Tage und nie bei Nacht. Die Büsche auf denen kein Schatten
und kein Licht lag, waren geheimnislos. Die Äste der
Bäume stiegen tot in die fahle leere Luft. Die Zweige der

Trauerweide hingen, hingen. Nichts konnte sich in der toten Luft bewegen. Es schien nicht der Garten selbst zu sein sondern sein Bild zurückgestrahlt von einem entsetzlichen Spiegel. Mir war, als stünde mein Herz still. Aber erbarmungslos warf mein überwaches Denken Erinnerung auf Erinnerung aus. Jetzt waren es nicht mehr die nächsten Eindrücke, es waren frühere: das erste Hereinfahren mit Anna, ihre dünne leere Stimme neben der zornigen Stimme des Buckligen und der traurigen Stimme der fremden Frau. Und irgend ein Gespräch mit Anna, in meinem Zimmer. Und ein anderes im Prater, an einem Abend wo es regnete. Und ein anderes, wie sie vom Tod ihrer Mutter erzählte. Und der Tonfall wenn sie etwas bitteres und trauriges sagte, der sonderbar wegwerfende leere Ton. Und das unsagbare, wenn sie küßte und sich küssen ließ, die geheimnisvolle tiefe Unfähigkeit sich herzugeben. Und die Art wie sie mich anschaute, und die anderen Menschen und die Dinge. Und das andere unaussprechliche, der Zusammenhang zwischen ihrem Schauen und ihrem Reden. Da unten lag es in diesem Garten: so lag in ihr die Welt widergestrahlt von einem entsetzlichen Spiegel. In diesem Augenblick bewegte sich Annas Leib leise im Schlafe. Und in diesem Augenblick wußte ich daß ich sie nicht mehr liebte. Wie mit einem Schlag wußte ich es daß mein Kopf und alle meine Glieder leer waren von dieser Liebe, leer wie ein umgestürzter Krug aus dem der letzte Mundvoll Wasser in einem Schwall gesprungen ist.

Plötzlich durchzuckte mich dieses Wissen: so blitzschnell daß es nach einem Augenblick wieder erlosch und mir war als hätte ich vergessen was ich eben wußte. Aber wie ein zweiter breiterer Blitz tauchte es von der anderen Seite in mein Denken wieder auf: denn meine Augen fielen am Ende des toten Gartens auf das öde graugrüne Dach der Gärtnerswohnung, auf dem kein Licht und kein Schatten

lag, und von dort drang eine unbestimmte Sehnsucht auf
mich ein, das zusammengeschmolzene Bild dieser niedrigen
dumpfen Welt, der Mann die Frau und der dritte, die Kinder, die Fliegen an der Wand, der Geruch ihrer Zimmer, ihr
Lachen, die Falschheit und die Lüsternheit ihrer Augen alles
zusammen, die ganze dumpfe niedrige Fülle ihres Lebens,
und die Vision ihrer großen schweren Leiber die so anders
waren als der knaben-mädchenhafte leichte Leib, der drin
sich leise im Schlafe regte, warf sich über mich wie eine
Welle angefüllt mit der unendlichen Möglichkeit des Lebens. Und ich wußte durch und durch daß ich Anna nicht
mehr liebte, und daß ihr Leib und ihre Seele mir nichts
mehr sein konnten, und daß mir das häßliche schön und
rührend schien nur weil es das andere war.

   Ich ging die Stiege hinunter. Ich konnte es nicht ertragen
allein zu sein mit ihr, welche schlief, und alle diese Dinge zu
denken. Auf dem Absatz der hölzernen Treppe blieb ich
stehen. Es war nicht ruhig im Hause. Es wurden Türen
zugemacht. In den unteren Zimmern liefen Menschen hin
und her. Ich ging durchs Speisezimmer und das Boudoir. An
der Tür vor Theresens Schlafzimmer blieb ich stehen und
wollte horchen. Da wurde sie von innen aufgerissen und
Clemens stand vor mir, halb angekleidet und blässer als sein
Hemd. Er sah mich mit einem blöden Blick an wie ein
Trunkener und rief mir wie zornig entgegen: »So komm so
komm!« Dann schien er sich zu besinnen: »Tot« sagte er
und sein Mund verzog sich zu einem wilden lauten Aufweinen. Er kniete neben der Toten nieder legte seinen Kopf auf
ihre Knie und schluchzte. Der Arzt trat zurück und die
Kammerjungfer zündete 2 Kerzen an und stellte sie hinter
den Kopf der Toten. In dem unsicheren Licht des Morgens
und der schwachen Kerzen hatte ihr Gesicht mit den langen
Wimpern von unten etwas grauenvolles. Aber als ich mich
über sie beugte sah ich ein wunderbares leises fragendes Lä-

cheln an dem lieblichen Mund und jetzt da die Drohung des Todes erfüllt war, schien mir nichts beängstigend nichts leer an dem schönen Gesicht. Alles schien diesem geheimnisvollen fragenden und unsäglich gütigen Lächeln zu dienen, es nahm der Blässe ihr Schreckliches, und die Schönheit der jungen Haare umgab das geheimnisvolle Lächeln mit königlichem Triumph.

Clemens sah auf und deutete gegen die Decke des Zimmers. Ich verstand ihn nicht gleich. »Die Anna« sagte er. Er meinte, ich solle sie holen. Ich ging und auf der Stiege traten mir die Tränen in die Augen. Aber ich wußte nicht, ob ich über das Geschick des Freundes weinte oder über meine Liebe, die gestorben war, so waren diese Dinge verflochten. Als ich an Annas Bett trat, beugte ich mich unwillkürlich über sie: aber mein Blick wurde hart, denn sie schien mir geheimnislos wie sie dalag, eingehüllt in ihr Leben, das ich nicht mehr lieben konnte. Und aus ihren dünnen jungen Haaren stieg der sehnsüchtige Duft der verveine und mit ihm schien wie über einen leeren Abgrund mein eigenes Leben herüberzuatmen und ich empfand ein starkes Heimweh, wie Kinder die sich zu lange in einem fremden Hause verweilt haben. Und ich berührte die Hand der Frau, die nicht mehr meine Geliebte war, um sie aufzuwecken und zu der Toten hinunterzuführen, die unten lag, ihr blasses Gesicht beladen mit Schönheit und Geheimnis.

# Das Dorf im Gebirge

## I

Im Juni sind die Leute aus der Stadt gekommen und wohnen in allen großen Stuben. Die Bauern und ihre Weiber schlafen in den Dachkammern, die voll alten Pferdegeschirrs hängen, voll verstaubten Schlittengeschirrs mit raschelnden gelben Glöckchen daran, alter Winterjoppen, alter Steinschloßgewehre und unförmlicher, rostblinder Sägen. Sie haben aus den unteren Stuben alle ihre Sachen weggetragen und alle Truhen für die Stadtleute freigemacht, und nichts ist in den Stuben zurückgeblieben als der Geruch von Keller mit großen Rahmeimern und altem Holz, der sich aus dem Innern des Hauses durch die kleinen Fenster zieht und in unsichtbaren Säulen säuerlich und kühl über den Köpfen der blaßroten Malven bis gegen die großen Apfelbäume hin steht.

Nur den Schmuck der Wände hat man zurückgelassen: die Geweihe und die vielen kleinen Bilder der Jungfrau Maria und der Heiligen in geschnitzten und papierenen Rahmen, zwischen denen Rosenkränze aus unechten Korallen oder winzigen Holzkugeln hängen. Die Frauen aus der Stadt hängen ihre großen Gartenhüte und ihre bunten Sonnenschirme an die Geweihe; in der Schlinge eines Rosenkranzes befestigen sie das Bild einer Schauspielerin, deren königliche Schultern und hochgezogene Augenbrauen unvergleichlich schön einen großen Schmerz ausdrücken; die Bilder von jungen Männern, von berühmten alten Menschen und von unnatürlich lächelnden Frauen lehnen sie an

den Rücken eines kleinen wächsernen Lammes, das die
Kreuzfahne trägt, oder sie klemmen sie zwischen die Wand
und ein vergoldetes Herz, in dessen purpurnen Wundmalen
sieben kleine Schwerter stecken.

Sie selber aber, die Frauen und Mädchen aus der Stadt,
sieht man überall sitzen, wo sonst kein Mensch sitzt: auf
den beiden Enden der hölzernen Brunnentröge, wo das
zurücksprühende Wasser vom Wind in ihr Haar getragen
wird, bis sie ganz voll Tau hängen, wie feine, dichte Spinn-
weben am Morgen. Oder sie sitzen auf dem Zauntritt, wo
sie jeden stören, dessen Weg da hinüberführt. Aber sie wissen nichts davon, daß einer gerade dahin muß, gerade auf
dieses bestimmte Feld zwischen den zwei Zäunen und dem
tiefeingeschnittenen, lärmenden Bach. Für sie ist es gleichgiltig, wo man geht. Es liegt etwas so Zufälliges, Müheloses
in ihrem Dasein. Sie brauchen keinen Feiertag und können
aus jeder Stunde machen, was sie wollen. So ist auch ihr Singen. Sie singen nicht in der Kirche und nicht zum Tanz. Auf
einmal, abends, wenn es dunkelt und zwischen die düstern-
den Bäume und über die Wege aus vielen kleinen Fenstern
Lichtstreifen fallen, fangen sie zu singen an, hier eine, dort
eine. Ihre Lieder scheinen aus vielerlei Tönen zusammen-
gemischt, manchmal sind sie einem Tanzlied ganz nahe,
manchmal einem Kirchenlied: es liegt Leichtigkeit darin und
Herrschaft über das Leben. Wenn sie verstummen, nimmt
das dunkelnde Tal sein schwerblütiges Leben wieder auf:
man hört das Rauschen des großen Baches, anschwellend
und wieder abfallend, anschwellend und abfallend, und hie
und da das abgesonderte Rauschen eines kleinen hölzernen
Laufbrunnens. Oder die Obstbäume schütteln sich und lassen einen Schauer raschelnder Tropfen von oben durch alle
ihre Zweige fallen, so plötzlich wie das unerwartete Aufseufzen eines Schlafenden, und der Igel erschrickt und läuft
ein Stück seines Weges schneller.

Manche von den Lichtstrahlen aber erlöschen lange nicht und sind noch da, wenn der große Wagen bis an den Rand des Himmels herabgeglitten ist und seine tiefsten Sterne auf dem Kamm des Berges ruhen und durch die Wipfel der ungeheuren Lärchen unruhig durchflimmern. Das sind die Zimmer, in denen ein junges Mädchen aus einem Buch die Möglichkeiten des Lebens herausliest und verworren atmet wie unter der Berührung einer berauschenden und zugleich demütigenden Musik, oder in denen eine alternde Frau mit beängstigtem und staunendem Denken nicht darüber hinauskommt, daß dies traumhafte Jetzt und Hier für sie das Unentrinnbare, das Wirkliche bedeutet. Aus diesen Fenstern fällt immerfort das Kerzenlicht, greift durch die Zweige der Apfelbäume, legt einen Streifen über die Wiese, und über den Steindamm, bis hinunter an den schwarzen Seespiegel, der es zurückzustoßen und zu tragen scheint, wie einen ausgegossenen blaßgelben Schimmer. Aber es taucht auch hinunter und wirft in das feuchte Dunkel einen leuchtenden Schacht, in dem die schwarzgrauen Barsche stumpfsinnig stehen und die ruhelosen kleinen Weißfische unaufhörlich beben wie Zitternadeln.

## II

Auf den Wiesen stecken sie ihre viereckigen Tennisplätze aus und umstellen sie mit hohen, grauen Netzen. Von weitem sind sie anzusehen wie ungeheure Spinnennetze.

Wer innen steht, sieht die Landschaft wie auf japanischen Krügen, wo das Email von regelmäßigen, feinen Sprüngen durchzogen ist: der blaugrüne See, der weiße Uferstreif, der Fichtenwald, die Felsen drüber und zuoberst der Himmel von der zarten Farbe wie die blassen Blüten von Heidekraut, alles das trägt die grauen feinen Vierecke des Netzes auf sich.

Auf den welligen Hügeln, die jenseits der Straße liegen, wird gepflügt. So oft die Spieler ihre Plätze tauschen, um Sonne und Wind gerecht zu verteilen, so oft wenden die Pflüger das schwere Gespann und werfen mit einem starken Hub die Pflugschar in den Anfang einer neuen Furche. Gleichmäßig pflügen die Pflüger, wie ein schweres Schiff furcht der Pflug durch den fetten Boden hin, und die großen, von Luft und Arbeit gebeizten Hände liegen stetig mit schwerem Druck auf dem Sterz. Wechselnd ist das Spiel der vier Spieler. Zuweilen ist einer sehr stark. Von seinen Schlägen, die ruhig und voll sind, wie die Prankenschläge eines jungen Löwen, wird das ganze Spiel gehalten. Die fliegenden Bälle und die andern Spieler, ja der Rasengrund und die Netze, in denen sich das Bild der Wälder und Wolken fängt, alles folgt seinem Handgelenk, geheimnisvoll gebunden wie von einem starken Magnet.

Ein anderer ist schwach, ganz schwach. Zwischen ihm und jedem seiner Schläge kommt das Denken. Er muß sich selber zusehen. Seine Bewegungen sind von einer tiefen Unwahrheit: zuweilen sind es die Bewegungen des Degenfechters und zuweilen die Bewegungen dessen, der Steine von sich abwehren will.

Ein dritter ist gleichgiltig gegen das Spiel. Er fühlt den Blick einer Frau auf sich, auf seinen Händen, auf seinen Wangen, auf seinen Schläfen. Er schließt bisweilen die Augen, um ihn auch auf den Lidern zu fühlen. Er lebt im vergangenen Abend: denn die Frau, deren Blick er auf sich fühlt, ist nicht hier. Manchmal läuft er ein paar Schritte ganz zerstreut dorthin, wo kein Ball aufgefallen ist. Trotzdem spielt er nicht ganz schlecht. Zuweilen schlägt er mit einer großen gelassenen Bewegung, wie einer aus dem Schlaf heraus nach geträumten Früchten in die Luft greifen könnte. Und der Ball, den er so berührt, fliegt mit vollerer Wucht zurück als selbst unter den Schlägen des Starken. Er bohrt sich in den Rasen ein und fliegt nicht mehr auf.

Das Spiel der vier Spieler ist wechselnd: morgen, kann es sein, wird der Gleichgiltige den Starken ablösen. Vielleicht auch werden eitle und kühne Erinnerungen und der eingeatmete Morgenwind den zum Stärksten machen, der heute ganz schwach war.

Aber gleichmäßig pflügen die Pflüger und die schönen dunklen Furchen laufen gerade durch den schweren Boden.

# Der goldene Apfel

Als der Teppichhändler auf der Heimreise mit seinen fünf Kamelen, einem Diener und einem jungen Kameltreiber in die gelbliche alte Stadt am letzten Abhang des Gebirges – mit Namen die Stadt der Kühlen Brunnen – einritt, überkamen ihn sogleich eine Menge Erinnerungen, deren Schauplatz diese Stadt für ihn war, denn er hatte sie vor sieben Jahren, als gleichfalls seine Geschäfte ihn zu einer Reise nötigten, schon einmal betreten. Von hier aus gedachte er nun, da er seine Teppiche, die Last von vierzig Kamelen, mit reichlichem Gewinn veräußert hatte, in weniger als zwanzig Stunden die große Stadt, in der er lebte und seine Frau zurückgelassen hatte, zu erreichen. Und hier überfielen ihn stückweise jene Erinnerungen an eine vergessene Zeit seines Lebens.

Als er im Hof der Herberge stand, trug der Kameltreiber einen großen Eimer mit Wasser daher, und die durstigen Tiere hoben ihre greisenhaften Köpfe und sogen mit weit offenen Nüstern, indem sie einen eigentümlich gierigen Laut von sich gaben, den Hauch des Wassers ein. Der Teppichhändler griff mit der Hand in den Eimer, als der Bursch dicht an ihm vorbeikam, einen Schwimmkäfer herauszunehmen, der auf der Oberfläche dahinruderte; und indem er seine rechte Hand, die einen schönen Ring trug, doppelt sah, denn der dunkle feuchte Spiegel warf ihr Bild zurück, mußte er sich plötzlich mit der äußersten Deutlichkeit dessen erinnern, wie seine Hand vor sieben Jahren ausgesehen hatte, nämlich magerer, gleichsam ängstlicher und ohne jeden Schmuck. Und dieser geringfügigen Sache drängten sich unzählige andere Erinnerungen nach und versetzten ihn in einen seltsam unruhigen und peinlichen Zustand. Denn er hatte bei jenem ersten Aufenthalt gerade in dieser Stadt als ein völlig junger und unerfahrener Kaufmann verschiedene Unannehmlichkeiten, ja Demütigungen erlitten, deren Nachgeschmack ihm jetzt unerträglicher schien als damals die Wirklichkeit, vielleicht, weil sich sein Leib und seine Seele inzwischen verändert hatten und Schlimmes mit minderer Biegsamkeit ertrugen.

Er tat von der Tür der Herberge ein paar Schritte auf die Straße hinaus, erkannte aber sogleich in einiger Entfernung das Haus eines vornehmen und reichen Mannes, dessen Hausverwalter ihn damals übel behandelt hatte. Die Beschämung über diese vor vielen lachenden Dienern erlittenen Beschimpfungen trieb ihm jetzt das Blut ins Gesicht, und er blieb stehen, wie wenn er so leichter den Atem und die Kraft finden müßte, diese Erinnerung abzuwehren. Er sah die Gesichter aller dieser rohen Menschen und seine eigene Gestalt in einer widerwärtigen geduckten Stellung; mit heißem Kopf und schwerem Atem, sehr rot, ging er langsam wieder in die Herberge zurück, ließ eine unbedeutende Mahlzeit von Fischen und Käse fast unberührt stehen und begab sich auf sein Zimmer, von den Erinnerungsbildern, die sein Kopf unaufhörlich auswarf, gequält wie von zudringlichen Mücken. Es war ihm, während er die Stiege hinaufstieg, fast unerträglich zu denken, daß alle diese Dinge durch nichts auf der Welt wieder ungeschehen zu machen waren; so unbegreiflich es ihm schien, daß sie ihm hatten widerfahren und von ihm ertragen werden können, so quälend rätselhaft erschien ihm anderseits, daß es gar nicht möglich sei, sie aus sich herauszureißen, sondern daß er mit dem Wissen dieser Dinge im Leib immerfort herumgehen müsse.

Er suchte sein Denken mit aller Kraft auf etwas Gegenwärtiges zu werfen, sich seine geänderten Verhältnisse, den beträchtlichen Reichtum, den er erworben hatte, sein Haus, seine Frau und seine nun bald siebenjährige kleine Tochter vorzustellen; aber die Willkür seines unbegreiflichen, vielleicht durch vorhergegangene übermäßige Anspannung seiner Kräfte verursachten fieberhaften Zustandes riß jeden Gegenstand augenblicklich in den Strudel aufgeregten Denkens hinein: er vermochte das Bild seiner Frau nicht so festzuhalten wie sie gegenwärtig war, sondern er mußte sie so denken wie sie damals gewesen war. Wie sie damals gewesen war, im ersten Jahr ihrer Ehe, schwebte sie jetzt um ihn herum, und er stand vor ihr mit jener Mischung von Trunkenheit und Befangenheit, die ihn damals erfüllt hatte. Denn sie war vornehmer als er; er besaß sie und doch war etwas in ihr, das er nicht zu nehmen vermochte, wenn sie es auch hätte hergeben wollen. Und gerade dieses Ungreifbare, das ihn und sie auseinanderhielt, erhöhte in ihm den trunkenen Stolz des Besitzes. Von diesen Dingen hatte die Erinnerung an jene erste Reise ihre eigentümliche Färbung. Damals war ihm der Besitz dieser Frau etwas so Unversichertes noch, etwas völlig Traumhaftes. Alles was er tat bezog sich irgendwie darauf: jeder gute Handel und jeder Verdruß veränderten das Gefühl davon in einer durchdringenden Weise, aber es war doch immer da, war hinter allen Dingen wie ein starkes Licht hinter einem Schirme. Allen Demütigungen setzte er das Bewußtsein dieses Besitzes entgegen wie ein gefangener König das Bewußtsein seiner Hoheit: je ärgere Widerwärtigkeiten ihm tagsüber widerfuhren, um so herrlicher war es, abends, die Augen auf die Marktplätze fremder Städte oder auf jene mit bunten Schiffen bedeckten gleitenden Flüsse geheftet, zu wissen, daß jene, die nicht da war, die hier niemand kannte, ihm gehörte mit ihren Wangen, die nie eine andere Hand gestreichelt hatte, mit ihren Lippen, die nie eine von den gemeinen und schlechten Speisen berührt hatten, mit ihren Händen, die nie etwas Niedri-

ges gearbeitet hatten. In Gedanken redete er stundenlang
mit der Abwesenden und erzählte ihr alles was er erlebte, aber alles in einer lügenhaften Weise, ganz ohne daß er
sich des unaufhörlichen Selbstbetruges bewußt wurde, der
in diesen sonderbaren inneren Gesprächen enthalten war.
Denn er ging dabei über die wirklichen erlebten Unannehmlichkeiten und Demütigungen zwar nicht ganz hinweg, aber er veränderte sie immerfort, indem er bald das
Schmerzliche daran vertiefte und das Niedrige verwischte,
bald sein eignes Verhalten in einer Lage, die Antworten, die
er gegeben hatte, seine Art, etwas aufzunehmen, völlig um-
dichtete, mit einer bewußtlos aus ihm hervorquellenden Er-
findungskraft, jener Kraft ähnlich, die Eidechsen und Würmern in unglaublich kurzer Zeit ein verstümmeltes Glied
ihrer Körper neu und schön wieder hervortreibt. Diese unaufhörlichen Verfälschungen, die immer dem Mitleid und
der Bewunderung zudrängten, veränderten aber wiederum
in ihm das Bild der Person, auf die zu wirken sie in Gedanken bestimmt waren; wie unaufhörlich aufsteigender Weihrauch veränderten sie das Bild, machten es gleichsam goldener und schwärzer. Eine wunderbare geheimnisvolle Königin hörte einem wunderbaren Abenteuer eines in Sklaverei
gefallenen überaus klugen Königs zu.

In einem wunderbaren Geschenk aber, einem goldenen,
mit Essenzen gefüllten Apfel, verdichteten sich alle diese
Phantasien zu einem greifbaren Sinnbild, und dies war das
Geschenk, das er seiner Frau von jener ersten Reise zurück-
brachte.

Dies alles kam ihm jetzt zurück: der eigentümliche Reiz,
der für ihn gerade in dem Umstande gelegen hatte, daß das
Geschenk für seine damaligen Verhältnisse viel zu kostbar
war. Denn das wunderlich Königlich-Überflüssige, daß es
in seiner Kostbarkeit nichts als ein Spielzeug war, weit
überflüssiger als ein Ring oder ein Perlenband, wie das ihn

bezaubert hatte, und gleichzeitig der scharfe und sehnsüchtige Duft der Essenzen, mit denen das Innere angefüllt war, ein Duft, in dem übermäßiges Entzücken und qualvolle Ungeduld durcheinanderfloß und der hervorstieg und nicht nur das durchlöcherte goldene Blattwerk im Innern des Apfels, sondern alle Wege seines Lebens, das Obere und das Untere seiner Tage und Nächte durchströmte. Dann die Inschrift, in der alles drin lag, was ihn damals erfüllte: das freche Pochen auf diesen Besitz, an den er selber kaum glauben konnte, und wieder das Gefühl des Abstandes, das traumhafte unendliche Erstaunen darüber, daß es wirklich so war.

Lange hatte er den Apfel schon mit sich geführt, und erst in der letzten Woche der Reise war ihm der Gedanke gekommen, rings um die Einschnürung, dort, wo der Stiel saß, Worte in die goldene Schale graben zu lassen. Und plötzlich war es ihm eingefallen, daß es diese Worte sein müßten: »Du hast mir alles hingegeben«, diese triumphierenden und über soviel Glück erstaunten Worte, mit denen ein Gedicht des Dschellaledin Rumi anfängt, des großen, tiefsinnigen Dichters. Er erinnerte sich, wie er als Knabe diese Worte hatte auswendig lernen müssen und wie wenig sie ihm gesagt hatten. Nun sagten sie ihm so viel, schienen so sehr alles herauszusagen, woran sein Leben hing, daß er mit einer unbestimmten Scheu nicht einmal wagte, sie völlig von dem Apfel aussprechen zu lassen, sondern nur die vier ersten ließ er eingraben: »Du hast mir alles –«, und dann einen Strich, wie wenn einer im Sprechen innehält.

Diese sieben Jahre alten Erinnerungen strömten in unaufhörlichen Wellen auf den Kaufmann ein, und es fruchtete ihm nichts, daß er in der von schwachem Sternenlicht erhellten Schlafkammer in der Herberge sich auf seinem Bette von einer Lage in die andere warf, ja selbst die geschlossenen Lider noch mit einem Tuch bedeckte. Je tiefer ihn außen Dunkel und Ruhe umgab, desto heftiger wurde diese unbe-

greifliche innere Bewegung. Es lag etwas Beängstigendes
in solchem plötzlichen Hervorbrechen einer verlebten Zeit:
mit aller Gewalt wollte er sich auf die Gegenwart besinnen,
mit gewaltsam heraufgerufener Erinnerung focht er gegen
jene unwillkürliche, der Boden seines Lebens schien ihm zu
schwanken. Seine Beklommenheit, eine beinahe körperliche
Beängstigung wurden so stark, daß er aufstand und im Zimmer herumging. Genarrt vom Leben erschien er sich, daß
seine Seele so die Folge der Zeit aus sich umzuwerfen vermochte, und eine unglaubliche Unsicherheit und Traurigkeit befiel ihn. Allmählich hatte er sich ermüdet, um sich
wieder auf sein Bett zu werfen, das schon im ersten Mor-
gendämmern deutlicher dalag. Mit sanfter Entspannung
fühlte er, wie seine Gedanken anfingen sich zu verwirren, es
schien ihm, als müsse er eine Beziehung zwischen dem Duft
des Apfels und dem Wesen seiner Frau finden, aber alles
was er dachte kam ihm vor wie schon einmal gedacht oder
schon einmal geträumt, und so glitt er in den endlichen
Schlummer hinüber.

Den Nachmittag des Tages, der auf diesen folgte, verbrachte die Frau des Teppichhändlers der großen Hitze wegen in einem halb in den Boden versenkten Gemach an der
Gartenseite ihres Hauses. Ihr Kind aber, ein siebenjähri-
ges Mädchen, sonderbar klein und zart für ihr Alter, einer
Puppe ähnlich, jedoch mit Augen, in denen ein zuweilen
großer Ausdruck aufflackerte, stahl sich, leise hinter einem
Vorhang durchgleitend, von der Mutter fort und stieg in ein
großes leerstehendes Zimmer des oberen Stockwerks. Dort
suchte die Kleine einen alten, hie und da erblindeten Spiegel
hervor und fing an, sich in ihm zu betrachten. Zuerst lächelte sie ihr Bild an, dann runzelte sie die Stirn und
fletschte gegen den Spiegel ihre kleinen blinkenden Zähne;
einen Augenblick ließ sie ihr Gesicht wie in einer schlaffen
tödlichen Müdigkeit hängen, dann verzerrte sie die weichen

Züge und starrte mit weit aufgerissenen Augen und bös zurückgeworfenen Lippen sich selber entgegen. Nach einer
Weile legte sie den Spiegel weg und ging auf eines der ver-
hangenen Fenster zu. Sie schob ihren Kopf durch die
Blende und mußte sogleich die Augen schließen, denn eine
schmerzende Glut lag draußen. In dieser Stellung, den Leib
und die Hand im dämmernden Zimmer, den blinden Kopf
in Hitze gebadet, blieb sie lange: eine Menge Gedanken
stiegen in ihr auf: sie wollte sich lauter schöne Sachen vorstellen, Erlebnisse mit anderen Kindern, mit Tieren und mit
Erwachsenen. Aber ein dumpfes Gefühl von Unzulänglichkeit verstörte sie, irgend etwas stand zwischen ihr und diesen Dingen wie eine gläserne Scheidewand. Verdrossen und
unglücklich zog sie den Kopf wieder ins Zimmer und war
einen Augenblick dem dumpfen zornigen Aufweinen nah.
Da bewegte der Wind leise den Vorhang an der Tür, und
dem Kind war es, als ob ein leiser, kaum merklicher Hauch
vom Duft des goldenen Apfels hereinflöge. Es war dies ein
wirklicher goldener Apfel, den vor vielen Jahren ihr Vater
als ein Geschenk für ihre Mutter von einer großen fernen
Reise mitgebracht hatte. Sein Inneres war mit unendlich feinem verästelten goldenen Blattwerk ausgefüllt, und zwischen
diesem schwebte ein unbegreiflicher Duft, der an nichts auf
der Welt erinnerte. Nicht oft in seinem Leben hatte das
Kind den Apfel gesehen, und immer nur beim unsicheren
Licht einer Kerze, wenn ihn die Mutter hervornahm, um
ihn gleich wieder in der dunklen Truhe zu verschließen. Jedesmal aber legte sich mit einer Wolke seines unbegreiflichen Duftes, der in allen Jahren nicht abnahm, ein ungeheurer Traum in die Seele der Kleinen: einer Art war dieser
goldene Apfel mit den wunderbarsten Dingen in den Märchen, mit dem sprechenden Vogel, dem tanzenden Wasser
und dem singenden Baum war sein Leben irgendwie durch
unterirdische Gänge verbunden, die hie und da in dunklen

Gewölben, hie und da zwischen den schwankenden durchsichtigen Wohnungen der Meerkönigin hinliefen.

In einer Verbindung mit diesen Gängen stand auch der
Brunnenkopf in einer Ecke des Hofes. Es hieß, er war ausgetrocknet, und die Eimer stiegen nur in einem anderen,
größeren Brunnen mehr auf und ab; der alte war mit einem
Steindeckel verschlossen, auf dem eine steinerne Gestalt
hockte, einem nackten Menschen nicht unähnlich, aber in
der Stellung eines Tieres auf allen Füßen. Keinesfalls war es
ein gewöhnlicher vertrockneter Schacht, was dieses rätselhafte Wesen bewachte, und gegen Abend konnte man, wenn
man das Ohr auf den Steindeckel lehnte, unten ein plötzliches Rauschen und eine Bewegung heftiger, in großer Tiefe
sich hindrängender Körper vernehmen. Ein anderer Eingang in diese geheimnisvolle Welt mußte sich aber vor dem
Haus, auf der Straße befinden, wenn man vermöchte, den
großen flachen Stein zu heben, in welchen ein eiserner Ring
eingelassen war.

Langsam ging die Kleine die Stiege hinunter, da leuchteten ihr von seitwärts aus der Wand zwei glühende Punkte
entgegen wie die Augen eines Basilisken. Es waren zwei
Schrauben des metallenen Beschläges an der großen halb in
die Wand eingelassenen Truhe, in welcher der goldene Apfel
verschlossen lag. Von hoch oben her sah durch eine eiför-
mige wie Bienenzellen vergitterte Öffnung in das dämmernde Stiegenhaus der weiche, von Licht gesättigte hell-
blaue Himmel. Durch eine einzige Stelle des Gitters aber
brach ein blendender Strahl, durchschnitt die ganze bläulich
bebende Luft und hatte seinen Fuß auf dem kupfernen Beschläge und ließ aus zwei Schraubenköpfen Glut und Leben
hervorquellen wie aus lebendigen Augen.

Das Kind wußte, daß es einen geheimen Griff gab, die
Truhe von der Seite zu öffnen, so daß man hineingreifen
konnte, ohne den schweren Deckel zu heben. Es versuchte,

das funkelnde Beschläge zu verschieben, dann das nächste, dann die anderen, die im Dunkel lagen. Endlich gab eines nach, und wunderbarer als die smaragdenen Türen einer zauberhaften Höhle schoben sich die verborgenen Seitentüren der Truhe auseinander. Mit dem Kopf stemmte sich das Kind den herausquellenden goldenen und bunten Geweben entgegen, seine Hände aber wühlten sich durch weiches aufgeschichtetes Linnen durch, an glatten kühlen Kugeln von Bernstein, schmerzenden geschnitzten und metallenen Geräten vorbei nach der Tiefe, dorthin, wo der Apfel lag, und zogen ihn hervor. Ohne ein anderes Bewußtsein als dieses Glück schob das Kind hastig die Türen wieder zu, das Beschläge sprang ein.

Lange stand die Kleine regungslos, und in feierlichen Stößen, wie die Atemzüge eines schlafenden Zauberers, stieg aus dem Apfel der unbegreifliche Duft empor und umwölkte den Kopf des Kindes mit dem Bewußtsein grenzenloser Macht und Größe. Allmählich aber wurde sie es müde, so zu stehen, und es fiel ihr ein, daß der Sinn des Apfels nicht darin lag, daß man ihn bloß besah, sondern, daß er ein Ding war wie die Wunderlampe oder die von Feen geschenkten Ringe, ein Ding, das Kraft über andere Dinge hatte. Und sogleich erblickte sie sich deutlich wie in einem Spiegel, mit dem Apfel in der Hand, von dem wie von einer Wunderlampe weiches honigfarbenes Licht und innerliche Sicherheit ausströmte, die Stufen in jene geheimnisvolle Welt hinabsteigen. Schnell schlüpfte sie auf die Straße hinaus, die in Glut gebadet leer und schweigend dalag. Sie stand über dem flachen Stein, beugte sich zu ihm nieder, berührte den eisernen Ring mit dem Apfel, drehte den Apfel dreimal in ihren kleinen Händen nach links, ließ ihn über den Stein hinwegrollen; der Stein erbebte nicht, regungslos lag der Ring in seiner Kerbe. Wie ein Alp legte sich das Bewußtsein auf sie, daß die Macht des Apfels versagt habe. Al-

les schien ihr dunkler, eine Menge widerwärtiger Gedanken, Gedanken, deren Inhalt sie kaum verstand und die
doch eine quälende beklemmende Kraft über sie hatten,
quollen in ihr auf. Sie mußte an ihre Mutter und ihren Vater
denken: es erschien ihr unbegreiflich, wie solche Menschen
ihr Leben ertrugen, da es doch so viele, viele Jahre dahinging und nichts von allem in sich hatte, was ihr den Wert
des Daseins auszumachen schien. Sie begriff nicht, wie es
möglich wäre, eine solche entsetzliche Langeweile zu ertragen. Eine Art Mitleid überkam sie, und eine große Verzagtheit. Sie sah den Apfel an und fand ihn kleiner und gewöhnlicher aussehen; sein Gewicht schien ihr das Gewicht
eines Steines, während es früher die geheimnisvolle Schwere
eines mehr als lebendigen Wesens gewesen war. Sie beschloß hinzugehen und ihn zwei kleinen Mädchen, mit denen sie öfter spielte, zu schenken: als ob es gar nichts Besonderes wäre, nichts Merkwürdigeres als eine Kugel von
buntem Stein, wollte sie ihn vor die beiden Mädchen hin-
rollen lassen. Indem sie sich das vornahm, war es ihr, als
müßte der Apfel empfinden, was darin lag: denn er war ihr
noch nicht gleichgültig, die Gebärde der Verachtung, die sie
sich abringen wollte, hatte doch noch ein dumpfes Gemenge
aus Grauen, Trauer und Liebe hinter sich. Schon hatte sie
ihn wieder von der Erde genommen, um diesen Weg anzu-
treten, als sie Schritte eines Menschen auf sich zukommen
hörte, der schön gekleidet war und den zwei große rauh-
haarige, übermäßig schlanke Hunde umsprangen. Dieser
junge Mann war der oberste Stallmeister des Königs. Er
war der Sohn eines Negers und einer Syrerin, und nur
durch eine Reihe sonderbarer Glücksfälle zu seiner jetzigen
hohen Stellung emporgestiegen. Mit leichten wiegenden
Schritten kam er daher, so wie die Löwen und Panther gehen; er trug ein smaragdgrünes Obergewand, durch dessen
mit Rot ausgenähte Schlitze das feine weiße Hemd hervor-

schimmerte; den schneeweißen Turban umwand eine goldene amethystenbesetzte Kette, im Schuppengürtel stak ein kurzer, breiter Dolch, daneben eine lederne Peitsche, deren Griff in eine goldene, einen großen Amethyst umringelnde Schlange auslief; unter dem Gürtel hing ein Schurz von rotem Leder bis gegen die Knie. Lichtgelbe Stiefel, mit metallgrünen Bändern besetzt, reichten hinauf bis nahe an die Kniekehle. Die Ärmel des Hemdes waren weit, über den Knöcheln aber von einem goldenen, mit schwarzen Blumen durchwirkten Band fest umwunden, so daß die schönen großen Hände, durchscheinend wie gelbliche Halbedelsteine, aus einem engen Kelch hervortraten.

Der Stallmeister des Königs war fröhlich, ein andauerndes Lächeln hielt die obere seiner geschwellten starken Lippen empor und zeigte einen Schimmer der blinkenden Zähne. Seine Fröhlichkeit hatte verschiedene Ursachen: erst am Morgen dieses Tages hatte ihm der König als Zeichen seiner besonderen Gunst diese beiden schönen, überaus seltenen Hunde zum Geschenk gemacht, die der König selber nebst anderen Hunden und langhaarigen Ziegen von einem kurdischen Fürsten zugesandt erhalten hatte.

Der Stallmeister ließ sie vor sich her springen, mit einem gellenden kurzen Pfiff riß er sie aus pfeilschnellem Lauf zu sich zurück, und ihre Leiber, ganz Wildheit und ganz Gehorsam, erfüllten ihn mit der Freude des neuen Besitzes. Er fühlte in diesen windschnellen feurigen Gliedern, die um ihn her tanzten, etwas von der leichten und heißen Kraft, die er selbst im Blut trug, und als er noch unter einem halbschattigen Säulengang einem mißgestalten armen Zwerg begegnete, einem kläglichen Geschöpfe, dem der übergroße greisenhafte Kinderkopf tief eingesattelt zwischen emporgekrümmten Schultern saß, da kamen ihm die eigenen leichtgefaßten Schultern und alle Gelenke seines Leibes so zum Bewußtsein, als wenn er mit nacktem Leib durch ein schönes Bad überaus leichten und doppelt tragenden Wassers dahinglitte. Sooft der heiße Wind den Vorhang von einem der seltenen gegen die Straße gekehrten Fenster bewegte, meinte er schon die Hand einer Frau zu sehen, die sich aus dem geheimnisvollen Dämmer im verhängten Gemach hervorbewegte, ihm Blumen oder einen Brief zuzuwerfen.

Plötzlich sah er das kleine Mädchen vor sich, das mit einer bittenden Gebärde den goldenen Apfel emporhielt und gleich darauf nach dem flachen Stein hinunterwies, als wollte sie den Apfel als Lohn versprechen. Einen Augenblick schien ihm die Kleine wie eine Liebesbotin, und der Stein mit dem Ring wie eine Falltür; auch freute ihn, seine Kraft an irgend etwas zu versuchen: so griff er mit der schönen kräftigen Hand, die aus einem engen Kelch von Gold und schwarzem Gewebe hervorwuchs, in den rostigen Ring und hielt die schwere Platte, jeder Muskel des kräftigen Leibes unter den schönen bunten Kleidern gespannt wie eine Bogensehne, durch drei Augenblicke empor. Ein tiefer Schacht, angefüllt mit kalter Luft und tief unten das Rieseln von spärlichem Wasser, gähnte dem Kind entgegen. Auf den zweiten Blick schienen an den senkrechten, mit Finsternis behangenen Wänden hie und da Tiere hinzuhuschen. Auf den dritten Blick tat sich in beträchtlicher Tiefe nach der Seite hin die Öffnung eines neuen Schachtes auf, eines waagerechten unterirdischen Ganges. Da fühlte der Stallmeister seine Kraft am Ende und ließ den schweren Stein in seine Fugen zurück. Er griff mit beiden Händen nach der Kleinen, in deren Augen ein Teil der tiefen Finsternis und des Geheimnisses hing, die sie eingesogen hatten, und hob sie hoch in die heiße blendende Luft empor. Als er sie wieder herunterließ, fühlte er die Hand des Kindes an seiner Brust und einen harten Gegenstand in eine Falte seines Gewandes gegen innen gleiten. Aber erst, nachdem er wieder um die

Ecke gebogen hatte, griff er hin und bemerkte, daß es der goldene Apfel war, dem ein seltener starker Geruch entströmte, worin übermäßige Süße und qualende Sehnsucht vermengt waren.

Als der Stein den Weg nach jener geheimnisvollen Welt wieder verschloß, stand das kleine Mädchen davor wie die aus ihrer Heimat ausgestoßene Tochter des Meerkönigs; sie beschloß, ihre Verbannung mit Mut zu ertragen und nicht eher zu ruhen, als bis sie einen Weg gefunden hätte, in ihr väterliches Reich zurückzukehren. Daß sie den Apfel für einen Blick in die Tiefe hingegeben hatte, schien ihr nur der Anfang einer Reihe wunderbarer Abenteuer, und nicht mehr geängstigt von der Öde und Unbegreiflichkeit ihrer wirklichen Umgebung – denn der Name Exil gab dem allem einen Sinn – ging sie ins Haus zurück.

Indessen war ihre Mutter mit unerquickten Augenlidern und schmerzlich klopfenden Schläfen aus einem kurzen Halbschlummer erwacht. Mit einem unangenehmen Nachgefühl erinnerte sie sich an etwas, wovon sie in dieser kurzen Zeit geträumt oder woran sie in dumpfer, halb unwillkürlicher Weise gedacht haben mußte, denn es war minder ein Schlaf als eine äußerliche Betäubung gewesen, die sie in ihrem schwülen halbdunklen Gemach überkommen hatte. Es waren Gedanken, denen nachzuhängen hie und da im völligen Wachen eine Lust sie anwandelte; aber da verscheuchte sie's jedesmal mit Gewalt. Diesmal aber hatte es sie in der Wehrlosigkeit des Schlafes überfallen und sich mit Leben vollgesogen und hing noch da, als sie aufwachte, stärker als je. Es war nicht so sehr eine Unzufriedenheit mit ihrem Leben, als eine verlockende Vorstellung, wie es hätte anders werden können, ein stilles Fieber, in welchem sich mit übermäßiger Lieblichkeit ungelebte Vorgänge abrollten: die mehr als sieben Jahre ihrer Ehe waren darin wie ausgelöscht, mit traumhafter Deutlichkeit kam das Bewußtsein

ihres Mädchenwesens zurück, der Seele und des Leibes, und
in irgendein Schicksal verstrickt, das nicht ihr wirkliches geworden war, tauschte sie mit unbestimmten Freunden und
Feinden, mit schattenhaften Umgebungen Reden, in die
sich alles ergoß was unausgesprochen und unnütz in ihr lag,
ein solcher unerschöpflicher Schwall von Möglichkeiten,
solche Abstufung von Stolz und Demut, von Tändelei und
Hingebung, daß es das Wirkliche mit sich fortriß und überflutete wie ein breiter, reißender Strom eine winzige Lehm-
insel mit sich fortreißt. Sie wußte nicht, daß es gerade die
Fülle dieser inneren Möglichkeiten war, die sie vor gemeinen Wünschen bewahrte. Sie war jedesmal, wenn es über sie
gekommen war, verletzt und beklommen, diesmal aber
mehr als je. Mehr als je erschien ihr alles was wirklich war
so unsäglich unsicher, so völlig das Werk des blinden Zufalls. Ihre ganze innere Welt war ihr verstört; sie konnte
nicht fassen, worauf sich das Wort Gerechtigkeit bezog.
Verzweifelt rang sie gegen den unsichtbarsten Feind, dessen
Irrlehre sie im eigenen Innern fühlte, und nicht einmal als
Wunsch, nur als Möglichkeit alles Schlimmen, alles Frevel-
haften, alles Verlockenden. Mit unsicheren Augen sah sie
um sich, und was sie sah und spürte, vermehrte ihre Beängstigung. An den Fenstern und im Nebenzimmer rührte der
Wind an den Vorhängen: ihr war, als hörte sie das leise Treten einer Menge, die sich näherte, die den Hof und die Flure
erfüllte, alles schien ihr erfüllt mit unsichtbaren Gestalten,
dem Wehen ihrer Gewänder, aus der Luft schien etwas her-
vorzuwollen, das eins war mit dem Bedrohlichen in ihrem
Innern. Sie verlangte, sich an irgend etwas festzuhalten, und
sah sich nach ihrem Kind um, das Kind war nicht da. Sie erinnerte sich an einen Brief, den ihr Mann von seiner ersten
Reise im ersten Jahr ihrer Ehe ihr geschickt hatte, und ging,
ihn zu holen, um ihre Gedanken und die dumpfe Sehnsucht
und Zärtlichkeit in ihr irgendwie gewaltsam auf das Wirk-

liche zu drängen. Er lag in der Truhe zuunterst, zwischen
einer geschnitzten Dose aus Sandelholz und dem goldenen
Apfel. Sie schloß die Truhe auf und mit einem Schrecken,
der von den Augen den ganzen Körper durchfuhr, ent-
deckte sie, daß der Apfel nicht da war. Das völlig Unbegreifliche, völlig Unerwartete dieser Entdeckung fiel mitten
in ihre Unruhe hinein, und nun erst schien ihr wie durch
ein drohendes Zeichen verkündet, daß sich alles jenes Beängstigende und Bedrohliche wirklich auf ihr Leben bezog,
eine Tür schien aufgesprungen, durch welche sich die leise
tretenden Unsichtbaren nun erst recht in das Innerste ihres
Daseins drängen konnten: ja, schon war etwas geschehen:
etwas Geschehenes, nicht mehr bloß Gedanken, schien ihr
nun zwischen ihr und ihrem Gatten, zwischen ihr und allem
Guten und Frommen zu liegen; das fiel ihr schwer aufs
Herz. Sie stand auf, ihre beklemmende gebückte Stellung zu
verlassen, und sich zusammennehmend wollte sie sich selber sagen, daß dies nichts als unsinniges, durch Einsamkeit
und Stille übermäßig erregtes Denken wäre.

Da stand lauernd wie eine Katze und über die feinen
Züge einen eigentümlich lügenhaften Ausdruck gebreitet
drei Schritte hinter ihr im Halbdunkel das Kind. Sogleich
erriet sie einen Zusammenhang, und indem sie die Kleine
heftig ergriff, verlangte sie von ihr die Wahrheit zu erfahren. Und als das Kind hartnäckig schwieg, in seine Augen
ein immer stärkerer Ausdruck von Heimlichkeit und innerer bewußter Beherrschung trat, stieß sie die Kleine in eine
dunkle Kammer und machte sich selbst auf, den Apfel zu
suchen; denn sie war sicher, daß das Kind mit diesem kost-
baren und merkwürdigen Spielzeug zu seinen Gespielen,
den Kindern des Nachbars, gelaufen und ihm dort auf
irgendwelche Weise der Apfel abgenommen worden oder
sonst verlorengegangen sein werde. Als sie das zunächstge-
legene Haus, das Haus eines reichen Gewürzhändlers, be-

treten hatte, war sie zuerst verwundert, im Vorhaus und auf
der Treppe niemanden, nicht einmal eine Person des Gesin-
des zu sehen. Aus dem Hof aber wehte das Murmeln von
vielen Menschen her. Dort richtete sie ihre Schritte hin, aber
erst als sie, zwischen zwei Säulen hervortretend, mitten
in einer ernstgekleideten feierlichen Schar von Menschen
stand, kam ihr ins Gedächtnis, daß hier eine Leiche im
Hause war, die Leiche der jüngsten, kaum fünfzehnjährigen Tochter des Gewürzhändlers. Völlig unbemerkt wieder
wegzuschleichen war es nun zu spät, und so blieb die Frau
an die Säule geduckt stehen und sah zu.

Um die Bahre war ein stilles Zudrängen und Wiederweg-
treten: Die Leute sprachen immer ein paar Worte miteinander, dann trat jeder in sich selber zurück, und nur ein unbestimmtes Atmen und das Wehen und Aneinandervorbei-
streifen vieler Kleider erfüllte den kleinen Hofraum, über
den sich ein Gewebe spannte, auf dem die schwere Sonne
lag und durch das dumpfe Hitze und flüssiges Gold durch-
sickerte. Jetzt schob sich am Kopfende der Bahre etwas auseinander, und für einen Augenblick konnte die Frau des
Teppichhändlers zwischen dem lilafarbig über die Schulter
gebauschten Gewand einer alten Frau und dem Kopf eines
blassen, dunkeläugigen Knaben hindurch den flachen, in
blendendes Weiß gehüllten Leib der Toten erblicken, die
eine magere Schulter und ein Stück vom dünnen Hals. Wieder schoben sich andere Schultern und Köpfe vor und die
junge Frau wandte ihre Augen nach drei Frauen, die ihr zunächst standen, aus der Verwandtschaft von des Gewürzhändlers Frau. Es waren zwei alte Frauen und eine junge.
Von den beiden Alten aber war wiederum eine viel älter als
die andere, ja mochte vielleicht ihre Mutter sein, und doch
war auch die jüngere eine Greisin. In dem Gesicht der Uralten lebte nichts mehr: selbst die schwimmenden Augen
schienen nur willenlos das aufzufangen, was vor ihnen lag,

wie eine Lacke getauten Schneewassers am Rand des Waldes. Ihre Lippen waren kaum mehr dunklere Linien; nur in
dem versteinerten Kinn lebte blind und taub das Letzte eines harten Willens fort. Das Gesicht der jüngeren Greisin
aber war unendlich reich: in ihren dunkel geränderten Augen flackerte Güte und ringsum hing etwas wie der Dunst
von Feuer und Blut. Ihr Mund war groß und schön: man
konnte sie von Vögeln umflattert denken, die kamen, auf
diesen Lippen ihre Nahrung zu suchen, nicht in zärtlichem
Spiel wie auf den Lippen eines jungen Mädchens, sondern
mit tiefen dunklem Zutrauen in schweren Zeiten. Sonderbar sah neben diesem Gesicht das Gesicht der jungen Frau
aus: wie der aus dunklem Erz getriebene Kopf einer jung-
fräulich hartherzigen Göttin in reichen [...] auf einmal neben dem riesigen gütigen Haupt der mit Türmen gekrönten
und Früchten behängten Großen Mutter auftaucht ...

# Reitergeschichte

Den 22. Juli 1848, vor 6 Uhr morgens, verließ ein Streifkommando, die zweite Eskadron von Wallmodenkürassie-
ren, Rittmeister Baron Rofrano mit einhundertsieben Reitern, das Kasino San Alessandro und ritt gegen Mailand.
Über der freien, glänzenden Landschaft lag eine unbeschreibliche Stille; von den Gipfeln der fernen Berge stiegen
Morgenwolken wie stille Rauchwolken gegen den leuchtenden Himmel; der Mais stand regungslos, und zwischen
Baumgruppen, die aussahen wie gewaschen, glänzten Landhäuser und Kirchen her. Kaum hatte das Streifkommando
die äußerste Vorpostenlinie der eigenen Armee etwa um
eine Meile hinter sich gelassen, als zwischen den Maisfel-
dern Waffen aufblitzten und die Avantgarde feindliche Fuß-
truppen meldete. Die Schwadron formierte sich neben der
Landstraße zur Attacke, wurde von eigentümlich lauten,
fast miauenden Kugeln überschwirrt, attackierte querfeld-
ein und trieb einen Trupp ungleichmäßig bewaffneter Menschen wie die Wachteln vor sich her. Es waren Leute der
Legion Manaras, mit sonderbaren Kopfbedeckungen. Die
Gefangenen wurden einem Korporal und acht Gemeinen
übergeben und nach rückwärts geschickt. Vor einer schönen
Villa, deren Zufahrt uralte Zypressen flankierten, meldete
die Avantgarde verdächtige Gestalten. Der Wachtmeister
Anton Lerch saß ab, nahm zwölf mit Karabinern bewaff-
nete Leute, umstellte die Fenster und nahm achtzehn Stu-
denten der Pisaner Legion gefangen, wohlerzogene und
hübsche junge Leute mit weißen Händen und halblangem
Haar. Eine halbe Stunde später hob die Schwadron einen

Mann auf, der in der Tracht eines Bergamasken vorüberging
und durch sein allzu harmloses und unscheinbares Auftreten verdächtig wurde. Der Mann trug im Rockfutter einge-
näht die wichtigsten Detailpläne, die Errichtung von Frei-
korps in den Giudikarien und deren Kooperation mit
der piemontesischen Armee betreffend. Gegen 10 Uhr vormittags fiel dem Streifkommando eine Herde Vieh in die
Hände. Unmittelbar nachher stellte sich ihm ein starker
feindlicher Trupp entgegen und beschoß die Avantgarde von
einer Friedhofsmauer aus. Der Tete-Zug des Leutnants Grafen Trautsohn übersprang die niedrige Mauer und hieb zwischen den Gräbern auf die ganz verwirrten Feindlichen ein,
von denen ein großer Teil in die Kirche und von dort durch
die Sakristeitür in ein dichtes Gehölz sich rettete. Die sie-
benundzwanzig neuen Gefangenen meldeten sich als nea-
politanische Freischaren unter päpstlichen Offizieren. Die
Schwadron hatte einen Toten. Einer das Gehölz umreiten-
den Rotte, bestehend aus dem Gefreiten Wotrubek und den
Dragonern Holl und Haindl, fiel eine mit zwei Ackergäulen
bespannte leichte Haubitze in die Hände, indem sie auf die
Bedeckung einhieben und die Gäule am Kopfzeug packten
und umwendeten. Der Gefreite Wotrubek wurde als leicht
verwundet mit der Meldung der bestandenen Gefechte und
anderer Glücksfälle ins Hauptquartier zurückgeschickt, die
Gefangenen gleichfalls nach rückwärts transportiert, die
Haubitze aber von der nach abgegebener Eskorte noch achtundsiebzig Reiter zählenden Eskadron mitgenommen.

   Nachdem laut übereinstimmender Aussagen der verschiedenen Gefangenen die Stadt Mailand von den feindlichen sowohl regulären als irregulären Truppen vollständig
verlassen, auch von allem Geschütz und Kriegsvorrat entblößt war, konnte der Rittmeister sich selbst und der
Schwadron nicht versagen, in diese große und schöne, wehr-
los daliegende Stadt einzureiten. Unter dem Geläute der

Mittagsglocken, der Generalmarsch von den vier Trompeten hinaufgeschmettert in den stählern funkelnden Himmel, an tausend Fenstern hinklirrend und zurückgeblitzt auf achtundsiebzig Kürasse, achtundsiebzig aufgestemmte nackte Klingen; Straße rechts, Straße links wie ein aufgewühlter Ameishaufen sich füllend mit staunenden Gesichtern; fluchende und erbleichende Gestalten hinter Haustoren verschwindend, verschlafene Fenster aufgerissen von den entblößten Armen schöner Unbekannter; vorbei an Santo Babila, an San Fedele, an San Carlo, am weltberühmten marmornen Dom, an San Satiro, San Giorgio, San Lorenzo, San Eustorgio; deren uralte Erztore alle sich auftuend und unter Kerzenschein und Weihrauchqualm silberne Heilige und brokatgekleidete strahlenäugige Frauen hervorwinkend; aus tausend Dachkammern, dunklen Torbogen, niedrigen Butiken Schüsse zu gewärtigen, und immer wieder nur halbwüchsige Mädchen und Buben, die weißen Zähne und dunklen Haare zeigend; vom trabenden Pferd herab funkelnden Auges auf alles dies hervorblickend aus einer Larve von blutgesprengtem Staub; zur Porta Venezia hinein, zur Porta Ticinese wieder hinaus: so ritt die schöne Schwadron durch Mailand.

Nicht weit vom letztgenannten Stadttor, wo sich ein mit hübschen Platanen bewachsenes Glacis erstreckte, glaubte der Wachtmeister Anton Lerch am ebenerdigen Fenster eines neugebauten hellgelben Hauses ein ihm bekanntes weibliches Gesicht zu sehen. Neugierde bewog ihn, sich im Sattel umzuwenden, und da er gleichzeitig aus einigen steifen Tritten seines Pferdes vermutete, es hätte in eines der vorderen Eisen einen Straßenstein eingetreten, er auch an der Queue der Eskadron ritt und ohne Störung aus dem Gliede konnte, so bewog ihn alles dies zusammen, abzusitzen, und zwar nachdem er gerade das Vorderteil seines Pferdes in den Flur des betreffenden Hauses gelenkt hatte.

Kaum hatte er hier den zweiten weißgestiefelten Vorderfuß
seines Braunen in die Höhe gehoben, um den Huf zu prü-
sen, als wirklich eine aus dem Innern des Hauses ganz vorne
in den Flur mündende Zimmertür aufging und in einem etwas zerstörten Morgenanzug eine üppige, beinahe noch
junge Frau sichtbar wurde, hinter ihr aber ein helles Zimmer
mit Gartenfenstern, worauf ein paar Töpfchen Basilika und
rote Pelargonien, ferner mit einem Mahagonischrank und
einer mythologischen Gruppe aus Biskuit dem Wachtmeister sich zeigte, während seinem scharfen Blick noch gleichzeitig in einem Pfeilerspiegel die Gegenwand des Zimmers
sich verriet, ausgefüllt von einem großen weißen Bette und
einer Tapetentür, durch welche sich ein beleibter, vollständig
rasierter älterer Mann im Augenblicke zurückzog.

Indem aber dem Wachtmeister der Name der Frau einfiel
und gleichzeitig eine Menge anderes: daß es die Witwe oder
geschiedene Frau eines kroatischen Rechnungsunteroffi-
ziers war, daß er mit ihr vor neun oder zehn Jahren in Wien
in Gesellschaft eines anderen, ihres damaligen eigentli-
chen Liebhabers, einige Abende und halbe Nächte verbracht hatte, suchte er nun mit den Augen unter ihrer jetzigen Fülle die damalige üppig-magere Gestalt wieder hervor-
zuziehen. Die Dastehende aber lächelte ihn in einer halb
geschmeichelten slawischen Weise an, die ihm das Blut in
den starken Hals und unter die Augen trieb, während eine
gewisse gezierte Manier, mit der sie ihn anredete, sowie
auch der Morgenanzug und die Zimmereinrichtung ihn ein-
schüchterten. Im Augenblick aber, während er mit etwas
schwerfälligem Blick einer großen Fliege nachsah, die über
den Haarkamm der Frau lief, und äußerlich auf nichts achtete, als wie er seine Hand, diese Fliege zu scheuchen, sogleich auf den weißen, warm und kühlen Nacken legen
würde, erfüllte ihn das Bewußtsein der heute bestandenen
Gefechte und anderer Glücksfälle von oben bis unten,

so daß er ihren Kopf mit schwerer Hand nach vorwärts
drückte und dazu sagte: »Vuic« – diesen ihren Namen hatte
er gewiß seit zehn Jahren nicht wieder in den Mund genommen und ihren Taufnamen vollständig vergessen –, »in acht
Tagen rücken wir ein, und dann wird das da mein Quar-
tier«, auf die halboffene Zimmertür deutend. Unter dem
hörte er im Hause mehrfach Türen zuschlagen, fühlte sich
von seinem Pferde, zuerst durch stummes Zerren am Zaum,
dann, indem es laut den anderen nachwieherte, fortge-
drängt, saß auf und trabte der Schwadron nach, ohne von
der Vuic eine andere Antwort als ein verlegenes Lachen mit
in den Nacken gezogenem Kopf mitzunehmen. Das ausgesprochene Wort aber machte seine Gewalt geltend. Seitwärts der Rottenkolonne, einen nicht mehr frischen Schritt
reitend, unter der schweren metallischen Glut des Himmels,
den Blick in der mitwandernden Staubwolke verfangen,
lebte sich der Wachtmeister immer mehr in das Zimmer mit
den Mahagonimöbeln und den Basilikumtöpfen hinein und
zugleich in eine Zivilatmosphäre, durch welche doch das
Kriegsmäßige durchschimmerte, eine Atmosphäre von Behaglichkeit und angenehmer Gewalttätigkeit ohne Dienst-
verhältnis, eine Existenz in Hausschuhen, den Korb des Sä-
bels durch die linke Tasche des Schlafrockes durchgesteckt.
Der rasierte, beleibte Mann, der durch die Tapetentür verschwunden war, ein Mittelding zwischen Geistlichem und
pensioniertem Kammerdiener, spielte darin eine bedeutende
Rolle, fast mehr noch als das schöne breite Bett und die
feine weiße Haut der Vuic. Der Rasierte nahm bald die
Stelle eines vertraulich behandelten, etwas unterwürfigen
Freundes ein, der Hoftratsch erzählte, Tabak und Kapau-
nen brachte, bald wurde er an die Wand gedrückt, mußte
Schweiggelder zahlen, stand mit allen möglichen Umtrieben
in Verbindung, war piemontesischer Vertrauter, päpstlicher
Koch, Kuppler, Besitzer verdächtiger Häuser mit dunklen

Gartensälen für politische Zusammenkünfte, und wuchs zu
einer schwammigen Riesengestalt, der man an zwanzig Stellen Spundlocher in den Leib schlagen und statt Blut Gold
abzapfen konnte.

Dem Streifkommando begegnete in den Nachmittags-
stunden nichts Neues, und die Träumereien des Wachtmeisters erfuhren keine Hemmungen. Aber in ihm war ein
Durst nach unerwartetem Erwerb, nach Gratifikationen,
nach plötzlich in die Tasche fallenden Dukaten rege geworden. Denn der Gedanke an das bevorstehende erste Eintreten in das Zimmer mit den Mahagonimöbeln war der Split-
ter im Fleisch, um den herum alles von Wünschen und Begierden schwärte.

Als nun gegen Abend das Streifkommando mit gefütter-
ten und halbwegs ausgerasteten Pferden in einem Bogen
gegen Lodi und die Addabrücke vorzudringen suchte, wo
denn doch Fühlung mit dem Feind sehr zu gewärtigen war,
schien dem Wachtmeister ein von der Landstraße abliegen-
des Dorf, mit halbverfallenem Glockenturm in einer dunkelnden Mulde gelagert, auf verlockende Weise verdächtig,
so daß er, die Gemeinen Holl und Scarmolin zu sich win-
kend, mit diesen beiden vom Marsche der Eskadron seitlich
abbog und in dem Dorfe geradezu einen feindlichen Gene-
ral mit geringer Bedeckung zu überraschen und anzugreifen
oder anderswie ein ganz außerordentliches Prämium zu
verdienen hoffte, so aufgeregt war seine Einbildung. Vor
dem elenden, scheinbar verödeten Nest angelangt, befahl er
dem Scarmolin links, dem Holl rechts die Häuser außen zu
umreiten, während er selbst, Pistole in der Faust, die Straße
durchzugaloppieren sich anschickte, bald aber, harte Steinplatten unter sich fühlend, auf welchen noch dazu irgendein
glitschriges Fett ausgegossen war, sein Pferd in Schritt parieren mußte. Das Dorf blieb totenstill; kein Kind, kein Vogel, kein Lufthauch. Rechts und links standen schmutzige

kleine Häuser, von deren Wänden der Mörtel abgefallen
war; auf den nackten Ziegeln war hie und da etwas Häßliches mit Kohle gezeichnet; zwischen bloßgelegten Türpfosten ins Innere schauend, sah der Wachtmeister hie und
da eine faule, halbnackte Gestalt auf einer Bettstatt lun-
gern oder schleppend, wie mit ausgerenkten Hüften, durchs
Zimmer gehen. Sein Pferd ging schwer und schob die Hin-
terbeine mühsam unter, wie wenn sie von Blei wären. Indem er sich umwendete und bückte, um nach dem rückwärtigen Eisen zu sehen, schlürften Schritte aus einem Hause,
und da er sich aufrichtete, ging dicht vor seinem Pferde eine
Frauensperson, deren Gesicht er nicht sehen konnte. Sie
war nur halb angekleidet; ihr schmutziger, abgerissener
Rock von geblümter Seide schleppte im Rinnsal, ihre nackten Füße staken in schmutzigen Pantoffeln; sie ging so dicht
vor dem Pferde, daß der Hauch aus den Nüstern den fettig
glänzenden Lockenbund bewegte, der ihr unter einem alten
Strohhute in den entblößten Nacken hing, und doch ging
sie nicht schneller und wich dem Reiter nicht aus. Unter einer Türschwelle zur Linken rollten zwei ineinander verbis-
sene blutende Ratten in die Mitte der Straße, von denen die
unterliegende so jämmerlich aufschrie, daß das Pferd des
Wachtmeisters sich verhielt und mit schiefem Kopf und
hörbarem Atem gegen den Boden stierte. Ein Schenkel-
druck brachte es wieder vorwärts, und nun war die Frau in
einem Hausflur verschwunden, ohne daß der Wachtmeister
hatte ihr Gesicht sehen können. Aus dem nächsten Hause
lief eilfertig mit gehobenem Kopfe ein Hund heraus, ließ einen Knochen in der Mitte der Straße fallen und versuchte
ihn in einer Fuge des Pflasters zu verscharren. Es war eine
weiße unreine Hündin mit hängenden Zitzen; mit teufli-
scher Hingabe scharrte sie, packte dann den Knochen mit
den Zähnen und trug ihn ein Stück weiter. Indessen sie wieder zu scharren anfing, waren schon drei Hunde bei ihr:

zwei waren sehr jung, mit weichen Knochen und schlaffer Haut; ohne zu bellen und ohne beißen zu können, zogen sie einander mit stumpfen Zähnen an den Lefzen. Der Hund, der zugleich mit ihnen gekommen war, war ein lichtgelbes Windspiel von so aufgeschwollenem Leib, daß er nur ganz langsam auf den vier dünnen Beinen sich weitertragen konnte. An dem dicken wie eine Trommel gespannten Leib erschien der Kopf viel zu klein; in den kleinen ruhelosen Augen war ein entsetzlicher Ausdruck von Schmerz und Beklemmung. Sogleich sprangen noch zwei Hunde hinzu: ein magerer, weißer, von äußerst gieriger Häßlichkeit, dem schwarze Rinnen von den entzündeten Augen herunterliefen, und ein schlechter Dachshund auf hohen Beinen. Dieser hob seinen Kopf gegen den Wachtmeister und schaute ihn an. Er mußte sehr alt sein. Seine Augen waren unendlich müde und traurig. Die Hündin aber lief in blöder Hast vor dem Reiter hin und her; die beiden jungen schnappten lautlos mit ihrem weichen Maul nach den Fesseln des Pferdes, und das Windspiel schleppte seinen entsetzlichen Leib hart vor den Hufen. Der Braun konnte keinen Schritt mehr tun. Als aber der Wachtmeister seine Pistole auf eines der Tiere abdrücken wollte und die Pistole versagte, gab er dem Pferde beide Sporen und dröhnte über das Steinpflaster hin. Nach wenigen Sätzen aber mußte er das Pferd scharf parieren. Denn hier sperrte eine Kuh den Weg, die ein Bursche mit gespanntem Strick zur Schlachtbank zerrte. Die Kuh aber, von dem Dunst des Blutes und der an den Türpfosten genagelten frischen Haut eines schwarzen Kalbes zurückschaudernd, stemmte sich auf ihren Füßen, sog mit geblähten Nüstern den rötlichen Sonnendunst des Abends in sich und riß sich, bevor der Bursche sie mit Prügel und Strick hinüberbekam, mit kläglichen Augen noch ein Maulvoll von dem Heu ab, das der Wachtmeister vorne am Sattel befestigt hatte. Er hatte nun das letzte Haus des Dorfes hinter

sich und konnte, zwischen zwei niedrigen, abgebröckelten
Mauern reitend, jenseits einer alten einbogigen Steinbrücke
über einen anscheinend trockenen Graben den weiteren
Verlauf des Weges absehen, fühlte aber in der Gangart
seines Pferdes eine so unbeschreibliche Schwere, ein solches Nichtvorwärtskommen, daß sich an seinem Blick jeder
Fußbreit der Mauern rechts und links, ja jeder von den dort
sitzenden Tausendfüßen und Asseln mühselig vorbeischob,
und ihm war, als hätte er eine unmeßbare Zeit mit dem
Durchreiten des widerwärtigen Dorfes verbracht. Wie nun
zugleich aus der Brust seines Pferdes ein schwerer rohren-
der Atem hervordrang, er dies ihm völlig ungewohnte Geräusch aber nicht sogleich richtig erkannte und die Ursache
davon zuerst über und neben sich und schließlich in der
Entfernung suchte, bemerkte er jenseits der Steinbrücke
und beiläufig in gleicher Entfernung von dieser als wie er
sich selbst befand, einen Reiter des eigenen Regiments auf
sich zukommen, und zwar einen Wachtmeister, und zwar
auf einem Braunen mit weißgestiefelten Vorderbeinen. Da
er nun wohl wußte, daß sich in der ganzen Schwadron kein
solches Pferd befand, ausgenommen dasjenige, auf welchem
er selbst in diesem Augenblicke saß, er das Gesicht des anderen Reiters aber immer noch nicht erkennen konnte, so
trieb er ungeduldig sein Pferd sogar mit den Sporen zu einem sehr lebhaften Trab an, worauf auch der andere sein
Tempo ganz im gleichen Maße verbesserte, so daß nun nur
mehr ein Steinwurf sie trennte, und nun, indem die beiden
Pferde, jedes von seiner Seite her, im gleichen Augenblick,
jedes mit dem gleichen weißgestiefelten Vorfuß die Brücke
betraten, der Wachtmeister, mit stierem Blick in der Erscheinung sich selber erkennend, wie sinnlos sein Pferd zu-
rückriß und die rechte Hand mit ausgespreizten Fingern gegen das Wesen vorstreckte, worauf die Gestalt, gleichfalls
parierend und die Rechte erhebend, plötzlich nicht da war,

die Gemeinen Holl und Scarmolin mit unbefangenen Gesichtern von rechts und links aus dem trockenen Graben auftauchten und gleichzeitig über die Hutweide her, stark und aus gar nicht großer Entfernung, die Trompeten der Eskadron »Attacke« bliesen. Im stärksten Galopp eine Erdwelle hinansetzend, sah der Wachtmeister die Schwadron schon im Galopp auf ein Gehölz zu, aus welchem feindliche Reiter mit Piken eilfertig debouchierten; sah, indem er, die vier losen Zügel in der Linken versammelnd, den Handriemen um die Rechte schlang, den vierten Zug sich von der Schwadron ablösen und langsamer werden, war nun schon auf dröhnendem Boden, nun in starkem Staubgeruch, nun mitten im Feinde, hieb auf einen blauen Arm ein, der eine Pike führte, sah dicht neben sich das Gesicht des Rittmeisters mit weit aufgerissenen Augen und grimmig entblößten Zähnen, war dann plötzlich unter lauter feindlichen Gesichtern und fremden Farben eingekeilt, tauchte unter in lauter geschwungenen Klingen, stieß den nächsten in den Hals und vom Pferd herab, sah neben sich den Gemeinen Scarmolin mit lachendem Gesicht einem die Finger der Zügelhand ab- und tief in den Hals des Pferdes hineinhauen, fühlte die Mêlée sich lockern und war auf einmal allein, am Rand eines kleinen Baches, hinter einem feindlichen Offizier auf einem Eisenschimmel. Der Offizier wollte über den Bach; der Eisenschimmel versagte. Der Offizier riß ihn herum, wendete dem Wachtmeister ein junges, sehr bleiches Gesicht und die Mündung einer Pistole zu, als ihm ein Säbel in den Mund fuhr, in dessen kleiner Spitze die Wucht eines galoppierenden Pferdes zusammengedrängt war. Der Wachtmeister riß den Säbel zurück und erhaschte an der gleichen Stelle, wo die Finger des Herunterstürzenden ihn losgelassen hatten, den Stangenzügel des Eisenschimmels, der leicht und zierlich wie ein Reh die Füße über seinen sterbenden Herrn hinhob.

Als der Wachtmeister mit dem schönen Beutepferd zu-
rückritt, warf die in schwerem Dunst untergehende Sonne
eine ungeheure Röte über die Hutweide. Auch an solchen
Stellen, wo gar keine Hufspuren waren, schienen ganze Lachen von Blut zu stehen. Ein roter Widerschein lag auf den
weißen Uniformen und den lachenden Gesichtern, die Kürasse und Schabracken funkelten und glühten, und am
stärksten drei kleine Feigenbäume, an deren weichen Blättern die Reiter lachend die Blutrinnen ihrer Säbel abge-
wischt hatten. Seitwärts der rotgefleckten Bäume hielt der
Rittmeister und neben ihm der Eskadronstrompeter, der die
wie in roten Saft getauchte Trompete an den Mund hob und
Appell blies. Der Wachtmeister ritt von Zug zu Zug und
sah, daß die Schwadron nicht einen Mann verloren und dafür neun Handpferde gewonnen hatte. Er ritt zum Rittmeister und meldete, immer den Eisenschimmel neben sich, der
mit gehobenem Kopf tänzelte und Luft einsog, wie ein junges, schönes und eitles Pferd, das es war. Der Rittmeister
hörte die Meldung nur zerstreut an. Er winkte den Leut-
nant Grafen Trautsohn zu sich, der dann sogleich absaß und
mit sechs gleichfalls abgesessenen Kürassieren hinter der
Front der Eskadron die erbeutete leichte Haubitze aus-
spannte, das Geschütz von den sechs Mannschaften zur
Seite schleppen und in ein von dem Bach gebildetes kleines
Sumpfwasser versenken ließ, hierauf wieder aufsaß und,
nachdem er die nunmehr überflüssigen beiden Zuggäule mit
der flachen Klinge fortgejagt hatte, stillschweigend seinen
Platz vor dem ersten Zug wieder einnahm. Während dieser
Zeit verhielt sich die in zwei Gliedern formierte Eskadron
nicht eigentlich unruhig, es herrschte aber doch eine nicht
ganz gewöhnliche Stimmung, durch die Erregung von vier
an einem Tage glücklich bestandenen Gefechten erklärlich,
die sich im leichten Ausbrechen halb unterdrückten Lachens
sowie in halblauten untereinander gewechselten Zurufen

äußerte. Auch standen die Pferde nicht ruhig, besonders diejenigen, zwischen denen fremde erbeutete Pferde eingeschoben waren. Nach solchen Glücksfällen schien allen der Aufstellungsraum zu enge, und solche Reiter und Sieger verlangten sich innerlich, nun im offenen Schwarm auf einen neuen Gegner loszugehen, einzuhauen und neue Beutepferde zu packen. In diesem Augenblicke ritt der Rittmeister Baron Rofrano dicht an die Front seiner Eskadron, und indem er von den etwas schläfrigen blauen Augen die großen Lider hob, kommandierte er vernehmlich, aber ohne seine Stimme zu erheben: »Handpferde auslassen!« Die Schwadron stand totenstill. Nur der Eisenschimmel neben dem Wachtmeister streckte den Hals und berührte mit seinen Nüstern fast die Stirne des Pferdes, auf welchem der Rittmeister saß. Der Rittmeister versorgte seinen Säbel, zog eine seiner Pistolen aus dem Halfter, und indem er mit dem Rücken der Zügelhand ein wenig Staub von dem blinkenden Lauf wegwischte, wiederholte er mit etwas lauterer Stimme sein Kommando und zählte gleich nachher »eins« und »zwei«. Nachdem er das »zwei« gezählt hatte, heftete er seinen verschleierten Blick auf den Wachtmeister, der regungslos vor ihm im Sattel saß und ihm starr ins Gesicht sah. Während Anton Lerchs starr aushaltender Blick, in dem nur dann und wann etwas Gedrücktes, Hündisches aufflackerte und wieder verschwand, eine gewisse Art devoten, aus vieljährigem Dienstverhältnisse hervorgegangenen Zutrauens ausdrücken mochte, war sein Bewußtsein von der ungeheuren Gespanntheit dieses Augenblicks fast gar nicht erfüllt, sondern von vielfältigen Bildern einer fremdartigen Behaglichkeit ganz überschwemmt, und aus einer ihm selbst völlig unbekannten Tiefe seines Innern stieg ein bestialischer Zorn gegen den Menschen da vor ihm auf, der ihm das Pferd wegnehmen wollte, ein so entsetzlicher Zorn über das Gesicht, die Stimme, die Haltung und das ganze

Dasein dieses Menschen, wie er nur durch jahrelanges enges
Zusammenleben auf geheimnisvolle Weise entstehen kann.
Ob aber in dem Rittmeister etwas Ähnliches vorging, oder
ob sich ihm in diesem Augenblicke stummer Insubordina-
tion die ganze lautlos um sich greifende Gefährlichkeit kritischer Situationen zusammenzudrängen schien, bleibt im
Zweifel: Er hob mit einer nachlässigen, beinahe gezierten
Bewegung den Arm, und indem er, die Oberlippe verächtlich hinaufziehend, »drei« zählte, krachte auch schon der
Schuß, und der Wachtmeister taumelte, in die Stirn getroffen, mit dem Oberleib auf den Hals seines Pferdes, dann
zwischen dem Braun und dem Eisenschimmel zu Boden.
Er hatte aber noch nicht hingeschlagen, als auch schon sämtliche Chargen und Gemeinen sich ihrer Beutepferde mit einem Zügelriß oder Fußtritt entledigt hatten und der Rittmeister, seine Pistole ruhig versorgend, die von einem blitz-
ähnlichen Schlag noch nachzuckende Schwadron dem in
undeutlicher dämmernder Entfernung anscheinend sich ral-
liierenden Feinde aufs neue entgegenführen konnte. Der
Feind nahm aber die neuerliche Attacke nicht an, und kurze
Zeit nachher erreichte das Streifkommando unbehelligt die
südliche Vorpostenaufstellung der eigenen Armee.

## Erlebnis des Marschalls
## von Bassompierre

Zu einer gewissen Zeit meines Lebens brachten es meine Dienste mit sich, daß ich ziemlich regelmäßig mehrmals in der Woche um eine gewisse Stunde über die kleine Brücke ging (denn der Pont neuf war damals noch nicht erbaut) und dabei meist von einigen Handwerkern oder anderen Leuten aus dem Volk erkannt und gegrüßt wurde, am auffälligsten aber und regelmäßigsten von einer sehr hübschen Krämerin, deren Laden an einem Schild mit zwei Engeln kenntlich war, und die, sooft ich in den fünf oder sechs Monaten vorüberkam, sich tief neigte und mir soweit nachsah, als sie konnte. Ihr Betragen fiel mir auf, ich sah sie gleichfalls an und dankte ihr sorgfältig. Einmal, im Spätwinter, ritt ich von Fontainebleau nach Paris, und als ich wieder die kleine Brücke heraufkam, trat sie an ihre Ladentür und sagte zu mir, indem ich vorbeiritt: »Mein Herr, Ihre Dienerin!« Ich erwiderte ihren Gruß, und indem ich mich von Zeit zu Zeit umsah, hatte sie sich weiter vorgelehnt, um mir soweit als möglich nachzusehen. Ich hatte einen Bedienten und einen Postillon hinter mir, die ich noch diesen Abend mit Briefen an gewisse Damen nach Fontainebleau zurückschicken wollte. Auf meinen Befehl stieg der Bediente ab und ging zu der jungen Frau, ihr in meinem Namen zu sagen, daß ich ihre Neigung, mich zu sehen und zu grüßen, bemerkt hätte; ich wollte, wenn sie wünschte mich näher kennenzulernen, sie aufsuchen, wo sie verlangte.

Sie antwortete dem Bedienten: er hätte ihr keine er-

wünschtere Botschaft bringen können, sie wollte kommen,
wohin ich sie bestellte.

Im Weiterreiten fragte ich den Bedienten, ob er nicht
etwa einen Ort wüßte, wo ich mit der Frau zusammen-
kommen könnte. Er antwortete, daß er sie zu einer gewissen Kupplerin führen wollte; da er aber ein sehr besorgter
und gewissenhafter Mensch war, dieser Diener Wilhelm aus
Courtrai, so setzte er gleich hinzu: da die Pest sich hie und
da zeige und nicht nur Leute aus dem niedrigen und
schmutzigen Volk, sondern auch ein Doktor und ein Dom-
herr schon daran gestorben seien, so rate er mir, Matratzen,
Decken und Leintücher aus meinem Hause mitbringen zu
lassen. Ich nahm den Vorschlag an, und er versprach, mir
ein gutes Bett zu bereiten. Vor dem Absteigen sagte ich
noch, er solle auch ein ordentliches Waschbecken dorthin
tragen, eine kleine Flasche mit wohlriechender Essenz und
etwas Backwerk und Äpfel; auch solle er dafür sorgen, daß
das Zimmer tüchtig geheizt werde, denn es war so kalt, daß
mir die Füße im Bügel steif gefroren waren, und der Himmel hing voll Schneewolken.

Den Abend ging ich hin und fand eine sehr schöne Frau
von ungefähr zwanzig Jahren auf dem Bette sitzen, indes
die Kupplerin, ihren Kopf und ihren runden Rücken in ein
schwarzes Tuch eingemummt, eifrig in sie hineinredete. Die
Tür war angelehnt, im Kamin lohten große frische Scheiter
geräuschvoll auf, man hörte mich nicht kommen, und ich
blieb einen Augenblick in der Tür stehen. Die Junge sah mit
großen Augen ruhig in die Flamme; mit einer Bewegung ihres Kopfes hatte sie sich wie auf Meilen von der widerwärtigen Alten entfernt; dabei war unter einer kleinen Nacht-
haube, die sie trug, ein Teil ihrer schweren dunklen Haare
vorgequollen und fiel, zu ein paar natürlichen Locken sich
ringelnd, zwischen Schulter und Brust über das Hemd. Sie
trug noch einen kurzen Unterrock von grünwollenem Zeug

und Pantoffeln an den Füßen. In diesem Augenblick mußte ich mich durch ein Geräusch verraten haben: Sie warf ihren Kopf herum und bog mir ein Gesicht entgegen, dem die übermäßige Anspannung der Züge fast einen wilden Ausdruck gegeben hätte, ohne die strahlende Hingebung, die aus den weit aufgerissenen Augen strömte und aus dem sprachlosen Mund wie eine unsichtbare Flamme herausschlug. Sie gefiel mir außerordentlich; schneller, als es sich denken läßt, war die Alte aus dem Zimmer und ich bei meiner Freundin. Als ich mir in der ersten Trunkenheit des überraschenden Besitzes einige Freiheiten herausnehmen wollte, entzog sie sich mir mit einer unbeschreiblich lebenden Eindringlichkeit zugleich des Blickes und der dunkeltönenden Stimme. Im nächsten Augenblick aber fühlte ich mich von ihr umschlungen, die noch inniger mit dem fort und fort empordrängenden Blick der unerschöpflichen Augen als mit den Lippen und den Armen an mir haftete; dann wieder war es, als wollte sie sprechen, aber die von Küssen zuckenden Lippen bildeten keine Worte, die bebende Kehle ließ keinen deutlicheren Laut als ein gebrochenes Schluchzen empor.

Nun hatte ich einen großen Teil dieses Tages zu Pferde auf frostigen Landstraßen verbracht, nachher im Vorzimmer des Königs einen sehr ärgerlichen und heftigen Auftritt durchgemacht und darauf, meine schlechte Laune zu betäuben, sowohl getrunken als mit dem Zweihänder stark gefochten, und so überfiel mich mitten unter diesem reizenden und geheimnisvollen Abenteuer, als ich von weichen Armen im Nacken umschlungen und mit duftendem Haar bestreut dalag, eine so plötzliche heftige Müdigkeit und beinahe Betäubung, daß ich mich nicht mehr zu erinnern wußte, wie ich denn gerade in dieses Zimmer gekommen wäre, ja sogar für einen Augenblick die Person, deren Herz so nahe dem meinigen klopfte, mit einer ganz anderen aus früherer Zeit verwechselte und gleich darauf fest einschlief.

Als ich wieder erwachte, war es noch finstere Nacht, aber ich fühlte sogleich, daß meine Freundin nicht mehr bei mir war. Ich hob den Kopf und sah beim schwachen Schein der zusammensinkenden Glut, daß sie am Fenster stand: Sie hatte den einen Laden aufgeschoben und sah durch den Spalt hinaus. Dann drehte sie sich um, merkte, daß ich wach war, und rief (ich sehe noch, wie sie dabei mit dem Ballen der linken Hand an ihrer Wange emporfuhr und das vorgefallene Haar über die Schulter zurückwarf): »Es ist noch lange nicht Tag, noch lange nicht!« Nun sah ich erst recht, wie groß und schön sie war, und konnte den Augenblick kaum erwarten, daß sie mit wenigen der ruhigen großen Schritte ihrer schönen Füße, an denen der rötliche Schein emporglomm, wieder bei mir wäre. Sie trat aber noch vorher an den Kamin, bog sich zur Erde, nahm das letzte schwere Scheit, das draußen lag, in ihre strahlenden nackten Arme und warf es schnell in die Glut. Dann wandte sie sich, ihr Gesicht funkelte von Flammen und Freude, mit der Hand riß sie im Vorbeilaufen einen Apfel vom Tisch und war schon bei mir, ihre Glieder noch vom frischen Anhauch des Feuers umweht und dann gleich aufgelöst und von innen her von stärkeren Flammen durchschüttert, mit der Rechten mich umfassend, mit der Linken zugleich die angebissene kühle Frucht und Wangen, Lippen und Augen meinem Mund darbietend. Das letzte Scheit im Kamin brannte stärker als alle anderen. Aufsprühend sog es die Flamme in sich und ließ sie dann wieder gewaltig emporlohen, daß der Feuerschein über uns hinschlug, wie eine Welle, die an der Wand sich brach und unsere umschlungenen Schatten jäh emporhob und wieder sinken ließ. Immer wieder knisterte das starke Holz und nährte aus seinem Innern immer wieder neue Flammen, die emporzüngelten und das schwere Dunkel mit Güssen und Garben von rötlicher Helle verdrängten. Auf einmal aber sank die

Flamme hin, und ein kalter Lufthauch tat leise wie eine Hand den Fensterladen auf und entblößte die fahle widerwärtige Dämmerung.

Wir setzten uns auf und wußten, daß nun der Tag da war. Aber das da draußen glich keinem Tag. Es glich nicht dem Aufwachen der Welt. Was da draußen lag, sah nicht aus wie eine Straße. Nichts Einzelnes ließ sich erkennen: es war ein farbloser, wesenloser Wust, in dem sich zeitlose Larven hinbewegen mochten. Von irgendwoher, weither, wie aus der Erinnerung heraus, schlug eine Turmuhr, und eine feuchtkalte Luft, die keiner Stunde angehörte, zog sich immer stärker herein, daß wir uns schaudernd aneinanderdrückten. Sie bog sich zurück und heftete ihre Augen mit aller Macht auf mein Gesicht; ihre Kehle zuckte, etwas drängte sich in ihr herauf und quoll bis an den Rand der Lippen vor: es wurde kein Wort daraus, kein Seufzer und kein Kuß, aber etwas, was ungeboren allen dreien glich. Von Augenblick zu Augenblick wurde es heller und der vielfältige Ausdruck ihres zuckenden Gesichts immer redender; auf einmal kamen schlürfende Schritte und Stimmen von draußen so nahe am Fenster vorbei, daß sie sich duckte und ihr Gesicht gegen die Wand kehrte. Es waren zwei Männer, die vorbeigingen: einen Augenblick fiel der Schein einer kleinen Laterne, die der eine trug, herein; der andere schob einen Karren, dessen Rad knirschte und ächzte. Als sie vorüber waren, stand ich auf, schloß den Laden und zündete ein Licht an. Da lag noch ein halber Apfel: wir aßen ihn zusammen, und dann fragte ich sie, ob ich sie nicht noch einmal sehen könnte, denn ich verreise erst Sonntag. Dies war aber die Nacht vom Donnerstag auf den Freitag gewesen.

Sie antwortete mir: daß sie es gewiß sehnlicher verlange als ich; wenn ich aber nicht den ganzen Sonntag bliebe, sei es ihr unmöglich; denn nur in der Nacht vom Sonntag auf den Montag könnte sie mich wiedersehen.

Mir fielen zuerst verschiedene Abhaltungen ein, so daß ich einige Schwierigkeiten machte, die sie mit keinem Worte, aber mit einem überaus schmerzlich fragenden Blick und einem gleichzeitigen fast unheimlichen Hart- und Dunkelwerden ihres Gesichts anhörte. Gleich darauf versprach ich natürlich, den Sonntag zu bleiben, und setzte hinzu, ich wollte also Sonntag abend mich wieder an dem nämlichen Ort einfinden. Auf dieses Wort sah sie mich fest an und sagte mir mit einem ganz rauhen und gebrochenen Ton in der Stimme: »Ich weiß recht gut, daß ich um deinetwillen in ein schändliches Haus gekommen bin; aber ich habe es freiwillig getan, weil ich mit dir sein *wollte*, weil ich *jede* Bedingung eingegangen wäre. Aber jetzt käme ich mir vor, wie die letzte, niedrigste Straßendirne, wenn ich ein zweites Mal hieher zurückkommen könnte. Um deinetwillen hab' ich's getan, weil du für mich der bist, der du bist, weil du der Bassompierre bist, weil du der Mensch auf der Welt bist, der mir durch seine Gegenwart dieses Haus da ehrenwert macht!« Sie sagte: »Haus«; einen Augenblick war es, als wäre ein verächtlicheres Wort ihr auf der Zunge; indem sie das Wort aussprach, warf sie auf diese vier Wände, auf dieses Bett, auf die Decke, die herabgeglitten auf dem Boden lag, einen solchen Blick, daß unter der Garbe von Licht, die aus ihren Augen hervorschoß, alle diese häßlichen und gemeinen Dinge aufzuzucken und geduckt vor ihr zurückzuweichen schienen, als wäre der erbärmliche Raum wirklich für einen Augenblick größer geworden.

Dann setzte sie mit einem unbeschreiblich sanften und feierlichen Tone hinzu: »Möge ich eines elenden Todes sterben, wenn ich außer meinem Mann und dir je irgendeinem anderen gehört habe und nach irgendeinem anderen auf der Welt verlange!«, und schien, mit halboffenen, lebenhauchenden Lippen leicht vorgeneigt, irgendeine Antwort, eine Beteuerung meines Glaubens zu erwarten, von meinem Ge-

sicht aber nicht das zu lesen, was sie verlangte, denn ihr gespannter suchender Blick trübte sich, ihre Wimpern schlugen auf und zu, und auf einmal war sie am Fenster und
kehrte mir den Rücken, die Stirn mit aller Kraft an den Laden gedrückt, den ganzen Leib von lautlosem, aber entsetzlich heftigem Weinen so durchschüttert, daß mir das Wort
im Munde erstarb und ich nicht wagte, sie zu berühren. Ich
erfaßte endlich eine ihrer Hände, die wie leblos herabhin-
gen, und mit den eindringlichsten Worten, die mir der Augenblick eingab, gelang es mir nach langem, sie soweit zu
besänftigen, daß sie mir ihr von Tränen überströmtes Gesicht wieder zukehrte, bis plötzlich ein Lächeln, wie ein
Licht zugleich aus den Augen und rings um die Lippen
hervorbrechend, in einem Moment alle Spuren des Wei-
nens wegzehrte und das ganze Gesicht mit Glanz über-
schwemmte. Nun war es das reizendste Spiel, wie sie wieder
mit mir zu reden anfing, indem sie sich mit dem Satz: »Du
willst mich noch einmal sehen? so will ich dich bei meiner Tante einlassen!« endlos herumspielte, die erste Hälfte
zehnfach aussprach, bald mit süßer Zudringlichkeit, bald
mit kindischem gespieltem Mißtrauen, dann die zweite mir
als das größte Geheimnis zuerst ins Ohr flüsterte, dann mit
Achselzucken und spitzem Mund, wie die selbstverständ-
lichste Verabredung von der Welt, über die Schulter hinwarf
und endlich, an mir hängend, mir ins Gesicht lachend und
schmeichelnd wiederholte. Sie beschrieb mir das Haus aufs
genaueste, wie man einem Kind den Weg beschreibt, wenn
es zum erstenmal allein über die Straße zum Bäcker gehen
soll. Dann richtete sie sich auf, wurde ernst – und die ganze
Gewalt ihrer strahlenden Augen heftete sich auf mich mit
einer solchen Stärke, daß es war, als müßten sie auch ein totes Geschöpf an sich zu reißen vermögend sein – und fuhr
fort: »Ich will dich von zehn Uhr bis Mitternacht erwarten
und auch noch später und immerfort, und die Tür unten

wird offen sein. Erst findest du einen kleinen Gang, in dem
halte dich nicht auf, denn da geht die Tür meiner Tante heraus. Dann stößt dir eine Treppe entgegen, die führt dich in
den ersten Stock, und dort bin ich!« Und indem sie die Augen schloß, als ob ihr schwindelte, warf sie den Kopf zurück, breitete die Arme aus und umfing mich, und war
gleich wieder aus meinem Armen und in die Kleider eingehüllt, fremd und ernst, und aus dem Zimmer; denn nun war
völlig Tag.

Ich machte meine Einrichtung, schickte einen Teil meiner
Leute mit meinen Sachen voraus und empfand schon am
Abend des nächsten Tages eine so heftige Ungeduld, daß ich
bald nach dem Abendläuten mit meinem Diener Wilhelm,
den ich aber kein Licht mitnehmen hieß, über die kleine
Brücke ging, um meine Freundin wenigstens in ihrem Laden oder in der daranstoßenden Wohnung zu sehen und ihr
allenfalls ein Zeichen meiner Gegenwart zu geben, wenn ich
mir auch schon keine Hoffnung auf mehr machte, als etwa
einige Worte mit ihr wechseln zu können.

Um nicht aufzufallen, blieb ich an der Brücke stehen und
schickte den Diener voraus, um die Gelegenheit auszu-
kundschaften. Er blieb längere Zeit aus und hatte beim Zurückkommen die niedergeschlagene und grübelnde Miene,
die ich an diesem braven Menschen immer kannte, wenn er
einen meinigen Befehl nicht hatte erfolgreich ausführen
können. »Der Laden ist versperrt«, sagte er, »und scheint
auch niemand darinnen. Überhaupt läßt sich in den Zimmern, die nach der Gasse zu liegen, niemand sehen und hören. In den Hof könnte man nur über eine hohe Mauer, zudem knurrt dort ein großer Hund. Von den vorderen Zimmern ist aber eines erleuchtet, und man kann durch einen
Spalt im Laden hineinsehen, nur ist es leider leer.«

Mißmutig wollte ich schon umkehren, strich aber doch
noch einmal langsam an dem Haus vorbei, und mein Diener

in seiner Beflissenheit legte nochmals sein Auge an den
Spalt, durch den ein Lichtschimmer drang, und flüsterte mir
zu, daß zwar nicht die Frau, wohl aber der Mann nun in
dem Zimmer sei. Neugierig, diesen Krämer zu sehen, den
ich mich nicht erinnern konnte, auch nur ein einziges Mal in
seinem Laden erblickt zu haben, und den ich mir abwechselnd als einen unförmlichen dicken Menschen oder als einen dürren gebrechlichen Alten vorstellte, trat ich ans Fenster und war überaus erstaunt, in dem guteingerichteten
vertäfelten Zimmer einen ungewöhnlich großen und sehr
gut gebauten Mann umhergehen zu sehen, der mich gewiß
um einen Kopf überragte und, als er sich umdrehte, mir ein
sehr schönes tiefernstes Gesicht zuwandte, mit einem braunen Bart, darin einige wenige silberne Fäden waren, und
mit einer Stirn von fast seltsamer Erhabenheit, so daß die
Schläfen eine größere Fläche bildeten, als ich noch je bei einem Menschen gesehen hatte. Obwohl er ganz allein im
Zimmer war, so wechselte doch sein Blick, seine Lippen bewegten sich, und indem er unter dem Aufundabgehen hie
und da stehenblieb, schien er sich in der Einbildung mit einer anderen Person zu unterhalten: einmal bewegte er den
Arm, wie um eine Gegenrede mit halb nachsichtiger Überlegenheit wegzuweisen. Jede seiner Gebärden war von großer Lässigkeit und fast verachtungsvollem Stolz, und ich
konnte nicht umhin, mich bei seinem einsamen Umhergehen lebhaft des Bildes eines sehr erhabenen Gefangenen zu
erinnern, den ich im Dienst des Königs während seiner
Haft in einem Turmgemach des Schlosses zu Blois zu bewa-
chen hatte. Diese Ähnlichkeit schien mir noch vollkomme-
ner zu werden, als der Mann seine rechte Hand emporhob
und auf die emporgekrümmten Finger mit Aufmerksamkeit, ja mit finsterer Strenge hinabsah.

Denn fast mit der gleichen Gebärde hatte ich jenen erhabenen Gefangenen öfter einen Ring betrachten sehen, den

er am Zeigefinger der rechten Hand trug und von welchem
er sich niemals trennte. Der Mann im Zimmer trat dann an
den Tisch, schob die Wasserkugel vor das Wachslicht und
brachte seine beiden Hände in den Lichtkreis, mit ausgestreckten Fingern: er schien seine Nägel zu betrachten.
Dann blies er das Licht aus und ging aus dem Zimmer und
ließ mich nicht ohne eine dumpfe zornige Eifersucht zurück, da das Verlangen nach seiner Frau in mir fortwährend
wuchs und wie ein um sich greifendes Feuer sich von allem
nährte, was mir begegnete, und so durch diese unerwartete
Erscheinung in verworrener Weise gesteigert wurde, wie
durch jede Schneeflocke, die ein feuchtkalter Wind jetzt zer-
trieb und die mir einzeln an Augenbrauen und Wangen
hängenblieben und schmolzen.

Den nächsten Tag verbrachte ich in der nutzlosesten
Weise, hatte zu keinem Geschäft die richtige Aufmerksamkeit, kaufte ein Pferd, das mir eigentlich nicht gefiel, wartete
nach Tisch dem Herzog von Nemours auf und verbrachte
dort einige Zeit mit Spiel und mit den albernsten und wi-
derwärtigsten Gesprächen. Es war nämlich von nichts anderem die Rede als von der in der Stadt immer heftiger um
sich greifenden Pest, und aus allen diesen Edelleuten
brachte man kein anderes Wort heraus als dergleichen Erzählungen von dem schnellen Verscharren der Leichen, von
dem Strohfeuer, das man in den Totenzimmern brennen
müsse, um die giftigen Dünste zu verzehren, und so fort;
der Albernste aber erschien mir der Kanonikus von Chan-
dieu, der, obwohl dick und gesund wie immer, sich nicht
enthalten konnte, unausgesetzt nach seinen Fingernägeln
hinabzuschielen, ob sich an ihnen schon das verdächtige
Blauwerden zeige, womit sich die Krankheit anzukündigen
pflegt.

Mich widerte das alles an, ich ging früh nach Hause und
legte mich zu Bette, fand aber den Schlaf nicht, kleidete

mich vor Ungeduld wieder an und wollte, koste es, was es
wolle, dorthin, meine Freundin zu sehen, und müßte ich
mit meinen Leuten gewaltsam eindringen. Ich ging ans Fenster, meine Leute zu wecken, die eisige Nachtluft brachte
mich zur Vernunft, und ich sah ein, daß dies der sichere Weg
war, alles zu verderben. Angekleidet warf ich mich aufs Bett
und schlief endlich ein.

Ähnlich verbrachte ich den Sonntag bis zum Abend, war
viel zu früh in der bezeichneten Straße, zwang mich aber, in
einer Nebengasse auf und nieder zu gehen, bis es zehn Uhr
schlug. Dann fand ich sogleich das Haus und die Tür, die sie
mir beschrieben hatte, und die Tür auch offen, und dahinter
den Gang und die Treppe. Oben aber die zweite Tür, zu der
die Treppe führte, war verschlossen, doch ließ sie unten einen feinen Lichtstreif durch. So war sie drinnen und wartete
und stand vielleicht horchend drinnen an der Tür wie ich
draußen. Ich kratzte mit dem Nagel an der Tür, da hörte ich
drinnen Schritte: es schienen mir zögernd unsichere Schritte
eines nackten Fußes. Eine Zeit stand ich ohne Atem, und
dann fing ich an zu klopfen: aber ich hörte eine Mannes-
stimme, die mich fragte, wer draußen sei. Ich drückte mich
ans Dunkel des Türpfostens und gab keinen Laut von mir:
die Tür blieb zu, und ich klomm mit der äußersten Stille,
Stufe für Stufe, die Stiege hinab, schlich den Gang hinaus
ins Freie und ging mit pochenden Schläfen und zusammengebissenen Zähnen, glühend vor Ungeduld, einige Straßen
auf und ab. Endlich zog es mich wieder vor das Haus: ich
wollte noch nicht hinein; ich fühlte, ich wußte, sie würde
den Mann entfernen, es müßte gelingen, gleich würde ich zu
ihr können. Die Gasse war eng; auf der anderen Seite war
kein Haus, sondern die Mauer eines Klostergartens: an der
drückte ich mich hin und suchte von gegenüber das Fenster
zu erraten. Da loderte in einem, das offen stand, im oberen
Stockwerk, ein Schein auf und sank wieder ab, wie von ei-

ner Flamme. Nun glaubte ich alles vor mir zu sehen: sie
hatte ein großes Scheit in den Kamin geworfen wie damals,
wie damals stand sie jetzt mitten im Zimmer, die Glieder
funkelnd von der Flamme, oder saß auf dem Bette und
horchte und wartete. Von der Tür würde ich sie sehen und
den Schatten ihres Nackens, ihrer Schultern, den die durchsichtige Stelle an der Wand hob und senkte. Schon war ich
im Gang, schon auf der Treppe; nun war auch die Tür nicht
mehr verschlossen: angelehnt, ließ sie auch seitwärts den
schwankenden Schein durch. Schon streckte ich die Hand
nach der Klinke aus, da glaubte ich drinnen Schritte und
Stimmen von mehreren zu hören. Ich wollte es aber nicht
glauben: ich nahm es für das Arbeiten meines Blutes in den
Schläfen, am Halse, und für das Lodern des Feuers drinnen.
Auch damals hatte es laut gelodert. Nun hatte ich die
Klinke gefaßt, da mußte ich begreifen, daß Menschen drinnen waren, mehrere Menschen. Aber nun war es mir gleich:
denn ich fühlte, ich wußte, sie war auch drinnen, und sobald
ich die Türe aufstieß, konnte ich sie sehen, sie ergreifen
und, wäre es auch aus den Händen anderer, mit einem Arm
sie an mich reißen, müßte ich gleich den Raum für sie und
mich mit meinem Degen, mit meinem Dolch aus einem
Gewühl schreiender Menschen herausschneiden! Das einzige, was mir ganz unerträglich schien, war, noch länger zu
warten.

Ich stieß die Tür auf und sah: In der Mitte des leeren
Zimmers ein paar Leute, welche Bettstroh verbrannten, und
bei der Flamme, die das ganze Zimmer erleuchtete, abge-
kratzte Wände, deren Schutt auf dem Boden lag, und an einer Wand einen Tisch, auf dem zwei nackte Körper ausgestreckt lagen, der eine sehr groß, mit zugedecktem Kopf,
der andere kleiner, gerade an der Wand hingestreckt, und
daneben der schwarze Schatten seiner Formen, der empor-
spielte und wieder sank.

Ich taumelte die Stiege hinab und stieß vor dem Haus auf zwei Totengräber: der eine hielt mir seine kleine Laterne ins Gesicht und fragte mich, was ich suche, der andere schob seinen ächzenden, knirschenden Karren gegen die Haustür. Ich zog den Degen, um sie mir vom Leibe zu halten, und kam nach Hause. Ich trank sogleich drei oder vier große Gläser schweren Weins und trat, nachdem ich mich ausgeruht hatte, den anderen Tag die Reise nach Lothringen an.

Alle Mühe, die ich mir nach meiner Rückkunft gegeben, irgend etwas von dieser Frau zu erfahren, war vergeblich. Ich ging sogar nach dem Laden mit den zwei Engeln; allein, die Leute, die ihn jetzt innehatten, wußten nicht, wer vor ihnen darin gesessen hatte.

M. de Bassompierre, Journal de ma vie, Köln 1663. –
Goethe, Unterhaltungen deutscher Ausgewanderten.

# Das Märchen
## von der verschleierten Frau

Die junge Frau des Bergmannes trat ans Fenster der hinteren Stube, um zu sehen, ob die Sonne bald an den Rand des Berges sinken werde. Die Sonne stand aber noch hoch, die Nelken auf dem Fensterbrett warfen ganz kurze Schatten, und von unten rauschte der Bach eine merkliche Kühle herauf. Obwohl die Frau wußte, daß ihr Mann noch lange nicht von der Schicht heimkommen konnte, blieb sie doch am Fenster stehen und spähte durch die dämmernden Laubkronen hinüber auf ein paar gelbrote Flecke zwischen dem Grün: das war der Waldweg. Plötzlich aber mußte sie zurücktreten und sich mit beiden Händen an der Tischkante festhalten: der kleine wohlbekannte Abgrund vor dem Fenster, in dessen Tiefstem der kleine Sturzbach hintoste und über dessen ganzen grünen Abhang der gekrümmte Zweig eines Apfelbaums hinabgriff, verursachte ihr Schwindel. Sie heftete ihre ängstlichen Augen auf ihr dreijähriges Mädchen, das auf dem Fußboden spielte. Das Kind sah lächelnd zu ihr auf, zugleich fühlte die Mutter, wie das warme Blut ihrem Herzen wieder zuströmte. Sogleich nahm das Gesicht der jungen Frau einen hellen verklärten Ausdruck an: denn sie wußte, daß sie ein zweites Kind unter dem Herzen trug, und da sie dieses neue Leben nur erst ahnte und seine Regungen noch nicht fühlen konnte, so nahm sie diese ängstlichen Bewegungen ihres Blutes für eine Bürgschaft seines bewußtlosen Werdens. Sie nahm das Kind, das sie für sich schon »die Große« nannte, bei der Hand und ging aus der Stube. Als sie aber die Tür hinter sich zuschloß und nun auf

der dämmrigen Dachtreppe stand, befiel sie ein neues Gefühl von noch viel heftigerer Bangigkeit: ihr war, als hätte
sie, da sie die Tür zudrückte, den Deckel über einem Sarge
zugedrückt; als wäre mit dem hellen Zimmer das ganze
Glück ihres Lebens für immer hinter ihr versunken. Ihre
Füße waren wie mit Blei gefüllt, und als sie hinunterkam,
mußte sie sich auf den Steinrand des Brunnens setzen und
ihre Schläfen pochten. Das Kind ließ sich gleich an der
Mauer des Hauses nieder und fing an, mit einem alten ver-
bogenen Zinnlöffel ein Mausloch aufzugraben. Es fragte
was; die Mutter gab ihm aber keine Antwort: sie hatte den
Kopf gewandt und ihr Blick hatte sich in die dunkle Tiefe
des Brunnenschachtes verfangen. Sie sah den finstern Abgrund und sah etwas Lebendes, ihr unendlich Teueres hinabsteigen; sie konnte sich nicht regen, nicht schreien und
mußte mit gelähmten Knien, mit starrem Aug geschehen
lassen, was geschah. Auf einmal gab eine schnell um sich
greifende innere Deutlichkeit ihr zu erkennen, daß es nicht
ein gegenwärtiges sondern ein zukünftiges Leid war, dessen
Schatten über sie sank wie ein Schleier von Blei. Ihre linke
Hand preßte sich gegen ihren Leib: denn ihr war, als fühlte
sie dem Leben, das da innen keimte, ein fürchterliches
unnennbares Schicksal zubereitet. Allmählich hob sich der
Knoten der Angst aus ihr, schien sich zu lösen und sich
ringsum, ringsum zu verteilen. Licht und Dunkel, Berg und
Bach und Luft schien eine einzige lauernde Gefahr, aber
nicht für sie, sondern für das Wesen, das aus ihr geboren
werden sollte. In ihrer beklommenen Finsternis glühte
das neue Muttergefühl stärker und stärker durch, allmählich
wich der Krampf, in einem rötlichen Dunst stand das Kind
vor ihr und zupfte sie am Kleid. Die Sonne war längst
hinab, alles stand in kühler Dämmerung, das Kind weinte
stark und zog an der Hand, die sie noch immer an den Leib
gepreßt hielt. Sie war vier Stunden so gesessen. Sie stand auf

und schüttelte das Ängstliche aus den schlaftrunkenen Gliedern. Eine feuerfarbene gefüllte Nelke bog sich aus der
dunkelnden Schlafstube ihr entgegen, wie ein Lebendiges.
Die junge Frau sagte in sich: »Ich darf nicht traurig sein, so-
lang ich es in mir trage, das ist ihm schlecht«, und sie hob
die Arme über sich und langte nach der Nelke, sog ihren
farbigen Glanz und ihren Duft in sich und sang etwas halblaut, das ihr aus einem alten Gesangbuch geblieben war:

>»Ihr Nägelein, so zeigt euch an!
Ihr blüht und glüht, doch ist's ein Kleid:
ist um die Zeit, kommt Ewigkeit,
wird alle Kreatur befreit,
zeigt euch mir an, was wär't ihr dann?«

Sie sang nur um zu singen und ihr Herz achtete nicht auf
den Sinn, sondern dachte dem Mann entgegenzugehn, ihn
zu küssen und ihm die geheimen Ängstigungen völlig zu
verschweigen und zu verbergen. Indem sah sie jenseits des
Baches einen zwischen den Büschen hervortreten und den
Abhang hinunterklimmen, wie einer der den Übergang
sucht. Er war gekleidet wie ein Bergknappe, aber fremdartig
und ganz in einem gleichförmigen dunklen Stoff. Unter der
Mütze fiel links und rechts schlichtes braunes Haar in
Strähnen herab und umrahmte das blasse junge Gesicht. Mit
der Linken hielt er sich an einem Zweig und sah herüber auf
die junge Frau. Seine Lippen, konnte sie erkennen, waren
dünn wie einander berührende Messerrücken. Es schien, als
brächte er eine Botschaft, und keine gute. Er schwang sich
an dem Zweig nach rechts hinüber; die Frau ging vor, um
die Ecke des Hauses; als sie aber an den Zaun trat und sich
vorbeugte, war der Fremde verschwunden, und den Bach
hinauf und hinab rührte sich kein Zweig, als die ins Wasser
hingen und vom Wirbel ruckweise hin und her gerissen
wurden. Es ängstigte sie, in der Dämmerung mit den tosen-

den schreienden Wasserstimmen allein zu sein; sie nahm das
Kind, ging in die Küche, zündete ein Licht an und setzte es
auf den Herd, noch ein zweites und setzte es in das kleine
vergitterte Fenster, dann fing sie an Kartoffel zu schälen,
und das Kind freute sich, wie davon ein Schatten an der
Mauer herunterlief wie ein gewundenes Band.

Indessen ging ihr Mann die Straße herunter, die von
der Tagesöffnung des Bergwerks zum Dorf hinabführte. Er
ging bald auf der rechten, bald auf der linken Seite der
Straße, wie einer der in tiefes Denken verloren ist. Auf der
alten Steinbrücke über dem dunklen Wassersturz blieb er
stehen und strich mit einem erwartungsvollen Blick die
Felswand empor bis in die mächtigen drängenden Wolken,
die droben noch im Lichte gingen; und blickte dann mit
noch erregterer Erwartung in den feuchten rauschenden
Abgrund hinab, als müßte sich da, und müßte sich im Augenblick, in lautlosen Angeln eine geheime Tür ihm auftun
ins Innere. Denn er wußte: nun war die Zeit da. Es waren
Zeichen über Zeichen gewesen, vorher, die hatten bedeutet:
nun kommt die Zeit heran. Diese Zeichen hatte er lange
nicht verstanden, ihn dünkten sie unscheinbar, obwohl
sie wundervoll waren; und obwohl sie Vorzeichen waren,
nahm er sie für Erinnerungen. Er nahm sie zu allermeist für
vereinzelte grundlose und süße Erinnerungen aus unbestimmten früheren Zeiten seines Lebens. Es geschah ihm,
daß er ein unbeschreibliches Wohlgefühl davon hatte, sich
mit der linken Hand an die Bergwand zu stützen; oder daß
er, wenn die feuchte Kühle des finstern Geklüfts ihn um-
schlug, die Augen schloß, und sich ganz in sich selber ein-
wühlend, für einen Augenblick in der vollkommenen süßen
Unschuld der Kinderzeit zu atmen glaubte. Manchmal kam
es ihn so stark an, daß er eine Zeitlang jeden Hammerschlag, den er im Gestein, und dann wieder jeden Schritt,
den er im Freien tat, traumweis im Reich der Erinnerung zu

tun vermeinte. Und als er eines Tages in solcher Verfassung
pochte, stand hinter ihm im Schein der Grubenlampe ein
junger fremder Bergmann mit langsträhnigem braunem
Haar, der ihm lange zusah, dann mit dünnen Lippen zu
reden anfing und ohne den Gruß »Glück auf« ihn vielerlei
fragte. »Wer seid denn Ihr?« fragte er selber den Fremden. »Das kann Euch gleich sein«, antwortete der Fremde
schnell, »ich bin einmal da und will Euch zu Eurem Glück
verhelfen.« »Ich will aber wohl erst wissen, wer und woher
Ihr seid«, sagte er noch einmal. Der Fremde zuckte ungeduldig, trat ganz nahe heran und beugte sich über den, der
im Gestein saß. »Ich will mich ausweisen«, sagte er, »daß
wir recht wohlbekannt sind. Hast du dich heute bei der stillen Arbeit wieder stark *erinnern* müssen?« »Ja«, sagte der
andere halb unwillkürlich. »Und hast dich leicht gefragt:
Wo tu ich diesen Hammerschlag? tu ich ihn hier oder tu ich
ihn tausend Meilen von hier? wie?« Der andere bejahte mit
den Augen. »Und wenn du zu Haus bist und gehst aus einem Zimmer ins andere und schlägst eine Tür hinter dir zu
und öffnest eine andere, ist dir da nicht, als wären es gar
nicht deines Hauses Stuben, in denen du umhergehst, sondern als tätest du Türen auf und zu, ganz ganz woanders,
tausendmal woanders?« Dem Bergmann war, als schöbe
sich in ihm etwas auseinander, sich so durchschaut zu fühlen. »Und lebst so dahin«, redete der Fremde weiter, »und
redest nichts und deutest nichts und willst nichts wissen,
worauf das alles hinaus soll?« »Ja, soll's denn aus mir hinaus?« fragte der andere, und bei dem bloßen Gedanken
überfiel ihn ein grenzenloses Gefühl von Öde und Verzweiflung. Der Fremde lachte lautlos: »Nichts soll heraus,
sondern du sollst hinein. Hineinstoßen muß man so einen
in seine eigene Glückseligkeit. So nimmst du denn wirklich
das alles für Erinnerungen? Hast du denn je in früheren
Zeiten ein solches Glücksgefühl verspürt? Ahnst du denn

nicht, daß es lauter Vorzeichen sind, luftige Vorausspiegelungen, nichts als Vorgefühle des namenlosen Glücks, das
auf dich wartet? Muß dir die verschleierte Frau noch viele
Boten schicken, bis du dich aufmachst, zu ihr zu kommen?«
Bei diesem geheimnisvollen Namen war dem Bergmann, als
entzündete sich über seinem Kopf eine Lampe und durch-
dränge mit der Gewalt des Lichtes die Dumpfheit des
finstern Gesteins rechts und links und oberhalb, ja auch
seinen ganzen Leib und was unter ihm war, so daß er selber durchleuchtet inmitten durchschienencr Gewölbe über
durchfunkeltem Abgrund fest dastand. Und aus dem Innersten her durchsetzte ihn ein unnennbares völlig neues und
doch überaus bestimmtes Gefühl seiner selbst, in dem
alle die früheren ahnungsweisen Glücksgefühle enthalten
waren, aber nur wie kleine Bläschen, die sich augenblicklich
in der kristallenen flutenden leuchtenden Klarheit des Ganzen auflösten. Er sah die Gestalt des Fremden kleiner und
undeutlicher vor sich, als stünde jener weit unten und jenseits bergestiefer Schluchten. Es drängte ihn, dem Fremden
etwas zuzurufen. »Ich gehe meine Herrin aufzusuchen«,
diese Worte kamen aus seinem Mund, ihn selber überra-
schend, und verschwebten klanglos in einem so ungeheueren Raum, daß ihn schwindelte. In diesem Augenblick
hörte er schwere schlürfende Schritte sich nähern und
hörte sich beim Namen rufen: »Hyacinth«, und nochmals
»Hyacinth«. »Siehst du ihn?« sagte eine andere Stimme.
»Mir scheint, er schläft«, antwortete die andere, »oder er redet mit einem Venediger.« Der Schein einer Grubenlampe
schwankte heran und in dem finstern Gange standen vor
Hyacinth zwei Bergleute, die im Nachbarstollen arbeiteten.
Der Fremde war verschwunden. »Ist dir deine Lampe ausgegangen?« fragte der eine. Hyacinth gab keine Antwort.
Schweigend raffte er sein Zeug zusammen und ging hinter
den anderen her bis an den Förderschacht und fuhr zutage.

Seine Füße trugen ihn aus Gewohnheit den Weg nach
Hause; er ging bald auf der rechten, bald auf der linken Seite
der Straße und wußte kaum, wo er ging; er fühlte nur das
tiefe Müssen, das ihn zu der verschleierten Frau hintrieb,
deren fernes verborgenes Dasein ihn überwältigte, daß er
sie stärker leben fühlte als sich selber. Jenseits der gewölbten Brücke tat er einen unsicheren Schritt und stieß mit dem
Knöchel hart gegen einen Stein. Als er den Schmerz fühlte,
dachte es in ihm: »Der da hingeht und mit dem Fuß an die
Steine stößt, der bin ich ja gar nicht. Ich bin ja der, der hinüber gehört«, und da er in diesem Augenblick den Kopf
emporwarf und über sich im letzten schon erkaltenden
Himmelslicht einen Sperber kreisen sah, dessen heftiges
Schreien herniederdrang, so überkam es ihn einen Augenblick, daß er nicht wußte, ob er die Kreatur war, die drunten
an der dunkelnden Bergwand vor sich schritt, oder die andere, die mit ausgebreiteten Flügeln droben hinglitt. Nun
wußte er aber, daß dieses alles nur Vorausspiegelungen dessen waren, was ihn erwartete. Als er vor seinem Haus stand
und den Lichtschein sah, der aus dem kleinen vergitterten
Küchenfenster fiel, warf er über das alles einen sonderbaren
Blick: es war ihm zumute, als hätte er das alles seit Jahren
nicht gesehen und sähe es auch jetzt nicht wirklich, sondern
als käme er nur in einem beklommenen Traum daran vorüber. Er trat an das erleuchtete Fenster, um hineinzusehen:
da bemerkte er, daß wohl die Gitterstäbe auf die getünchte
Mauer seitlich einen schwarzen scharfen Schatten warfen,
sein Kopf aber nicht. Er hob die Hand zwischen das Licht
und die Mauer, und auch die Hand warf keinen Schatten. Er
trat ins Haus, hing seine Kappe an den Nagel und öffnete
die Küchentür. Seine Frau fuhr vor Schrecken, als er hereintrat, von dem niedrigen Holzschemel auf, und das Messer,
mit dem sie geschält hatte, fiel klirrend zu Boden. »Du bist
es, du, du!« brachte sie mühsam hervor, und ihr erschrocke-

nes Gesicht lächelte gleich, und sie hing sich an ihn, indes
die Kleine, den Kopf an der Mutter Knie gedrückt, angstvoll weinte. »Daß ich sitze und horche«, sagte die Frau,
»und jede Maus höre, jeden Käfer draußen, und hör dich
nicht, nicht gehen im Garten, nicht die Tür auftun, nicht
in den Flur treten und nicht hereinkommen! Davon sind
wir beide so erschrocken. Es war, wie wenn die leere Luft
auf einmal eine menschliche Gestalt bekommen hätte, so
warst du auf einmal da.« Sie gingen in die andere Stube, das
Nachtmahl war schnell aufgetragen, und das Kind beruhigte sich bald bei seiner Milch: Jedesmal, wenn die Frau
mit einer Schüssel oder einem reinen Löffel zum Tisch und
in den Schein des Talglichtes trat, schien ihr junges argloses
Gesicht dem Hyacinth verändert. Er hatte das Licht gleich
so gestellt, daß auf ihn kein rechter Schein fiel. Das Kind saß
ganz im Licht und wie sich die Frau zuletzt niederbeugte,
um dem Kind den Mund abzuwischen, glaubte er eine
zahnlose Greisin zu sehen, die mit ihren welken Wangen
und eingefallnen Schläfen wie gierig nach lebendiger Wärme
an dem weichen blonden leuchtenden Kinderkopf langsam
hinstrich.

Er stand auf und sagte: »Ich bin recht müde und will
mich gleich niederlegen.« Dabei nahm er das Licht in die
Hand und hatte acht, sich schnell durch die Tür zu drücken.
Die Frau entzündete noch einen Span, gab ihn dem Kind zu
halten und räumte schnell den Tisch ab. Als Hyacinth die
Tür hinter sich zugedrückt hatte, zuckte das Licht in seiner
Hand, und wo es seinen unsteten blaßgelben Schein hinwarf, da schien dem Mann im Gehen sein ganzes Haus verändert, die Mauern alt und mit unheimlichen Rissen wie das
Gemäuer eines alten Kirchhofs, die Dielen sogar seltsam
und traurig verändert, die Klinken an den Türen verwahr-
lost und wie wenn seit vielen Jahren keine Hand sie berührt
hätte. Er zog sich aus und legte seine Kleider auf einen

Stuhl neben dem Bett; das Licht hatte er auf ein Gesims an der Wand gestellt, und von dort beschien es die Kleider, und sie sahen traurig aus wie das Bündel Kleider des unbekannten Verstorbenen, das manchmal im Amt auf einem Tisch neben dem zugedeckten Leichnam ausgestellt ist. Indem kratzten die Frau und das Kind noch an der Tür; ihr Span war ihnen ausgegangen und sie fanden lange die Klinke nicht. Wie sie hereintraten, hatte Hyacinth Mühe sich zu besinnen, wer diese Frau und dieses Kind denn wären und wie es käme, daß sie mit ihm in einer Kammer schliefen. Die da ihr Kind zu Bette legte und zudeckte, die in Strümpfen lautlos umherging und ihr Haar aufflocht, erschien ihm wie eine Tote, die in ihrem weißen Linnen aus dem Grab hervorgestiegen war, ein sonderbares wortloses Spiel zu treiben. Als sie ihr Gesicht ihm zukehrte, zu sehen, ob er schlafe, und dabei den Atem aus ihrem jungen Mund über die halboffenen Lippen blies, sah er unter ihrer Haut den beinernen lippenlosen Schädel und schlug unter innerem Stöhnen, das eine tiefe Erstarrung aber nicht zum Laut werden ließ, mit der Hand das Licht aus.

Nun stand die gewohnte liebe Gestalt im Dunkel; über dem weißen Hemd floß das dunkle Haar von den Schultern zur Brust; mit eingehaltenem Atem sah sie auf ihn hin, und da sie ihn eingeschlafen glaubte, so nickte sie mütterlich zufrieden. Dieses Nicken kam noch zu ihm; schon in die grundlose Tiefe eines auflösenden Schlafes versinkend hing sich sein Bewußtsein noch einen Augenblick daran wie an einen süßduftenden Zweig. Er fühlte sich noch lächeln, fühlte das andere Bette sich leicht bewegen und war eingeschlafen. Er erwachte und wußte, daß eine Stimme seinen Namen gerufen hatte; er richtete sich im Bette auf und wußte sogleich, daß nun der Anfang gekommen war. Er konnte aufstehen und das Bett ächzte nicht; er trat auf die Dielen, er kam in seine Kleider und es gab keinen Laut. Er hörte den ruhigen Atem der Frau, den schnellern des Kindes und draußen den nächtlich rauschenden Bach: da rief es nochmals. Er schwang sich durchs Fenster hinaus ins Freie und lief durch das tauige Unkraut hinab an die Straße. Die Straße lag leer da im Mond und stieg hinauf in den Wald und lief hinab ins dämmernde große Tal. Er stand nicht lange, da kam von droben her ein Lärm, halb Rauschen halb Dröhnen, anders als das Brausen der Wasserstürze und das Abrollen der Felsblöcke. Es kam näher, und sogleich brach es zwischen den nächtig riesenhaften Tannen mit schallendem Hufschlag, wildem Schnauben und schwerem Rollen hervor, dröhnte heran und war eine Kutsche, größer als die des Fürstbischofs von Brixen, und als die vor Hyacinth ankam, riß der Kutscher, ein Großer mit finsterem rotfunkelndem Gesicht, die vier schweren schnaufenden Gäule zusammen, und der Wagenschlag sprang auf, nach der Seite wo Hyacinth stand, und er hinein und fiel mit dem Rücken in die Polster, so rissen die vier den Wagen dröhnend weiter.

## Sommerreise

Hier unter dem Schatten des großen Ahorn, hier, wo ein Hahnenruf, ein Grillenzirpen, das Rauschen eines kleinen Baches die Welt bedeuten, erscheint diese dreitägige Reise schon wie ein Traum. Und doch war sie wirklich: so wirklich wie ein Gang zum Brunnen, ein Niederbeugen, das Löschen eines tiefen Durstes in eiskaltem, felsentsprungenem Wasser; so wirklich wie ein Verlangen nach Früchten, nach kernigweichen, innerlich kühlen, duftigen flaumumhüllten Früchten, ein Anlegen der Leiter, ein Hinaufsteigen, ein Pflücken, ein Genießen, ein Schlummern in der Krone des Baumes. Es mußte ein Abend vorhergehen, ein wundervoller Vorabend: jener eine Abend, der in jedem Jahre einmal kommt, früher oder später; jener einzige Abend, an welchem die Fülle des Sommers auf einmal da ist; die Sonne ist längst gesunken, doch steht noch immer im Westen ein Abgrund von Licht; drüber entzündet sich wie eine Fackel der Abendstern; die Berge, die dunklen Schluchten zwischen den Bergen glühen von innerem purpurblauen Feuer; ein unsäglich leichter Hauch geht wie ein Atem von Baum zu Baum; manchmal schleift er lüstern an dem Boden hin, ergreift ein frischgesponnenes Laken, das da zum Bleichen liegt, und bläht es wie ein Segel; dann schwillt vor innerer Kraft das Wasser in den Brunnentrögen, wie droben die Sterne überschwellen vor Glanz; stärker gurgelt es in den hölzernen Röhren, verlangender rauscht es aus dem Felsenspalt hervor, wundervoller braust der ferne Wassersturz, als drängte es den dunklen Berg, die starre Wand, ihr Inneres hinzugeben; von den Hängen, von den Matten läßt sich

der Heuduft nieder, langsam kreisend; Wanderern gleichen
die Bündel Heu, hingesunkenen Ermüdeten, Stehenden,
am Pilgerstabe erstarrt, schlafend in der Gebärde des Wan
derns; und jeder Schatten der Nacht, dort am Waldrand,
da auf dem Altan, jeder gleicht einem Wanderer, der sich
hinließ, in den Mantel gewickelt, mit dem ersten Frühstrahl
leicht aufzuspringen, mit dem ersten Schritte weiterzu-
wandern.

Den nächsten Morgen begann die dreitägige Reise. Ihr
Weg war mit dem abwärtsrauschenden Wasser. Ihr Ziel war
das Land des Sommers, da unten. Irgend ein Hügel, fest-
licher als alle gekrönt mit üppigen Gewinden rankender Re-
ben zwischen Ulme und Ulme; irgend ein Weiher, einge-
setzt wie ein purpurspielender Edelstein in das Grüne eines
Hügels; irgend ein Kastell, aus dessen braunroten Trümmern die breitblättrige Feige wächst und der schattenhafte
Ölbaum; irgend ein Dickicht, durch dessen Stämme eine
wundervolle Nacktheit zu schimmern scheint, dessen Ranken noch schaukeln vom Flüchten feuchter, leuchtender,
göttlicher Wesen.

In den Bergen führt der Weg des ersten Tages. In die
Flanke der Berge ist die weiße Straße eingeschnitten, und
drunten tobt das starke Wasser abwärts. Dörfer hängen
zwischen der Straße und dem Himmel, und die Lerche, die
von hier aus steigt und steigt und aus schwindelnder Höhe
singt; oben mag einer stehen an seiner Eltern Grab und
sich über die niedrige Friedhofsmauer beugen, und sieht
die Lerche unter sich. Und Dörfer hängen drunten zwischen der Straße und dem wilden Fluß, und der vergoldete
Engel auf der Spitze ihres Kirchturmes funkelt herauf aus
der Tiefe.

An der Straße stehen schöne Brunnen; aus einer steinernen Säule springen vier Wasserstrahlen in die schönen uralten steinernen Tröge; jeder Strahl grüßt einen Gebirgsstock,

dessen Gipfel Schnee und Sonne zum Trank mischt. Und es
steigen Frauen, alte und junge, aus den Dörfern herauf und
aus den Dörfern herab, langsam die mühseligen schmalen
Pfade; jede trägt auf der Schulter das antike Joch mit zwei
bauchigen, blitzenden, kupfernen Becken. Und wie sie die
Becken unter dem Brunnen füllen und tönend das Wasser
hineinfällt, so kommen die beiden wieder zusammen, die
beieinander im dunkelsten Schoß des Berges schliefen, das
Wasser und das Erz.

Und Brücken springen in einem einzigen Bogen tief
drunten über das schäumende Wasser; uralt sind sie, steinern, ihr Bauch mit triefendem Moos behangen; sie sind
Menschenwerk, aber es ist, als hätte die Natur sie zurückge-
nommen; es ist, als wären sie aus der Flanke des Berges her-
ausgewachsen, über die Schlucht hinweg in der Flanke des
jenseitigen Berges wiederum zu wurzeln.

Und wie in Schlucht die Schluchten münden und in das
Wasser die Wasser sich stürzen und Pfad und Brücke die
Dörfer verknüpfen und Steige hinabführen von der Hütte
des Ziegenhirten, neben dem der Adler horstet, zu der
Mühle unten, die im ewigen Wassersturz steht und feucht
und grün überwuchert ist, und der Wind Glockenklang her-
aufträgt und Glockenklang herab und von drüben und von
jenseits: so fühlst du, es ist mehr als ein Tal, es ist ein Land,
und seine Schönheit gleicht der Schönheit jener nahen großen Wolke drüben, die voll Wucht ist und Dunkelheit und
doch leuchtend, ja innerlich durchleuchtet und oben in goldenem Duft zerschmelzend; und schön wie diese Wolke mit
zerschmelzenden Buchten ist auch der Name des Landes: es
heißt das Cadorin.

Und dieses Land ist nur wie ein Altan, der hinabsieht auf
das andere Land, auf das Land, das die Venezianer, von den
Palästen ihrer tritonischen Stadt wie von hohen Schiffen
hinüberblickend, »das feste Land« nannten, auf das Land,

das wie ein Mantel von den Hüften der Alpen niederschleift
bis ans Meer. Dieses Land aber ist an schöngebauten Städten reicher als irgend eine Landschaft der Erde. Drei sind
die prunkvollen Spangen im Saum dieses Mantels: Venedig,
Vicenza, Verona. Aber in jeder seiner Falten ist Geschmeide
verborgen, und wer kann jede seiner Falten durchwühlen?
Hier liegt Belluno, hier gleitest du nach Treviso hinab, hier
zweigts ab nach Vittorio, und schon hast du Feltre versäumt, schon liegt Asolo seitlich, schon bleibt Bassano hinter dir. Willst du Serravalle wiedersehen, die wundervolle
Sperre des Tales, die starke Klause, in der Brückenjoch und
Kirchentreppe, Bastei und Gartenhaus einander berühren?
Schon hat es dich zu weit nach Süden gezogen, schon führt
die weiße Straße zwischen der Weingärten steinernen Mauern auf Castelfranco zu.

Königlich ist diese Landschaft mit ihren Städten. Wie ein
Gewimmel ists hinter einem und um einen, wie ein Lagern
von großen Heeren zu einem Kriegszug oder einer wundervollen Jagd hier zwischen den Bergen und dem Meer. Wie
große Herren, die ihren Namen ausrufen, ihre Leute um
sich zu sammeln, wie große Herren, die nach einer siegrei-
chen Schlacht auf den Hügel stampfen und ihren ritterlichen
Namen in die Luft schmettern, so rufen diese Städte immerfort ihren Namen durch die Sommerabendluft. Über jeder
dieser Städte bläht sich ihr Name wie ein gelb und purpur-
nes Segel, wie eine gebauschte Fahne: und jeder dieser Namen ist zugleich der Name eines großen Malers.

Paolo Veronese, und Pordenone, und Bassano; Giovanni
da Udine, und Cima di Conegliano, und Morto di Feltre,
und Bordone von Treviso, Pellegrino di San Daniele: so
wohnt in jeder dieser halbzerbrochenen Städte ein Ruhm
wie eine leuchtende, nackte Dryade im Strunk des halbver-
morschten Baumes. Oder die Städte haben sich in den
Ruhm ihrer großen Söhne gehüllt wie in einen farbigen

Mantel und sich hingestreckt an den Hügeln und über den Flüssen, und als ein halb lebendiges, halb im Schlummer erstarrtes Wesen lagern sie da, starrend in Waffen, oder wie ein Hirt, oder wie ein reicher lässiger Reisender, den auf der Jagd der Schlummer überwältigt.

Und das wilde Wasser aus den Bergen umfließt beruhigt Kirche und Kastell, spiegelt die zerfallenden Mauern, gleitet in lautlosem Rinnen zwischen Feld und Feld dahin, gibt dem Dorf seinen Weiher und dem Park seinen Teich. Und der friedliche Weiher und der marmorgefaßte Teich spiegeln am stillsten Abend die ferne goldumrandete Wolke mit großen schmelzenden Buchten, die sich vom feuchten Hauch der blauen Riesenberge nährt. Mit den Statuen, mit den Balkonen der Villa spiegelt der Teich von unten her das Gebälk, das die offene Halle bedeckt: und diese Balken waren Bäume, und wo der Teich als Quell war, dort waren sie als Lebendige, mit Wipfeln, die stärker rauschten als unter ihren Wurzeln hervor das flinke Wasser. So schmilzt hier, erst hier, der starke Drang der Berge in selige Ruhe.

Muß hier nicht Giorgione geboren sein? Er, der dies Fern und Nah, dies selige Spiegeln, dies Hinüberschauen zu den Bergen, dies Rasten auf dem letzten Hügel in sich sog und eine Bezauberung daraus schuf, die keinen Namen hat. Der vier oder fünf Gestalten auf den weichen Rücken eines solchen Hügels hinlagerte, und alle tun sie nichts anderes, als die unsägliche Süßigkeit dieser Landschaft auskosten, aussaugen wie eine Frucht diese süße Vermischung von Weite und Nähe, von Dunkel und Helle, von Tag und Traum. Die Frauen haben die Kleider abgeworfen auf das Gras und geben den nackten Leib dem doppelten Atem der Luft hin, der kühl und schattenahnend sie zu den Bergen hinsaugen will, und lau und üppig von der Ebene an ihnen hinaufspielt. Aber ihre nackten Füße fühlen durch Gras und Blumen hindurch den feuchten kühlen Erdengrund,

fühlen das Glück des Wurzelns in der Erde: und die Frauen
beugen sich über den steinernen Brunnen, winden den
Eimer aus feuchtem Schacht empor, als wollten sie dem
Grund sein selig dunkles Geheimnis so entwinden; aber
was sie emporbringen, ist nur klares Wasser; doch sie werden es trinken, werden es kühl durch die Glieder rieseln
fühlen, etwas von der Lust der Nymphe fühlen, die drunten sich im Kühlen wälzt. Die Männer aber lagern neben
dem Brunnen; sie sind bekleidet, und der doppelte Atem
der Luft kann nur ihre Wangen anrühren, auf denen der
leichte Schatten ihrer Locken liegt, kann nur mit der weißen Flaumfeder spielen, die der eine auf dem smaragdgrünen Barett trägt: Feder von der Brust des Adlers, der dort
rückwärts ferne, ferne zwischen den bläulichen Bergen hin-
kreist, segelt in den Schattenbuchten der riesigen silberfar-
bigen Wolke. Der mit dem schönen Barett blickt unverwandt nach jener blauen türmenden Ferne. Schöner ist ihm
dieser Anblick als der schöne nackte Leib der Frauen, die
leicht und üppig sitzen auf dem feuchtkühlen steinernen
Brunnenrand. Süßer ist es ihm, das Gefühl dieser Ferne
auszukosten; wie aber kann er es, als indem er sich hinüber-
träumt unter die Schattenbuchten jener Wolke, indem er
wähnt dort zu hängen zwischen Felsrand und Absturz, indem er wähnt der zu sein, der mit blutenden Füßen den
Horst des Adlers beschlich, indem er mit den Augen jenes Andern, jenes Rauhen, jenes Armen herüberzustarren
wähnt aus jener blauen Ferne, herüber auf den sanften Hügel und auf ihn selber, der üppig hier liegt neben dem marmornen Brunnen, neben dem Korb, dem Früchte entrollen,
neben den Frauen, die aus ihren Gewändern glitten, lässig,
die Flaumfeder des Adlers auf smaragdgrünem Barett. So
genießt er die Ferne, wie die Frauen die Nähe genießen.
Aber die Magie dieses Ortes hat noch andere Zungen, ihre
eigene Seligkeit zu schmecken. Da steht ein Lusthaus: es ist

nichts als ein Altan, von Säulen getragen; es dient nur einer
Lust, der Lust des Schauens nach jener blauen Ferne, nach
den Riesenbergen, nach den Wolken, die der Hauch der
Riesenberge nährt. Nichts als ein Altan, säulengetragenes
Auge, dessen Wimper sich nie schließt. Über das Geländer
des Altans ist eine scharlachfarbene Decke gebreitet. Seligkeit des Ortes! Die Decke darf vergessen hangen, die Gewänder glitten auf den Rasen; zum Segel wird die Decke,
leicht bläst sie der üppige Atem der Ebene, der kühle
Hauch der Berge wühlt in ihr. So in den Kronen der drei
Bäume; selig spielen sie mit der Last der Wipfel: wonach
jene Frauen sich sehnen, wonach jene Frauen den Eimer
begierig hinablassen, sie haben es von selber, sie saugen es
mit den Wurzeln in sich, das dunkle, geheimnisvolle Glück
der Erde.

Das Wunder dieses Ortes ist Einklang: Erde und Wolke,
Ferne und Nähe, Tag und Traum, hier sind sie eins: die Luft
ist wie ein Becken, in das lautlose Ströme von Freude rinnen. Wie selig muß der eine sein, wie vollgesogen mit rei-
nem Glück des Daseins, der das Haupt zurückgelegt hat,
den weichen Mund halboffen, den Blick ins Leere, und zu-
hört, wie der dritte im Schatten des Gebüsches die Laute
spielt. Ein einfaches Lied, ein kleiner Akkord der Saiten, die
vom Glück so gespannt sind: wie muß es in der Seele zer-
schmelzen, hinabschnellen in den Abgrund der Seele, wie
ein Wölkchen zerschmilzt an der Flanke der Berge, die purpurblau von inneren Gluten leuchten.

Dies ist die Landschaft des Giorgione, und schon sind
wir an Castelfranco vorüber, dem rostfarbenen Viereck alter
Mauern, zerbröckelnder Türme, die ein stockendes Wasser
finster spiegelt, in deren Innerem eine Stadt nistet mit Gassen und Gäßchen, wie die Stadt der Bienen im Schädel eines
wilden Tieres. Noch gleiten die weißen Straßen zwischen
Gartenmauern, zwischen Maulbeerbäumen leise nach ab-

wärts, noch treibt ein sanfter, nicht völlig gestillter Drang
die Reise der Ebene zu. Nicht ganz der Ebene zu. Hier ist
die letzte Welle im Niederrollen erstarrt zu einem Hügel.
An seinem Fuß liegt Vicenza, starrend von Palästen. Hier
stieg er herauf, der Erbauer der Paläste, und sah, daß die
Kuppe dieses sanften Hügels die Landschaft krönte. Und er
krönte den Hügel mit dem schönsten seiner Träume. Auf
diesem Hügel baute Palladio die Rotonda. Sie ist nicht
Haus, nicht Tempel, und ist beides zugleich. Sie ist ein einziger riesiger runder Saal, bedeckt von einer Kuppel, aus
vier Toren mündend auf vier säulengetragene Vorhallen,
die jede sich in einer Treppe nach außen ergießt. Der Herrlichkeit dieser Rotunde ist alles unterworfen: die Gemächer
des Hauses sind eingebaut in die Pfeiler, in die Bögen, die
dies große reine Ganze tragen; Gemächer umgeben verborgen das Stirnband der Rotunde und münden unter der
Kuppel in den hohen Saal; Gemächer sind versenkt unter
die vier freien Treppen und blicken aus vergitterten Fenstern finster wie Sklaven, auf deren Nacken diese Herrlichkeit lastet.

Zu solcher Lust scheint dieses Haus gebaut, als sei es
nicht für sterbliche Menschen gebaut, sondern für Götter.
Waren es aber Menschen, so müssen sie etwas vom goldenen Blut der Götter in den Adern gehabt haben, dieses
Wohnhaus zu ertragen. Ein übermenschliches Hervortreten
gebieten diese vier Treppen, den Bergen zugewandt, dem
Meere, der Ebene und der Stadt. Ihr bloßer Anblick – gede-
mütigt wie sie sind, öde, da und dort entblößt bis auf die
Ziegel, der Eidechsen Aufenthalt – gebiert Träume. Furcht-
bar, wie sie nichts voneinander wissen, wie sie einander den
Rücken wenden, diese vier Treppen, einander und dem
dämmernden riesigen Saal. Zuoberst auf einer dürfte ein
Krieger stehen, ein furchtbarer Gott der Zerstörung, und
Flammenzeichen gehen hinab nach der Ebene, hinab nach

der Stadt. Und auf der andern, dem Meere zu, dürfte über-
menschliche Lust von Stufe zu Stufe taumeln, faunisch, ineinander hineingewühlt, mit trunkenen Händen, das Haar
feucht von Küssen und Wein, der Saft zerquetschter Trau-
ben zwischen Mund und Mund aufsprühend zu den Sternen. Und zu den Sternen, zum funkelnden Gürtel des
Orion, zum schweigenden Schatten jener Riesenberge hin,
die göttlich Reinheit niederhauchen, dürfte zuoberst auf der
dritten Treppe einer beten, einsam, bebend vor Jugend und
Ehrfurcht. Und auf der rückwärtigen, der finster brütenden
weißen Ebene zu, dürfte Mord geschehen. Und alle vier
wüßten nichts voneinander.

Nun aber ist das Haus verschlossen und der Saal schlum-
mert. Verstümmelt, geblendet, mit abgehauenen Händen
die Statuen droben an dem Stirnreif der Rotunde sind
wieder Steine, Blöcke, verlangend nach Moos. Die Natur
nimmt ihr Werk zurück. Sie trieb den Palladio hinauf, mit
trunkenem Blicke hier Ebene, Meer, Gebirge und Stadt in
sich zu saugen und den Hügel, der die wundervolle Landschaft krönt, mit seinem Traume zu krönen. Wie jener in
der Wüste aus seines Herzens Sehnsucht heraus die Leiter
träumte, deren Sprossen die Engel auf und nieder wandeln,
so träumte dieser hier aus der Fülle seines Innern diesen
übermenschlichen kuppelgekrönten Saal und diese vier Stiegen, königlich hinabsteigend, zu den vier Herrlichkeiten
der großen Landschaft.

Wie der Faun seine Seligkeit in die Flöte haucht, so
haucht die Natur ihren Triumph an einer Stelle aus, in den
Traum des Palladio. Nun hat sie die Hirtenpfeife weggelegt,
läßt sie vermodern am Rande des Weihers. Mit leiser
Gewalt nimmt sie die Rotonda zurück aus dem Kreise
menschlicher Gebilde in ihr eigenes webendes dämmerndes
Reich. Was den Hügel von Vicenza krönt, ist nicht mehr
Tempel, nicht mehr Haus, und mehr als beides. Ein un-

sterblicher Traum, ein wundervoll geformtes Ziel, nach welchem der Drang der fernen Berge, der Drang der starken Wasser hinzuwollen scheint, das er erreicht, dessen Rund er umwandelt, an dessen vier Treppen er sich hinschmiegt, gestillt, erlöst durch ein Gleichnis.

# Die Briefe des Zurückgekehrten

## Der erste

*April 1901*

So bin ich nach achtzehn Jahren wieder in Deutschland, bin
auf dem Weg nach Österreich, und weiß selbst nicht, wie
mir zumut ist. Auf dem Schiff machte ich mir Begriffe, ich
machte mir Urteile im voraus. Meine Begriffe sind mir über
dem wirklichen Ansehen in diesen vier Monaten verlorengegangen, und ich weiß nicht, was an ihre Stelle getreten ist:
ein zerspaltenes Gefühl von der Gegenwart, eine zerstreute
Benommenheit, eine innere Unordnung, die nahe an Unzufriedenheit ist – und fast zum erstenmal im Leben wider-
fährt mirs, daß ein Gefühl von mir selbst sich mir auf-
drängt. Sind es die überschrittenen Vierzig, und ist auch in
mir etwas schwerer und dumpfer geworden, so wie mein
Körper, den ich in den Distrikten nie gespürt habe und nun
– wenn das nicht eine angeflogene Hypochondrie ist –
zu spüren anfange? Ich machte mir einen Begriff von den
Deutschen, und noch als ich über Wesel der Grenze zufuhr,
hatte ich ihn ganz rein in mir: es war nicht völlig der, den
die Engländer vor 70 von uns hatten, nur mit den wenigen
Büchern, die ich mit mir führte, dem »Werther« und »Wilhelm Meister«, floß mir ein Bild von den Deutschen auch
nicht zusammen (was in diesen Romanen abgespiegelt war,
erschien mir immer wie ein Spiegelbild, unendlich vertieft,
verklärt, beruhigt), aber auch den unfreundlichen Begriff,
den die Engländer unserer Zeit von uns in Umlauf setzen,
hatte ich von mir abgewehrt: denn ein Volk verwandelt sich

nicht bis zur Unkenntlichkeit, es regt sich nur wie im Schlaf und wirft sich herum, es stellt nur andere Seiten seines Wesens ins Licht. Und nun bin ich seit vier Monaten unter ihnen, habe in Düsseldorf mit ihren Minenleuten gehandelt und in Berlin mit ihren Bankleuten, habe Gerhart auf seinem Amt besucht, Charlie auf seinem Gut, habe um eines Gutachtens willen mich von einer Göttinger Kapazität an eine Gießener weisen lassen, mich in Bremen verhalten und in München umgetrieben, habe mit Ämtern und Behörden zu tun gehabt, Eure Eisen- und Maschinenleute, Eure kleinen und großen Herren gekostet – und weiß nicht, was ich sagen soll.

Was hatte ich mir denn vorgestellt? Was hatte ich zu finden erwartet? Und warum ist mir nun, als verliere ich den Boden unter den Füßen? Du kannst Dir denken, daß ich darüber hinaus bin, eine vereinzelte persönliche Erfahrung ins allgemeine zu ziehen. Auch ist mir niemand anders als loyal begegnet, ich habe meine javanesisch-deutschen Negoziationen besser abgewickelt, als ich mir hätte träumen lassen, und bin heute frei, und dazu zwar nicht reich, aber unabhängig, was mehr ist. Nein, es ist nichts in mir, was mich befremdet und quält und mich der Heimat nicht froh werden läßt, es ist kein Spleen, es ist – also, wie soll ich es nennen? Es ist mehr als eine Beobachtung, es ist ein Gefühl, eine Beimischung aller Gefühle, ein Existenzgefühl – Du siehst, ich quäle mich zurück in den Gebrauch einer Kunstsprache, die mir in zwanzig Jahren fremd genug geworden ist. Aber muß ich wirklich kompliziert werden unter den Komplizierten? Ich möchte in mir selber blühn, und dies Europa könnte mich mir selber wegstehlen. So will ich es Dir lieber weitschweifig oder ungeschickt sagen und ihren Kunstworten ausweichen. Du kennst mich genug, um zu wissen, daß ich bei meinem Leben nicht viel Zeit hatte, abstrakte oder theoretische Lebensweisheit anzusammeln.

Eher eine gewisse praktische Erfahrung, aus den Gesichtern von Menschen oder aus dem, was sie nicht sagen, etwas abzunehmen, oder eine kleine Kette von unauffälligen Details hinreichend zu dechiffrieren, um allenfalls den Gang der Dinge bei einem Geschäftsabschluß oder einer Krise im Verhalten anderer zu mir oder untereinander irgendwie vorauszusehen. Von Theoretischem aber, wie gesagt, habe ich fast nichts in mir, so gut wie nichts. Immerhin ein oder zwei oder drei Sätze, Aphorismen, oder wie man es nennen wollte; es gibt Verbindungen von Wörtern, die man nicht vergißt; wer vergißt das Vaterunser? The whole man must move at once: Da hast Du eine von meinen großen Wahrheiten. Ich scherze nicht, das ist eine große Wahrheit, ein tiefsinniges Aphorisma, eine ganze Lebensweisheit, wenn es auch nur wenige Worte sind, die nicht viel gleichsehen. Und es war ein großer Mensch, der sie mir überliefert hat. Er war mein Bettnachbar im Spital von Montevideo, und es war einer von denen, die weit gekommen wären. Viel von dem Stoff war in ihm, woraus die englische Rasse ihre Warren Hastings und Cecil Rhodes macht. Aber er starb mit fünfundzwanzig, nicht damals in dem Bett neben mir, sondern ein Jahr darauf, an einer Rezidive. Er hatte den Spruch von seinem Vater, der ein Landgeistlicher in Schottland war und hart und bös gewesen sein muß, aber ein tiefer Kopf. Es ist ein Spruch, um ihn auf seinen Fingernagel zu schreiben, und man vergißt ihn nicht mehr, wenn man ihn einmal gefaßt hat. Ich führe ihn nicht oft im Mund, aber er ist irgendwo in mir immer präsent. Es ist mit solchen Wahrheiten – ich glaube nicht, daß es viele von solcher Kraft und Einfachheit gibt – wie mit dem Organ, das wir im inneren Ohr haben, den Knöchelchen oder kleinen beweglichen Kugeln: sie sagen uns, ob wir im Gleichgewicht sind oder nicht. The whole man must move at once – wenn ich unter Amerikanern und dann später unter den südlichen Leuten in der Banda oriental, unter den Spaniern und Gauchos, und zuletzt unter Chinesen und Malaien, wenn mir da ein guter Zug vor die Augen trat, was ich einen guten Zug nenne, ein Etwas in der Haltung, das mir Respekt abnötigt und mehr als Respekt, ich weiß nicht, wie ich dies sagen soll, es mag der große Zug sein, den sie manchmal in ihren Geschäften haben, in den U. S. meine ich, dieses fast wahnwitzige wilde und zugleich fast kühle besonnene »Hineingehen« für eine Sache, oder es mag ein gewisses patriarchalisches grand air sein, ein alter weißbärtiger Gaucho, wie er dasteht an der Tür seiner Estancia, so ganz er selbst, und wie er einen empfängt, und wie seine starken Teufel von Söhnen von den Pferden springen und ihm parieren, und es mag auch etwas viel Unscheinbareres sein, ein tierisches Hängen mit dem Blick am Zucken einer Angelschnur, ein Lauern mit ganzer Seele, wie nur Malaien lauern können, denn es *kann* ein großer Zug darin liegen, wie einer fischt, und ein größerer Zug, als Du Dir möchtest träumen lassen, darin, wie ein farbiger Bettelmönch Dir die irdene Bettelschale hinhält – wenn etwas der Art mir unterkam, so dachte ich: Zuhause! – – Alles, was etwas Rechtes war, worin eine rechte Wahrhaftigkeit lag, eine rechte Menschlichkeit, auch im Kleinen und Kleinsten, das schien mir *hinüber* zu deuten. Nein, meine ungeschickte Sprache sagt Dir wieder nicht die Wahrheit meines Gefühls: es war nicht Hinüberdeuten, auch nicht Erinnert-Werden an drüben, es war kein Hüben und Drüben, überhaupt keine Zweiheit, die ich verspürte: es war eins ins andere. Indem die Dinge an meine Seele schlugen, so war mir, ich läse ein buntes Buch des Lebens, aber das Buch handelte immerfort von Deutschland. Ich denke, ich bin kein Träumer, und wenn ich – vielleicht als Bub – einer war, so habe ich jedenfalls in diesen achtzehn Jahren ganz einfach keine Zeit gehabt, einer zu sein. Auch sind es keine Träumereien, von denen ich Dir

rede, nichts Ausgesponnenes, sondern etwas Blitzhaftes,
das da war, während ich lebte, und oft in Momenten, wo
mein Denken und alle meine Nerven vom Leben so angespannt waren wie möglich. Daß ich mich Dir mit einem Beispiel ausdrücke, das freilich beinahe albern ist: es ist
wie mit dem Wassertrinken am Brunnen. Du weißt, ich war als
Kind fast immerfort in Oberösterreich auf dem Land, nach
meinem zehnten Jahr dann nur mehr die Sommer. Aber sooft ich in Kassel während der Schulwinter oder sonst, wohin ich mit meinen Eltern kam, einen Trunk frischen Wassers tat – nicht wie man gleichgiltig bei der Mahlzeit trinkt,
sondern wenn man erhitzt ist und vertrocknet und sich
nach dem Wasser sehnt – so oft war ich auch, jedesmal für
eines Blitzes Dauer, in meinem Oberösterreich, in Gebhartsstetten, an dem alten Laufbrunnen. Nicht: ich dachte
daran – *war dort*, schmeckte in dem Wasser etwas von der
eisernen Röhre, fühlte übers ganze Gesicht die Luft vom
Gebirg her wehen und zugleich den Sommergeruch von der
verstaubten Landstraße herüber – kurz, wie das zugeht,
weiß ich nicht, aber ich habe es zu oft erlebt, um nicht daran
zu glauben, und so gebe ich mich zufrieden. – Noch in New
York und in St. Louis die kurze Zeit ging das mit mir, dann
freilich in New Orleans schon und später noch weiter im
Süden, da verlor es sich: Luft und Wasser waren da zu sehr
ein Verschiedenes von dem, was in Gebhartsstetten aus dem
Rohr sprang und über den Zaun wehte – und Luft und
Wasser sind große Herren und machen aus den Menschen,
was sie wollen. Aber das mit dem Trinken sollte ja auch nur
ein Beispiel sein. So wie mich ein Trunk an den alten Laufbrunnen in Gebhartsstetten zurückzaubern konnte, so *war*
ich in Deutschland alle die Male, wo in Uruguay oder in
Kanton oder zuletzt auf den Inseln mir irgend etwas die
Seele traf, es brauchte nur der Blick eines der unglaublich
schönen Mädchen zu sein, wie sie auf den einsamen Gehöf-

ten der Gauchos aufwachsen, oder die rührende Genügsamkeit eines alten Chinesen, oder kleine gelbbraune nackte Kinder im Teich vor dem Dorfe. Denn man erlebt viel, aber das meiste tun die Sinne ab, oder die Nerven und der Wille, oder der Verstand, aber was die Seele treffen wird, das läßt sich nicht vorausahnen, es kann der einsame schwingende Flug eines tropischen Vogels sein über einem ganz leeren, leierförmig geöffneten Bergtal, oder das Arbeiten eines guten Schiffes unter einer schweren See, oder der Blick eines sterbenden Affen, oder ein braver kurzer Händedruck. Diese Dinge alle, wenn sie kamen und ins Innre des Innern trafen, redeten von Deutschland mit einer Deutlichkeit und Kraft, die weit über dieser ist, mit der diese Schriftzeichen Dir von mir reden. Vielmehr, wenn ein solches mich *traf*, so *war* ich in Deutschland. Das alles ist, wie es ist, und es ist nichts von Träumerei dabei. Jedennoch – in zwei Wochen fahre ich nach Gebhartsstetten und kann so ziemlich sicher sein, den Laufbrunnen wiederzufinden mit der friedlichen Jahreszahl 1776 in verschnörkelten theresianischen Chiffern – da wird er stehen und mich anrauschen, und der alte, schiefe, vom Blitz gespaltene Nußbaum, der immer am spätesten von allen Bäumen seine Blätter bekam und am unwilligsten von allen sie dem Winter preisgab, der wird in all seiner Schiefheit und seinem Alter irgendwie ein Zeichen geben, daß er mich erkennt und daß ich nun wieder da bin und er da ist, wie immer – aber da bin ich nun vier Monate in Deutschland, und kein Haus, kein Fleck Erde, kein geredetes Wort, kein menschliches Gesicht, wenn ich ehrlich sein soll, keines, hat mir dies kleine Zeichen gegeben. Dies Deutschland, in dem ich herumfahre, handle, abwickle, mit Leuten esse, den kosmopolitischen Geschäftsmann, den fremden, welterfahrenen Herrn agiere – wo *war* ich jedesmal, wenn ich in dem Land zu sein meinte, das man durch den Spiegel der Erinnerung betritt, wo *war* ich in den Augenblicken, wo nur mein Leib unter den Gauchos oder unter den Maoris herumwandelte? Wo *war* ich? Nun da dies Deutschland ist, so war ich nicht in Deutschland. Und dennoch, ich nannte es in mir Deutschland. Es war geradewegs der Spiegel der wehmütigen Erinnerung, durch den ich es betrat – wenn ich es betreten durfte. Es war – es waren Männer und Frauen, Mädchen, Greise und Jünglinge. Es war mehr eine Ahnung als Gegenwart, wie das Herüberwehen des Seelenhaftesten, des Wesenhaftesten und des Ungreifbarsten. Es war der geistigste Reflex – wie nichtssagend ist das Wort für ein Erlebnis, eine innere Krise, die jedesmal stärker war als Wollust und reiner, zarter, begrenzt und bestimmt als einfaches, der Erhörung sicheres kindliches Gebet –, der Reflex zahlloser ineinander verflochtener Lebensmöglichkeiten. Es war der zarteste Duft eines ganzen Daseins, des deutschen Daseins. Besser kann ich es Dir nicht sagen, so gerne ich möchte. Das Einzelne, der Anstoß kam von außen. Ich war nur wie die Klaviatur, auf der eine fremde Hand spielt. Aber in mir lag etwas, ein Gewoge, ein Chaos, ein Ungeborenes, und daraus konnten Figuren aufsteigen, und das waren deutsche Figuren. Es war Mädchenhaftigkeit und alten Mannes Wesen, es war Behagen und Seßhaftigkeit und wiederum gräßliche Armut ohne ein Strohdach über ihrem Kopf; es war Jünglingsdasein und grenzenlose Freundschaft, grenzenlose Hoffnung; starrende Einsamkeit, bleiches Gesicht, aufgedreht zu den schweigenden Sternen; es war Liebesleben, Bangen, Warten, Wartenlassen, Einanderquälen, Einanderumschlingen, Jungfräulichkeit und hingegebene Jungfräulichkeit; es war einen Acker haben, ein Haus haben, Kinder haben, Kinder badend im Bach, badend unter Pappeln, unter Weiden; es war Geselligkeit und Einsamkeit, Freundschaft, Zärtlichkeit, Haß, Leid, Glück, letztes Bette, letztes Daliegen und Sterben. Deutsche Figuren waren es, die sich zu diesen Zauberbildern zusammenballten – nein, es war mehr ein Hauch, als daß es Bilder gewesen wären – und gleich wieder auseinanderflossen, deutsche sparsame Gebärden, Ich weiß nicht was vom innersten Wesen der Heimat. Ihr Starkes und ihr Schwaches, ihr Rauhes und ihr Sanftes kam gleichzeitig zu mir, und konnte es genießen, konnte ihrer Geschöpfe und des Lebens ihrer Geschöpfe genießen, träumend vom Verlorenen oder vorahnend, vorwegnehmend Freuden der Wirklichkeit, vorbehalten, wie ich mir schmeichelte. Und jedes ihrer Geschöpfe, das mir erschien – nein, denn ich bin kein Visionär und meine Geschäfte gestatteten mir keine Halluzinationen –, dessen Seelenhauch als eine flüchtigste Möglichkeit köstlicher zukünftiger Begegnung anwehte, jedes Frauenbild und Bild von Greis und Mann und Jüngling, reichem Mann und armem Lazarus, jedes war aus einem Guß und vertrug die innere Wahrheit, daran ich es maß. The whole man must move at once – und so waren sie, ob es Mädchen waren mit Taubenblick oder unstete Männer, die Augen trunken von grenzenlosen Gedanken, oder verzeihende Greise und zürnende Richter mit Brauen des Löwen. Sie waren aus einem Guß. In *einer* Gebärde erschienen sie mir, und keiner blieb länger bei mir als die Dauer eines aufzuckenden und erlöschenden Blitzes, denn ich bin kein Tagträumer und führe keinen Dialog mit den Ausgeburten meiner Einbildungskraft. Aber in ihrer *einen* Gebärde, in der sie an mich heran- und durch mich hindurchwehten, waren sie *ganz*. In jedem Blick ihrer Augen, in jedem Krümmen ihrer Finger waren sie *ganz*. Sie waren nicht von denen, deren rechte Hand nicht weiß, was die linke tut. Sie waren eins in sich selber. Und das – oder es müßte mich seit vier Monaten bei offenen Augen der bösartigste, vielteiligste, zäheste aller bösen Träume narren –, das sind die heutigen Deutschen nicht.

Der zweite

*22. April 1901*

Ich weiß nicht, auf was hin die Leute leben, das ist es, und je länger ich mich unter ihnen bewege, um so weniger weiß ich es. Sie sind ernsthaft, sie sind tüchtig, sie arbeiten, wie keine Nation auf der Welt, sie erreichen das Unglaubliche – aber es ist keine Freude, unter ihnen zu leben. Daß ich achtzehn Jahre fort war und nun zurück bin und das hinschreiben muß! Irr ich mich? Wie gern möchte ich mich irren! Ich verhandle und ich verkehre und ich werde freundlich aufgenommen, und ich mache Diners mit, und ich werde aufs Land eingeladen, und ich sehe alte Männer und junge Männer, Hinaufgekommene und Leute von Familie, Männer in Ämtern und Männer mit neuen riesigen Vermögen, Menschen, die noch viel vom Leben erwarten, und Menschen, die mit dem Leben abgeschlossen haben, und ich kann ihrer nicht froh werden. Und ich werde so gern eines Menschen froh! Ich achte so gern! Denke nicht, daß ich ihre Leistungen nicht achte, da müßte ich ein Dummkopf sein. Aber sie selber, die Menschen – die deutschen Menschen! Aber es geht mir unheimlich damit: ich bekomme sie nicht zu fassen. Nicht, als ob sie verschlossen wären oder hinterhältig, davon hab ich unter südlichen Breiten ganz andere Beispiele erlebt – aber wenn auch: ein verschlossenes Gesicht und ein tückisches Gesicht reden auch ihre Sprache, und daran, daß es sich nicht fassen lassen will, daran faß ich eben einen solchen. Aber hier – hier ist nichts von Verstellung, nichts von Absicht, und darum um so schlimmer. Wo soll ich eines Menschen Wesen suchen, wenn nicht in seinem Gesicht, in seiner Rede, in seinen Gebärden? Meiner Seel, in ihren Gesichtern, ihren Gebärden, ihren Reden finde ich die gegenwärtigen Deutschen nicht. Wie selten begegnet mir ein Gesicht, das eine starke, entschiedene Sprache redet. So verwischt sind die meisten Gesichter, so ohne Freiheit, so vielerlei steht darauf geschrieben, und alles ohne Bestimmtheit, ohne Größe. Es geschieht mir manchmal, daß ich mir das Gesicht eines indianischen Halbbluts herbeiwünsche oder das Gesicht eines chinesischen Lastträgers. Neulich hatte ich, einer schwebenden Sache wegen, Empfehlungen an den Ersten Präsidenten eines der obersten Gerichtshöfe. Der alte Herr war gütig und gesprächig, aber die Schwächlichkeit seines nervösen alten Gesichtes und ein Etwas von weltmännischer Ironie in seinem Ton, als wollte er zeigen, daß er kein Pedant wäre, vexierte mich so, daß ich ihm kaum ordentlich Antwort gab. Mir geht letzter Zeit das englische Wort nicht aus dem Kopf, mit dem sie ihren alten Gladstone ehrten. Grand old man! Und ein Richter, ein oberster Richter unter den Deutschen! Meine Träume! Ich möchte einem begegnen, der jeder Zoll ein alter oberster Richter wäre – oder doch wenigstens einem, der jeder Zoll ein großartiger alter Mann wäre. Aber es ist alles so verwischt, durcheinander hingemischt: in den Jungen wieder steckt etwas von Alten, in den Gesunden etwas von Kranken, in den Vornehmen etwas von recht Unvornehmen. Und ihre Gebärden sind genau wie das. Alles mischt sich da durcheinander. Wo bloß das Höfliche hingehört, mischen sie Gott weiß was für eine Art von biederer Zutraulichkeit darunter, um dann wieder aus dem angewärmten Ton in eine solche Trockenheit, solche Trivialität zu fallen, daß es weh tut; wollen sie aber große airs annehmen, so ist es eine falsche Feierlichkeit, eine angstvolle Gespreiztheit, die den Fremden kalt und verlegen macht. Ich habe mein Leben auf diese Dinge nicht viel geachtet – bin ich wirklich unter halbblütigen Pferdehirten und unter nackten Insulanern so verwöhnt worden, daß mir in Salons dahier und Bankettsälen und Konferenzzimmern manchmal vor Unbehagen übel wird? Aber ich würde von den Dingen nicht reden, würde mir sagen, daß ich überempfindlich bin, wäre nicht alles so einheitlich, so unerbittlich einheitlich. Jedes Land hat seinen bestimmten Geruch und jede Landschaft und jede Stadt und jeder Teil einer Stadt, Andalusien so gut wie Whitechapel und Hamburg so gut wie Tahiti. Aber hier verfolgt mich etwas wie ein geistiger Geruch, etwas namenlos Bestimmtes und doch kaum Sagbares: ein Gegenwartsgefühl, ein europäisch-deutsches Gegenwartsgefühl – warum sag ich »verfolgt mich«? – warum nicht »erfüllt mich«? Aber das erste Wort sagt die Wahrheit. Wie sie guten Tag sagen und wie sie dich zur Tür begleiten, wie sie eine Tischrede halten und wie sie von Geschäften reden, wie sie in ihren Zeitungen schreiben und wie sie ihre neuen Stadtteile bauen – das ist alles aus einem Guß. Ich meine, das paßt eins zum andern: denn *in sich* ist nichts, was sie tun und treiben, aus einem Guß: ihre linke Hand weiß wahrhaftig nicht, was ihre rechte tut, ihre Kopfgedanken passen nicht zu ihren Gemütsgedanken, ihre Amtsgedanken nicht zu ihren Wissensgedanken, ihre Fassaden nicht zu ihren Hintertreppen, ihre Geschäfte nicht zu ihrem Temperament, ihre Öffentlichkeit nicht zu ihrem Privatleben. Darum sag ich Dir ja, daß ich sie nirgends finden kann, nicht in ihren Gesichtern, nicht in ihren Gebärden, nicht in den Reden ihres Mundes: weil ihr Ganzes auch nirgends darin ist, weil sie in Wahrheit nirgends sind, weil sie überall und nirgends sind. Ein menschliches Gesicht, das ist eine Hieroglyphe, ein heiliges, bestimmtes Zeichen. Darin steht eine Gegenwart der Seele, und so auch beim Tier – sieh einem Büffel ins Gesicht, wenn er kaut oder wenn er zornig das blutunterlaufene Auge rollt, und sieh einem Adler ins Gesicht und einem guten Hund. In einem menschlichen Gesicht steht ein Wollen und ein Müssen, und das ist mehr als eines einzelnen Wollen und Müssen. Solche Gesichter hatten die Deutschen in meinen Träumen, deren jeder kürzer war als ein Atemzug; zwar

sah ich den Unbekannten, die an mich wehten, nicht immer
ins Gesicht, manchmal hörte ich ihre Rede, oder meine Seele
selbst schweifte für Blitzesdauer in ihre Rede hinüber, dann
war mir, ich sah *solche* Gesichter von innen. »Ich kann nicht
anders« steht auf solchen Gesichtern geschrieben. Und nun
sehe ich seit vier Monaten in die Gesichter der Wirklichen:
nicht als ob sie seelenlos wären, gar nicht selten bricht ein
Licht der Seele hervor, aber es huscht wieder weg, aber es ist
ein ewiges Kommen und Wegfliegen wie in einem Tauben-
schlag, von Stark und Schwach, von Nächstbestem und
Weithergeholtem, von Gemeinem und Höherem, eine solche Unruhe von Möglichkeiten, und was fehlt, ist der eine
große, nie auszusprechende Hintergedanke, der stetige, der
in guten Gesichtern steht, der wie ein Wegweiser durch die
Wirrnis des Lebens auf den Tod und noch über den Tod
hinaus weist, und ohne den mir ein Gesicht keine Hieroglyphe ist, oder eine verstümmelte, verwischte, geschändete.
Und mit ihren Reden gehts mir wie mit ihren Gesichtern.
Auch da ist etwas so Prekäres, so etwas Unsicheres. Auch
da ist mir immer, als könnten sie auch etwas anderes sagen,
und als wäre es gleichgiltig, ob sie dies oder jenes gesagt
hätten. Mir ist, als dächten sie immer an mehreres zugleich.
Aber der eine große, nie ausgesprochene Hintergedanke,
der allem, was aus eines Menschen Mund kommt, sein
Mark gibt und seinen Klang, und eine Rede zur menschlichen Rede macht, so wie die Drossel ihren Laut hat und
der Panther den seinen und in seinem Laut die ganze, in
Worten nicht zu fassende Wesenheit seines Daseins – muß
ich zurück nach Uruguay oder hinunter nach den Inseln
der Südsee, um wieder von menschlichen Lippen diesen
menschlichen Laut zu hören, der in ein schlichtes Ab-
schiedswort, in eine Floskel der Gastlichkeit, in eine Frage,
in ein hartes, abweisendes Wort manchmal das Ganze der
menschlichen Natur zu legen vermag und mir sagt, daß ich

nicht allein bin auf der weiten Erde? Denn was red ich von
Reden und was red ich von Gesichtern: es gibt den Menschen und nichts als den Menschen. Und wenn ich meine
Deutschen träumte, so waren es Menschen vor allem. Und
wenn mir Menschen nicht unheimlich werden sollen, so
muß ich ihnen anfühlen können, auf was hin sie leben. Ich
verlange nicht, daß einer die Geheimnisse seines Lebens auf
der Zunge trägt und mit mir Gespräche führt über Leben
und Sterben und die vier letzten Dinge, aber ohne Worte
soll er mirs sagen, sein Ton soll mirs sagen, sein Dastehen,
sein Gesicht, sein Tun und Treiben. Wenn ich mit ihm esse
und trinke, unter seinem Dach schlafe und mit ihm handle,
so will ich erfahren, auf was er seine Sach gestellt hat, nicht
mit ausdrücklichen Worten, implicite, nicht explicite. Dar-
aufhin will ich es mit Banditen und Goldsuchern wagen,
mit Strafkolonisten, mit New Yorker Obdachlosen, mit
wem Du willst. Ich kann mich in einen hineinfinden, den
das Rekordfieber um Milliarden Dollars zerfrißt, und in einen, der badet und fischt und auf einer mit Taubenfedern
bestickten Matte schläft und seine Frau die Feldarbeit tun
läßt; in einen, dessen Höchstes eine Flasche Rum ist, und in
einen, der aus Zwischendeckspassagieren christliche Heilige
machen will. Aber in den kann ich mich nicht hineinfinden,
der es selber nicht weiß, auf was er sich gestellt hat, der daliegt auf dem Leben wie ein Polyp, und mit dem einen
Fangarm saugt er an jenem, mit dem andern an diesem, und
das eine Glied weiß nichts vom andern, und haut man ihm
eines ab, so kriecht er fort und weiß von nichts. So liegen
die Deutschen da und haben ein »Einerseits« und ein »Andrerseits«, ihre Geschäfte und ihr Gemüt, ihren Fortschritt
und ihre Treue, ihren Idealismus und ihren Realismus, ihre
Standpunkte und ihren Standpunkt, ihre Bierhäuser und
ihre Hermannsdenkmäler, und ihre Ehrfurcht und ihre
Deutschheit und ihre Humanität und stören in den Kaiser-

grüften herum, als wären es Laden voll alten Trödels, und
zerren Karl den Großen aus seinem Sarg und photographie-
ren den Stoff, der um seine Knochen gewickelt ist, und re-
staurieren ihre ehrwürdigen Dome zu Bierhäusern und treten halberschlagenen Chinesenweibern mit den Absätzen
die Gesichter ein. Etwas Unfrommes ist in dem ganzen Tun
und Treiben – ich weiß kein anderes Wort. Bin ich vielleicht
selber ein frommer Mensch? Nein. Aber es gibt auch eine
Frömmigkeit des Lebens, und die steckt in einem harten,
kargen, geizigen Bauern, und in einem ruchlosen Despe-
rado von Pferdedieb noch kann sie stecken, und im letzten
Matrosen steckt sie, und noch mit der letzten Ruchlosigkeit
ist sie verträglich, und der Glaube an die Gin-Flasche kann
noch eine Art von Glaube sein. Aber hier, unter den gebildeten und besitzenden Deutschen, hier kann mir nicht wohl
werden. Immer erschien mir die kleine Fabel albern, und
nun verstehe ich sie mit einem Schlag: von dem Waldmen-
schen, den schauderte, und der in seinen Wald entfloh, als er
den Bauern kalt und warm, eins ums andere, aus seinem
Munde blasen sah, als wenn dies weiter nichts wäre. Auch
mich kommt mehr als einmal ein solcher Schauder an. Aber
wo ist mein Wald, in dem ich zu Hause wäre?

## Der dritte

*9. Mai 1901*

Denke nicht, daß ich ihre Leistungen nicht achte. Aber daß
die Deutschen arbeiten, davon ist die Welt voll: Da ich
heimkam, dachte ich zu sehen, wie sie leben. Und ich bin
da, und wie sie leben, sehe ich nicht; und ich sehe, wie sie leben, und es freut mich nicht. Sie sind reich und sie sind arm
und du stößest dich an den Armen und den Reichen und
nicht das eine und nicht das andere gibt einen reinen Klang.

Es gibt Vornehme und es gibt Subalterne, es gibt Anma-
ßende und es gibt Demütige, es gibt Gelehrte und es gibt,
die vom gestrigen Zeitungsblatt leben; und die einen puffen,
die andern ducken sich, die einen dünken sich was, die andern genieren sich: aber es gibt alles keinen reinen Klang.
Sie haben ein Oben und Unten, ein Besser und Schlechter,
ein Gröber und Feiner, ein Rechts und Links, ein Füreinan-
der und Gegeneinander, und bürgerliche Verhältnisse und
adelige Verhältnisse und Universitätskreise und Finanz-
kreise: aber was in dem allen fehlt, ist eine wahre Dichtig-
keit der Verhältnisse: es hakt nichts ins andere ein – es ist irgend etwas nicht drin, wofür ich Dir den Kunstausdruck
nicht zu finden weiß, was aber doch im englischen Wesen
drin ist, so grandios und vielfältig es ist, und im Maoriwe-
sen drin ist, so kindisch und kunstlos dieses ist: das Ge-
meinschaftsbildende, all das Ursprüngliche davon, das was
im Herzen sitzt. Freilich – vielleicht irre ich – das sage ich
mir immer –, vielleicht ist es mit diesen Dingen wie mit einem Vexierschloß: vielleicht muß man, um dieser vielge-
spaltenen Welt gerecht zu sein, eine innere Vorbereitung besitzen, eine Bildung. Und Bildung, im europäischen, im
heutigen Sinne, habe ich nicht – aber dennoch gerade in diesen Dingen, da stellt sich mir aus dem wenigen, was ich je
gelernt habe, was mir da und dort hängengeblieben ist, im
Innern immer etwas auf, um was ich nicht herum kann: wie
sie, sterbende Männer und Jünglinge – in den lateinischen
und griechischen Büchern, Bruchstücken von Büchern, die
man uns Schulbuben zu lesen gibt – in ihrem Blut, am
Abend der Schlacht, den Namen der Vaterstadt vor sich
hin riefen, in Triumph und Todesfestigkeit an dem Klang
sich weideten: Argos meminisse juvabat – woher ist der
Brocken? Was hat dies alles mit dieser Welt zu tun, mit hier,
mit heute, mit mir? und dennoch, dennoch: *so* sagte ich:
»Deutschland!« vor mich hin – nicht das Wort vielleicht,

aber die Seele des Worts! So sagte ich »Deutschland!« vor
mich, solange ich ferne von Deutschland war. Und dann: da
hatte mein seliger Vater in Gebhartsstetten eine Mappe mit
Kupferstichen des Albrecht Dürer. Wie oft zeigte er uns
das, mir und meiner Schwester und meinem Bruder, die
beide so früh starben. Wie vertraut und fremd zugleich waren mir die alten Blätter, wie zuwider und wie lieb zugleich!
Die Menschen, die Ochsen, die Pferde wie aus Holz ge-
schnitzt, wie aus Holz die Falten ihrer Kleider, die Falten in
ihren Gesichtern. Die spitzen Häuser, die geschnörkelten
Mühlbäche, die starren Felsen und Bäume, so unwirklich,
überwirklich. Manchmal quälte ich den Vater, er solle die
Mappe bringen lassen. Und manchmal war ich nicht dazu-
zubringen, noch ein Blatt mehr zu sehen, lief mittendrin
fort und wurde gescholten. Ich könnte es auch heute nicht
sagen, ob mir die Erinnerung an diese schwarzen Zauber-
blätter lieb und kostbar oder verhaßt ist. Aber nahe gingen
sie mir, in mich hinein drang eine Gewalt von ihnen, und
ich glaube, ich werde auf dem Totenbett noch sagen können, was für einen Hintergrund das Meerwunder hat oder
der Einsiedler mit dem Totenschädel. »Das ist das alte
Deutschland«, sagte mein Vater und das Wort klang mir
fast schauerlich und ich mußte an einen alten Menschen
denken, wie solche in den Bildern waren, und um zu zeigen,
daß ich Geographie gelernt hatte und die Welt begriff,
fragte ich: »Gibt es auch ein Buch, wo man das alte Österreich drin sehen kann?« Da sagte mein Vater: »Dies hier unten ist wohl Österreich« (die Bibliothek war im Turmzim-
mer, und drunten lag das Dorf und die Hügel und da und
dort die kleinen Wäldchen, die den Gemeinden und den
einzelnen Bauern gehören, und zwischen den Hügeln der
gewundene Fluß und die weiße Straße und in der Ferne die
blauen Weinberge über den großen dunkelnden fernen
Wäldern), »und wir sind Österreicher, aber wir sind auch

Deutsche, und da das Land immer zu den Menschen gehört, die darauf wohnen, so ist hier auch Deutschland.« Das machte eine Art von Verbindung zwischen den Bildern in der Mappe und dem leuchtenden Land, in dessen Erde ich mich einwühlte, Maulwürfen nach oder glitzernden Steinen, in dessen Wassern und Tümpeln ich badete, dessen ganzen Duft ich in mich sog, wenn ich hoch auf dem Heuwagen, flachgeduckt neben der Stange, durchs Scheunentor fuhr. Diese Verbindung einer Wirklichkeit mit einem Eindruck von Bildern, einem halben Schrecken, einer Art von Alp war seltsam genug. Aber seltsam und auch tief sind alle Dinge, die uns in der Kinderzeit widerfahren. Mit bewußten Gedanken dachte ich freilich nicht an die alten Figuren, wenn ich mit den Knechten Heu machen ging oder mit den Dorfbuben fischen und krebsen, auch nicht wenn ich Sonntags am Altar ministrierte und hinter mir aus den Bänken die bäuerischen Stimmen empordrangen und stark an das lichte Gewölbe schlugen und die Orgel dareinfuhr und der Schall wie ein Gießbach, aber kein irdischer, mir im Rücken herabstürzte, und noch weniger, als ich dann die Liebschaften aller Mädeln wußte und halb scheu, halb frech abends um die Fenster strich und zugleich bei den Alten mich einschmeichelte und mit ihnen den neuen Wein kostete – aber unbewußt bevölkerte ich doch mit den Schattengebärden dieser überwirklichen Ahnen die einsamen Stellen im Walde, die Halde mit den großen Steinblöcken, den halbzerfallenen Kreuzgang hinter der Kirche, der viel älter war als die freundliche kleine Kirche selber, und die immer dämmernden Ecken in den großen Stuben der großen Bauernhöfe, wo die Urgroßmutter oder ein gelähmter Alter saßen, oder noch zu sitzen schienen, wenn wir sie auch im vergangenen Herbst begraben hatten und Asternkränze, weiß, lila und rot, auf den Sarg geworfen. Das Gehaben jener mit den überstarken Gebärden, die nicht mehr da waren, ging doch zusammen mit dem Gehaben derer, mit denen ich aß und trank und in den Birnbaum stieg und die Pferde schwemmte und zur Kirche ging, so wie die alten Geschichten von Räubern, Einsiedlern und Bären zusammengingen mit der Landschaft, so wie die Legende von der Pfalzgräfin Genovefa in mir zusammenging mit dem blonden Engelsgesicht der schönen Fleischhauerstochter Amalie.

Es war alles anders in den alten Bildern als in der Wirklichkeit vor meinen Augen: aber es klaffte kein Riß dazwischen. Jene alte Welt war frömmer, erhabener, milder, kühner, einsamer. Aber im Wald, in der Sternennacht, in der Kirche führten Wege zu ihr. Die Geräte waren nicht die gleichen, die Trachten waren sonderbar und die Gebärden waren über die Wirklichkeit. Aber ich weiß nicht welches Tiefste im Gehaben, das noch hinter den Gebärden ist: das Verhältnis zur Natur, daß ich es mit einem solchen dürren Worte sage, das Verhältnis zum Leben: wieweit es Entgegenstemmen ist und wieweit Sichfügen, wo Auflehnung hingehört und wo Ergebung, wo Gleichmut am Platze ist und eine trockene Rede und wo Übermut und Lustbarkeit: dies Wesentliche, dies Wirkliche hinter dem Alltäglichen, dies was die schlichten Handlungen des Tages aus dem Menschen heraustreibt, wie es aus dem Baum sein Rauhes und sein Süßes hervortreibt, Rinde und Blatt und Apfel – dies, dies hat meine Welt, wie jene Blätter es wissen, das weiß ich heute und wußte es damals: denn es lag in mir, daß ich das Wirkliche an etwas in mir messen mußte, und fast bewußtlos maß ich an jener schreckhaft erhabenen schwarzen Zauberwelt und strich alles an diesem Probierstein, ob es Gold wäre oder ein schlechter gelblicher Glimmer.

Und vor den Richterstuhl dieser Kindereien, von denen ich im Innersten nicht loskam, schleppe ich das große Deutschland und die Deutschen des heutigen Tages, und sehe, daß sie mir nicht bestehen, und komme nicht darüber hinweg.

Ich meinte, heimzufahren, und für immer, und nun weiß ich nicht, ob ich bleiben werde. Hättest Du noch Deinen überseeischen Posten und nicht London, wo ich nicht sein möchte – kann sein, ich käme zu Dir, mein Lieber. Denn ich habe wenig Menschen auf der Welt – »wenig« ist eine Beschönigung, ich habe niemanden. Es ist das erstemal eigentlich, daß mir dies so auf die Seele fällt. Und ich möchte in diesem Deutschland nicht sterben. Ich weiß, ich bin nicht alt und bin nicht krank – aber wo man nicht sterben möchte, dort soll man auch nicht leben.

Früher dachte ich immer, es würde mich so unversehens mitten aus dem hastigen Leben wegnehmen, und dazu ist jeder Ort gut. Das große Spital in Montevideo mit den großen Spinnen oben an der Decke und den vielen delirierenden Menschen in den Betten und der einen unglaublich schönen spanischen Nonne, deren Gesicht dahinglitt über all den emporgeworfenen sterbenden Gesichtern wie der sanfte Mond – und das schöne reinliche Lazarett in Surabaja mit den Bäumen so voll der herrlichsten kleinen Vögel vor den Fenstern –, und sonst noch ein paar Plätze von seltsamem vorbedeutendem Gesicht: stiller tückischer Rand eines gelben Sumpfes, stiller kleiner Platz im Wald, stiller Hang unwegsamer grauer Klippen –, aber nun habe ich den Glauben, es wird anders geschehen, in Ruhe, im eigenen Bette, vielleicht in Langsamkeit. Da stelle ich mir ein Bereitsein vor, ein Gesammeltsein. Und hier ist niemand gesammelt, niemand zum Letzten bereit. Blicke stelle ich mir vor, letzte Blicke durch ein friedliches Fenster ins Freie. Nein, hier dürfte es nicht sein. Hier ist es nicht heimlich. Wie in einer großen ruhelosen freudlosen Herberge ist mir zumute. Wer möchte in einem Hotel sterben, wenn es nicht sein muß.

Doch weiß ich noch nicht, wohin ich will. Auch ist vorher so manches abzuwickeln, und Österreich will ich jedenfalls vorher noch einmal wiedersehen. Ich sage »vorher«, denn ich denke schwerlich dort zu bleiben.

## Der vierte

*Den 26. Mai 1901*

Ich habe gar keine gute Zeit hinter mir und weiß es vielleicht erst seit einem gewissen kleinen Erlebnis, das ich vor drei Tagen hatte – aber ich will versuchen, es in der Ordnung zu erzählen: und doch wirst Du mit der Erzählung nicht viel anfangen können. Kurz, ich mußte zu einer Konferenz gehen, der entscheidenden, letzten in der Kette von Verhandlungen, die darauf abzielten, die holländische Gesellschaft, für die ich seit vier Jahren arbeite, mit einer solchen schon bestehenden englisch-deutschen zu vereinigen, und ich wußte, daß der Tag entscheidend war – gewissermaßen auch für mein weiteres Leben – und – ich hatte mich nicht in der Hand, o wie gar nicht hatte ich mich in der Hand! Krank werden fühlte ich mich von innen heraus, aber es war nicht mein Körper, ich kenne meinen Körper zu gut. Es war die Krise eines inneren Übelbefindens; dessen frühere Anwandlungen freilich waren so unscheinbar gewesen wie nur möglich; und daß sie überhaupt etwas gewesen waren, daß sie mit diesem jetzigen Wirbel doch zusammenhingen, das verstand ich jetzt blitzhaft, wie man eben in solchen Krisen mehr versteht als in den normalen Augenblicken des Lebens. Ganz kleine sinnwidrige Regungen von Unlust waren diese früheren Anwandlungen gewesen, ganz unbedeutende, fast dauerlose Verkehrtheiten und Unsicherheiten des Denkens oder Fühlens, aber freilich etwas ganz Neues in mir; und das glaube ich, so nichtig diese Dinge

sind, daß ich doch nie etwas Ähnliches verspürt habe, außer
seit diesen wenigen Monaten, da ich wieder europäischen
Boden trete. Aber aufzählen diese gelegentlichen Anwandlungen eines Fast-Nichts? Immerhin, ich muß – oder diesen
Brief zerreißen und das Weitere für immer ungesagt lassen.
Zuweilen kam es des Morgens, in diesen deutschen Hotel-
zimmern, daß mir der Krug und das Waschbecken – oder
eine Ecke des Zimmers mit dem Tisch und dem Klei-
derständer so nicht-wirklich vorkamen, trotz ihrer unbeschreiblichen Gewöhnlichkeit so ganz und gar nicht wirklich, gewissermaßen gespenstisch, und zugleich proviso-
risch, wartend, sozusagen vorläufig die Stelle des wirklichen
Kruges, des wirklichen mit Wasser gefüllten Waschbeckens
einnehmend. Wüßte ich nicht, daß Du ein Mensch bist, dem
eigentlich nichts groß, nichts klein vorkommt und vor allem
nichts ganz absurd, ich käme nicht weiter. Immerhin kann
ich ja vielleicht den Brief unabgeschickt lassen. Aber es war
so. In den andern Ländern drüben, selbst in meinen elen-
desten Zeiten, war der Krug oder der Eimer mit dem mehr
oder minder frischen Wasser des Morgens etwas Selbstverständliches und zugleich Lebendiges: ein Freund. Hier war
er, kann man sagen: ein Gespenst. Es ging von seinem Anblick ein leichter unangenehmer Schwindel aus, aber kein
körperlicher. Ich konnte dann ans Fenster treten und ganz
dasselbe mit drei oder vier Droschken erleben, die an der
andern Straßenseite standen und warteten. Sie waren Gespenster von Droschken. Es verursachte eine fast dauerlose
leise Übelkeit, sie anzusehen: es war wie ein momentanes
Schweben über dem Bodenlosen, dem Ewig-Leeren. Etwas
Ähnliches – Du kannst denken, daß ich auf diese vorbei-
zuckenden Regungen nicht stark achtete – konnte der Anblick eines Hauses herbeiführen, oder einer ganzen Straße:
Du darfst aber nicht etwa an verfallene traurige Häuser denken, sondern das Allertrivialste von heutigen oder gestrigen

Fassaden. Oder auch ein paar Bäume, diese dürftigen, aber sorgfältig gepflegten paar Bäume, die sie hier und da auf ihren Squares zwischen dem Asphalt, geschützt mit Gittern, stehen haben. Ich konnte sie ansehen und wußte, daß sie mich an Bäume erinnerten – keine Bäume waren –, und zugleich zitterte etwas durch mich hin, etwas, das mir die Brust entzweiteilte wie ein Hauch, ein so unbeschreibliches Anwehen des ewigen Nichts, des ewigen Nirgends, ein Atem nicht des Todes, sondern des Nicht-Lebens, unbeschreiblich. Dann kam es auf der Eisenbahn, öfter und öfter. Ich fuhr in diesen vier Monaten sehr viel Eisenbahn, von Berlin an den Rhein, von Bremen nach Schlesien und kreuz und quer. Da konnte es sich einstellen, in der trivialsten Beleuchtung, um 3 Uhr nachmittags, wann immer: kleine Stadt links oder rechts vom Gleis, oder Dorf oder Fabrik, oder die ganze Landschaft, Hügel, Felder, Apfelbäume, verstreute Häuser, alles in allem; das nahm ein Gesicht an, eine eigene zweideutige Miene so voll innerer Unsicherheit, bösartiger Unwirklichkeit: so nichtig lag es da – so gespensterhaft nichtig – Mein Lieber, ich habe dritthalb Monate meines Lebens in einem Käfig verbracht, der keine andere Aussicht hatte als auf einen leeren Pferch mit mannshoch aufgespeichertem halbgetrocknetem Büffelmist, zwischen dem eine kranke Büffelkuh sich herumschleppte, bis sie endlich nicht mehr herumgehen konnte und zwischen Leben und Sterben dalag: aber dennoch, in dem Pferch, in dem gelbgrauen Haufen von Mist und dem gelbgrauen sterbenden Vieh, wenn ich da hinaussah, und wenn ich daran zurückdenke – es wohnte doch immer noch das Leben dort, das gleiche, das in meiner Brust auch wohnt –, und in der Welt, in die ich da momentweise aus dem Eisenbahnfenster hinausschauen kann, da wohnt etwas – mich hat nie vor dem Tod gegraut, aber vor dem, was da wohnt, vor solchem Nichtleben grauts mich. Aber es ist sicherlich nichts weiter,

als daß ich manchmal ein wenig den bösen Blick habe, eine Art leiser Vergiftung, eine verborgene und schleichende
Infektion, die in der europäischen Luft für den bereitzuliegen scheint, der von weither zurückkommt, nachdem er
sehr lange, vielleicht zu lange, fort war. Daß mein Übel europäischer Natur war, dessen wurde ich mir – es ist in diesen
Dingen alles die unerklärlichste plötzlichste Intuition – im
gleichen Augenblick bewußt, als ich innewurde, daß es
sich mir nun aufs Innere geschlagen hatte, daß ich nun, ich
selber, mein inneres Leben, so unter diesem bösen Blick lag
wie in den früheren Anwandlungen jene äußeren Dinge.
Durch tausend wirre gleichzeitige Gefühle und Halbgefühle
schleifte sich mein Bewußtsein ekelnd und schwindelnd hin:
ich glaube, ich habe in diesen Augenblicken alles noch einmal
denken müssen, was ich seit meinem ersten Schritt in Europa
gedacht, und dazu alles, was ich hinabgedrängt hatte.

Ich kann heute nicht in klare Worte bringen, was wirbelnd durch mein ganzes Ich ging: aber daß mein Geschäft
und mein eigenes erworbenes Geld mich ekeln mußten, das
kam damals auf der ungeheuren und dabei lautlosen Erregung meines aufgewühlten Innern nur so dahergetanzt
wie Treibholz auf dem Rücken haushoher Südseewellen: ich
hatte zwanzigtausend Beispiele in mich hineingeschluckt:
wie sie das Leben selber vergessen über dem, was nichts
sein sollte als Mittel zum Leben und für nichts gelten dürfte
als für ein Werkzeug. Um mich war seit Monaten eine Sintflut von Gesichtern, die von nichts geritten wurden als von
dem Geld, das sie hatten, oder von dem Geld, das andre
hatten. Ihre Häuser, ihre Monumente, ihre Straßen, das war
für mich in diesem etwas visionären Augenblick nichts als
die tausendfach gespiegelte Fratze ihrer gespenstigen Nicht-
Existenz, und jäh, wie meine Natur ist, reagierte sie mit einem wilden Ekel auf mein eigenes bißchen Geld und alles,
was damit zusammenhing. Ich sehnte mich, wie der See-

kranke nach festem Boden, fort aus Europa und zurück
nach den fernen guten Ländern, die ich verlassen hatte. Du
kannst Dir denken, es war keine gute Verfassung, um an ei
nem Sitzungstisch Interessen zu vertreten. Ich weiß nicht,
was ich nicht gegeben hätte, um die Konferenz abzusagen.
Aber das war undenkbar, und ich hatte eben hinzugehen
und das Beste aus meinem Kopf zu machen. Noch blieb mir
fast eine Stunde. In den großen Straßen herumzugehen war
unmöglich: irgendwo hineingehen und Zeitung lesen war
ebenso unmöglich; denn die redeten nur allzusehr dieselbe
Sprache wie die Gesichter und die Häuser. Ich bog in eine
stille Seitenstraße. Da ist in einem Haus ein sehr anständig aussehender Laden ohne Schaufenster und neben der
Eingangstür ein Plakat: Gesamtausstellung, Gemälde und
Handzeichnungen – den Namen lese ich, verliere ihn aber
gleich wieder aus dem Gedächtnis. Ich habe seit zwanzig
Jahren kein Museum und keine Kunstausstellung betreten,
ich denke, es wird mich, worauf es jetzt vor allem an-
kommt, von meinem unsinnigen Gedankengang ablenken,
und trete ein.

Mein Lieber, es gibt keine Zufälle, und ich sollte diese
Bilder sehen, sollte sie in dieser Stunde sehen, in dieser aufgewühlten Verfassung, in diesem Zusammenhang. Es waren
im ganzen etwa sechzig Bilder, mittelgroße und kleine.
Einige wenige Porträts, sonst meist Landschaften: ganz
wenige nur, auf denen die Figuren das Wichtigere gewesen
wären: meist waren es die Bäume, Felder, Ravins, Felsen,
Äcker, Dächer, Stücke von Gärten. Über die Malweise kann
ich keine Auskunft geben: Du kennst wahrscheinlich fast alles, was gemacht wird, und ich habe, wie gesagt, seit zwanzig Jahren kein Bild gesehen. Immerhin erinnere ich mich
ganz wohl, zur letzten Zeit meiner Beziehung mit der W.,
damals als wir in Paris lebten – sie hatte sehr viel Verständnis für Bilder –, öfter in Ateliers und Ausstellungen Sachen

gesehen zu haben, die eine gewisse Ähnlichkeit mit diesen hatten: etwas sehr Helles, fast wie Plakate, jedenfalls ganz anders wie die Bilder in den Galerien. Diese da schienen mir in den ersten Augenblicken grell und unruhig, ganz roh, ganz sonderbar, ich mußte mich erst zurechtfinden, um überhaupt die ersten als Bild, als Einheit zu sehen – dann aber, dann sah ich, dann sah ich sie alle so, jedes einzelne, und alle zusammen, und die Natur in ihnen, und die menschliche Seelenkraft, die hier die Natur geformt hatte, und Baum und Strauch und Acker und Abhang, die da gemalt waren, und noch das andre, das, was hinter dem Gemalten war, das Eigentliche, das unbeschreiblich Schicksalhafte –, das alles sah ich so, daß ich das Gefühl meiner selbst an diese Bilder verlor, und mächtig wieder zurückbekam, und wieder verlor! Mein Lieber, um dessentwillen, was ich da sagen will, und niemals sagen werde, habe ich Dir diesen ganzen Brief geschrieben! Wie aber könnte ich etwas so Unfaßliches in Worte bringen, etwas so Plötzliches, so Starkes, so Unzerlegbares! Ich könnte mir Photographien von den Bildern verschaffen und sie Dir schicken, aber was könnten sie Dir geben – was könnten Dir die Bilder selbst von dem Eindruck geben, den sie auf mich machten und der vermutlich etwas völlig Persönliches ist, ein Geheimnis zwischen meinem Schicksal, den Bildern und mir. Ein Sturzacker, eine mächtige Allee gegen den Abendhimmel, ein Hohlweg mit krummen Föhren, ein Stück Garten mit der Hinterwand eines Hauses, Bauernwagen mit magern Pferden auf einer Hutweide, ein kupfernes Becken und ein irdener Krug, ein paar Bauern um einen Tisch, Kartoffeln essend – aber was nützt Dir das! So soll ich Dir von den Farben reden? Da ist ein unglaubliches, stärkstes Blau, das kommt immer wieder, ein Grün wie von geschmolzenen Smaragden, ein Gelb bis zum Orange. Aber was sind Farben, wofern nicht das innerste Leben der Gegenstände in ihnen hervorbricht! Und

dieses innerste Leben war da, Baum und Stein und Mauer
und Hohlweg gaben ihr Innerstes von sich, gleichsam entgegen warfen sie es mir, aber nicht die Wollust und Harmonie ihres schönen stummen Lebens, wie sie mir vorzeiten
manchmal aus alten Bildern, wie eine zauberische Atmosphäre entgegenfloß: nein, nur die Wucht ihres Daseins, das
wütende, von Unglaublichkeit umstarrte Wunder ihres
Daseins fiel meine Seele an. Wie kann ich es Dir nahebringen, daß hier jedes Wesen – *ein Wesen* jeder Baum, jeder
Streif gelben oder grünlichen Feldes, jeder Zaun, jeder in
den Steinhügel gerissene Hohlweg, ein Wesen der zinnerne
Krug, die irdene Schüssel, der Tisch, der plumpe Sessel –
sich mir wie neugeboren aus dem furchtbaren Chaos des
Nichtlebens, aus dem Abgrund der Wesenlosigkeit entge-
genhob, daß ich fühlte, nein, daß ich wußte, wie jedes
dieser Dinge, dieser Geschöpfe aus einem fürchterlichen
Zweifel an der Welt herausgeboren war und nun mit seinem Dasein einen gräßlichen Schlund, gähnendes Nichts,
für immer verdeckte! Wie kann ich es Dir nur zur Hälfte
nahebringen, wie mir diese Sprache in die Seele redete, die
mir die gigantische Rechtfertigung der seltsamsten unauf-
lösbarsten Zustände meines Innern hinwarf, mich mit eins
begreifen machte, was ich in unerträglicher Dumpfheit zu
fühlen kaum ertragen konnte, und was ich doch, wie sehr
fühlte ich das, aus mir nicht mehr herausreißen konnte –
und hier gab eine unbekannte Seele von unfaßbarer Stärke
mir Antwort, mit einer Welt mir Antwort! Mir war zumut
wie einem, der nach ungemessenem Taumel festen Boden
unter den Füßen fühlt und um den ein Sturm rast, in dessen
Rasen hinein er jauchzen möchte. In einem Sturm gebaren
sich vor meinen Augen, gebaren sich mir zuliebe diese
Bäume, mit den Wurzeln starrend in der Erde, mit den
Zweigen starrend gegen die Wolken, in einem Sturm gaben
diese Erdenrisse, diese Täler zwischen Hügeln sich preis,

noch im Wuchten der Felsblöcke war erstarrter Sturm. Und
nun konnte ich, von Bild zu Bild, ein Etwas fühlen, konnte das Untereinander, das Miteinander der Gebilde fühlen,
wie ihr innerstes Leben in der Farbe vorbrach und wie die
Farben eine um der andern willen lebten und wie eine, ge-
heimnisvoll-mächtig, die andern alle trug, und konnte in
dem allem ein Herz spüren, die Seele dessen, der das gemacht hatte, der mit dieser Vision sich selbst antwortete
auf den Starrkrampf der fürchterlichsten Zweifel, konnte
fühlen, konnte wissen, konnte durchblicken, konnte genießen Abgründe und Gipfel, Außen und Innen, eins und alles im zehntausendsten Teil der Zeit, als ich da die Worte
hinschreibe, und war wie doppelt, war Herr über mein Leben zugleich, Herr über meine Kräfte, meinen Verstand,
fühlte die Zeit vergehen, wußte, nun bleiben nur noch
zwanzig Minuten, noch zehn, noch fünf, und stand draußen, rief einen Wagen, fuhr hin.

Konferenzen von der Art, wo die Größe der Ziffern an
die Phantasie appelliert und das Vielerlei, das Auseinander
der Kräfte, die ins Spiel kommen, eine Gabe des Zusam-
mensehens fordert, entscheidet nicht die Intelligenz, sondern es entscheidet sie eine geheimnisvolle Kraft, für die ich
keinen Namen weiß. Sie ist manchmal bei den Klügeren,
nicht immer. Sie war in dieser Stunde bei mir, so wie noch
nie, und wie sie es vielleicht nicht wieder sein wird. Ich
konnte für meine Gesellschaft mehr erreichen, als das Di-
rektorium mir für den denkbar günstigsten Fall aufgelegt
hatte, und ich erreichte es, wie man im Traum von einer
kahlen Mauer Blumen abpflückt. Die Gesichter der Herren,
mit denen ich verhandelte, kamen mir merkwürdig nahe.
Ich könnte dir einiges über sie sagen, das mit dem Gegenstand unsrer Geschäfte auch nicht im fernsten Zusammenhang steht. Ich merke nun, daß eine große Last von mir ab-
gehoben ist.

PS. Der Mann heißt Vincent van Gogh. Nach den Jahres-
zahlen im Katalog, die nicht alt sind, müßte er leben. Es ist
etwas in mir, das mich zwingt zu glauben, er wäre von meiner Generation, wenig älter als ich selbst. Ich weiß nicht, ob
ich vor diese Bilder ein zweites Mal hintreten werde, doch
werde ich vermutlich eines davon kaufen, aber es nicht an
mich nehmen, sondern dem Kunsthändler zur Bewahrung
übergeben.

### Der fünfte

*Mai 1901*

Was ich Dir schrieb, wirst Du kaum verstehen können, am
wenigsten, wie mich diese Bilder so bewegen konnten. Es
wird Dir wie eine Schrulle vorkommen, wie ein Vereinzel-
tes, wie eine Sonderbarkeit, und doch – wenn man es nur
hinstellen könnte, wenn man es nur aus sich herausreißen
könnte und ins Licht bringen. Es ist etwas dergleichen in
mir. Die Farben der Dinge haben zu seltsamen Stunden eine
Gewalt über mich. Aber was sind eigentlich Farben? Hätte
ich nicht ebensogut sagen mögen: die Gestalt der Dinge,
oder die Sprache des Lichtes und der Finsternis, oder ich
weiß nicht welches Unbenannte? Und Stunden – welche
sind diese Stunden? Es verstreichen Jahre, und ihrer kommt
keine. – Und ist es nicht kindisch, Dir anzuvertrauen, daß
ein Mächtiges, das ich nicht kenne, zuweilen mächtig wird
über mich? Wenn ichs fassen könnte, nicht fassen – denn es
faßt mich –, aber halten, da es wieder schwindet. Aber
schwindets? Hat es nicht eine heimliche bildende Kraft in
mir, irgendwo, wohin ein innerer steter Schlaf mir selber
den Weg verschließt? Und nun, da ich einmal gesprochen
habe, treibt es mich, auch mehr davon zu sprechen. Es
schwebt mir um diese Dinge etwas mir selber Unerklär-

liches, etwas wie Liebe – kann es Liebe geben zum Gestaltlosen, zum Wesenlosen? Aber doch, und ja, und doch: damit Du nicht gering denkst von dem, was ich nun einmal
geschrieben, schreibe ich mehr, und da ich zu verstehen suche, was mich da treibt, so ist es, als müßte ich verhindern,
daß Du mit Geringschätzung an etwas dächtest – das mir
teuer ist.

Hast Du je den Namen Rama Krishna gehört? Es ist ganz
gleich. Es war ein Brahmane, ein Büßer, einer von den großen indischen Heiligen, der letzten einer, denn er ist erst in
den achtziger Jahren gestorben, und als ich nach Asien kam,
war sein Name noch überall lebendig. Ich weiß manches aus
seinem Leben, aber nichts, was mir näherginge als die kurze
Erzählung darüber, wie seine Erleuchtung, oder seine Er-
weckung vor sich ging, kurz, das Erlebnis, das ihn aus den
Menschen aussonderte und einen Heiligen aus ihm machte.
Es war nichts als dies: Er ging über Land, zwischen Feldern
hin, ein Knabe von sechzehn Jahren, und hob den Blick gegen den Himmel und sah einen Zug weißer Reiher in großer Höhe quer über den Himmel gehen: und nichts als dies,
nichts als das Weiß der lebendigen Flügelschlagenden unter
dem blauen Himmel, nichts als diese zwei Farben gegeneinander, dies ewige Unnennbare, drang in diesem Augenblick
in seine Seele und löste, was verbunden war, und verband,
was gelöst war, daß er zusammenfiel wie tot, und als er wieder aufstand, war es nicht mehr derselbe, der hingestürzt
war. Es war ein englischer Geistlicher von der gewöhnliche-
ren Sorte, der mir davon erzählte. »Ein heftiger optischer
Eindruck ohne allen höheren Inhalt«, sagte er mir. »Sie
sehen, es handelt sich um ein anormales Nervensystem.«
Ohne allen höheren Inhalt! Wäre ich einer eurer gebildeten
Menschen, wären mir eure Wissenschaften, die nichts sein
können als wunderbare, alles sagende Sprachen, nicht eine
verschlossene Welt, wäre ich nicht ein geistiger Krüppel, be-

säße ich eine Sprache, in die innerliche wortlose Gewißheiten hinüberzufließen vermöchten! Aber so!

Aber ich will versuchen, Dir von einem Mal zu sprechen, wo es kam, nicht zum erstenmal, aber vielleicht stärker als je vorher und nachher. Ein Schauen ist es, nichts weiter, und jetzt zum ersten Male trifft es mich, wie doppelsinnig wir das Wort brauchen: daß es mir etwas so Gewöhnliches bezeichnen muß wie Atmen und zugleich ... So gehts mir mit der Sprache: ich kann mich nicht festketten an eine ihrer Wellen, daß es mich trüge, unter mir gehts dahin und läßt mich auf dem gleichen Fleck.

Sagte ich nicht, die Farben der Dinge haben zu seltsamen Stunden eine Gewalt über mich? Doch bins nicht ich vielmehr, der die Macht bekommt über sie, die ganze, volle Macht für irgend eine Spanne Zeit, ihnen ihr wortloses, abgrundtiefes Geheimnis zu entreißen, – ist die Kraft nicht in mir, fühle ich sie nicht in meiner Brust als ein Schwellen, eine Fülle, eine fremde, erhabene, entzückende Gegenwart, bei mir, in mir, an der Stelle, wo das Blut kommt und geht? So war es damals an jenem grauen Sturm- und Regentage, im Hafen von Buenos Aires, frühmorgens – so war es damals und immer. Aber wenn alles in mir war, warum konnte ich nicht die Augen schließen und stumm und blind eines unnennbaren Gefühles meiner selbst genießen, warum mußte ich mich auf Deck erhalten und schauen, vor mich hinschauen? Und warum enthielt die Farbe der aufschäumenden Wellen, dieser Abgrund, der sich auftat und wieder schloß, warum schien das, was herankam, in schwerem Regen, von Gischt umsprüht, warum schien dies kleine mißfarbige Schiff, die Zollbarkasse war es, die sich auf uns zu arbeitete, dies Schiff und die Höhle aus Wasser, die wandelnde Welle, die sich mit ihm herwälzte, warum schien mir (schien! schien! ich wußte doch, daß es so war!) die Farbe dieser Dinge nicht nur die ganze Welt, sondern auch mein ganzes Leben zu enthalten? Diese Farbe, die ein Grau war und ein fahles Braun und eine Finsternis und ein Schaum, in der ein Abgrund war und ein Dahinstürzen, ein Tod und ein Leben, ein Grausen und eine Wollust – warum wühlte sich hier vor meinen schauenden Augen, vor meiner entzückten Brust mein ganzes Leben mir entgegen, Vergangenheit, Zukunft, aufschäumend in unerschöpflicher Gegenwart, und warum war dieser ungeheure Augenblick, dies heilige Genießen meiner selbst und zugleich der Welt, die sich mir auftat, als wäre die Brust ihr aufgegangen, warum war dies Doppelte, dies Verschlungene, dies Außen und Innen, dies ineinanderschlagende Du an mein Schauen geknüpft? Warum, wenn nicht die Farben eine Sprache sind, in der das Wortlose, das Ewige, das Ungeheure sich hergibt, eine Sprache, erhabener als die Töne, weil sie wie eine Ewigkeitsflamme unmittelbar hervorschlägt aus dem stummen Dasein und uns die Seele erneuert. Mir ist Musik neben diesem wie das matte Leben des Mondes neben dem furchtbaren Leben der Sonne.

Sei dem, wie ihm sei. Vielleicht bin ich mitten zwischen dem dumpfen, rohen Menschen, der nichts von dem allem spürt, und dem mit gebildeter Seele, der hier entziffert und liest, wo ich nur die Zeichen anstaune. Es ist mir aus meiner Jugend hängen geblieben, daß jemand den Sternenhimmel einen unausgewickelten Gedanken genannt hat. Dies möchte hierher gehören. Der südliche freilich mit seinen glühenden Feuern war mir manchmal in seltenen Nächten, wenn mein ganzes Wesen wie ein unverstörter Wasserspiegel ihm entgegenschwoll, wie eine ungeheure Versprechung, unter der hin der Tod erzitterte wie ein Orgelton. Aber vielleicht war auch das, was mir ein Versprechen schien, nur rohe Ahnung eines sehr großen Gedankens, dessen meine Seele nicht mächtig werden konnte.

Farbe. Farbe. Mir ist das Wort jetzt armselig. Ich fürchte,
ich habe mich Dir nicht erklärt, wie ich möchte. Und ich
möchte nichts in mir stärken, was mich von den Menschen
absonderte. Aber wahrhaftig, ich bin in keinem Augenblick
mehr ein Mensch, als wenn ich mich mit hundertfacher
Stärke leben fühle, und so geschieht mir, wenn das, was immer stumm vor mir liegt und verschlossen und nichts als
Wucht und Fremdheit, wenn das sich auftut und wie in einer Welle der Liebe mich mit sich selber in eines schlingt.
Und bin ich dann nicht im Innern der Dinge so sehr ein
Mensch, so sehr ich selber wie nur je, namenlos, einsam,
aber nicht erstarrt im Alleinsein, sondern als flösse von mir
in Wellen die Kraft, die mich zum auserlesenen Genossen
macht der starken stummen Mächte, die ringsum wie auf
Thronen schweigend sitzen und ich unter ihnen? Und ist
dies nicht, wohin du auf dunklen Wegen immer gelangst,
wenn du tätig und leidend lebst unter den Lebenden? Ist
nicht dies der geheimnisvolle Herzenskern der Erlebnisse,
der dunklen Taten, der dunklen Leiden, wenn du getan
hast, was du nicht solltest und doch mußtest, wenn du erfahren hast, was du immer ahntest und nie glaubtest, wenn
alles zusammengebrochen ist um dich und das Fürchterliche nirgends war ungeschehen zu machen – schlang sich
da nicht aus dem Innersten des Erlebnisses die umarmende
Welle und zog dich hinein, und du fandest dich einsam und
dir selber unverlierbar, groß und wie gelöst an allen Sinnen,
namenlos, und lächelnd glücklich? Warum sollte nicht die
stumme werbende Natur, die nichts ist als gelebtes Leben,
und Leben das wieder gelebt sein will, ungeduldig der kalten Blicke, mit denen du sie triffst, dich zu seltenen Stunden in sich hineinziehen und dir zeigen, daß auch sie in
ihren Tiefen die heiligen Grotten hat, in denen du mit
dir selber eins sein kannst, der draußen sich selber entfrem-
det war?

Solange nicht höhere Begriffe und die ebenso lebendig in mich hineingreifen, mir solche Vermutungen verächtlich machen, will ich mich an diesen halten.

Und warum sollten nicht die Farben Brüder der Schmerzen sein, da diese wie jene uns ins Ewige ziehen?

# Die Wege und die Begegnungen

Der Flug der Vögel ist wundervoll in diesen strahlenden Tagen, und ich begreife vollkommen, daß ich diese Zeilen einmal aufgeschrieben habe: Je me souviens des paroles d'Agur, fils d'Jaké, et des choses qu'il déclare les plus incompréhensibles et les plus merveilleuses: la trace de l'oiseau dans l'air et la trace de l'homme dans la vierge. Diese Zeilen stehen, mit Bleistift an den Rand geschrieben, mitten in einem Reisebuch, und ich fand sie vor drei Tagen, als ich danach suchte, ob es eine Straße gäbe, wenn man vom Meer herauf nach Urbino gekommen sei, dann von dort zu Wagen übers Gebirg nach Assisi oder an den Trasimenischen See zu gehen. [Denn in diesen Tagen ist die Luft so wollüstig leise bewegt, und die Reinheit des Äthers so strahlend, und die Reinheit der Zweige, die in den reinen Himmel ragen, und das Hin- und Herjagen zweier kleiner Falken über dem Knauf der Kirche, und das ferne Flüchten eines schneeweißen Taubenschwarmes sind von solcher Gewalt über die Einbildung, daß es scheint als müsse überallhin eine Straße führen. Aber es ist sonderbar, wie völlig einem alles entschwinden kann.]* Ich sehe, daß diese Zeilen von meiner Schrift sind, sie sind zittrig geschrieben, vielleicht im Wagen, vielleicht in der Bahn; aber kein Nachdenken bringt mich darauf, woher sie stammen. Aus einem ältern französischen Buch vermutlich. Aber hätte ich damals in Umbrien in fremdartigen, seltenen Büchern gelesen? Ich weiß nichts davon. Wer ist Agur? Und wer ist der Redende, der sich

* [...] Die in Klammern gesetzten Abschnitte standen nur im Erstdruck.

Agurs entsinnt? Und dennoch habe ich dies geschrieben,
und nun ist alles andre verloschen, und nur dies ragt herauf.
Und irgendwo in mir, bei den Dingen, die ich erlebt habe,
bevor ich drei Jahre alt war, und von denen mein waches Erinnern nie etwas gewußt hat, bei den Geheimnissen meiner
dunkelsten Träume, bei den Gedanken, die ich hinter meinem eigenen Rücken je gedacht habe, wohnt nun dieser
Agur – und wird vielleicht eines Tages heraufsteigen wie ein
Toter aus einem Gewölbe, wie ein Mörder aus einer Falltür,
und sein Wiederkommen wird seltsam sein, aber nicht seltsamer eigentlich als vorgestern nachmittag das Hereinstür-
zen der zurückgekehrten jungen Schwalbe, durch die Luft,
durch die halboffene Haustür, ins alte Nest, einschlagend
wie ein dunkler Blitz. Und eine Minute darauf, wie ein
zweiter dunkler Blitz, aus dem Scheitelpunkt des Äthers,
nachschlagend dem ersten, kam das Weibchen, die junge
Schwester, und jetzt die Frau. Denn es sind Geschwister,
ausgebrütet im vorigen Sommer in diesem Nest hinter unsrer Haustür. Wie wußten sie den Weg, herabfahrend aus der
Unendlichkeit der Himmel? Wie wußten sie unter den Ländern dieses Land, unter den Tälern dies kleine Tal, unter
den Häusern dieses Haus? Und wo in mir wohnt Agur, der
dieses Wunder anstaunte über allen Wundern, und nichts
geheimnisvoller fand als die Spur dieses Wunders, die unsichtbare Spur des Vogels in der Luft?

[Aber auch wir sind immer in Bewegung, und es läßt sich
keine seltsamere und geheimnisvollere Figur denken als die
scheinbar willkürlichen Linien dieses Weges. Sie durchkreu-
zen einander, sie führen zum Anfangspunkt zurück, durch-
schneiden ihn und führen wieder weg. Manchmal hinterlas-
sen sie eine Spur von Blut und Feuer, die lange leuchtet.
Manchmal lassen sie eine Spur, die so strahlt, daß sie nicht
vergeht. Die mit Christus leben, gehen immerfort einen
Weg bis an sein Ende und wieder zurück, so wie auf jener

Leiter in Jakobs Traum die Engel immerfort aufwärts und
abwärts stiegen. Es sind Ruhepunkte auf diesem Weg, die
niemand vergessen kann, wie jenes Abendmahl, oder früher
das Niederlassen auf einem Bergesabhang, mit Tausenden
ringsum, die gekommen waren, zuzuhören. Und es sind
Wendepunkte, Kreuzwege, scheinbare Möglichkeiten, diesen anderen Weg zu gehen, schauerliche Momente, die immer und immer wieder von gläubigen Seelen durchlebt werden, wie jenes Innehalten vor den Toren Jerusalems, jenes
Warten auf die Eselin, die gebracht werden muß, »damit das
Wort erfüllet werde«, oder jener höchste, furchtbarste Augenblick auf dem Ölberg. Wer dies angeschaut hat, diesen
Weg und die Stationen dieses Weges, hat die Figur erblickt,
deren Linien die Wege eines Menschen sind, deren größtes
Geheimnis aber die Punkte sind, wo die Linien umbiegen.
Die Züge Alexanders des Großen, die Züge des Kolumbus
und der Konquistadoren, ich meine die ganzen Lebenslinien dieser Menschen, von der Wiege bis zum Scheiterhau-
fen oder zum Grab, mit ihrem Lauf durch Königspaläste,
über die Leiber von Königen und dann wieder durch Ker-
ker und Verliese, auf einer Tafel eingezeichnet, sind tiefsin-
nige Figuren, aber vielleicht entstünde eine noch tiefsinnigere Figur, wenn einer die Wege des Don Quichote vor sich
hinzeichnen würde, deren Wendepunkte jene Windmühlen
sind, und das Gasthaus mit den Marionetten, oder der Keller mit den Weinschläuchen, oder die Wege der Figuren Do-
stojewskis, die doch nur von einer Wohnung in eine andere
führen, oder aus einem Keller auf einen öden Platz, hinter
einen Schuppen, an eine traurige Feuermauer oder dergleichen. Denn ein ganz gewöhnliches Wohnzimmer, ein ver-
wahrloster Schuppen oder eine abbröckelnde Mauer können ebensogut die endgültigen Wendepunkte eines Weges
sein wie die Tore von Jerusalem oder die Gestade des Indus.
Und das Zurückkehren des Raskolnikow in das Miethaus,

in die Wohnung, wo er die Pfandleiherin erwürgt hat, ist nicht weniger ein Moment des Schicksals als das Heran-schreiten von Hamlets Vaters Geist auf der Terrasse von Helsingör. Es ist nur sonderbar, daß alles immerfort auf dem Weg ist; daß, abgesehen von dem Niederliegen zum Schlaf – und auch Wanderer liegen zum Schlaf nieder –, diese beiden, Hamlet und seines Vaters Geist, seit Tagen auf dem Wege zueinander sind, und daß Raskolnikow von der Stunde des Mordes an sozusagen auf Umwegen diesen Weg zurück sucht nach dem Punkt, wo sein Schicksal sich zwei-mal entscheiden sollte, das eine Mal scheinbar, das andere Mal wirklich und endgültig.

Dieses beständige Auf-dem-Wege-sein aller Menschen muß der bohrende Traum der Gefangenen sein und die Ver-zweiflung aller treuen Liebenden. Ich habe gehört, daß in den Gefangenenhäusern keines von den erlaubten Büchern so sehnlich verlangt wird als eine Landkarte. Seine Finger auf einer Landkarte wandern zu lassen, das ist der span-nendste Abenteuerroman: alle seine Abenteuer sind unbe-stimmt und alle Möglichkeiten sind offengelassen. Wir sind keine Gefangenen, und wir sind selbst immerfort auf dem Wege unseres Schicksals. Aber wenn wir für Augenblicke stocken, wenn wir ausruhen müssen und warten, so lesen wir in Büchern wie die Gefangenen in ihrer beschmutzten Karte, und dann wandern wir wieder mit Wandernden, ob es Sindbad ist, den die Wellen von Strand zu Strand werfen, oder Lovelace zu Pferd, in der Tasche den Schlüssel, der das Hinterpförtchen zum Park der Harlowes aufsperrt, oder Ödipus auf dem Wege nach Kolonos. Wir sind mit Franz von Assisi ebenso auf dem Weg wie mit Casanova. Und nichts ist uns im Grunde seltsamer als ein Mensch, der seine Stelle nicht wechselt. Wir wissen nichts von Sankt Simeon Stylites, als daß er dreißig Jahre auf einer Säule ausgeharrt hat, aber dieses eine Faktum wirft seinen starren, schmalen

Schatten durch die Jahrhunderte und vertritt die Stelle einer ganzen Legende. Wir wissen zu wenig von Kant, aber unter dem wenigen ist der eine Zug, daß es ihn nie verlangt hat, etwas von der Welt zu sehen außer Königsberg, und dieser eine Zug hat etwas Ungeheures: mit ähnlichen sparsamen ewigen Zügen sind die erhabensten Göttergesichter des alten Ägypten in den schwarzgrünen ewigen Stein gemeißelt.]

Aber es ist sicher, daß das Gehen und das Suchen und das Begegnen irgendwie zu den Geheimnissen des Eros gehören. Es ist sicher, daß wir auf unsrem gewundenen Wege nicht bloß von unsren Taten nach vorwärts gestoßen werden, sondern immer gelockt von etwas, das scheinbar immer irgendwo auf uns wartet und immer verhüllt ist. Es ist etwas von Liebesbegier, von Neugierde der Liebe in unsrem Vorwärtsgehen, auch dann, wenn wir die Einsamkeit des Waldes suchen oder die Stille der hohen Berge oder einen leeren Strand, an dem wie eine silberne Franse das Meer leise rauschend zergeht. Allen einsamen Begegnungen ist etwas sehr Süßes beigemengt, und wäre es nur die Begegnung mit einem einsam stehenden großen Baum oder die Begegnung mit einem Tier des Waldes, das lautlos anhält und aus dem Dunkel her auf uns äugt. Mich dünkt, es ist nicht die Umarmung, sondern die Begegnung die eigentliche entscheidende erotische Pantomime. Es ist in keinem Augenblick das Sinnliche so seelenhaft, das Seelenhafte so sinnlich als in der Begegnung. Hier ist alles möglich, alles in Bewegung, alles aufgelöst. Hier ist ein Zueinandertrachten noch ohne Begierde, eine naive Beimischung von Zutraulichkeit und Scheu. Hier ist das Rehhafte, das Vogelhafte, das Tierischdumpfe, das Engelsreine, das Göttliche. Ein Gruß ist etwas Grenzenloses. Dante datiert sein »Neues Leben« von einem Gruß, der ihm zuteil geworden. Wunderbar ist der Schrei des großen Vogels, der seltsame, einsame, vorweltliche Laut im Morgengrauen von der höchsten Tanne, dem

irgendwo die Henne lauscht. Dies Irgendwo, dies Un-
bestimmte und doch leidenschaftlich Begehrende, dies
Schreien des Fremden nach der Fremden ist das Gewaltige.
[In der Umarmung ist das Fremdsein, das Fremdbleiben das
Furchtbare, das Grausame, das Paradoxon – in der Begegnung flattert um jeden von beiden seine ewige Einsamkeit
wie ein prachtvoller Mantel, und es ist, als könnte er ihn
auch von sich werfen, im nächsten Augenblick schon.] Die
Begegnung verspricht mehr, als die Umarmung halten kann.
Sie scheint, wenn ich so sagen darf, einer höheren Ordnung
der Dinge anzugehören, jener, nach der die Sterne sich bewegen und die Gedanken einander befruchten. Aber für
eine sehr kühne, sehr naive Phantasie, in der Unschuld und
Zynismus sich unlösbar vermengen, ist die Begegnung
schon die Vorwegnahme der Umarmung. Solche Blicke hef-
teten die Hirten auf eine Göttin, die plötzlich vor ihnen
stand, und es war etwas in dem Blick der Göttin, woran der
dumpfe Blick des Hirten sich entzündete. Und Agur hat
recht, wenn er ein König war oder ein großer Scheich in der
Wüste, ein weiser und prunkvoller Kaufmann oder ein See-
fahrer unter den Seefahrern – er hat recht, daß er am Abend
seiner Tage, sitzend im Schatten seiner Weisheit und Erfahrung, jene beiden Wunder in der Rede seines Mundes in eines verflicht: das Geheimnis der Umarmung und das Geheimnis des Fluges. Aber wer ist Agur, der in mir lebt mit
seiner lebendigen Rede? Soll ich wirklich in mir sein Gesicht nicht sehen können? Seine Erfahrungen sind reich und
üppig, der Ton seiner Rede ist der Ton des Erfahrnen, aber
lässig. Er verschmäht es, den Prediger zu machen, sondern
läßt nur dann und wann ein Wort fallen, das reich und
schwer ins Ohr des Hörers sinkt. Wie Boas muß ich ihn
denken, der einen schönen weißen Bart hatte und ein ge-
bräuntes Gesicht, der gekleidet ging in feines Linnen, und
auf dessen Kornfeldern den Armen nicht verwehrt war, die

Ähren zu lesen. Aber habe ich nicht einmal sein Gesicht gesehen? Freilich, nur im stummen Traum, und der, dessen
Gesicht ich sah, hatte keinen Namen. Aber nun dunkt mich,
das war jener Agur, und ich muß die Rede, die meine eigne
Handschrift mir überliefert, in den Mund dessen legen, von
dem mir einmal träumte, und der, wie der Traum ihn malte,
ein Patriarch war unter den Patriarchen, ein König über ein
namenloses gewaltiges Volk von Wandernden.

Dies war der Traum. Ich lag und war müde von einem
weiten Weg über Berge. Es war noch Sommer, aber gegen
Ende des Sommers, und als mitten in der Nacht ein Sturm
die Balkontür aufriß und der See heftig rauschend gegen die
Pfähle schlug, sagte ich mir, halb im Schlaf: »Das sind die
Herbststürme.« Und zwischen Schlaf und Wachen durchfloß mich ein unbeschreibliches Glücksgefühl über die Weite der Welt (über deren halberleuchtete Berge und Täler
und Seen jetzt der Sturm hinbrauste). In dieses Gefühl versank ich wie in eine weiche dunkle Welle und war sogleich
mitten im Traum und war draußen und droben, in der halb-
erleuchteten fahlen Nacht, im Sturm, auf dem weiten Abhang eines großen Berges. Aber es war mehr als der Abhang
eines Berges, es war eine ungeheure Landschaft, es war –
dies konnte ich nicht sehen, sondern ich wußte es – der ter-
rassenförmige Rand eines gigantischen Hochlandes, es war
Asien. Und um mich war, gewaltiger als der Sturm, und die
fahle, halberleuchtete Nacht mit großmächtiger Unruhe er-
füllend, ein ungeheurer Aufbruch. Ein ganzes Volk war um
mich, und das ganze Volk war im Dunkel geschäftig, seine
Zelte abzubrechen und seine Habe auf Packtiere zu laden.
Ganz nahe von mir waren Gruppen stummer Menschen,
hastig beluden sie Kamele und andre Tiere; aber es war sehr
finster. Ich legte auch mit Hand an bei einem Zelt, das noch
nicht abgebrochen war. Ich war allein in dem Zelt, riß die
Zeltpflöcke aus der Erde, und bei einem halben Licht sah

ich die prachtvolle Arbeit, die den untern Saum des Zeltes
schmückte: ein sehr künstlerisches Ornament, aus dunkel-
braunen Lederstreifen aufgenäht auf ganz hellen naturfar-
benem Leder. Immerfort war um mich die dumpfe Bewegung des ungeheuren Aufbruches, ich fühlte, wie alles unter
der Gewalt des Befehles geschah, eines Befehles, gegen den
es keinen Widerspruch gab. Und ohne weiteres wußte ich,
daß das Zelt, an dem ich arbeitete, ein Teil von *seinem* Zelte
war, von dem Zelte dessen, der den Aufbruch befohlen
hatte, und von dem alle Befehle kamen. Und als müßte es so
sein, stieg ich auf einen Klumpen übereinandergelegter
Decken der Maultiere, schob irgend etwas in der Zeltwand
auseinander und sah hinein in das Hauptzelt. Es war finst-
rer darin als dort, wo ich stand. Erst allmählich konnte ich
sehen, dann aber ganz deutlich. Das Zelt war ohne Möbel
oder Schmuck, nur die dunklen Wände. An der einen Seite
lagen auf einer großen Decke, auf einer dunkelroten oder
rotvioletten Decke, ein junges Weib von dunkler Blässe,
von einer unbeschreiblichen dunklen Blässe und Schönheit,
aus deren Armen ein Mann sich löste, ein großer, hagerer
Mann, aufstand und dicht vor meinen Augen vorüberging
durch das leere Zelt an die entgegengesetzte Wand. Die
Junge – sie trug nichts als breite Armreifen – hob stumm die
Arme nach ihm, wie um ihn zurückzurufen, aber er sah sich
nicht nach ihr um. Auch ich hatte sein Gesicht kaum gesehen, aber ich wußte, daß er alt war, alt und gewaltig, mit einem zweigeteilten wehenden Bart, um den Kopf einen erd-
farbenen Turban. Aber sein sehr schlanker Körper, nackt
bis zum Gürtel, seine langen dünnen Arme waren wie
die eines jungen Mannes, voll Leichtigkeit und Kühnheit.
Von der Hüfte hing ihm ein langer Schurz von dem unbe-
schreiblichsten Gelb. Ich will den Ton dieses Gelb wiedererkennen, wo und wann immer es mir wieder vor die Augen
käme. Es war herrlicher als das Gelb auf alten persischen

Kacheln, strahlender als das Gelb der gelben Tulpe. Jetzt
war er an der Zeltwand gegenüber, der dunkelsten, und riß
dort einen Vorhang auf, daß ein großes Fenster entstand.
Der Wind wehte herein und warf seinen zweigeteilten weißen Bart über seine erdbraunen mageren Schultern nach
rückwärts. Die schöne Frau hob sich bittend auf und schien
ihn zärtlich beim Namen zu rufen, aber die Luft trug mir
den Laut nicht zu. Ich sah nur ihn und sah durch das Fenster, das er in die Zeltwand gerissen hatte, hinaus: da war
draußen die halberleuchtete Nacht, das unabsehbare ge-
stufte Bergland und der stumme Aufbruch eines ganzen
Volkes. Und sein bloßes Dastehen an dem viereckigen Ausschnitt des Zeltes, das über alle Zelte erhöht war, brachte einen stummen, wilden Tumult in den ganzen Aufbruch, und
selbst die Wolken schienen schneller unter dem ziemlich
bleichen Mond über das Bergland hinzujagen. Dieser Mann
und kein andrer war Agur.

## Erinnerung schöner Tage

Die Sonne stand noch ziemlich hoch, als wir ankamen, aber ich ließ sogleich in die engen dunklen Gassen einbiegen. Ferdinand und seine Schwester saßen nebeneinander, als wir so lautlos hinglitten, und ihre Augen gingen über die alten Mauern, deren rote und graue Spiegelung wir zerteilten, über die Portale, deren Schwelle das Wasser bespülte, über die steinernen, feuchtglänzenden Wappen und die mächtig vergitterten Fenster. Wir fuhren unter kleinen Brücken durch, deren feuchte Wölbung dicht über unseren Köpfen war, über die kleine alte Frauen und ganz gebogene alte Männer hinhumpelten und nackte Kinder sich seitlich herabließen, um zu baden. Vor einem engen, stillen Platz ließ ich anlegen. Stufen führten zu einer Kirche. In den Mauern standen viele Steinfiguren in Nischen und traten in das Abendlicht vor ... Die Geschwister wollten stehenbleiben, aber ich zog sie fort, hinter mir her, durch noch engere Gassen, in denen kein Wasser war, sondern Steinboden, endlich durch einen dumpfen finsteren Schwibbogen hinaus auf den großen Platz, der dalag wie ein Freudensaal, mit dem Himmel als Decke, dessen Farbe unbeschreiblich war: denn es wölbte sich das nackte Blau und trug keine Wolke, aber die Luft war gesättigt von aufgelöstem Gold, und wie ein Niederschlag aus der Luft hing an den Palästen, die die Seiten des großen Platzes bilden, ein Hauch von Abendrot. Die beiden Geschwister, die zum erstenmal dies sahen, waren wie in einem Traum. Katharina sah zur Rechten hin auf den Palast des Sansovin, diese Säulen, diese Balkone, Loggien, aus denen die Schatten und das Strahlende des Abends was

Unwahrscheinliches machten – den stummen Anfang eines
Festes, zu dem der Tag und die Nacht geladen waren; sie
sah zur Linken den älteren Palast, dessen rote Mauern zu
leben schienen, den phantastischen Turm mit der blauen
Uhr, sie sah vor sich die märchenhafte Kirche, die Kuppeln,
die ehernen Pferde hoch oben, die durchsichtigen, steinernen Gehäuse, in denen Gestalten standen, die goldenen
Tore, das Innere geheimnisvoll leuchtend, und sie fragte
immer wieder: »Ist dies wirklich? kann dies wirklich sein?«
Ferdinand eilte immer vorwärts: »Kommt noch etwas?
Geht es noch weiter?« fragte er. Nun stand er und sah das
offene Meer und Barken und Segel und Säulenportale, neue
Kuppeln drüben, und den Triumph des Abends auf Wolken
wie ferne Goldgebirge, jenseits der Inseln. Nun kehrte er
sich um, uns zu rufen, da gewahrte er hinter sich die Wucht
des Glockenturmes, pfeilgerade aufsteigend, daß das leuchtende Gewölbe droben vor ihm zurückzuweichen schien.
»Ich will hinauf!« rief Ferdinand, der selten einen Turm,
und wäre es einer Dorfkirche, unbestiegen ließ. Aber Katharina nahm ihn heftig bei der Hand, daß er sich umwenden mußte, und mit ihren beiden Händen zeigte sie vor sich
hin und blieb nicht stehen, sondern ging immer vorwärts
gegen das Wasser, in dem ein Strom von goldenem Feuer
sich über einem tiefen blauen, metallisch blinkenden Element hinzuwälzen schien. Ferdinand blieb neben ihr; nun
waren sie nah dem Rande, die Männer in den Barken, die in
dem blendenden, traumhaften Licht völlig schwarz aussahen, winkten ihnen; einer ruderte nahe heran, sie ließen sich
zu ihm hinunter in das schwarze Boot und glitten hinaus in
die Feuerstraße. Viele Barken waren draußen, und zwischen
ihnen schnitten die finstern Segelboote durch, alles war beladen mit Leben, überall waren Gesichter, die sich einander
entgegentragen wollten, und die Wege, die einander durch-
kreuzten, waren wie magische Figuren auf einer feurigen

Tafel, und in der Luft flogen dunkle kleine Vögel, und auch
ihre Wege waren solche Zauberfiguren. Ich mußte, wie ich
so auf der Brücke stand und an dem glatten, uralten Stein
mich überlehnte und draußen zwei Barken zueinander
lenkten, jäh an Lippen denken, wie sie den langentwöhnten
Weg zu geliebten Lippen leicht und traumhaft wiederfinden. Ich fühlte die schmerzliche Süßigkeit des Gedankens,
aber ich schwamm zu leicht auf der Oberfläche meines Denkens, ich konnte nicht hinabtauchen, um zu erfahren, an
wen ich im Innersten gedacht hatte; so traf mich der Gedanke wie ein Blick aus einer Maske, und mir war, als wär
es Katharinens Aug, deren Mund ich noch nie geküßt hatte.
Nun war alles in Feuer, hinter den Inseln die Wolken schienen in goldenen Rauch aufzugehen, der Geflügelte auf seiner goldenen Kugel glühte: ich begriff, es war nicht nur die
Sonne dieses Augenblicks, sondern vergangener Jahre, ja
vieler Jahrhunderte. Mir war, als könnte ich dies Licht nie
mehr aus mir verlieren, ich wandte mich und ging zurück.
Mädchen streiften an mir vorbei, eine stieß die andere und
riß ihr das schwarze Umhängtuch von rückwärts herab; da
sah ich ihren Nacken zwischen dem schwarzen Haar und
dem schwarzen Tuch, das sie gleich wieder hinaufzog: aber
das Leuchten dieses schmächtigen Nackens war ein Aufleuchten des Lichtes, das überall war, aber überall zugedeckt
wurde. Die Halbkinder mit den Umhängtüchern waren
gleich wieder verschwunden, wie Fledermäuse in einem
Mauerspalt, und ein alter Mann kam vorbei, und im Tiefsten seiner Augen, die Augen eines traurigen alten Vogels
waren, war ein Funken von Licht. Ohne es zu wollen, denn
mir war zu wohl, als daß ich etwas gewollt hätte, ging ich
nun im Kreis und trat wieder durch den Schwibbogen zurück auf den großen Platz, ging unter den Säulengängen
hin. Aber das goldne Leben des Feuers war nicht mehr in
der Luft, nur in den erleuchteten Läden, die überall waren,

unter den dämmernden Säulengängen lagen Dinge, die leuchteten: da war der Laden eines Juweliers mit Rubinen, Smaragden, Perlen, kleinen an Schnüren und großen, die jede ihren Schimmer um sich hatte wie der Mond. Ich trat vor die Butike eines Antiquitätenhändlers, da lagen alte Seidenstoffe mit eingewebten Blumen aus Gold und Silber: in diesen Seiden war überall das Leben des Lichtes und ich weiß nicht was für eine Erinnerung an schöne Gestalten, von denen diese starren Hüllen in lebendigen Nächten abgefallen waren. Gegenüber war ein kleiner Laden, da funkelten blaue und grüne Schmetterlinge und Muscheln, besonders Nautilusmuscheln, die aus Perlmutter sind und die Form eines Widderhorns haben. Ich stand vor jedem Laden und ging hin und wider von einem zum andern dieser Geschöpfe, aus denen das Leben des Lichtes auch bei Nacht nicht weicht, und ich war voll Lust, etwas dergleichen mit meinen Händen hervorzubringen aus der gärenden Seligkeit in mir etwas zu bilden und es auszuwerfen. Wie die feurige, feuchte Luft eines Inselstrandes den funkelnden Schmetterling aus sich bildet, wie das Meer mit dem unter seiner Wucht begrabenen dämonischen Licht die Perle und den Nautilus bildet und sie auswirft, so wollte ich etwas bilden, das funkelte von der inneren Lust des Lebens, und es hinter mich werfen, wenn der unaufhaltsame und entzückende Sturz des Daseins mich dahinriß.

Und ich fühlte wohl die dunkeln Kräfte, aber ich wußte noch nicht, was es war, das ich machen sollte. So ging ich zurück nach dem Gasthof, und mir fiel ein, daß ich mein Zimmer noch nicht gesehen hatte. Als ich die finstere Treppe hinaufstieg, kam eine junge Frau an mir vorbei. Sie war sehr groß, sie trug ein helles Abendkleid und Perlen um den bloßen Hals. Sie war eine von den Engländerinnen, die antiken Statuen gleichen. Wunderbar war der junge Glanz ihres fast strengen Gesichtes und der Schwung ihrer Augen-

brauen, die geformt waren wie Flügel. Sie stieg hinunter an
mir vorbei und sah mich an, weder flüchtig noch überlange,
weder scheu noch allzu sicher, sondern ganz ruhig. Ihr Blick
war einer Art mit ihrer Schönheit, die voll Gleichgewicht
war, die mitten inne war zwischen der Anmut eines jungen
Mädchens und dem allzubewußten Glanz einer großen
Dame. Sie hätte in einem Maskenspiel Diana spielen mögen,
die von Aktäon überrascht wird, aber man hätte gesagt: Sie
ist zu jung. Sie wartete unten und sah herauf, das fühlte ich
mehr als ich es sah, und nun kam ihr Mann oder ihr Freund
an mir vorüber, der auch jung, sehr groß und ein schöner
Mensch war, mit dunklem Haar und einem Mund, der einst,
wenn er älter wäre, aussehen würde wie der Mund einer rö-
mischen Imperatorenbüste, eines jungen Nero. – –

Ich lag auf dem Bette und war noch halb angekleidet und
hörte durch die Tapetentür die Stimmen der beiden im Nebenzimmer. Unten tief plätscherte es leise, das war wohl der
Laufbrunnen in der Gasse, nein, das war nicht die Dorf-
gasse, es war das Meer, das an den marmornen Stufen des
Hauses leckte. Von ferne kamen die singenden Stimmen; sie
mußten jetzt mit ihren lampionbehängten Barken drüben
sein, drüben bei den Inseln, vielleicht waren sie ausgestiegen
und hatten ihre Lampions in die Zweige des Klostergartens
gehängt und saßen beieinander im Gras zwischen fünftau-
send blühenden Lilien und Rosmarinstöcken und sangen.
Die Töne waren wie hochfliegende Vögel, so hoch, daß sie
das Licht, das hinter der Welt hinabgestürzt ist, noch halten,
bis es überall wieder zu leben angefangen. Nun erlosch das
Singen, aber auf einmal tauchte es ganz nahe wieder auf,
dunkel tönender, voller, wie der seelenvolle Laut eines Vogels war es, so nahe der menschlichen Sprache, menschlicher
als die Sprache, getränkt mit dunklem hervorquellenden
Leben, nicht überlaut und doch ganz nahe bei mir. Dort

hinter der Tapetentür war es: es war kein Singen, es war ja
das leise, dunkeltönige Lachen dieser schönen großen Frau:
o wie sie ganz in diesem Lachen gewesen war, ihr schöner
hoher Leib, ihre gebietenden Schultern. Nun sprach sie: sie
sprach mit dem, der ihr Mann war oder ihr Freund. Ich
konnte nicht verstehen, was sie sprachen. Versagte sie ihm,
um was er flüsternd bat? Sie durfte gewähren, sie durfte
versagen, sie durfte alles. Es war solch ein schwellendes Gefühl ihres Selbst im Klang ihres halblauten Lachens. Nun
ging daneben eine Tür und draußen auf dem Gang tönten
Schritte. Dann war alles still. So war sie allein. Es war in
diesem Augenblick herrlicher, von dieser Einsamkeit um-
spielt allein zu sein und neben ihr, als bei ihr. Es war eine
Herrschaft über sie aus dem Dunklen. Es war Zeus, dem
noch nicht eingefallen ist, daß er Amphitryons Gestalt wie
einen Mantel um seine göttlichen Glieder schlagen kann
und *ihr* erscheinen, die zweifeln wird und an ihren Zweifeln
zweifeln und ihr Gesicht verwandeln unter diesen Zweifeln
wie eine Welle. Aber das Dunkel wollte mich in sich hineinziehen, in ein schwarzes Boot, das auf schwarzem Wasser
hinglitt. Nirgends mehr lebte das Licht als hier in der Nähe
dieser Frau. Mein Denken durfte nicht ganz ins Dunkel fallen, sonst schlief ich auch: wie ein Sperber mußte es immer
über dem Leuchtenden kreisen, über der Wirklichkeit, über
mir und dieser Schlafenden. Wollust des Fremden, der
kommt und geht ... – so nährte sich mein Denken vom
Leuchtenden und kreiste weiter – ... die Anrechte des
Herrn haben und doch fremd sein ... So muß es diesem zumute sein, der heute nicht neben seiner Geliebten schlafen
darf. So muß es sein. Kommen und Gehen. Fremd und daheim. Wiederkommen. Zuweilen kam Zeus wieder zu Alk-
mene. Auf Verwandlungen geht unsere tiefste Lust. Von
dieser entzückenden Wahrheit brannte das Denken so hell
wie eine lodernde Fackel. Nein, vier lodernde Fackeln, über

jedem Bettpfosten eine. Es ist der alte finstre Fackelwagen; jetzt legen sich die Pferde ins Geschirr, es reißt mich hin in die Nacht. Ich muß liegen, stilliegen, wie ein Schlafender, denn es geht ja bergauf, hinauf ins Gebirg, auf steinernen Brücken über tosende Bäche, ganz hinauf ins alte Dorf. Hier geht der Bach still und tief zwischen den alten Häusern hin. Ich muß mich eilen: ich muß ja den Fisch fangen, eh der Morgen graut. Im Dunkel, wo das Mühlwasser am tiefsten und am reißendsten geht, ober dem Wehr, dort steht im Dunkel der große alte Fisch, der das Licht geschluckt hat. Stechen muß ich nach ihm mit dem Dreizack, so kann ich das Licht mit den Händen aus seinem Bauch nehmen. Das Licht, das er verschluckt hat, ist die Stimme der Schönen, nicht die Stimme, mit der sie spricht, sondern ihr geheimstes Lachen, womit sie sich gibt. Ich muß den Dreizack suchen, weiter oben am Bach, zwischen Wacholdergebüsch. Die Wacholder sind klein, aber sie sind mächtig, wenn sie so beisammenstehn: sie sind treu, das ist ihre Kraft. Wenn ich unter sie gerate, verwandle ich mich nie mehr. Ich will nur mit der Hand zwischen sie hinein nach dem Dreizack greifen, da zuckt etwas, das ist Katharinas noch nie geküßter Mund. So stehe ich wieder und getraue mich nicht. Aber ich bedarf ja auch dessen, was ich da suche, nicht mehr, denn es ist schon nahe dem Morgen. Ich höre Glocken und Orgeltöne. Sicherlich ist Kathi jetzt schon leise die Treppe hinunter und betet in der Markuskirche, betet wie ein Kind ein Lippengebet, träumt dann wortlos vor sich hin in der goldnen Kirche.

Es war ein Schlaf und immer ein neues Hinüberwachen in neue Träume, Besitzen und Verlieren. Ich sah meine Kindheit ferne wie einen tiefen Bergsee und ging in sie hinein wie in ein Haus. Es war ein Sichhaben und Sichnichthaben – Alleshaben und Nichtshaben. Es mischte sich Mor-

genluft der Kinderzeit und Ahnung des Todseins, die Welt-
kugel schwebte vorüber im blauen starren Licht, indes ein
Toter tiefer und tiefer ins Dunkel sank, und dann war es
eine Frucht, die mir entgegenrollte, aber meine Hand war
zu kalt und steif, um sie zu fassen: da sprang ich selber als
Kind unter dem Bett hervor, auf dem ich selber mit kalten,
steifen Händen lag, und haschte danach. Aus jedem Traum-
bild schlugen wie aus Äolsharfen Harmonien heraus, ein
Widerschein von Flammen fiel auf die weiße Decke, und
der frühe Meerwind hob und bewegte das weiße Papier auf
dem kleinen Tischchen. Abgefallen war der Schlaf, fröhlich
berührten die nackten Füße den Steinboden, und aus dem
Waschkrug sprang das Wasser mit eigenem Willen wie eine
lebendige Nymphe. Die Nacht hatte ihre Kraft in alles
hineingeströmt, alles sah wissender aus, nirgendmehr lag
Traum, aber überall Liebe und Gegenwart. Die weißen
Blätter leuchteten im vollen Morgenlicht, sie wollten mit
Worten bedeckt sein, sie wollten mein Geheimnis haben,
um mir dafür tausend Geheimnisse zurückzugeben. Neben
ihnen lag die schöne große Orange, die ich abends hingelegt
hatte; ich schälte sie und aß sie eilig. Es war, als lichtete ein
Schiff die Anker und ich müßte hastig fortgehen in eine
fremde Welt. Eine Zauberformel drängte und zuckte in mir,
aber das erste Wort fiel mir nicht ein. Ich hatte nichts als die
durchsichtigen farbigen Schatten meiner Träume und Halb-
träume. Wenn ich sie voll Ungeduld an mich heranreißen
wollte, wichen sie zurück, und es war, als hätten die Wände und die sonderbar geformten altmodischen Möbel des
Gasthofzimmers sie in sich gesogen. Das ganze Zimmer sah
noch immer wissend aus, aber höhnisch und leer. Aber sogleich waren die Schatten wieder da, und indem ich mit dem
Herzen gegen sie drängte und meinen Wunsch, der auf
Treue und Untreue, auf Scheiden und Bleiben, auf Hier und
Dort zugleich gerichtet war, gegen sie spielen ließ wie eine

Zaubergerte, fühlte ich, wie ich wirkliche Gestalten aus
dem nacken Steinboden vor mir ziehen konnte und wie sie
leuchteten und körperliche Schatten warfen, wie mein
Wunsch sie gegeneinander bewegte, wie sie ja um meinetwillen da waren und sich doch nur umeinander bekümmer-
ten, wie mein Wunsch ihnen Jugend und Alter und alle
Masken angebildet hatte und in ihnen sich erfüllte und sie
doch von mir abgelöst waren und eines nach dem anderen
und jedes nach sich selber gelüsteten. Ich konnte mich von
ihnen entfernen, konnte einen Vorhang vor ihr Dasein fallen lassen und ihn wieder aufziehen. Aber immerfort, wie
die Strahlen der schrägen Sonne hinter einer üppigen Ge-
witterwolke auf eine fahlgrüne Gartenlandschaft fallen, sah
ich, wie die Herrlichkeit der Luft, des Wassers und des Feuers gleichsam von oben her in schrägen, geisterhaften Strahlen in sie hineinströmte, so daß sie für mein geheimnisvoll
begünstigtes Auge zugleich Menschen waren und zugleich
funkelnde Ausgeburten der Elemente.

# Lucidor

## Figuren zu einer ungeschriebenen
## Komödie

Frau von Murska bewohnte zu Ende der siebziger Jahre in
einem Hotel der inneren Stadt ein kleines Appartement. Sie
führte einen nicht sehr bekannten, aber auch nicht ganz ob-
skuren Adelsnamen; aus ihren Angaben war zu entnehmen,
daß ein Familiengut im russischen Teil Polens, das von
Rechts wegen ihr und ihren Kindern gehörte, im Augenblick sequestriert oder sonst den rechtmäßigen Besitzern
vorenthalten war. Ihre Lage schien geniert, aber wirklich
nur für den Augenblick. Mit einer erwachsenen Tochter
Arabella, einem halb erwachsenen Sohn Lucidor, und einer
alten Kammerfrau bewohnte sie drei Schlafzimmer und einen Salon, dessen Fenster nach der Kärntnerstraße gingen.
Hier hatte sie einige Familienporträts, Kupfer und Miniatu-
ren an den Wänden befestigt, auf einem Guéridon ein Stück
alten Samts mit einem gestickten Wappen ausgebreitet und
darauf ein paar silberne Kannen und Körbchen, gute französische Arbeit des achtzehnten Jahrhunderts, aufgestellt,
und hier empfing sie. Sie hatte Briefe abgegeben, Besuche
gemacht, und da sie eine unwahrscheinliche Menge von
»Attachen« nach allen Richtungen hatte, so entstand ziemlich rasch eine Art von Salon. Es war einer jener etwas vagen Salons, die je nach der Strenge des Beurteilenden »möglich« oder »unmöglich« gefunden werden. Immerhin, Frau
von Murska war alles, nur nicht vulgär und nicht langweilig, und die Tochter von einer noch viel ausgeprägteren Di-

stinktion in Wesen und Haltung und außerordentlich schön.
Wenn man zwischen vier und sechs hinkam, war man sicher,
die Mutter zu finden, und fast nie ohne Gesellschaft; die
Tochter sah man nicht immer, und den dreizehn- oder vierzehnjährigen Lucidor kannten nur die Intimen.

Frau von Murska war eine wirklich gebildete Frau, und
ihre Bildung hatte nichts Banales. In der Wiener großen
Welt, zu der sie sich vaguement rechnete, ohne mit ihr in
andere als eine sehr peripherische Berührung zu kommen,
hätte sie als »Blaustrumpf« einen schweren Stand gehabt.
Aber in ihrem Kopf war ein solches Durcheinander von Er-
lebnissen, Kombinationen, Ahnungen, Irrtümern, Enthu-
siasmen, Erfahrungen, Apprehensionen, daß es nicht der
Mühe wert war, sich bei dem aufzuhalten, was sie aus
Büchern hatte. Ihr Gespräch galoppierte von einem Gegenstand zum andern und fand die unwahrscheinlichsten Über-
gänge; ihre Ruhelosigkeit konnte Mitleid erregen – wenn
man sie reden hörte, wußte man, ohne daß sie es zu erwähnen brauchte, daß sie bis zum Wahnsinn an Schlaflosigkeit
litt und sich in Sorgen, Kombinationen und fehlgeschlage-
nen Hoffnungen verzehrte – aber es war durchaus amüsant
und wirklich merkwürdig, ihr zuzuhören, und ohne daß sie
indiskret sein wollte, war sie es gelegentlich in der fürchterlichsten Weise. Kurz, sie war eine Närrin, aber von der an-
genehmeren Sorte. Sie war eine seelengute und im Grunde
eine scharmante und gar nicht gewöhnliche Frau. Aber ihr
schwieriges Leben, dem sie nicht gewachsen war, hatte sie
in einer Weise in Verwirrung gebracht, daß sie in ihrem
zweiundvierzigsten Jahre bereits eine phantastische Figur
geworden war. Die meisten ihrer Urteile, ihrer Begriffe waren eigenartig und von einer großen seelischen Feinheit;
aber sie hatten so ziemlich immer den falschesten Bezug
und paßten durchaus nicht auf den Menschen oder auf das
Verhältnis, worauf es gerade ankam. Je näher ein Mensch

ihr stand, desto weniger übersah sie ihn; und es wäre gegen
alle Ordnung gewesen, wenn sie nicht von ihren beiden
Kindern das verkehrteste Bild in sich getragen und blind-
lings danach gehandelt hätte. Arabella war in ihren Augen
ein Engel, Lucidor ein hartes kleines Ding ohne viel Herz.
Arabella war tausendmal zu gut für diese Welt, und Lucidor paßte ganz vorzüglich in diese Welt hinein. In Wirklichkeit war Arabella des Ebenbild ihres verstorbenen Vaters: eines stolzen, unzufriedenen und ungeduldigen, sehr
schönen Menschen, der leicht verachtete, aber seine Verachtung in einer ausgezeichneten Form verhüllte, von Männern respektiert oder beneidet und von vielen Frauen geliebt wurde und eines trockenen Gemütes war. Der kleine
Lucidor dagegen hatte nichts als Herz. Aber ich will lieber
gleich an dieser Stelle sagen, daß Lucidor kein junger Herr,
sondern ein Mädchen war und Lucile hieß. Der Einfall, die
jüngere Tochter für die Zeit des Wiener Aufenthaltes als
»travesti« auftreten zu lassen, war, wie alle Einfälle der
Frau von Murska, blitzartig gekommen und hatte doch zugleich die kompliziertesten Hintergründe und Verkettun-
gen. Hier war vor allem der Gedanke im Spiel, einen ganz
merkwürdigen Schachzug gegen einen alten, mysteriösen,
aber glücklicherweise wirklich vorhandenen Onkel zu führen, der in Wien lebte und um dessentwillen – alle diese
Hoffnungen und Kombinationen waren äußerst vage – sie
vielleicht im Grunde gerade diese Stadt zum Aufenthalt gewählt hatte. Zugleich hatte aber die Verkleidung auch noch
andere, ganz reale, ganz im Vordergrund liegende Vorteile.
Es lebte sich leichter mit *einer* Tochter als mit zweien von
nicht ganz gleichem Alter; denn die Mädchen waren immerhin fast vier Jahre auseinander; man kam so mit einem
kleineren Aufwand durch. Dann war es eine noch besse-
re, noch richtigere Position für Arabella, die einzige Tochter zu sein als die ältere; und der recht hübsche kleine

»Bruder«, eine Art von Groom, gab dem schönen Wesen
noch ein Relief.

Ein paar zufällige Umstände kamen zustatten: die Einfälle der Frau von Murska fußten nie ganz im Unrealen, sie
verknüpften nur in sonderbarer Weise das Wirkliche, Gege-
bene mit dem, was ihrer Phantasie möglich oder erreichbar
schien. Man hatte Lucile vor fünf Jahren – sie machte damals, als elfjähriges Kind, den Typhus durch – ihre schönen
Haare kurz schneiden müssen. Ferner war es Luciles Vor-
liebe, im Herrensitz zu reiten; es war eine Gewohnheit von
der Zeit her, wo sie mit den kleinrussischen Bauernbuben
die Gutspferde ungesattelt in die Schwemme geritten hatte.
Lucile nahm die Verkleidung hin, wie sie manches andere
hingenommen hätte. Ihr Gemüt war geduldig, und auch das
Absurdeste wird ganz leicht zur Gewohnheit. Zudem, da
sie qualvoll schüchtern war, entzückte sie der Gedanke, niemals im Salon auftauchen und das heranwachsende Mädchen spielen zu müssen. Die alte Kammerfrau war als einzige im Geheimnis; den fremden Menschen fiel nichts auf.
Niemand findet leicht als erster etwas Auffälliges: denn es
ist den Menschen im allgemeinen nicht gegeben, zu sehen,
was ist. Auch hatte Lucile wirklich knabenhaft schmale
Hüften und auch sonst nichts, was zu sehr das Mädchen
verraten hätte. In der Tat blieb die Sache unenthüllt, ja un-
verdächtigt, und als jene Wendung kam, die aus dem kleinen Lucidor eine Braut oder sogar noch etwas Weiblicheres
machte, war alle Welt sehr erstaunt.

Natürlich blieb eine so schöne und in jedem Sinne gut
aussehende junge Person wie Arabella nicht lange ohne einige mehr oder weniger erklärte Verehrer. Unter diesen war
Wladimir weitaus der bedeutendste. Er sah vorzüglich aus,
hatte ganz besonders schöne Hände. Er war mehr als wohl-
habend und völlig unabhängig, ohne Eltern, ohne Geschwister. Sein Vater war ein bürgerlicher österreichischer Offi-

zier gewesen, seine Mutter eine Gräfin aus einer sehr bekannten baltischen Familie. Er war unter allen, die sich mit
Arabella beschäftigten, die einzige wirkliche »Partie«. Dazu
kam dann noch ein ganz besonderer Umstand, der Frau von
Murska wirklich bezauberte. Gerade er war durch irgendwelche Familienbeziehungen mit dem so schwer zu behan-
delnden, so unzugänglichen und so äußerst wichtigen Onkel liiert, jenem Onkel, um dessentwillen man eigentlich in
Wien lebte und um dessentwillen Lucile Lucidor geworden
war. Dieser Onkel, der ein ganzes Stockwerk des Buquoy-
schen Palais in der Wallnerstraße bewohnte und früher
ein sehr vielbesprochener Herr gewesen war, hatte Frau von
Murska sehr schlecht aufgenommen. Obwohl sie doch wirklich die Witwe seines Neffen (genauer: seines Vaters-Bru-
ders-Enkel) war, hatte sie ihn doch erst bei ihrem dritten
Besuch zu sehen bekommen und war darauf niemals auch
nur zum Frühstück oder zu einer Tasse Tee eingeladen worden. Dagegen hatte er, ziemlich de mauvaise grâce, gestat-
tet, daß man ihm Lucidor einmal schicke. Es war die Eigenart des interessanten alten Herrn, daß er Frauen nicht leiden konnte, weder alte noch junge. Dagegen bestand die
unsichere Hoffnung, daß er sich für einen jungen Herrn,
der immerhin sein Blutsverwandter war, wenn er auch nicht
denselben Namen führte, irgendeinmal in ausgiebiger Weise
interessieren könnte. Und selbst diese ganz unsichere Hoffnung war in einer höchst prekären Lage unendlich viel wert.
Nun war Lucidor tatsächlich einmal auf Befehl der Mutter
allein hingefahren, aber nicht angenommen worden, worüber Lucidor sehr glücklich war, die Mutter aber aus der
Fassung kam, besonders als dann auch weiterhin nichts erfolgte und der kostbare Faden abgerissen schien. Diesen
wieder anzuknüpfen, war nun Wladimir durch seine doppelte Beziehung wirklich der providentielle Mann. Um die
Sache richtig in Gang zu bringen, wurde in unauffälliger

Weise Lucidor manchmal zugezogen, wenn Wladimir Mutter und Tochter besuchte, und der Zufall fügte es ausgezeichnet, daß Wladimir an dem Burschen Gefallen fand und ihn schon bei der ersten Begegnung aufforderte, hie und da mit ihm auszureiten, was nach einem raschen, zwischen Arabella und der Mutter gewechselten Blick dankend angenommen wurde. Wladimirs Sympathie für den jüngeren Bruder einer Person, in die er recht verliebt war, war nur selbstverständlich; auch gibt es kaum etwas Angenehmeres, als den Blick unverhohlener Bewunderung aus den Augen eines netten vierzehnjährigen Burschen.

Frau von Murska war mehr und mehr auf den Knien vor Wladimir. Arabella machte das ungeduldig wie die meisten Haltungen ihrer Mutter, und fast unwillkürlich, obwohl sie Wladimir gern sah, fing sie an, mit einem seiner Rivalen zu kokettieren, dem Herrn von Imfanger, einem netten und ganz eleganten Tiroler, halb Bauer, halb Gentilhomme, der als Partie aber nicht einmal in Frage kam. Als die Mutter einmal schüchterne Vorwürfe wagte, daß Arabella gegen Wladimir sich nicht so betrage, wie er ein Recht hätte, es zu erwarten, gab Arabella eine abweisende Antwort, worin viel mehr Geringschätzung und Kälte gegen Wladimir pointiert war, als sie tatsächlich fühlte. Lucidor-Lucile war zufällig zugegen. Das Blut schoß ihr zum Herzen und verließ wieder jäh das Herz. Ein schneidendes Gefühl durchzuckte sie: sie fühlte Angst, Zorn und Schmerz in einem. Über die Schwester erstaunte sie dumpf. Arabella war ihr immer fremd. In diesem Augenblick erschien sie ihr fast grausig, und sie hätte nicht sagen können, ob sie sie bewunderte oder haßte. Dann löste sich alles in ein schrankenloses Leid. Sie ging hinaus und sperrte sich in ihr Zimmer. Wenn man ihr gesagt hätte, daß sie einfach Wladimir liebte, hätte sie es vielleicht nicht verstanden. Sie handelte, wie sie mußte, automatisch, indessen ihr Tränen herunterliefen, de-

ren wahren Sinn sie nicht verstand. Sie setzte sich hin und
schrieb einen glühenden Liebesbrief an Wladimir. Aber
nicht für sich, für Arabella. Daß ihre Handschrift der Arabellas zum Verwechseln ähnlich war, hatte sie oft verdrossen. Gewaltsam hatte sie sich eine andere, recht häßliche
Handschrift angewöhnt. Aber sie konnte sich der früheren,
die ihrer Hand eigentlich gemäß war, jederzeit bedienen. Ja,
im Grunde fiel es ihr leichter, so zu schreiben. Der Brief
war, wie er nur denen gelingt, die an nichts denken und eigentlich außer sich sind. Er desavouierte Arabellas ganze
Natur: aber das war ja, was er wollte, was er sollte. Er war
sehr unwahrscheinlich, aber eben dadurch wieder in gewisser Weise wahrscheinlich als der Ausdruck eines gewaltsa-
men inneren Umsturzes. Wenn Arabella tief und hingebend
zu lieben vermocht hätte und sich dessen in einem jähen
Durchbruch mit einem Schlag bewußt worden wäre, so
hätte sie sich allenfalls so ausdrücken und mit dieser Kühnheit und glühenden Verachtung von sich selber, von der
Arabella, die jedermann kannte, reden können. Der Brief
war sonderbar, aber immerhin auch für einen kalten, gleich-
gültigen Leser nicht ganz unmöglich als ein Brief eines verborgen leidenschaftlichen, schwer berechenbaren Mädchens.
Für den, der verliebt ist, ist zudem die Frau, die er liebt, immer ein unberechenbares Wesen. Und schließlich war es der
Brief, den zu empfangen ein Mann in seiner Lage im stillen
immer wünschen und für möglich halten kann. Ich nehme
hier vorweg, daß der Brief auch wirklich in Wladimirs
Hände gelangte: dies erfolgte in der Tat schon am nächsten
Nachmittag, auf der Treppe, unter leisem Nachschleichen,
vorsichtigem Anrufen, Flüstern von Lucidor als dem aufgeregten, ungeschickten vermeintlichen Postillon d'amour seiner schönen Schwester. Ein Postskriptum war natürlich bei-
gefügt: es enthielt die dringende, ja flehende Bitte, sich nicht
zu erzürnen, wenn sich zunächst in Arabellas Betragen

weder gegen den Geliebten noch gegen andere auch nur die
leiseste Veränderung würde wahrnehmen lassen. Auch er
werde hoch und teuer gebeten, sich durch kein Wort, nicht
einmal durch einen Blick, merken zu lassen, daß er sich
zärtlich geliebt wisse.

Es vergehen ein paar Tage, in denen Wladimir mit Arabella nur kurze Begegnungen hat, und niemals unter vier
Augen. Er begegnet ihr, wie sie es verlangt hat; sie begegnet
ihm, wie sie es vorausgesagt hat. Er fühlt sich glücklich und
unglücklich. Er weiß jetzt erst, wie gern er sie hat. Die Situation ist danach, ihn grenzenlos ungeduldig zu machen.
Lucidor, mit dem er jetzt täglich reitet, in dessen Gesellschaft fast noch allein ihm wohl ist, merkt mit Entzücken
und mit Schrecken die Veränderung im Wesen des Freundes, die wachsende heftige Ungeduld. Es folgt ein neuer
Brief, fast noch zärtlicher als der erste, eine neue rührende
Bitte, das vielfach bedrohte Glück der schwebenden Lage
nicht zu stören, sich diese Geständnisse genügen zu lassen
und höchstens schriftlich, durch Lucidors Hand, zu erwi-
dern. Jeden zweiten, dritten Tag geht jetzt ein Brief hin oder
her. Wladimir hat glückliche Tage und Lucidor auch. Der
Ton zwischen den beiden ist verändert, sie haben ein unerschöpfliches Gesprächsthema. Wenn sie in irgendeinem Gehölz des Praters vom Pferd gestiegen sind und Lucidor seinen neuesten Brief übergeben hat, beobachtet er mit angst-
voller Lust die Züge des Lesenden. Manchmal stellt er
Fragen, die fast indiskret sind; aber die Erregung des Knaben, der in diese Liebessache verstrickt ist, und seine Klug-
heit, ein Etwas, das ihn täglich hübscher und zarter aussehen macht, amüsiert Wladimir, und er muß sich eingestehen, daß es ihm, der sonst verschlossen und hochmütig ist,
hart ankäme, nicht mit Lucidor über Arabella zu sprechen.
Lucidor posiert manchmal auch den Mädchenfeind, den
kleinen, altklugen und in kindischer Weise zynischen Bur-

schen. Was er da vorbringt, ist durchaus nicht banal; denn er weiß einiges von dem darunter zu mischen, was die Ärzte »introspektive Wahrheiten« nennen. Aber Wladimir, dem es nicht an Selbstgefühl mangelt, weiß ihn zu belehren, daß die Liebe, die er einflöße, und die er einem solchen Wesen wie Arabella einflöße, von ganz eigenartiger, mit nichts zu vergleichender Beschaffenheit sei. Lucidor findet Wladimir in solchen Augenblicken um so bewundernswerter und sich selbst klein und erbärmlich. Sie kommen aufs Heiraten, und dieses Thema ist Lucidor eine Qual, denn dann beschäftigt sich Wladimir fast ausschließlich mit der Arabella des Lebens anstatt mit der Arabella der Briefe. Auch fürchtet Lucidor wie den Tod jede Entscheidung, jede einschneidende Veränderung. Sein einziger Gedanke ist, die Situation so hinzuziehen. Es ist nicht zu sagen, was das arme Geschöpf aufbietet, um die äußerlich und innerlich so prekäre Lage durch Tage, durch Wochen – weiter zu denken, fehlt ihm die Kraft – in einem notdürftigen Gleichgewicht zu erhalten. Da ihm nun einmal die Mission zugefallen ist, bei dem Onkel etwas für die Familie auszurichten, so tut er sein möglichstes. Manchmal geht Wladimir mit; der Onkel ist ein sonderbarer alter Herr, den es offenbar amüsiert, sich vor jüngeren Leuten keinen Zwang anzutun, und seine Konversation ist derart, daß eine solche Stunde für Lucidor eine wahrhaft qualvolle kleine Prüfung bedeutet. Dabei scheint dem Alten kein Gedanke ferner zu liegen als der, irgend etwas für seine Anverwandten zu tun. Lucidor kann nicht lügen und möchte um alles seine Mutter beschwichtigen. Die Mutter, je tiefer ihre Hoffnungen, die sie auf den Onkel gesetzt hatte, sinken, sieht mit um so größerer Ungeduld, daß sich zwischen Arabella und Wladimir nichts der Entscheidung zu nähern scheint. Die unglückseligen Personen, von denen sie im Geldpunkt abhängig ist, fangen an, ihr die eine wie die andere dieser glänzenden Aussichten als Nonvaleur

in Rechnung zu stellen. Ihre Angst, ihre mühsam verhoh-
lene Ungeduld teilt sich allen mit, am meisten dem armen
Lucidor, in dessen Kopf so unverträgliche Dinge durcheinander hingehen. Aber er soll in der seltsamen Schule des Lebens, in die er sich nun einmal begeben hat, einige noch
subtilere und schärfere Lektionen empfangen.

   Das Wort von einer Doppelnatur Arabellas war niemals
ausdrücklich gefallen. Aber der Begriff ergab sich von
selbst: die Arabella des Tages war ablehnend, kokett, präzis,
selbstsicher, weltlich und trocken fast bis zum Exzeß, die
Arabella der Nacht, die bei einer Kerze an den Geliebten
schrieb, war hingebend, sehnsüchtig fast ohne Grenzen.
Zufällig oder gemäß dem Schicksal entsprach dies einer
ganz geheimen Spaltung auch in Wladimirs Wesen. Auch er
hatte, wie jedes beseelte Wesen, mehr oder minder seine
Tag- und Nachtseite. Einem etwas trockenen Hochmut,
einem Ehrgeiz ohne Niedrigkeit und Streberei, der aber
hochgespannt und ständig war, standen andere Regungen
gegenüber, oder eigentlich: standen nicht gegenüber, sondern duckten sich ins Dunkel, suchten sich zu verbergen,
waren immer bereit, unter die dämmernde Schwelle ins
Kaumbewußte hinabzutauchen. Eine phantasievolle Sinnlichkeit, die sich etwa auch in ein Tier hineinträumen
konnte, in einen Hund, in einen Schwan, hatte zu Zeiten
seine Seele fast ganz in Besitz gehabt. Dieser Zeiten des
Überganges vom Knaben zum Jüngling erinnerte er sich
nicht gerne. Aber irgend etwas davon war immer in ihm,
und diese verlassene, auch von keinem Gedanken überflo-
gene, mit Willen verödete Nachtseite seines Wesens bestrich
nun ein dunkles, geheimnisvolles Licht: die Liebe der unsichtbaren, anderen Arabella. Wäre die Arabella des Tages
zufällig seine Frau gewesen oder seine Geliebte geworden,
er wäre mit ihr immer ziemlich terre à terre geblieben und
hätte sich selbst nie konzediert, den Phantasmen einer mit

Willen unterdrückten Kinderzeit irgendwelchen Raum in seiner Existenz zu gönnen. An die im Dunklen Lebende dachte er in anderer Weise und schrieb ihr in anderer Weise. Was hätte Lucidor tun sollen, als der Freund begehrte, nur irgendein Mehr, ein lebendigeres Zeichen zu empfangen als diese Zeilen auf weißem Papier? Lucidor war allein mit seiner Bangigkeit, seine Verworrenheit, seiner Liebe. Die Arabella des Tages half ihm nicht. Ja, es war, als spielte sie, von einem Dämon angetrieben, gerade gegen ihn. Je kälter, sprunghafter, weltlicher, koketter sie war, desto mehr erhoffte und erbat Wladimir von der anderen. Er bat so gut, daß Lucidor zu versagen nicht den Mut fand. Hätte er ihn gefunden, es hätte seiner zärtlichen Feder an der Wendung gefehlt, die Absage auszudrücken. Es kam eine Nacht, in der Wladimir denken durfte, von Arabella in Lucidors Zimmer empfangen, und wie empfangen, worden zu sein. Es war Lucidor irgendwie gelungen, das Fenster nach der Kärntnerstraße so völlig zu verdunkeln, daß man nicht die Hand vor den Augen sah. Daß man die Stimmen zum unhörbarsten Flüstern abdämpfen mußte, war klar: nur eine einfache Tür trennte von der Kammerfrau. Wo Lucidor die Nacht verbrachte, blieb ungesagt: doch war er offenbar nicht im Geheimnis, sondern man hatte gegen ihn einen Vorwand gebraucht. Seltsam war, daß Arabella ihr schönes Haar in ein dichtes Tuch fest eingewunden trug und der Hand des Freundes sanft, aber bestimmt versagte, das Tuch zu lösen. Aber dies war fast das einzige, das sie versagte. Es gingen mehrere Nächte hin, die dieser Nacht nicht glichen, aber es folgte wieder eine, die ihr glich, und Wladimir war sehr glücklich. Vielleicht waren dies die glücklichsten Tage seines ganzen Lebens. Gegen Arabella, wenn er untertags mit ihr zusammen ist, gibt ihm die Sicherheit seines nächtlichen Glückes einen eigenen Ton. Er lernt eine besondere Lust darin finden, daß sie bei Tag so unbegreiflich anders ist; ihre Kraft über sich selber, daß sie niemals auch nur in einem Blick, einer Bewegung sich vergißt, hat etwas Bezauberndes. Er glaubt zu bemerken, daß sie von Woche zu Woche um so kälter gegen ihn ist, je zärtlicher sie sich in den Nächten gezeigt hat. Er will jedenfalls nicht weniger geschickt, nicht weniger beherrscht erscheinen. Indem er diesem geheimnisvoll starken weiblichen Willen so unbedingt sich fügt, meint er, das Glück seiner Nächte einigermaßen zu verdienen. Er fängt an, gerade aus ihrem doppelten Wesen den stärksten Genuß zu ziehen. Daß ihm die gehöre, die ihm so gar nicht zu gehören scheint, daß die gleiche, welche sich grenzenlos zu verschenken versteht, in einer solchen unberührten, unberührbaren Gegenwart sich zu behaupten weiß, dies wirklich zu erleben ist schwindelnd, wie der wiederholte Trunk aus einem Zauberbecher. Er sieht ein, daß er dem Schicksal auf den Knien danken müsse, in einer so einzigartigen, dem Geheimnis seiner Natur abgelauschten Weise beglückt zu werden. Er spricht es überströmend aus, gegen sich selber, auch gegen Lucidor. Es gibt nichts, was den armen Lucidor im Innersten tödlicher erschrecken könnte.

Arabella indessen, die wirkliche, hat sich gerade in diesen Wochen von Wladimir so entschieden abgewandt, daß er es von Stunde zu Stunde bemerken müßte, hätte er nicht den seltsamsten Antrieb, alles falsch zu deuten. Ohne daß er sich geradezu verrät, spürt sie zwischen sich und ihm ein Etwas, das früher nicht war. Sie hat sich immer mit ihm verstanden, sie versteht sich auch noch mit ihm; ihre Tagseiten sind einander homogen; sie könnten eine gute Vernunftehe führen. Mit Herrn von Imfanger versteht sie sich nicht, aber er gefällt ihr. Daß Wladimir ihr in diesem Sinne nicht gefällt, spürt sie nun stärker; jenes unerklärliche Etwas, das von ihm zu ihr zu vibrieren scheint, macht sie ungeduldig. Es ist nicht Werbung, auch nicht Schmeichelei; sie kann sich

nicht klar werden was es ist, aber sie goutiert es nicht. Imfanger muß sehr wohl wissen, daß er ihr gefällt. Wladimir
glaubt seinerseits noch ganz andere Beweise dafür zu haben.
Zwischen den beiden jungen Herren ergibt sich die sonderbarste Situation. Jeder meint, daß der andere doch alle Ursache habe, verstimmt zu sein oder einfach das Feld zu räumen. Jeder findet die Haltung, die ungestörte Laune des andern im Grunde einfach lächerlich. Keiner weiß, was er sich
aus dem andern machen soll, und einer hält den andern für
einen ausgemachten Geck und Narren.

Die Mutter ist in der qualvollsten Lage. Mehrere Aus-
kunftsmittel versagen. Befreundete Personen lassen sie im
Stich. Ein unter der Maske der Freundschaft angebotenes
Darlehen wird rücksichtslos eingefordert. Die vehementen
Entschlüsse liegen Frau von Murska immer sehr nahe. Sie
wird den Haushalt in Wien von einem Tag auf den andern
auflösen, sich bei der Bekanntschaft brieflich verabschieden,
irgendwo ein Asyl suchen, und wäre es auf dem sequestrier-
ten Gut im Haus der Verwaltersfamilie. Arabella nimmt
eine solche Entschließung nicht angenehm auf, aber Verzweiflung liegt ihrer Natur ferne. Lucidor muß eine wahre,
unbegrenzte Verzweiflung angstvoll in sich verschließen. Es
waren mehrere Nächte vergangen, ohne daß sie den Freund
gerufen hätte. Sie wollte ihn diese Nacht wieder rufen. Das
Gespräch abends zwischen Arabella und der Mutter, der
Entschluß zur Abreise, die Unmöglichkeit, die Abreise zu
verhindern: dies alles trifft sie wie ein Keulenschlag. Und
wollte sie zu einem verzweifelten Mittel greifen, alles hinter
sich werfen, der Mutter alles gestehen, dem Freund vor allem offenbaren, wer die Arabella seiner Nächte gewesen ist,
so durchfährt sie eisig die Furcht vor seiner Enttäuschung,
seinem Zorn. Sie kommt sich wie eine Verbrecherin vor,
aber gegen ihn, an die anderen denkt sie nicht. Sie kann ihn
diese Nacht nicht sehen. Sie fühlt, daß sie vor Scham, vor

Angst und Verwirrung vergehen würde. Statt ihn in den Armen zu halten, schreibt sie an ihn, zum letztenmal. Es ist der demütigste, rührendste Brief, und nichts paßt weniger zu ihm als der Name Arabella, womit sie ihn unterschreibt. Sie hat nie wirklich gehofft, seine Gattin zu werden. Auch kurze Jahre, ein Jahr als seine Geliebte mit ihm zu leben, wäre unendliches Glück. Aber auch das darf und kann nicht sein. Er soll nicht fragen, nicht in sie dringen, beschwört sie ihn. Soll morgen noch zu Besuch kommen, aber erst gegen Abend. Den übernächsten Tag dann – sind sie vielleicht schon abgereist. Später einmal wird er vielleicht erfahren, begreifen, sie möchte hinzufügen: verzeihen, aber das Wort scheint ihr in Arabellas Mund zu unbegreiflich, so schreibt sie es nicht. Sie schläft wenig, steht früh auf, schickt den Brief durch den Lohndiener des Hotels an Wladimir. Der Vormittag vergeht mit Packen. Nach Tisch, ohne etwas zu erwähnen, fährt sie zu dem Onkel. Nachts ist ihr der Gedanke gekommen. Sie würde die Worte, die Argumente finden, den sonderbaren Mann zu erweichen. Das Wunder würde geschehen und dieser festverschnürte Geldbeutel sich öffnen. Sie denkt nicht an die Realität dieser Dinge, nur an die Mutter, an die Situation, an ihre Liebe. Mit dem Geld oder dem Brief in der Hand würde sie der Mutter zu Füßen fallen, und als einzige Belohnung erbitten – was? – ihr übermüdeter, gequälter Kopf versagt beinahe – ja! nur das Selbstverständliche: daß man in Wien bliebe, daß alles bliebe, wie es ist. Sie findet den Onkel zu Hause. Die Details dieser Szene, die recht sonderbar verläuft, sollen hier nicht erzählt werden. Nur dies: sie erweicht ihn tatsächlich – er ist nahe daran, das Entscheidende zu tun, aber eine greisenhafte Grille wirft den Entschluß wieder um: er wird später etwas tun, wann, das bestimmt er nicht, und damit basta. Sie fährt nach Hause, schleicht die Treppe hinauf, und in ihrem Zimmer, zwischen Schachteln und Koffern, auf

dem Boden hockend, gibt sie sich ganz der Verzweiflung
hin. Da glaubt sie im Salon Wladimirs Stimme zu hören.
Auf den Zehen schleicht sie hin und horcht. Es ist wirklich
Wladimir – mit Arabella, die mit ziemlich erhobenen Stimmen im sonderbarsten Dialog begriffen sind.

Wladimir hat am Vormittag Arabellas geheimnisvollen
Abschiedsbrief empfangen. Nie hat etwas sein Herz so getroffen. Er fühlt, daß zwischen ihm und ihr etwas Dunkles
stehe, aber nicht zwischen Herz und Herz. Er fühlt die
Liebe und die Kraft in sich, es zu erfahren, zu begreifen, zu
verzeihen, sei es, was es sei. Er hat die unvergleichliche Geliebte seiner Nächte zu lieb, um ohne sie zu leben. Seltsa-
merweise denkt er gar nicht an die wirkliche Arabella, fast
kommt es ihm sonderbar vor, daß sie es sein wird, der er ge-
genüberzutreten hat, um sie zu beschwichtigen, aufzurich-
ten, sie ganz und für immer zu gewinnen. Er kommt hin,
findet im Salon die Mutter allein. Sie ist aufgeregt, wirr und
phantastisch wie nur je. Er ist anders, als sie ihn je gesehen
hat. Er küßt ihr die Hände, er spricht, alles in einer gerühr-
ten, befangenen Weise. Er bittet sie, ihm ein Gespräch unter
vier Augen mit Arabella zu gestatten. Frau von Murska ist
entzückt und ohne Übergang in allen Himmeln. Das Unwahrscheinliche ist ihr Element. Sie eilt, Arabella zu holen,
dringt in sie, dem edlen jungen Mann nun, wo alles sich so
herrlich gewendet, ihr Ja nicht zu versagen. Arabella ist
maßlos erstaunt. »Ich stehe durchaus nicht so mit ihm«, sagt
sie kühl. »Man ahnt nie, wie man mit Männern steht«, ent-
gegnet ihr die Mutter und schickt sie in den Salon. Wladimir ist verlegen, ergriffen und glühend. Arabella findet
mehr und mehr, daß Herr von Imfanger recht habe, Wladimir einen sonderbaren Herrn zu finden. Wladimir, durch
ihre Kühle aus der Fassung, bittet sie, nun endlich die
Maske fallen zu lassen. Arabella weiß durchaus nicht, was
sie fallen lassen soll. Wladimir wird zugleich zärtlich und

zornig, eine Mischung, die Arabella so wenig goutiert, daß
sie schließlich aus dem Zimmer läuft und ihn allein stehen
läßt. Wladimir in seiner maßlosen Verblüffung ist um so näher daran, sie für verrückt zu halten, als sie ihm soeben angedeutet hat, sie halte ihn dafür und sei mit einem Dritten
über diesen Punkt ganz einer Meinung. Wladimir würde
in diesem Augenblick einen sehr ratlosen Monolog halten,
wenn nicht die andere Tür aufginge und die sonderbarste
Erscheinung auf ihn zustürzte, ihn umschlänge, an ihm herunter zu Boden glitte. Es ist Lucidor, aber wieder nicht Lucidor, sondern Lucile, ein liebliches und in Tränen gebadetes
Mädchen, in einem Morgenanzug Arabellas, das bubenhaft
kurze Haar unter einem dichten Seidentuch verborgen. Es
ist sein Freund und Vertrauter, und zugleich seine geheimnisvolle Freundin, seine Geliebte, seine Frau. Einen Dialog,
wie der sich nun entwickelnde, kann das Leben hervorbringen und die Komödie nachzuahmen versuchen, aber niemals die Erzählung.

Ob Lucidor nachher wirklich Wladimirs Frau wurde
oder bei Tag und in einem anderen Land das blieb, was sie
in dunkler Nacht schon gewesen war, seine glückliche Geliebte, sei gleichfalls hier nicht aufgezeichnet.

Es könnte bezweifelt werden, ob Wladimir ein genug
wertvoller Mensch war, um so viel Hingabe zu verdienen.
Aber jedenfalls hätte sich die ganze Schönheit einer bedin-
gungslos hingebenden Seele, wie Luciles, unter anderen als
so seltsamen Umständen nicht enthüllen können.

# Dämmerung
## und nächtliches Gewitter

Furchtbar krümmte sich der Sperber, den die Buben an das Scheunentor genagelt hatten, der hereinbrechenden Nacht entgegen. Euseb, der älteste von denen, die es getan hatten, stand in der Dämmerung und starrte auf den Vogel, aus dessen leuchtenden Augen die Raserei hervorschoß, indes er sich an den eisernen Nägeln, die seine Flügel durchdrangen, zu Tode zuckte. Da stieß aus der dunkelnden Luft das Weibchen herab, mit gellendem Schrei flog es wie sinnlos schwindelnde kleine Kreise, hing dann mit ausgespannten Flügeln und glimmenden Augen starr da und warf sich jäh aufwärts, rückwärts gegen die Bergwand hin, in wahnsinnig wilden Flügen verschwindend, wiederkehrend. Ihr Schreien sollte das nachtschwarze Gewitter, das da lag und mit seinem zurückgehaltenen Blitz den eigenen Leib durchflammte, heranlocken und mit Zauberkreisen auf das Dorf niederziehen. Der Knabe Euseb hielt sich kaum auf den Beinen und das Grausen faßte ihn im Genick, daß er nicht den Augapfel zu drehen wagte. Dennoch ergriff er nochmals den Hammer, um seinen Vater zu finden. Als aber nun, unter einem lautlosen Blitz, die ganze Scheune fahl aufzuckte, und nun von einem Windstoß aufgestört zu seiner Rechten der bärtige Ziegenmelker aus einem Mauerspalt hervorschoß, einen Käfer zu spießen, zu seiner Linken die Fledermaus hintaumelte, so riß es ihn herum und trieb ihn mit knirschenden Zähnen ins Dorf hinab. Da zeigte ein neuer Blitz dicht vor ihm die Kirchhofmauer mit allen ihren Fugen, in denen Asseln wohnten; die Kreuze schienen sich

unter der jähen Helle zu recken und auf dem einen frischen
vorjährigen Kindergrab schüttelte sich der Strauch, dessen
Blüten rote Herzen waren, die an Fäden hingen. Aber wie
der Blitz verzuckte und die Dunkelheit schwer wie ein Bett-
Tuch hereinfiel, glitt aus dem rückwärtigen Fenster eines
kleinen Hauses schräg hin auf die Kirchhofmauer ein Lichtschein. In dieser Kammer schlief die Tochter des Fleisch-
hauers, das schönste Mädchen des Dorfes; und es hatte einer
der älteren Knaben, das wußten alle, hier einmal, da sie sich
entkleidete, den Schatten ihrer Brüste auf den Vorhängen
immerfort sehen können, bis sie das Licht ausblies.

So drückte sich Euseb unter ein Vordach, wo Schindeln
hoch aufgeschichtet lagen; und sein Herz klopfte anders als
früher. Ihm gegenüber hing, den Kopf abwärts, das Kalb,
das er am Nachmittage hatte führen sehen; noch schien aus
dem weichen Maul der warme Hauch zu dringen. Hier verging dem Knaben Euseb die Zeit, die er lauerte, wie nichts;
er hörte nicht die Viertelstunden fast über seinem Kopfe
schlagen und in der beklommenen Luft dröhnen. Er achtete
des Blitzes nicht, der grell die Glocken in ihrem Gestühl
entblößte; er fühlte nur das Kalb, ihn erfüllte nur, daß das
Mädchen da drinnen war und dann in ihrer Kammer sich zu
Bett legen würde. Jetzt ging sie in der Gaststube umher, es
saßen da zwei oder drei, denn der Fleischhauer schenkte einen einjährigen Wein aus.

Nun kamen zwei dunkle Gestalten draußen auf das Haus
zu; es waren Bediente der Stadtleute, die ihre Landhäuser
rings um das Dorf und an den Hängen der Berge hatten: der
eine war in Livree mit Kniestrümpfen, der andere war als
Jäger gekleidet. Nun blieb der eine zurück und der andere
ging voraus und trat in die Gaststube. Da trat auf den, der
zurückgeblieben war, aus dem finstern Winkel hart neben
einem rauschenden Laufbrunnen eine Frauensperson, hob
die Hände gegen den Menschen auf und suchte seinen Arm

zu fassen. Die untere Hälfte ihrer Gestalt war unförmlich breit, und Euseb wußte sogleich, daß es die Magd des Kronenwirtes war, eine junge Ortsfremde, zu der er und die andern Knaben verstohlen hinsahen, wenn sie mit schwerem Leib am gestauten Mühlbach niederkniete, die Wäsche zu schwemmen; weil sie alle wußten, daß die eine Schwangere war. Nun schüttelte der Bediente die Flehende, daß sie mit der einen Hand am Brunnenrand sich stützte, mit der andern krampfhaft sich zum Leibe fuhr; ihr Weinen übertönte das Rauschen des Brunnens; da trat der andere Bediente mit der schönen Fleischhauerstochter auf die Schwelle, und der Livrierte gab jetzt seiner Rede, indem er gegen die im Finstern stehende Magd sich halb umwandte, einen lauten und fremd vornehmen Ton. »Das war voriges Jahr«, rief er zurück, »und jetzt schreiben wir ein neues Jahr. Und damit sela!« Und da sie mit einem aus angstvoll aufgerissenem Mund hervorbrechenden »Joseph, Joseph« nochmals auf ihn zu wollte, so warf er ihr mit messerscharfen Worten, die wirklich die Kraft hatten, sie starr stehen zu machen, vor, daß eine Person in ihrem Zustande sich schämen sollte, auf der Gasse und vor den Wirtshäusern herumzuziehen, daß ihn die Zeit, die er im vorigen Jahr mit ihr vertan habe, gereue und ihn auch jetzt jede weitere Minute gereuen würde, da er Besseres vorhätte, als sich mit ihr herzustellen.

Den Knaben Euseb in seinem Versteck durchdrangen diese messerscharfen Worte mit einer Art grausamer Wollust; bei der Gewandtheit, mit der der Bediente seine Worte vorbrachte und dann drei Takte pfeifend und ohne sich umzuwenden in dem Gasthaus verschwand, wurde es ihm ähnlich zumute wie öfters wenn die Kleider der Frauen und Mädchen aus der Stadt ihn streiften: aus diesen hauchte ein feiner betäubender Duft, der ihn mit einem zwiespältigen Gefühl erfüllte, in dem er, ihn einziehend, weich und demü-

tig dahinzusinken meinte und zugleich etwas in ihm sich
dabei gewaltsam aufbäumte. Dieses Doppelte ergriff ihn
jetzt wieder, es war als ginge wie eine Tür im Dunkeln die
geheime Herrlichkeit des Lebens der Stadtleute und ihrer
Diener für ihn auf, und es trieb ihn, der Magd, die vor sich
hinstöhnend, die Hand im Mund, verzerrten Gesichtes
fortwankte, nachzuschleichen, immer unbemerkt hinter ihr
drein zu sein, mit der Ahnungslosen ein grausames Spiel zu
treiben. Sie ging in dumpfer Verzweiflung mitten in der
Straße hin; er schlupfte seitwärts zwischen den Hecken die
sich im Sturme bogen, unter den Bäumen die der Sturm
schüttelte, längs der Scheunen die in ihrem Gebälke ächz-
ten. Der nächtliche Sturm trieb ihm Staub und Spreu in die
weitaufgerissenen Augen; er achtete es nicht: er hatte das
Bewußtsein seiner Gestalt verloren, minutenlang war er
klein wie die Wiesel, wie die Kröten, wie alles was da an der
zitternden Erde raschelte und lauerte; im andern Augenblick war er riesengroß, er reckte sich zwischen den Bäumen
empor, und er war's, der in ihre Wipfel griff und sie ächzend
niederbog; er war der Schreckliche, der im Dunkel lauert
und am Kreuzweg hervorspringt, und in ihm die Schreck-
haftigkeit eines gescheuchten Rehes, und er fühlte alle
Schauder, die von ihm ausgingen, an seinem eigenen Rücken
herunterrieseln. Diese, die vor ihm hintaumelte, war ihm
ganz verfallen; er war ein Stadtherr und hatte mehrere dergleichen; zwei Frauen hatte er in sein Haus eingesperrt, und
diese trieb er jetzt dazu; er war der Metzger, der ein ihm
entlaufenes Tier beschlich, um es zu Tode zu führen, das
Tier aber war ein behextes Tier; es war dieses Weib da vor
ihm. Er duckte sich, wenn der Wind innehielt, und sprang
wieder vor, wenn er daherstob; es war eine innige Überein-
stimmung zwischen den Atemzügen des Windes und seiner
wilden geheimen Jagd; der Wind war mit ihm im Bunde,
und die großen Blitze erleuchteten den Weg mit seinen

Wagengeleisen, warfen ihren Schein an der Kalkmauer der Häuser hin und zwischen die Hecken, leuchteten in den Wald hinein und zeigten die Wurzeln der Bäume, alles um ihm seine Beute immer zu zeigen, wenn sie im Dunkel entschlüpfen wollte.

# Augenblicke in Griechenland

## I

### Das Kloster des heiligen Lukas

Wir waren an diesem Tag neun oder zehn Stunden geritten.
Als die Sonne sehr hoch stand, hatten wir gelagert vor einem kleinen Khan, bei dem eine reine Quelle war und eine
schöne große Platane. Später hatten wir noch einmal mit
den Maultieren aus einem Faden fließenden Wassers getrunken, flach auf dem Boden liegend. Unser Weg war zuerst an einem Abhang des Parnaß eingeschnitten, dann in
einem urzeitigen versteinten Flußbett, dann in einer Ein-
senkung zwischen zwei kegelförmigen Bergen; zuletzt lief
er über eine fruchtbare Hochebene hin inmitten grüner
Kornfelder. Manche Strecken waren öde mit der Öde von
Jahrtausenden und nichts als einer raschelnden Eidechse
überm Weg und einem kreisenden Sperber hoch oben in
der Luft; manche waren belebt von dem Leben der Herden. Dann kamen die wolfsähnlichen Hunde bellend und
die Zähne weisend bis nahe an die Maultiere, und man
mußte sie mit Steinen zurückjagen. Schafe, schwer in der
Wolle, standen zusammengedrängt im Schatten eines Fels-
blockes, und ihr erhitztes Atmen schüttelte sie. Zwei
schwarze Böcke stießen einander mit den Hörnern. Ein
junger hübscher Hirt trug ein kleines Lamm auf dem
Nacken. Auf einer flachen steinichten Landschaft verharrte
regungslos der Schatten einer Wolke. In einer sonderbar
geformten Mulde, wo Tausende von einzelnen großen Steinen lagen und dazwischen Tausende von kleinen stark duf-

tenden Sträuchern wuchsen, zog sich eine große Schildkröte über den Weg. Dann, gegen Abend, zeigte sich in der Ferne ein Dorf, aber wir ließen es zur Seite. An unserem Weg war eine Zisterne, in die tief unten der Quell eingefangen war. Neben dem Brunnen standen zwei Zypressen. Frauen zogen das klare Wasser empor und gaben unseren Tieren zu trinken. An dem Abendhimmel segelten kleine Wolken hin, zu zweien und dreien. Geläute von Herden kam aus der Nähe und Ferne. Die Maultiere gingen lebhafter und sogen die Luft, die aus dem Tal entgegenkam. Ein Geruch von Akazien, von Erdbeeren und von Thymian schwebte über den Weg. Man fühlte, wie die bläulichen Berge sich schlossen und wie dieses Tal das Ende des ganzen Weges war. Wir ritten lange zwischen zwei Hecken von wilden Rosen. Ein kleiner Vogel flog vor uns hin, nicht größer als das Fleckchen Schatten unter einer dieser blühenden Rosen; die Hecke zur Linken, wo die Talseite war, hörte auf, und man schaute hinab und hinüber wie von einem Altan. Bis hinunter an die Sohle des kleinen bogenförmig gekrümmten Tales und an den gegenüberliegenden Hang bis zur Mitte der Berge standen Fruchtbäume in Gruppen, mit dunklen Zypressen vermischt. Zwischen den Bäumen waren blühende Hecken. Dazwischen bewegten sich Herden, und in den Bäumen sangen Vögel. Unterhalb unseres Weges liefen andre Wege. Man sah, daß sie zur Lust angelegt waren, nicht für Wanderer oder Hirten. Sie liefen in sanften Windungen immer gleich hoch über dem Tal. In der Mitte des Abhangs stand eine einzelne Pinie, ein einsamer, königlicher Baum. Sie war der einzige wirklich große Baum in dem ganzen Tal. Sie mochte uralt sein, aber die Anmut, mit der sie emporstieg und ihre drei Wipfel in einer leichten Biegung dem Himmel entgegenhielt, hatte etwas von ewiger Jugend. Nun faßten niedrige Mauern den Weg links und rechts ein. Dahinter waren Fruchtgärten.

Eine schwarze Ziege stand an einem alten Ölbaum mit auf-
gestemmten Vorderbeinen, als ob sie hinaufklettern wollte.
Ein alter Mann, mit einem Gartenmesser in der Hand, wa-
tete bis an die Brust in blühenden Heckenrosen. Das Kloster mußte ganz nahe sein, auf hundert Schritte oder noch
weniger, und man wunderte sich, es nicht zu sehen. In
der Mauer zur Linken war eine kleine offene Tür; in der
Tür lehnte ein Mönch. Das schwarze lange Gewand, die
schwarze hohe Kopfbedeckung, das lässige Dastehen mit
dem Blick auf die Ankommenden, in dieser paradiesischen
Einsamkeit, das alles hatte etwas vom Magier an sich. Er
war jung, hatte einen langen rötlich blonden Bart, von einem Schnitt, der an byzantinische Bildnisse erinnerte, eine
Adlernase, ein unruhiges, fast zudringliches blaues Auge.
Es begrüßte uns mit einer Neigung und einem Ausbreiten
beider Arme, darin etwas Gewolltes war. Wir saßen ab, und
er ging uns voran. Durch einen ganz kleinen von Mauern
umschlossenen Garten traten wir in ein Zimmer, in dem er
uns allein ließ. Das Zimmer hatte die nötigsten Möbel. Unter einem byzantinischen Muttergottesbild brannte ein ewiges Licht; gegenüber der Eingangstür war eine offene Tür
auf einen Balkon. Wir traten hinaus und sahen, daß wir
mitten im Kloster waren. Das Kloster war in den Berg hin-
eingebaut. Unser Zimmer, das vom Garten aus zu ebener
Erde war, lag hier zwei Stock hoch im Klosterhof. Die alte
Kirche, mit dem Glanz des Abends auf ihren tausendjährigen, rötlichen Mauern und Kuppeln schloß eine Seite ab;
die drei andern waren von solchen Häusern gebildet, wie
wir in einem standen, mit solchen kleinen hölzernen Balkonen, wie wir auf einem lehnten. Es waren unregelmäßi-
ge Häuser von verschiedenen Farben, und die kleinen Balkone waren hellblau oder gelblich oder blaßgrün. Aus dem
Haus, das die Ecke bildete, lief zur Kirche hinüber wie eine
Zugbrücke eine Art Loggia. Manches schien unmeßbar alt,

manches nicht eben älter als ein Menschenalter. Alles atmete
Frieden und eine von Duft durchsüßte Freudigkeit. Unten
rauschte ein Brunnen. Auf einer Bank saßen zwei ältere
Mönche mit ebenholzschwarzen Bärten. Ein andrer von unbestimmbarem Alter lehnte jenen gegenüber auf einem Balkon des ersten Stockwerks, den Kopf auf die Hand gestützt.
Kleine Wolken segelten am Himmel hin. Die beiden waren
aufgestanden und gingen in die Kirche. Zwei andre kamen
eine Treppe herab. Auch sie hatten das lange schwarze Gewand, aber die schwarze Mütze auf ihrem Kopf war nicht
so hoch, und ihre Gesichter waren bartlos. In ihrem Gang
war der gleiche undefinierbare Rhythmus: gleich weit von
Hast und von Langsamkeit. Sie verschwanden gleichzeitig
in der Kirchentür, wie ein Segel, das hinter einem Felsen
verschwindet, wie ein großes unbelauschtes Tier, das durch
den Wald schreitet, hinter Bäumen unsichtbar wird, nicht
wie Menschen, die in ein Haus treten. In der Kirche fingen
halblaute Stimmen an, Psalmen zu singen, nach einer uralten Melodik. Die Stimmen hoben und senkten sich, es war
etwas Endloses, gleich weit von Klage und von Lust, etwas
Feierliches, das von Ewigkeit her und weit in die Ewigkeit
so forttönen mochte. Über dem Hof aus einem offenen
Fenster sang jemand die Melodie nach, von Absatz zu Absatz: eine Frauenstimme. Dies war so seltsam, es schien wie
eine Einbildung. Aber es setzte wieder ein, und es war eine
weibliche Stimme. Und doch wieder nicht. Das Echohafte,
das völlig Getreue jenem feierlichen, kaum noch menschlichen Klang, das Willenlose, fast Bewußtlose schien nicht
aus der Brust einer Frau zu kommen. Es schien, als sänge
dort das Geheimnis selber, ein Wesenloses. Nun schwieg es.
Aus der Kirche drang in den dunklen, weichen, tremolie-
renden Männerstimmen ein gemischter Duft von Wachs,
Honig und Weihrauch, der wie der Geruch dieses Gesanges
war. Nun fing die frauenhafte Stimme wieder an, absatz-

weise nachzusingen. Aber andre ähnliche Stimmen aus dem
gleichen offenen Fenster, nicht weit von meinem Balkon,
fielen ein, halblaut und nicht ernsthaft, es wurde ein Scherz
daraus, die schöne Stimme brach ab, und nun wußte ich,
daß es Knaben waren. Zugleich kamen ihre Köpfe ans Fenster. Einer war darunter sanft und schön, wie ein Mädchen,
und das blonde Haar fiel ihm über die Schultern bis an den
Gürtel. Andre von den Klosterknaben standen unten im
Hof und sprachen hinauf: »Der Bruder!« riefen sie, »der
Bruder! Der Hirt! Der Hirt!«

Später kam ich dazu, wie die Brüder voneinander Ab-
schied nahmen. Der junge Hirt stand im Licht der unterge-
henden Sonne, dunkel, schlank und kriegerisch; hinter ihm
die Herde und die Hunde. Er hielt in der starken dunklen
Hand die kleine Hand des Knaben mit den langen Haaren.
Ein Mönch im schwarzen Talar, aber ein noch junger, bartlos, ein Novize, ein zwanzigjähriger Schöner mit einem Lächeln, das um den jungen Mund und die glatten Wangen gedankenlos und eitel, aber in der Nähe der schönen dunklen
Augen ergebungsvoll und wissend war, trat ins halboffene
Tor. Er rief den Knaben nicht an, er winkte nur. Die Gebärde seiner erhobenen Hand war ohne Ungeduld. Er war
nicht der Befehlende, es war der Übermittler des Befehls,
der Bote. Auf einen kleinen Altan über dem Torweg trat ein
älterer Mönch heraus, er stützte den Ellenbogen aufs Geländer, den Kopf auf die Hand, und sah gelassen zu, wie der
Befehl überbracht und wie er befolgt wurde. Der Novize
neigte sich für ihn kaum merklich oder lächelte auch nur um
ein kleines ergebener und glänzender. Der schöne Knabe
ließ die Hand des Bruders los und lief zu dem Novizen hin.
Der Hirt wandte sich und ging sogleich mit großen ruhigen
Schritten landein, bergab. Die Herde, als wäre sie ein Teil
von ihm, war schon in Bewegung, flutete schon die Straße
hinab, eingeengt von den Hunden. In der Kirche sangen sie

stärker. Zum Dienst dieser abendlichen Stunde lagen alle
in den dämmernden Kapellen auf den Knien, oder ausgestreckt auf dem Steinboden, oder in tiefer Versunkenheit
stehend an dem hohen Pult lag ihr Antlitz über gekreuzten
Armen auf dem heiligen Buch. In der erhabenen Gelassenheit ihres Gesanges zitterte eine nach alten Regeln ge-
bändigte Inbrunst. Die ewigen Lichter schwangen leise
in der von Weihrauch und Honig beschwerten Luft. Es
vollzog sich, was sich seit einem Jahrtausend Abend für
Abend an der gleichen Stätte zur gleichen Stunde vollzieht.
Welches stürzende Wasser ist so ehrwürdig, daß es seit zehnmal hundert Jahren den gleichen Weg rauschte? Welcher uralte Ölbaum murmelt seit zehnmal hundert Jahren mit gleicher Krone im Winde? Nichts ist hier zu nennen als das
ewige Meer drunten in den Buchten und die ewigen Gipfel-
kronen des schneeleuchtenden Parnaß unter den ewigen
Sternen.

Die Sterne entzündeten sich über den dunkelnden Wänden des Tales. Der Abendstern war von einem seltenen
Glanz; war irgendwo ein Wasser, nur ein Quell und Tümpel
vielleicht zwischen zwei Feigenbäumen, so mußte dort ein
Streifen von seinem Licht liegen wie vom Mond. Nun ent-
brannten unter ihm, am nahen irdisch schweren Horizont,
in der Menschensphäre andre starke Sterne, da und dort:
das waren die Hirtenfeuer, höher und tiefer an den Hängen
der dunklen Berge, die das bogenförmige Tal umschlossen.
Bei jeder Flamme lag ein einsamer Mann mit seinen Tieren.
Im weiten Bogen um das Kloster, in dem die ewigen Lichter
brannten, war der Reichtum des Klosters gelagert. Die
Hunde schlugen an, und die Hunde antworteten ihnen. Der
Feuer waren mehr als dreißig, die Berghänge lebten von
Schlafenden. Hie und da blökte ein Lamm aus unterbroche-
nem Schlummer. Die Käuzchen riefen, die Zikaden waren
laut, und doch herrschte die stille ewige Nacht.

Wo der Abendstern stand, dort glänzte unsichtbar hinter dunklen Bergen der Parnaß. Dort, in der Flanke des Berges, lag Delphi. Wo die heilige Stadt war, unter dem Tempel des Gottes, da ist heute ein tausendjähriger Ölwald, und Trümmer von Säulen liegen zwischen den Stämmen. Und diese tausendjährigen Bäume sind zu jung, diese Uralten sind zu jung, sie reichen nicht zurück, sie haben Delphi und das Haus des Gottes nicht mehr gesehen. Man blickt ihre Jahrhunderte hinab wie in eine Zisterne, und in Traumtiefen unten liegt das Unerreichliche. Aber hier ist es nah. Unter diesen Sternen, in diesem Tal, wo Hirten und Herden schlafen, hier ist es nah, wie nie. Der gleiche Boden, die gleichen Lüfte, das gleiche Tun, das gleiche Ruhn. Ein Unnennbares ist gegenwärtig, nicht entblößt, nicht verschleiert, nicht faßbar, und auch nicht sich entziehend: genug, es ist nahe. Hier ist Delphi und die delphische Flur, Heiligtum und Hirten, hier ist das Arkadien vieler Träume, und es ist kein Traum. Langsam tragen uns die Füße ins Kloster zurück. Ganz nahe von uns knurren große Hunde. Auf dem Altan über dem Torweg lehnt eine Gestalt. Ein andrer, ein Dienender, tritt seitwärts aus den Hecken hervor, dort, wo die Hunde knurren. »Athanasios!« ruft der Mönch vom Altan, »Athanasios!« Er sagt es mehr als er es ruft, gelassen und sanft befehlend. »Athanasios, was gibt es da?« »Es sind die Gäste, die beiden Fremden, die herumgehen.« »Gut. Gib acht auf die Hunde.« Diese Worte sind wenige. Dies Zwiegespräch ist klein zwischen dem Priester und dem dienenden Mann. Aber der Ton war aus den Zeiten der Patriarchen. Aus wenigen Gliedern setzt sich dies zusammen. Unangetastetes Auf-sich-Beruhen priesterlicher Herrschaft, ein sanfter Ton unwidersprochener Gewalt, Gastlichkeit, gelassen und selbstverständlich geübt, das Haus, das Heiligtum, bewacht von vielen Hunden. Und dennoch, dies Unscheinbare, diese wenigen Worte, gewechselt in der Nacht, dies hat einen

Rhythmus in sich, der von Ewigkeit her ist. Dies reicht zurück, dies Lebendige, wohin die uralten Ölbäume nicht reichen. Homer ist noch ungeboren, und solche Worte, in diesem Ton gesprochen, gehen zwischen dem Priester und dem Knecht von Lippe zu Lippe. Fiele von einem fernen Stern nur ein unscheinbares, aber lebendiges Gebilde, der Teil einer Blume, weniges von der Rinde eines Baumes, es wäre dies dennoch eine Botschaft, die uns durchschauert. So klang dieses Zwiegespräch. Stunde, Luft und Ort machen alles.

## II
### Der Wanderer

ειςι και κυνων εϱιννυες

Der Schlaf der Monche ist kurz. Bald nach Mitternacht läuteten sie die Glocken, beteten, sangen; vor Sonnenaufgang wiederum. Wir hatten kaum zwei Stunden halben Schlummers hinter uns; wir waren um so wacher. Wir gingen auf dem schmalen Pfad hintereinander sehr rasch, so rasch, als die Maultiere, mit den Wegweisern im Sattel, hinter uns schritten. Der Weg führte in der Morgenkühle zurück am Hang oberhalb des lieblichen Tales, wieder über die gleiche Ebene zwischen zwei kahlen Bergen, dann bog er, im ausgetrockneten Bett eines Gießbaches, seitwärts hinab, spaltete sich gegen Davlia einerseits, andrerseits gegen Chäronea in Böotien; bis dorthin sollten es sieben Stunden sein, und halben Weges eine Ader guten Wassers, die niemals versiegte, weit und breit bekannt den Hirten.

Unser Gespräch währte bis zu jener Begegnung mit dem einsamen Wanderer; es währte also zwei und eine halbe oder drei Stunden, ununterbrochen, ohne den leisesten Zwang oder bewußten Willen, es fortzuführen, und war ei-

nes der seltsamsten und schönsten Gespräche, dessen ich
mich entsinnen kann.

Wir waren zu zweit, und indem wir sprachen, war es, als
hinge jeder nur seinen Erinnerungen nach, von denen viele
uns gemeinsam waren. Zuweilen rief sich der eine die Gestalt eines Freundes herauf, den der andre nie gesehen, von
dem er nur viel gehört hatte. Aber die tiefe und gleichsam
zeitlose Einsamkeit, die uns umgab, das körperlose Erhabene der Umgebung – daß wir vom Fuß des Parnaß nach
Chäronea, vom delphischen Gefild gegen Theben hinunter-
schritten, den Weg des Ödipus –, die strahlende Reinheit
der Morgenstunde nach einer Nacht ohne tiefen, dumpfen
Schlaf, dies alles macht unsere Einbildungskraft so stark,
daß jedes Wort, von einem ausgesprochen, den Geist des
andern mit sich fortriß und er mit Händen zu greifen
wähnte, was dem andern vorschwebte.

Unsre Freunde erschienen uns, und indem sie sich selber
brachten, brachten sie das Reinste unsres Daseins herange-
tragen. Ihre Mienen waren ernst und von einer fast beäng-
stigenden Klarheit. Indem sie vor uns lebten und uns anblickten, waren die kleinsten Umstände und Dinge gegenwärtig, in denen unser Vereintsein mit ihnen sich erfüllt
hatte. Ein Zucken, ein Weichwerden des Blicks, ein Sich-
feuchten der inneren Hand in einer erregten Stunde, ein be-
troffenes Stocken, ein Fortgleiten, Fremdwerden, wieder
ein Nahesein – alle diese ganz zarten kleinen Dinge waren
in uns da, und mit der seltsamsten Deutlichkeit, doch wußten wir kaum, ob, was wir erinnerten, die Regungen des eigenen Innern waren oder die jener andern, deren Gesichter
uns anblickten; nur daß es gelebtes Leben war, und Leben,
das irgendwo immer fortlebte, denn es schien alles Gegenwart, und die Berge waren in diesem lautlosen, bläulichen
Leben der Luft nicht wirklicher als die Erscheinungen, die
uns begleiteten.

Mit einem Namen, den einer von uns hinwarf, konnten wir neue hervorrufen. Gestalt auf Gestalt kommt heran, sättigt uns mit ihrem Anblick, begleitet uns, verfließt wieder; andre, anklingend, haben schon gewartet, nehmen die leere Stelle ein, beglänzen einen Umkreis gelebten Lebens, bleiben dann gleichsam am Wege zurück, indessen wir gehen und gehen, als hinge von diesem Gehen die Fortdauer des Zaubers ab, und das Häuflein der Männer auf den Maultieren viele Hunderte von Schritten hinter uns zurückbleibt. Die noch leben und in diesem Licht atmen, kommen zu uns wie die, welche nicht mehr da sind. In diesen Minuten sehen wir alles rein: die geheimnisvolle Kraft Leben lodert in uns nur als Enthüllerin des Unenthüllbaren. Wir sehen ihre Gesichter, wir glauben den Ton ihrer Stimme zu hören, scheinbar unbedeutende kleine Sätze: aber es ist, als enthielten sie den ganzen Menschen; und ihre Gesichter sind mehr als Gesichter: das gleiche wie im Ton jener abgebrochenen Sätze steigt in ihnen auf, kommt näher und näher gegen uns heran, scheint in ihren Zügen, im Unsagbaren ihres Ausdrucks aufgefangen und darinnen befestigt, aber nicht beruhigt. Es ist ein endloses Wollen, Möglichkeiten, Bereitsein, Gelittenes, zu Leidendes. Jedes dieser Gesichter ist ein Geschick, etwas Einziges, das Einzelnste was es gibt, und dabei ein Unendliches, ein Auf-der-Reise-Sein nach einem unsagbar fernen Ziel. Es scheint nur zu leben, indem es uns anblickt: als wäre es unser Gegenblick, um dessentwillen es lebe. Wir sehen die Gesichter, aber die Gesichter sind nicht alles; in den Gesichtern sehen wir die Geschicke, aber auch die Geschicke sind nicht alles. In jedem, der uns grüßt, ist ein Ferneres noch, ein Jenseits von beiden, das uns anrührt. Wir sind wie zwei Geister, die sich zärtlich erinnern, an den Mahlzeiten der sterblichen Menschen teilgenommen zu haben.

Viele Bilder von Jünglingen und Männern waren gekommen und gegangen, da erschien noch einer. Wir sahen ihn

auftauchen, der am unsäglichsten gelitten hat, bevor er uns
für immer entschwand. Ich sage »Unsre Freunde«, doch
waren die Begegnungen spärlich; er kreuzte unsre Lebens-
bahn, einmal ein leidenschaftliches Gespräch, ein Sichaufrei-
ßen ohne Maß, Himmel und Hölle Aufreißen, ein Ausein-
andergehen wie Brüder, dann wieder fremd, eisig fremd.
Aber seine Briefe, ein Wort einmal kalt und groß, andre
Worte wie blutend, sein Tagebuch, die wenigen, mit nichts
zu vergleichenden Gedichte, alle aus einem einzigen Jahr
seines Lebens, dem neunzehnten, und die er haßt, verachtet,
in Stücke reißt, wo er sie findet, bespeit, die Fetzen mit Füßen tritt; die Geschichte seiner grausamen letzten Wochen
und seines Sterbens, aufgezeichnet von seiner Schwester –
so ist sein Bild unsren Seelen eingegraben. Er ist arm und
leidet, aber wer dürfte wagen ihm helfen zu wollen, maßlos
einsam – wer, sich ihm nur zu nähern, der mit übermensch-
licher Kraft sein Selbst zusammenkrümmt wie einen Bogen,
den unbarmherzigsten Pfeil von der Sehne zu schicken; der
jede Hand von sich stößt, sich im Unterirdischen der großen Städte verkriecht, jede Annäherung mit Hohn erwidert,
vor jeder Erwähnung seiner Gaben, seines Genius zurück-
weicht, wie der Sträfling vor dem glühenden Eisen, unstet
auftaucht, jetzt da, jetzt dort, aus Mazedonien, aus dem
Kaukasus, aus Abyssinien einen Brief den Seinen zuwirft,
dessen Hoffnungen den Klang haben von Drohungen, dessen trockene Angaben starren wie maßlose Auflehnung und
selbstverhängtes Todesurteil. Der um Geld zu ringen meint,
um Geld, um Geld, und gegen den eignen Dämon um ein
Ungeheures ringt, ein nicht zu Nennendes. Und nun sehen
wir ihn abyssinisches Gebirg herabgetragen kommen, einsamen Felspfad herunter, schweigende Luft: eine ewige Gegenwart, wie hier; es ist, als trügen sie ihn auf uns zu. Er
liegt auf der Bahre, das Gesicht mit schwarzem Tuch ver-
deckt, das eine kranke Knie groß wie ein Kürbis, daß die

Decke sich emporwölbt; die schöne abgezehrte Hand, die
Hand, von den Schwestern geliebt, reißt manchmal das
Tuch vom Gesicht, den Dunklen, Farbigen, die ihn tragen,
den Weg zu befehlen; sie wollten langsam schräg den Hang
entlang; er will steil hinab, ohne Weg, schnell. Unsagbare
Auflehnung, Trotz dem Tod bis ins Weiße des Augs, den
Mund vor Qual verzogen und zu klagen verachtend.

Keines dieser Taggesichte war gewaltiger gewesen als dieses letzte. Was konnte noch kommen? Wir gingen langsamer, und keiner sprach. Fast drohend blickte die Morgen-
sonne auf die fremde ernste Gegend. Weggezehrt war das
selbstverständliche Gefühl der Gegenwart, worin Mensch
und Tier sich behagen. Fremde Schicksale, sonst unsichtbare
Ströme, schlugen in uns auf Festes und offenbarten sich.
Der Anblick einer Herde hätte uns erfreut. Ein Vogel in der
Luft wäre uns willkommen gewesen. Da kam von ferne ein
Mensch auf uns zu. Der Mann ging schnell. Er war allein,
und hier geht selten einer allein. Der Hirt geht mit seiner
Herde; wer kein Hirt ist, reitet; dieser ging. Er schien uns
barhaupt. Hier geht um der Kraft der Sonne willen nie-
mand ohne einen Schutz des Hauptes: also mußte es eine
Augentäuschung sein. Er kam näher, er war barhaupt. Sein
Haar war schwarz, ums ganze Gesicht ging ein schwarzer,
struppiger Bart; sein Gang war wankend. Er hatte einen
Knüppel in der Hand, auf den er sich im Gehen stützte. Die
Sonne blitzte auf dem harten Gestein, und uns war, er hätte
nackte Füße. Das war unmöglich; die Wege bergauf und
bergab sind Steingeröll, schneidend wie Messer; nicht der
ärmste Bettler, der nicht mindest mit hölzernem Schuhwerk
seine Füße schützte. Der Mann kam näher und hatte nackte
Füße. Die Fetzen von Beinkleidern, solcher, wie sie die
Leute in den Städten tragen, hingen um die abgezehrten
Beine. Hier geht niemand, der einem andern Wanderer in
der Einöde des Gebirges begegnet, wortlos an ihm vorüber.

Er wollte zehn Schritte seitwärts unsres Weges mit schief
gesenktem Kopf an uns vorbei, ohne Gruß. Wir riefen ihm
die griechischen Worte entgegen, die den gewöhnlichen
Gruß bedeuten. Er antwortete, ohne stehenzubleiben, und
seine Worte waren deutsche. Da hatte ihm mein Freund
schon den Weg vertreten mit einer kurzen Rede und Frage,
wie er da herkomme, wo er da hingehe. Indessen stand ich
auf drei Schritte, sah auf seinen Füßen geronnenes Blut, an
der starken Hand einen tiefen blutigen Riß. Breite Schultern, mächtig der Nacken; das Gesicht zwischen dreißig
und vierzig, näher vielleicht den vierzig, elend, von der
Schwärze des Bartes noch gelblich bleicher. Die Augen unstet, flackernd, verwildert zum Blick eines scheuen, gequäl-
ten Tieres. Er sagte den Namen: Franz Hofer aus Lauffen
an der Salzach, Buchbindergeselle. Das Alter: einundzwanzig Jahre; das Ziel des Weges: Patras. Patras war fünf Tagesreisen von hier für einen rüstigen ortskundigen Mann,
Berge dazwischen, öde Flächen, eine Meeresbucht. Wenn er
sich nicht auf den Stock stemmte, schütterte sein Leib, und
seine Lippen flogen. Das Fieber habe er schon seit drei Monaten. Darum habe er heim wollen. Von Alexandrien in
Ägypten bis zur Hafenstadt Piräus habe ihn ein Schiffshei-
zer unten im Kohlenraum liegen lassen, der sei aber weiter-
gefahren nach Konstantinopel, darum müsse er jetzt zu Fuß
gehen gegen Triest. Wie er den Weg zu finden meinte? Den
habe er dahier. Er zog unter dem Leibriemen einen Fetzen
Papier hervor, da waren mit Bleistift, fast schon verwischt,
die Namen von Ortschaften aufgeschrieben. Er wies auf einen: dorthin müsse er heute. Der Ort lag gegen Delphi hin,
acht Stunden Gehens von hier, wo wir standen, wenn man
den Weg kannte und die geringen Zeichen richtig wußte in
der öden Landschaft. Ob er die Sprache des Landes spräche? Kein Wort: die Leute verstünden einen nicht, wenn
man deutsch oder italienisch redete, das sei verflucht. Wann

er die letzte Mahlzeit gehalten hätte? Gestern mittag ein
Stück Brot und heute einen Trunk Wasser an einem Quell
dort hinten. Das war der Quell, auf den wir zugingen, halbwegs Chäronea in Böotien.

Indessen waren unsre Leute mit den Maultieren herange-
kommen, standen herum und waren erstaunt über den
Wanderer. Wir reichten ihm Wein in einem kleinen Becher,
seine Hand zitterte wild und verschüttete mehr als die
Hälfte; dann gaben wir ihm Brot und Käse, und sein Mund
schütterte so kläglich, daß er die Bissen kaum hinein-
brachte. Wir hießen ihn niedersitzen; er sagte, er habe keine
Zeit, er müsse heute noch sehr weit gehen. Hier stieß etwas Irres in seinem Blick hervor. Wir sagten, wir würden
ihm jetzt etwas Geld geben; ob dann einer von uns für
ihn an seine Heimatgemeinde schreiben sollte, damit die zu
ihm gehörten wüßten, daß er krank sei und wie es um ihn
stünde. Das sollten wir um alles nicht unternehmen, das
verbitte er sich, das wäre ihm verflucht, das ginge niemanden daheim etwas an, wie es um ihn stünde. Und sogleich
wandte er sich und fing schon an zu gehen, auf den Knüttel
gestützt. Wir ihm nach und sagten, er solle aufsitzen auf eines der Maultiere und mit uns zurück; wir würden ihn bis
Athen und zur Hafenstadt Piräus bringen und ihm dort das
Geld auf die Hand geben zur Fahrt bis Triest und darüber.
Unsre Wegweiser, die verstanden was wir wollten, hatten
schon ein satteltragendes Maultier herangeschoben und
griffen ihn an, ihn in den Sattel zu heben. Er aber trat hinter
sich mit aufgehobenem Knüppel: Das wäre ihm verflucht,
den Weg zurück noch einmal zu machen, den er schon seit
so vielen Tagen nach vorwärts gemacht habe – das solle sich
niemand unterstehen, ihn zwingen zu wollen. Nun konnte
man, wie er so drohend dastand und den Stock gegen uns
hob, aber mit merklich schütterndem Arm, sehen, was er
für ein großer, starker Mensch war und welche Unbändig-

keit in ihm steckte und wie er der Gewalttätige eines ganzen
Dorfes sein konnte und der Gefürchtete, und wie dies alles
herabgewüstet war zu einem tierhaft umängstigten Wesen,
das sich noch diesen Tag und den nächsten hinschleppen
mochte und vor Nacht hinfallen und eines elenden und einsamen Todes sterben würde. Ließen wir jetzt von ihm ab,
dann kam er nicht lebendig aus diesem Gebirge. Wir hießen
die Wegweiser zurücktreten und gingen, wir beide allein, zu
ihm hin. Wir sagten ihm, wir wollten ihn nicht im Stich lassen, er solle selber sagen, was er von uns wolle; was immer
es wäre, wir würden es tun. »Dorthin will ich.« sagte er und
zeigte die Richtung; es war die, aus welcher wir kamen. So
solle er sich auf das Maultier setzen und festbinden lassen
im Sattel; wir wollten ihm zwei von den Wegweisern mit
ihren Tieren mitgeben, die brächten ihn noch heute bis nach
einem Dorf am Abhang des Parnaß, von wo er die Meeresbucht sehen konnte, an deren andrem Ende Patras lag; und
sie würden für ihn die Herberge ausfindig machen und das
gewöhnliche Fußkleid der Landesbewohner für ihn kaufen.
Dort solle er sich pflegen und die Wunden an seinen Füßen
heilen lassen und sich stille halten sechs oder auch zehn
Tage lang. Dann würden wir wieder hinkommen und ihn
mit uns nehmen bis Patras.

Er faßte das vordere und hintere Ende, wo der Sattel erhöht ist, und zog sich mit Anstrengung hinauf und die
Wegweiser halfen ihm, den sie den »fremden Herrn Bettler«
nannten und banden ihn mit Anstand und Ehrerbietung
quersitzend, wie bei uns die Frauen, am Sattel fest. Dann
ging das Maultier den Weg an, und der gebundene Mensch
schwankte dahin, bergauf, wir aber waren gleichfalls aufge-
sessen und ließen uns bergab gegen Chäronea tragen und
ritten schweigend.

Befremdlich war das eifrige Fußheben der Maultiere nach
vorwärts und in einer befremdlichen Luft vollzog sichs, daß

wir an jene Wasserader kamen, die rein und schnell zwischen dem Gestein dahinfloß, daß man die Maultiere abschirrte, daß die Männer an der Erde lagen und neben den Maultieren tranken, und daß wir, oberhalb zwischen niedrigen Sträuchern, uns hinließen, zu trinken wie sie. Hier war vor wenigen Stunden auch er gelegen, der Schiffbrüchige, das wandelnde nackte Menschenleben, und ringsum lauerte die ganze Welt wie ein einziger Feind. Mir war, da ich nun hier trank, als flösse das Wasser von seinem Herzen zu meinem. Sein Gesicht blickte mich an, wie früher jene Gesichter mich angeblickt hatten; ich verlor mich fast an sein Gesicht, und wie um mich zu retten vor seiner Umklammerung, sagte ich mir: »Wer ist dieser? Ein fremder Mensch!« Da waren neben diesem Gesicht die andern, die mich ansahen und ihre Macht an mir übten, und viele mehr. Nichts in mir wußte in diesem Augenblick zu sagen, ob es Fremde unter den Fremden waren, deren Gesichter auf mich gewandt waren oder ob ich irgendwann irgendwo zu jedem von ihnen gesagt hatte: »Mein Freund!« und vernommen hatte: »Mein Freund!« Ohne Übergang wurde etwas in mir gegenwärtig, etwas Fernes, lieblich-angstvoll Versunkenes: ein Knabe, an dem Gesichter von Soldaten vorüberziehen, Kompagnie auf Kompagnie, unzählig viele, ermüdete, verstaubte Gesichter, immer zu vieren, jeder doch ein Einzelner und keiner dessen Gesicht der Knabe nicht in sich hineingerissen hätte, immer stumm von einem zum andern tastend, jeden berührend, innerlich zählend: »Dieser! Dieser! Dieser!«, indes die Tränen ihm in den Hals stiegen.

Ein Etwas blieb irgendwo über diesem kreisend, nichts als ein Staunen, ein Nirgendhingehören, ein durchdringendes Alleinsein, ein durchdringendes fragendes »Wer bin ich?« Da, im Augenblick des bangsten Staunens, kam ich mir wieder, der Knabe sank in mich hinein, das Wasser floß unter meinem Gesicht hinweg und bespülte die eine Wange,

die aufgestützten Arme hielten den Leib, ich hob mich, und
es war nichts weiter als das Aufstehen eines, der an fließen-
dem Wasser mit angelegten Lippen einen langen Zug getan
hatte.

Aber diese Stunde, und die nächste dann, bis Chäronea,
und die folgenden, da wir in die Eisenbahn stiegen und
durch Böotien und Attika getragen wurden, bis der Zug in
der Bahnhofshalle von Athen einlief, sah ich eine Landschaft, die keinen Namen hat. Die Berge riefen einander an;
das Geklüftete war lebendiger als ein Gesicht; jedes Fält-
chen an der fernen Flanke eines Hügels lebte: dies alles war
mir nahe wie die Wurzel meiner Hand. Es war, was ich nie
mehr sehen werde. Es war das Gastgeschenk aller der einsamen Wanderer, die uns begegnet waren.

Einmal offenbart sich jedes Lebende, einmal jede Landschaft, und völlig: aber nur einem erschütterten Herzen.

III

Die Statuen

Jener Wanderer war weit weg von mir, als ich am nächsten
Abend zur Akropolis hinaufstieg. Auch von den Gestalten
des eigenen Lebens hätte keine hier herantreten können. Es
war als wäre ein Etwas zwischen mir und ihnen wieder
dicht geworden, und die Erinnerung an die Magie, die uns
umsponnen hatte, schien befremdlich. Sonderbar war es gewesen, im phokäischen Gebirge dem fieberkranken Manne
aus Lauffen an der Salzach zu begegnen. Sonderbar unwirklich dies, wie er so mit Schweigen auf seinen Tod zuging,
und daß er um alles den Weg, den er gegangen war, nicht
noch einmal machen wollte. Wenn man diesem Schweigen
nachdachte und dem Blick, mit dem er uns hatte von sich

wegscheuchen wollen, – fast war es, als ob wir ihn belästig-
ten, da wir zwischen ihn und seinen Tod traten.

Aber mich verlangte nicht, noch weiter daran zu denken.
»Gewesen«, sagte ich unwillkürlich und hob den Fuß über
die Trümmer, die zu Hunderten hier umherlagen. Ich bemerkte jetzt erst, daß die Sonne hinter dem Parthenon un-
tergegangen war und daß ich der einzige Mensch war, der
sich hier oben aufhielt. Das Hervorströmen der Schatten
hatte etwas Feierliches, es schien das Letzte vom Leben, das
noch in ihnen war, in einem abendlichen Trankopfer sich
hinzugießen und diesen Hügel, auf dem selbst die Steine
vom Alter verwesten. Ohne mein Zutun wählte mein Blick
eine dieser Säulen aus. Sie schien sich irgendwie aus der Gemeinschaft der übrigen weggerückt zu haben. Es war eine
unsägliche Strenge und Zartheit in ihrem Dastehen, zugleich mit meinem Atemzug schien auch ihr Kontur sich
zu heben und zu senken. Aber auch um sie spielte in dem
Abendlicht, das klarer war als aufgelöstes Gold, der verzehrende Hauch der Vergänglichkeit, und ihr Dastehn war
nichts mehr als ein unaufhaltsam lautloser Dahinsturz.

Wunderbar dennoch in sich gesammelt stand sie da. Ich
wollte hinübergehen zu ihr; es trieb mich, um sie herumzugehen. Ihr Schatten strömte zu ihren Füßen auf den Boden hin; die abgewandte Seite, dorthin, gegen den Unter-
gang der Sonne, diese schien mir das eigentliche Leben zu
enthalten.

Aber ehe ich den ersten Schritt tat, hielt ich schon inne.
Ein Hauch der Verzagtheit hauchte mich an, ein Gefühl der
Enttäuschung verzehrte mich im voraus. Dieser Vormittag
kam zurück, das endlose Umhergehen, von einem Ding
zum anderen. Die Ermüdung des Wegs, Schritt um Schritt,
zu Steinen hin und Trümmern von Steinen; da waren die
Ausgrabungen auf der Agora, da war die Pnyx, da war der
Rednerhügel, da die Tribüne; da die Spuren ihrer Häuser,

ihre Weinpressen, da waren ihre Grabmäler an der eleusini-
schen Straße. Dies war Athen. Athen? So war dies Griechenland, dies die Antike. Ein Gefühl der Enttäuschung fiel
mich an. Ich setzte mich auf eines der Trümmer, die da an
der Erde lagen und auf die ewige Nacht zu warten schienen;
Stufe zu einem Heiligtum, unkenntliches Bruchstück von
einem Altar, oder göttliche Gestalt, abgeschliffen zu einem
rundlichen Stück Stein, ich setzte mich auf eins dieser
Trümmer und kehrte der Säule den Rücken.

     Diese Griechen, fragte ich in mir, wo sind sie? Ich ver-
suchte mich zu erinnern, aber ich erinnerte mich nur an Erinnerungen, wie wenn Spiegel einander widerspiegeln, endlos. Namen schwebten herbei, Gestalten; sie gingen ineinander über ohne Schönheit; als löste ich sie auf in einem
grünlichen Rauch, darin sie sich verzehrten. Was war das,
was ich an ihnen trieb? Ich prüfte mich selber. Es war nichts
anderes als der Fluch der Vergänglichkeit, mit dem ich sie
behauchte; das kleine Wort »Gewesen« war stärker als diese
ganze Welt. Ich warf die Zeit auf sie und ich sah, wie ihre
Gesichter grünlich wurden, vergingen.

     Daß sie längst dahin waren, darum haßte ich sie, und daß
sie so rasch dahingegangen waren. Ihre paar Jahrhunderte,
die elende Spanne Zeit, jenseits des ungeheuren Abgrundes;
ihre Geschichte, dieser Wust von Fabel, Unwahrheit, Ge-
wäsch, Verräterei, Furcht, Neid, Worten; das ewige Prahlen
darin, die ewige Angst darin, das rasche Vergehen. Schon
war ja alles nicht, indem es zu sein glaubte! Und darüber
schwebend die ewige Fata Morgana ihrer Poesie; und ihre
Götter selber, welche unsicheren, vorüberhastenden Phan-
tome: da standen Chronos und die Titanen, gräßlich und
groß, schon waren sie dahin, von den eigenen Kindern ge-
stürzt und vergessen; dann treten jene anderen heran, die
Olympischen, wer glaubte sie? Schon waren auch sie vorüber, gelöst in einem farbigen Nebel, verklungen zum Echo

ihrer selbst; Götter, ewige? Schon waren sie dahin, mile-
sische Märchen, eine Dekoration an die Wand gemalt im
Hause einer Buhlerin.

Wo ist diese Welt, und was weiß ich von ihr! rief ich aus.
Wo fasse ich sie? Wo glaube ich sie? Wo gebe ich mich ganz
an sie? Hier! oder nirgends. Hier ist die Luft und hier ist
der Ort. Dringt nichts in mich hinein? Da ich hier liege,
wirds hier auf ewig mir versagt? Nichts mir zuteil als dieses
Gräuliche, diese ängstliche Schattenahnung?

Tiefer mußte die Sonne gesunken sein, länger zogen die
Schatten sich hin, da traf mich – kam es von außen oder von
innen? – ein Blick; tief und zweideutig, wie von einem Vorübergehenden. Er ging und war mir schon halb abgewandt,
halb abgewandt verachtungsvoll auch dieser Stadt, seiner
Vaterstadt. Sein Blick enthüllte mir mich selbst und ihn: es
war Platon. Um die Lippen des Mythenerfinders, des Ver-
ächters der Götter spielten der Hochmut und geisterhafte
Träume. In einem prunkvollen, unbefleckten Gewand, das
lässig den Boden streifte, ging er hin, der Unbürger, der
Königliche; er schwebte vorüber, wie Geister, die mit geschlossenen Füßen gehen. Verachtend streifte er die Zeit
und den Ort, er schien von Osten herzukommen und nach
dem Westen zu entschwinden.

Als das Phantom hinweg war, lag alles nüchtern, traurig.
Doppelt entweiht schien der Hügel mit seinen Trümmern
und meine Schuld lag am Tage. Es ist deine eigene Schwäche, rief ich mich an, du bist nicht fähig, dies zu beleben.
Dies alles ist Anruf der Ewigkeit – wer ihn zu hören vermöchte! Wie kannst du ihn hören? Du selber zitterst vor
Vergänglichkeit, alles um dich tauchst du ins fürchterliche
Bad der Zeit. Wenn du um die Säule herumgehen wolltest,
wolltest du nur dem eben entschwundenen Augenblick
nach! – Unwillkürlich stand ich auf. Meine Gegenwart la-
stete auf diesem Ort. Durch mich starb das Gestorbene

nochmals dahin. Ich will lesen, sagte ich zu mir und suchte
mir eine Stelle im Schatten. Ich zog das Buch hervor, den
»Philoktet« des Sophokles, und las. Ich wollte mir selbst ent-
fliehen und folgte mir nach; wie ich las, von Zeile zu Zeile, so
war es Zeichen um Zeichen, wie hier um mich diese Trümmer. Nicht, daß ich benommen gewesen wäre und nicht verstanden hätte, was ich las: klar und deutlich stand Vers um
Vers vor mir, melodisch und furchtbar stiegen die Klagen des
einsamen Mannes in die Luft. Ich fühlte das ganze Gewicht
dieses Jammers und zugleich die unvergleichliche Zartheit
und Reinheit der sophokleischen Zeile. Aber es schob sich
zwischen mich und alles wieder jener grünliche Schleier, es
ergriff mich jener verzehrende Verdacht, jene Auflehnung
meines ganzen Innern. Diese Götter, ihre Sprüche, diese
Menschen, ihr Handeln, alles schien mir fremd über die Maßen, trüglich, vergeblich. Diese Figuren, sie schienen, während sie vor mir redeten, ihr Gesicht zu wechseln. Sie handeln, betrügen – betrügen sie sich selber? Dieser Sohn des
Achilleus, glaubt er, was er spricht? Bald schien es, als hätte
Odysseus sein argloses Gemüt mit Ränken umsponnen, bald
wieder scheint er sein williger, wissender Helfershelfer. Was
bedeutet es, wenn er sich plötzlich gegen jenen auflehnt, und
dem Philoktet die Heimkehr verspricht? Er hat kein Schiff,
ihn heimzubringen. Was geht in ihm vor? Sie wollen dem
kranken Mann seinen Bogen wegnehmen; aber sie wissen ja,
sie müssen doch wissen, daß ohne Philoktet selber die Stadt
nicht fallen kann. Wissen sie, daß es vergeblich ist, was sie
tun, vergeblich diese listigen Reden, und gestehen sie es sich
selber nicht ein? Dies alles war fremd über die Maßen und
unbetretbar. Ich konnte nicht weiterlesen. Ich legte das Buch
aus der Hand. Eine Luft erhob sich, strich über den Hügel
hin und wandte die Blätter des Buches um, das neben mir auf
der Erde lag. Es roch plötzlich zugleich nach Erdbeeren und
Akazien, nach reifendem Korn, nach dem Staub der Straßen

und nach dem offenen Meer. Ich fühlte die Bezauberung
dieses Duftes, in dem die ganze Landschaft sich zusammen-
faßte; dieser Landschaft, um die die Spur von Jahrtausenden
hauchte, dieser Luft, worin das Gold der Ewigkeit aufgelöst
schien. Aber ich wollte mich diesen nicht hingeben. Ich
bückte mich, steckte mein Buch zu mir und wandte mich
zum Gehen.

Unmögliche Antike, sagte ich mir, unmögliches Beginn-
nen, vergebliches Suchen. – Die Härte dieses Wortes schien
mich zu ergötzen. – Nichts ist von all diesem vorhanden.
Hier, wo ich es mit Händen zu greifen dachte, hier ist es
dahin, hier erst recht. Eine dämonische Ironie webt um
diese Trümmer, die noch im Verwesen ihr Geheimnis festhalten. Sie gleichen allzusehr diesen Düften. Beide reizen zu
vergeblichen Träumen, und was zurückbleibt ist der Geschmack der Lüge auf der Zunge.

Ich hob den Fuß, um die gespenstische Stätte des Nicht-
vorhandenen zu räumen und mich nach dem kleinen Museum zu begeben, das aus unscheinbarem Mauerwerk an
den Abhang hingebaut ist. Dort sind, dachte ich, in Schrän-
ken Kostbarkeiten ausgelegt, die aus dem Schutt der Gräber
kommen: kleine Spiegel aus Metall, Armbänder oder Gehänge aus gehämmertem Gold, Krüge und Urnen. Sie haben der Gewalt der Zeit widerstanden, für den Augenblick
wenigstens, sie sprechen nur sich aus und sind von vollkom-
mener Schönheit. Ein Becher gleicht der Rundung der Brüste
oder der Schulter einer Göttin. Eine goldene Schlange, die
einen Arm umwand, ruft diesen Arm herauf. Der Mäander,
mit dem sie verziert sind, bringt das Motiv der Unendlichkeit vor die Seele, aber so unterjocht, daß es unser Inneres
nicht gefährdet. In der Ergötzung des Auges geben sich die
Sinne zufrieden und ihr Streben nach Unendlichkeit schläft
ein. Ich will dorthin. Es ist vergeblich, ringen zu wollen um
das Unerreichliche.

Ich ging schnell querüber und trat in den Vorraum des
kleinen Museums. Der Kustode war auf der Schwelle gestanden und hatte mein Kommen beobachtet. Als ich nahe
war, trat er scheinbar achtlos zur Seite und dann, als ich eintrat, mit gespielter Überraschung, aus dem Dunkel auf mich
zu. »Sie kommen leise«, sagte er, »und Sie kommen spät,
mein Herr, aber Sie kommen nicht zu spät.« Es war ein
kleiner Mann von unbestimmbarem Alter und der unangenehmen Gesichtsfarbe der Blonden, die zu einer dunklen
Rasse gehören. »Sie kommen darum nicht zu spät, da Sie
mich noch bereit finden, meinem Reglement zutrotz Sie
einzulassen, obwohl die sinkende Sonne bereits den Rand
des Hügels erreicht hat.« In einer maßlos eitlen Art waren
seine Lippen und die häßlich blonden Haare seines langen Schnurrbartes an jedem Wort beteiligt, das er hervor-
brachte, sein Ohr bewunderte seine Zunge im Gebrauche
der fremden Sprache und seine unangenehm glänzenden
Augen waren in einer unangemessenen Weise fasziniert von
sich. »Ich werde Sie einlassen«, fuhr er fort, »weil ich es für
gut finde, obwohl ein lächerliches Reglement mir hierüber
Vorschriften zu machen sich herausnimmt. Aber Ihre Zeit
ist gemessen, wählen Sie aus, was Sie zu sehen wünschen.«
Indem er sprach, wurde mir sein Gesicht abscheulich, obwohl es nicht eigentlich häßlich war. Aber der dreifache, mit
unmäßiger Sorgfalt gepflegte Bart: ein starker Schnurrbart,
ein gestutzter Vollbart ums ganze Gesicht herum, und aus
diesem sich hervorhebend ein Knebelbart, gaben der ganzen
kleinen Physiognomie etwas Aufreizendes, und ich wollte
ohne weiteres an ihm vorüber und eintreten. »Bewundern
Sie zuerst«, sagte er, und bewunderte sich selber sichtlich im
Reden, »die Weisheit, mit der mein Museum so angelegt ist,
daß es nirgends den Umriß des erhabenen Hügels stört.« Er
ließ mir die Zeit, diesem Phänomen gerecht zu werden;
dann trat er zurück und gab mir den Weg frei: »Nun öffne

ich Ihnen und stelle die Schätze, welche die griechische Nation meiner Obhut anvertraut hat, zu Ihrer Verfügung. Ich
werde Sie nicht inkommodieren, berühren Sie, wenn Ihr
Auge nicht genügt, mit den Händen des Kenners den ehrwürdigen Stein. Denn Sie sind, das sehe ich auf den ersten
Blick, nicht Deutscher und Archäologe, sondern Franzose
und Künstler.« Ich entzog mich seinem Geschwätz und trat
in den ersten Raum. An der Wand, wo es nicht mehr recht
hell war, war auf einem hölzernen Gestell etwas aufgestellt,
das mir fremd und häßlich schien, und ich wollte schnell
daran vorbei. Da stand der Mensch schon dicht mir im
Rücken. »Ganz recht, mein Herr«, sagte er, »widmen Sie
den besten Teil Ihrer Zeit diesem Kunstwerk: die Welt hat
vielleicht kein erhabeneres, zweifellos kein merkwürdigeres:
Sie stehen vor dem dreileibigen Dämon, dem vornehmsten
Schmuck des alten ursprünglichen Athenatempels.« Die drei
männlichen Leiber, die in einen plumpen geringelten Dra-
chenschwanz ausliefen, schienen mir abscheulich; die drei
bärtigen Köpfe hatten eine Art von gutmütigem Ausdruck;
dumpf und tierhaft glotzten sie auf mich herüber. »Hier sehen Sie«, rief der Kleine und drehte seinen Knebelbart zu
einer Locke, »hier sehen Sie wahrhaft große, archaische
Kunst. Welche Männlichkeit! Welcher Ernst, wogegen alles
Spätere als Weichlichkeit und Dekadenz erscheint! Hier haben Sie den Zusammenbruch der Fabel von den bartlosen
Griechen.« Er fixierte mich fast drohend und ich konnte erkennen, welche Bedeutung seine eigene Erscheinung mit
den drei Bärten für ihn in diesem Lichte besaß. »Und nun
denken Sie dies herrliche Gebilde, im Schmuck seiner Farben: die Gesichter und die Lippen braunrot – Sie sehen hier
die Spuren –, die Augäpfel gelbweiß, die Augensterne grün,
die Pupillen grauschwarz. Alle Bärte und Schnurrbärte haben Sie blau zu denken, wohlgemerkt! bei allen dreien, und
ebenso das Haupthaar der beiden äußersten Köpfe, dagegen

das des mittleren – welcher Geist, welche Bedeutung, über
die ich viel nachdenke, und über die ich eine Publika-
tion vorbereite – greisenhaft gelblichweiß!« Er zwang mich,
nahe heranzutreten und wollte mich anrühren, um mir ganz
genau die Spuren der Farbe auf den plumpen Gesichtern zu
zeigen, da wandte ich mich sehr jäh und kehrte ihm entschieden den Rücken. Im nächsten Saal, den ich schnell betreten hatte, und wo es stärker dämmerte, denn er hatte nur
ein einziges schmales Fenster, blieb ich stehen und ich
glaubte seinen Schritt im Rücken zu hören. Ich horchte,
aber er war nicht hinter mir. Ich überschritt noch eine
Schwelle und betrat den dritten Raum.

Standbilder waren da, weibliche, in langen Gewändern.
Sie standen um mich im Halbkreis, unwillkürlich zog ich
den Vorhang vor die Tür und war allein mit ihnen. In ihrer
vollkommenen Ruhe, bis zum Rande gefüllt mit Leben,
schienen sie an sich herabzublicken, vor sich hinzublicken,
aber sie sahen mich nicht. Trotzdem – das war vielleicht das
Letzte, wovon ich in der Sekunde des Eintretens mir Re-
chenschaft gab, ehe etwas anderes an mir geschah –, sie waren nicht blicklos: dies mochte an dem wunderbaren Leben
liegen, mit dem das obere Lid beladen war, und das gegen
die Nasenwurzel hinströmte und sich unter den Augen mit
erhabenem Ernst verlor.

In diesem Augenblick geschah mir etwas: ein namenloses
Erschrecken: es kam nicht von außen, sondern irgendwoher
aus unmeßbaren Fernen eines inneren Abgrundes: es war
wie ein Blitz, den Raum, wie er war, viereckig, mit den ge-
tünchten Wänden und den Statuen, die dastanden, erfüllte
im Augenblick viel stärkeres Licht, als wirklich da war: die
Augen der Statuen waren plötzlich auf mich gerichtet und
in ihren Gesichtern vollzog sich ein völlig unsägliches Lächeln. Der eigentliche Inhalt dieses Augenblickes aber war
in mir dies: ich verstand dieses Lächeln, weil ich wußte: ich

sehe dies nicht zum erstenmal, auf irgendwelche Weise, in
irgendwelcher Welt bin ich vor diesen gestanden, habe ich
mit diesen irgendwelche Gemeinschaft gepflogen, und seit
dem habe alles in mir auf einen solchen Schrecken gewartet,
und so furchtbar mußte ich mich in mir berühren, um wieder zu werden, der ich war. – Ich sage »seitdem« und »damals«, aber nichts von den Bedingtheiten der Zeit konnte
anklingen in der Hingenommenheit, an die ich mich verloren hatte; sie war dauerlos und das, wovon sie erfüllt war,
trug sich außerhalb der Zeit zu. Es war ein Verwobensein
mit diesen, ein gemeinsames Irgendwohinströmen, eine un-
hörbare rhythmische Bewegung, stärker und anders als Musik, auf ein Ziel zu; ein inneres Hingespanntsein, ein Sich-
in-Marsch-Setzen; es glich einer Reise; unzählige tretende
Füße, unzählige Reiter: der Morgen eines feierlichen Tages;
jungfräuliche Luft, der frühe Morgen vor der Sonne – daher
kam dieses fahle starke Licht, das den Raum und mein Herz
durchzuckt hatte –, ein Tag der Hoffnung und der Entscheidung. Irgendwo geschah eine Feierlichkeit, eine Schlacht,
eine glorreiche Opferung: das bedeutete dieser Tumult in
der Luft, das Weiter- und Engerwerden des Raumes – das in
mir dieser unsagbare Aufschwung, diese überschwellende
Geselligkeit, wechselnd mit diesem schlaffen todbehauchten
Verzagen: denn ich bin der Priester, der diese Zeremonie
vollziehen wird – ich auch das Opfer, das dargebracht wird:
das alles drängt zur Entscheidung, es endet mit dem Über-
schreiten einer Schwelle, mit einem Gelandetsein, einem
Hier – mit diesem Dastehen hier, ich inmitten dieser: noch
ist das Ganze Gegenwart, in ihren rieselnden Gewändern,
in ihrem wissenden Lächeln: da verlischt schon dies in ihre
versteinernden Gesichter hinein, es verlischt und ist fort;
nichts bleibt zurück als eine todbehauchte Verzagtheit. Statuen sind um mich, fünf, jetzt erst wird mir ihre Zahl bewußt, fremd stehen sie vor mir, schwer und steinern, mit

schiefgestellten Augen. Groß sind ihre Gestalten; aufgebaut
– tierhaft oder göttlich – aus überstarken Formen; ihre Gesichter sind fremd; geschürzte Lippen, erhabene Augenbogen, mächtige Wangen, ein Kinn, um das das Leben fließt;
sind es noch menschliche Mienen? Nichts an ihnen spielt
auf die Welt an, in der ich atme und mich bewege. Ist nicht
in diesen zweideutig lächelnden Larven ein lauerndes Her-
überblicken von drüben? und zugleich eine ganz momen-
tane und gegenwärtige Drohung, wie von einer Atmosphäre, die sich zusammenballt? Stehe ich nicht vor dem
Fremdesten vom Fremden? Blickt hier nicht aus fünf jung-
fräulichen Mienen das ewige Grausen des Chaos?

Aber, mein Gott, wie wirklich sind sie. Sie haben eine
atemberaubende sinnliche Gegenwart. Aufgebaut wie ein
Tempel hebt sich ihr Leib auf den herrlichen starken Füßen.
Ihre Feierlichkeit hat nichts von Masken: das Gesicht empfängt seinen Sinn durch den Körper. Es sind mannbare
Frauen, Bräute, Priesterinnen. In ihren Mienen ist nichts als
die Strenge der Erwartung, die erlesene Kraft und Hoheit
ihrer Rasse, ein Wissen um den eigenen Rang. Was sie starr
erscheinen macht, ist die Beklommenheit eines erhabenen
Festes, sie nehmen an Dingen teil, die über jede gemeine
Ahnung sind.

Wie schön sind sie! Ihre Körper sind mir überzeugender
als mein eigener. Es ist in dieser geformten Materie eine
tiefsinnigere Belehrung, als ich je von meinen Gliedern empfangen habe. Es ist eine Intention in ihr, so stark, daß sie auch
mich spannt. Ich habe nie zuvor etwas gesehen wie diese
Maße und diese Oberfläche. Schien nicht für ein Wimper-
zucken das Universum mir offen?

Aber auch jetzt wiederum – indes ich mir doch so ernüchtert dünke, so schnell ernüchtert und wieder bei mir
selber – diese Materie da vor mir, sie ist nicht ernüchtert, so
fest sie scheint, es ist etwas Liquides an ihr, etwas Sehnsüch-

tiges, sie kommt irgendwoher und sie verrät, daß sie irgend-
wohin will. Sie ist auf einer Reise, sie landet in diesem
Augenblick, will sie mich mitnehmen? Woher sonst diese
Ahnung einer Abreise auch in mir, dieses rhythmische Wei-
terwerden der Atmosphäre, dieses mit festem Fuß Wandeln
an einem fremden breiten Fluß, Hinaufgleiten an einem nie-
gesehenen gekrümmten Berg – woher diese ganze ahnungs-
volle Unruhe, dieser lautlose Tumult – der mich bedroht
oder dem ich gebiete? – Es ist, antworte ich mir unfehlbar
wie ein Träumender, es ist das Geheimnis der Unendlichkeit
in diesen Gewändern. Nicht nur dies Gekräuselte, von den
Schultern bis unters Knie Hinunterrieselnde, nein, die
ganze Oberfläche ist Gewand und webender Schleier, offen-
bares Geheimnis. Ist denn nicht in der gleichen Weise auch
der Vorhang dort, der leise weht, ein webender Teil von
mir? Empfing ich nicht unsichtbare Glieder, die ich traumhaft unwissend bewege? Empfing ich sie nicht, um mit
nichtirdischen Händen aufzuheben den Schleier, einzutre-
ten in den ewigen lebenden Tempel? – Wenn in mir ein Sinn
erwachte, der über alle Sinne ist; wenn der das Auge bewäl-
tigen könnte, von innen heraus! – antwortete es in mir flüs-
sig und bestimmt, wie das Anspringen eines quellenden
Wassers, und ein neuer Gedanke drängte sich herzu: Wer
diesen wahrhaftig gewachsen wäre, müßte sich anders ihnen
nahen als durchs Auge, ehrfürchtiger zugleich und kühner.
Und doch müßte ihm sein Auge dies gebieten, schauend,
schauend, dann aber sinkend, brechend wie beim Überwältigten. – Und dieser Gedanke hob mich wie ein großes Wasser, das, ins Haus hineindringend, einen unter den Achsel-
höhlen ergreift. Er hob mich diesen entgegen, diese zugleich
mir entgegen.

Mein Auge sank nicht, doch sank eine Gestalt über die
Knie der einen Priesterin hin, jemand ruhte mit der Stirn
auf dem Fuß einer Statue. Ich wußte nicht, ob ich dies

dachte, oder ob dies geschah. Es gibt einen Schlaf im Wachen, einen Schlaf von wenig Atemzügen, der größere Kraft
der Verwandlung in sich hat und dem Tode verwandter ist
als der lange tiefe Schlaf der Nächte.

- - - - - - - - - - - - - - - - - - - - - - - - - - - - -

Wiederum besann ich mich auf mich selber. Ohne jeden
Zweifel, sagte ich mir, bin ich hier in der Gewalt der Gegenwart, stärker und in anderer Weise, als es sonst gegeben ist.
Dies, was hier vor mir ist, mein Auge füllt, richtet mich ir-
gendwohin, ins Unendliche. Mag sein, es sind diese Statuen,
wovon meine Seele ihre Richtung empfängt, mag sein, es ist
etwas anderes, als dessen Boten sie mich umstehen. Denn es
ist sonderbar, daß ich sie wieder nicht eigentlich als Gegenwärtige umfasse, sondern daß ich sie mir mit beständigem
Staunen irgendwoher rufe, mit einem bänglich süßen Gefühl, wie Erinnerung. In der Tat, ich erinnere mich ihrer,
und in dem Maß, als ich mich dieser Erinnerung gebe, in
dem Maß vermag ich meiner selbst zu vergessen. Dieses
Selbstvergessen ist ein seltsames deutliches Geschehen: es ist
ein grandioses Abwerfen, Teil um Teil, Hülle um Hülle, ins
Dunkle. Es wäre wollüstig, wenn Wollust in so hohe Regio-
nen reichte. Ungemessen mich abwerfend, auflösend, werde
ich immer stärker: unzerstörbar bin ich im Kern. Unzerstörbar, so sind diese, mir gegenüber. Es wäre undenkbar, sich an ihre Oberfläche anschmiegen zu wollen. Diese
Oberfläche ist ja gar nicht da – sie entsteht durch ein bestän-
diges Kommen zu ihr, aus unerschöpflichen Tiefen. Sie sind
da, und sind unerreichlich. So bin auch ich. Dadurch kommunizieren wir.

Eines ahne ich indessen blitzschnell: worin meine gegenwärtige Herrlichkeit begründet ist. Ich verachte die Zahl
und alle Unterschiede. Dies ist unter dem, was ich abgeworfen habe. Ich fühle, daß die mehr als menschliche Größe
dieser Wesen sich an mir auflöst, zu nichts wird. Dann, daß

ihre Vielheit mir nichts anderes ist, als die Einheit. Dann dies zugleich – und ich fühle, daß es mit den anderen Phänomenen aus einer Ordnung ist: Jene Fahrten, die vor wenig Augenblicken mir angeboten waren, ich bedarf ihrer nicht mehr; verharrend bin ich auch am Ufer jenes seltsam breiten, nie gesehenen Flusses, stehe auf dem Gipfel jenes Berges mit gekrümmtem Hang. Nur diese brauche ich, die Trägerinnen der Ewigkeit, mit denen ich mich selbst zur Gottheit mache. Von ihrem Dastehen, von ihren rieselnden Gewändern, von ihren Mienen, blicklos wissend blickenden, trieft dies eine Wort: »Ewig!« Indem ich die Hieroglyphe ihres Gesichtes – denn ihre Gesichter sind längst eines für mich, und vom Scheitel bis zur Sohle sind sie wahrhaft Figur und ich kenne kein Vor- und kein Nacheinander bei ihrer Betrachtung –, indem ich die verbundenen Zeichen darin in einem letzten Schwung völlig erkenne, weiß ich als Letztes: unbedürftig bin ich auch ihrer. Ich brauche sie nur, wie sie mich brauchen. Sie stünden nicht vor mir, wenn ich ihnen nicht von Ewigkeit zu Ewigkeit hülfe, sich aufbauen.

Und indem ich mich immer stärker werden fühle und unter diesem einen Wort: Ewig, ewig! immer mehr meiner selbst verliere, schwingend wie die Säule erhitzter Luft über einer Brandstätte, frage ich mich, ausgehend wie die Lampe im völligen Licht des Tages: Wenn das Unerreichliche sich speist aus meinem Innern und das Ewige aus mir seine Ewigkeit sich aufbaut, was ist dann noch zwischen der Gottheit und mir?

# Die Frau ohne Schatten

Eine Erzählung

*Erstes Kapitel*

Der Kaiser war bei der Kaiserin, die des Sommers wegen ihr
Gemach auf der obersten Terrasse des blauen Palastes bewohnte. Die Amme verharrte ihrer Gewohnheit nach wa-
chend auf der Terrasse und überdachte zornig das Geschick,
das ihre Herrin, eine Fee und eifersüchtig behütete Tochter
des mächtigen Geisterfürsten, als Gattin in die Hände eines
sterblichen Mannes gegeben hatte, mochte er gleich der Kaiser der Südöstlichen Inseln sein. In ihrer Einbildung ver-
weilte sie, wie so oft, mit dem ihr anvertrauten Feenkinde
noch auf der einsamen kleinen Insel, umflossen von dem
ebenholzschwarzen Wasser des Bergsees, den die sieben
Mondberge einschlossen, wo sie stille abgeschiedene Jahre
verbracht hatten. Wieder meinte sie dem halbwüchsigen
Kinde zuzusehen, das sich vor ihren Augen in einen hellro-
ten Fisch verwandelte und leuchtend die dunkle Flut durch-
strich, oder die Gestalt eines Vogels annahm und zwischen
düsteren Zweigen hinflatterte. Aber mitten in ihre träu-
menden Gedanken brach mit Gewalt das widerwärtige
zweideutige Gefühl der Gegenwart. Mit einem unwillkür-
lichen Seufzer öffnete sie ganz die Augen und spähte in die
schöne Finsternis hinaus. Eine Erhellung über dem großen
Teich fiel ihr bald auf. Das Leuchtende kam rasch näher,
die Baumwipfel empfingen, wie es darüber hinging, einen
Schein. An ihrem Bangen fühlte sie, daß es ein Wesen aus

jener Welt war, der sie angehörte und der sich zuzurechnen
sie seit einem Jahr kaum mehr den Mut hatte: doch war es
nicht Keikobad, der Geisterkönig selber, der Vater ihrer
Herrin, sonst hätte sie heftiger gezittert. Wie die Terrasse
sich erhellte, traf sie der Anhauch der Geisterwelt bis ins
Mark. Der Bote stand vor ihr auf dem flachen Dach, er trug
einen Harnisch aus blauen Schuppen, der seinen gedrungenen Leib eng umschloß. Sein blauschwarzes Haar war geflochten, und seine Augen funkelten. »Wer bist du?« fragte
die Amme erschrocken, »dich habe ich nie gesehen.« »Ich
bin der Zwölfte, das mag dir genügen«, entgegnete der
Bote. »Es ist an mir, zu fragen, an dir, zu antworten. Trägt
sie diesmal ein Ungeborenes im Schoß? Ist das Verhaßte in
diesem Monat geschehen? Dann wehe dir und mir und uns
allen.« Die Amme verneinte heftig. »Also wirft sie noch
keinen Schatten?« fragte der Bote weiter. »Keinen!« rief die
Amme, »ich darf es dir beteuern wie den Elf, die vor dir kamen, sooft ein Mond geschwunden war. So wenig wirft sie
Schatten, als wenn ihr Leib von Bergkristall wäre. Ja, was
sie hinter sich läßt, Steine, Rasen oder Wasser, leuchtet
nachher stärker auf, so, als wären es Smaragden und Topas.«
»Danke deinem Schöpfer, daß dem so ist, danke ihm auf
den Knien, leichtfertiges strafbares Weib.« »Leichtfertig!
Strafbar! Sollte ich einen glitschigen Fisch im Wasser mit
meinen Händen packen? Konnte ich eine junge störrische
Gazelle an den Hörnern festhalten? Warum hat er ihr
die Gabe der Verwandlung gegeben? So war sie ja schon
den Menschen verfallen! Was fruchtete meine Wachsamkeit,
meine beständige Angst!« »Geprüft müssen alle werden«,
entgegnete der Bote. »Und warum«, gab die Amme zurück,
»hat sie die schöne Gabe wiederum verloren, die ihr jetzt
nottäte, wodurch sie vielleicht dem Verhängnis auf dem
gleichen Wege, wo sie ihm verfiel, längst wieder entschlüpft
wäre!« »Alles ist an eine Zeit gebunden, sonst wären es

keine Prüfungen. Zwölf Monde sind hinab, drei Tage kommen nun!« »Drei Tage!« rief die Amme voll unmäßiger Freude. Der Bote sah sie streng an: »Wer hat dich belehrt«, sagte er, »die Augenblicke gegeneinander abzuschätzen? Nimm dich zusammen und wache über ihr mit hundert Augen. Das goldene Wasser ist auf der Wanderschaft, es wäre nicht gut, wenn sie ihm begegnete.« »Das Wasser des Lebens?« rief die Amme, »ich habe es nie springen sehen, ich weiß, es ist voll geheimer Gaben, könnte es ihr zu einem Schatten verhelfen?« Sie hätte gerne noch viel gefragt, aber ihr war, als hörte sie hinter sich im Schlafgemach ein Geräusch. Sie wandte den Kopf und sah beim matten Schein der Ampel den Kaiser, der sich leise von der Seite seiner schlafenden Frau erhoben hatte und völlig angekleidet dastand. Schnell kehrte die Amme sich wieder um: der Bote war verschwunden, und es schien die Helligkeit, die ihn umgab, sich in die ganze Atmosphäre verteilt zu haben. Der Kaiser trat leichten Fußes über den Leib der Amme hinweg, die ihr Gesicht an den Boden drückte. Er achtete ihrer so wenig, als läge hier nur ein Stück Teppich. Er ging schnell bis an den Rand des Daches vor, und sein vorgebogener Kopf spähte in die fahle Dämmerung hinaus. Die erfrischte Luft trug ihm aus mäßiger Ferne zu, was er zu hören begehrte. Man führte leise durch die Platanen sein Pferd heran, dem er die Hufe stets mit Tüchern zu umwinden befohlen hatte; denn es war seine Gewohnheit, zeitig vor Tag zur Jagd auszureiten und seine Gemahlin noch schlummernd zurückzulassen, abends aber erst spät heimzukehren, wenn schon Fackeln auf den Absätzen der Treppe brannten und das Schlafgemach von den neun Lampen einer Ampel sanft erleuchtet war. Immerhin hatte er noch keine einzige Nacht dieses Jahres, dessen zwölfter Monat eben zu Ende gegangen war, bei seiner Frau zu verbringen versäumt. Die Amme war hineingegangen und hatte sich zu den Füßen der

Schlafenden auf den Rand des Bettes niedergesetzt; mit
zweideutiger Zärtlichkeit betrachtete sie ihr Pflegekind. Sie
nahm eine Lampe aus der Ampel und hielt sie seitwärts:
kein Schatten des Hauptes, der Schultern, der schönen
schmalen Hüften ließ sich an der Wand erblicken. Die
Schlafende warf sich herum, ihr Gesicht zog sich schmerzlich zusammen, ein leises Stöhnen drang durch die Kehle bis
an die Lippen. Auf einmal schlug sie die Augen auf, setzte
sich im Bette auf und war nun so völlig wach wie die Tiere
des Waldes, die den Schlaf in einem Nu abwerfen. »Er ist
fort«, sagte sie, »und diesmal bleibt er drei Nächte aus.« Die
Amme zuckte, sie dachte an das Wort des Boten, aber
sie beherrschte sich schnell. »Wovon träumst du, wenn du
schläfst?« fragte sie hastig, »deine Träume sind schlimm.«
»Er ist hinaus ins Gebirge seinen roten Falken suchen«,
sagte die Kaiserin, »und er wird nicht ruhen, bis er ihn gefunden hat, und müßte er dreißig Tage und dreißig Nächte
fortbleiben.« »Wehe, daß wir unter Menschen gefallen
sind«, sprach die Amme. »Ist es so weit, daß du, wenn du
schläfst, schon fast dreinsiehst wie ihresgleichen!« »Warum
hast du mich nicht schlafen lassen?« rief die Kaiserin, »wie
soll ich die lange Zeit hinbringen, könnte ich ihm nach, ach,
daß ich den Talisman verlieren mußte.« »Unglückseliges
Kind, daß du ihn verlieren konntest! Habe ich dir nicht auf
die Seele gebunden, daß du ihn bewahrest: an ihm hängt
dein Schicksal.« »Das wußte ich freilich nicht, daß er es war,
der mir die Kraft gab, aus mir heraus und in den Leib eines
Tieres hinüberzuschlüpfen. Nun weiß ich es und bin gestraft. Hätte ich ihn noch, wie lustig wären meine Tage, statt
daß sie mir nun zwischen meinen glücklichen Nächten öde
und traurig hingehen. Was hätte ich tagsüber für ein Leben,
und wie wollte ich jeden Tag in einer anderen Gestalt meinem Herrn in die Hände fallen!« »Es ist an einem Mal genug«, sagte finster die Amme. »Meinst du denn«, erwiderte

lebhaft die Kaiserin, »er hätte mich damals so schnell erlangt, wenn mir nicht sein roter Falke auf den Kopf geflo-
gen wäre und mich nicht mit unablässigen Schlägen seiner
Schwingen geblendet hätte, daß mir Feuer aus den Augen
sprang und ich im Dorngebüsch zusammenbrach.« »Er
konnte wirklich den Speer nach dir werfen, der Mörder, der
stumpfäugige Höllensohn?« Die Amme schrie auf voll un-
gestillten Hasses. »Verlangst du, daß er mich in dieser Gestalt hätte erkennen sollen«, erwiderte die Kaiserin. »Aber
er hat es mir seitdem oft geschworen, der Blick, der aus dem
Auge der Gazelle brach, machte, daß sein Arm unsicher war
und der Speer mich nur an der Seite des Halses ritzte
wie ein Dorn, anstatt mir die Kehle zu durchbohren.« Die
Amme stieß einen halben Fluch aus. »Es war freilich an der
Zeit, daß ich mich nicht nur durch einen Blick verriet, sondern schneller, als ich es jetzt sage, aus dem Leib der Gazelle
mich in diesen meinen eigenen hinüberwarf und die Arme
flehend zu ihm aufhob. Denn er war schon vom Pferd gesprungen und hatte den zweiten Wurfspeer, der ihm noch
blieb, gezückt; seine Augen waren rot von der Hast und
Wildheit der Verfolgung, und seine Züge waren gespannt,
daß ich vor ihm, die ihn selbst seit dem ersten Blick liebte
und unablässig an mich herangelockt hatte, grausige Todes-
furcht empfand und laut aufschrie. Und erst dieser Schrei,
so hat er mir gesagt, hat ihn aus der Besessenheit aufge-
weckt und uns beiden das Leben gerettet. Nie aber«, fügte
sie leiser hinzu, »ist einer Frau ein herrlicherer Anblick zuteil geworden als auf dem Antlitz meines Liebsten der jähe
Übergang von der tödlichen Drohung des Jägers zu der
sanften Beseligung des Liebenden. Ach und nur einmal und
nie wieder bin ich so die seinige geworden und soll nie wieder sein Gesicht so übergehen sehen.« Sie schlug die Augen
wieder auf und fuhr fort: »Er hat mir zugeschworen, daß
ein sterblicher Mensch, wie er, ein Glück von solcher jähen

Stärke nicht öfter als einmal im Leben ertragen könnte. Es mag wahr sein, denn ich habe ihn unmittelbar nach jener Stunde wie einen Rasenden gesehen, als sein roter Falke ihm unter die Augen kam und er das Tier mit Steinwürfen verfolgte, ja in sinnloser Wut dreimal den Dolch nach dem Vogel warf, dafür, daß dieser mit seinen Schwingen meine Augen geschlagen hatte, und nie vergesse ich den Blick, mit dem der blutende Falke von einem hohen Stein aus seinen Herrn zum letztenmal lange ansah, ehe er sich abwandte und mit gräßlich zuckenden mühsamen Flügelschlägen in die Dämmerung hinein entschwand.« Die Amme war aufgestanden und auf das flache Dach hinausgetreten; die Geschichte jener Jagd und ersten Liebesstunde kannte sie genau genug: dies alles war wie mit einem glühenden Griffel ihrer Seele eingebrannt. An dem Schicksal des Falken nahm sie ebensowenig Anteil als an dem Glück der Liebenden, dessen Flammen die Wiederkehr von dreihundert Nächten nicht schwächer lodern machte. Ein Gedanke allein erfüllte sie: sie konnte es kaum erwarten, die Sonne hervortreten zu sehen, die fahle Dämmerung war ihr unerträglich: alle Wesen sollten einen Schatten werfen, damit die einzige, die keinen würfe, um so herrlicher ausgesondert wäre; mit jedem Blick wollte sie sich des Zustandes vergewissern können, an den, wenn er jetzt nur noch drei Tage lang anhielte, eine fürchterliche Schicksalswendung geknüpft war. Voll Ungeduld blickte sie in den Himmel empor, der schon erhellt die Farbe von grünlichem Türkis annahm: ihr scharfes Auge gewahrte einen Vogel, der in der höchsten Höhe langsam kreiste; aber auch auf ihm war noch kein Abglanz der Sonne. Die Kaiserin war gleichfalls hinausgetreten, die Amme fragte nochmals: »Wovon hast du vor dem Erwachen geträumt?« »Ich glaube, von Menschen«, antwortete die Kaiserin. »Gräßlich genug«, entgegnete die Amme. »Es war an deinem Gesicht zu lesen, daß du von Häßlichem träumtest.

Wehe, daß wir hier sind, wehe, der es verschuldet hat.«
»Warum sind Menschengesichter so wild und häßlich, und
Tiergesichter so redlich und schön?« sagte die Kaiserin.
»Vor seinesgleichen graut es sie«, murmelte die Amme vor
sich hin, »ihn sieht sie nicht.« »Daß ich noch einmal eine
Otter wäre und ein gähfließendes Bergwasser quer durch-
striche«, sagte die Kaiserin. »Ungewiesen seinen Weg finden
wie die Schlange an der Erde und wie der Weih in der Luft
ist Seligkeit, aber Liebe ist mehr.« »Sich an die Menschen
hängen«, murmelte die Amme, »heißt sich ausgießen in ein
durchlöchertes Faß.« Die Kaiserin wurde den Falken gewahr, der hoch oben kreiste, und die Amme sah mit Lust
auf seinen Schwingen den Abglanz der Sonne. Er schien
sich langsam niederzulassen, aber das Licht blieb bei ihm:
seine Fänge blitzten wie Edelsteine, oder er hielt einen
Edelstein in den Fängen. »O glücklicher Tag«, rief die Kaiserin mit einemmal, »es ist der rote Falke, der Liebling meines Herrn! Er ist geheilt von seiner Wunde, er hat uns ver-
geben.« Der Falke hing mit ausgebreiteten Schwingen in
der Luft. »Der Talisman«, schrie die Kaiserin auf, »er hat
ihn, er bringt ihn mir wieder.« Die Amme lief und brachte
ein grünseidenes, von Perlen und Edelsteinen funkelndes
Obergewand. Sie hielten es empor. »Sieh, wie wir dich und
deine Geschenke ehren, du Guter«, riefen sie laut, »du Königlicher, du Großmütiger!« Der Falke schwebte mit einem
einzigen Flügelschlag in einem sanften Bogen nach oben
und seitwärts, dann ließ er sich jäh niedergleiten, ein Sausen
schlug an den Gesichtern der beiden Frauen vorbei, in einem Nu war der Vogel wieder hoch oben in der Luft, auf
dem Gewande lag der Talisman; die Schriftzeichen, die in
den fahlweißen flachen Stein gegraben waren, glommen wie
Feuer und zuckten wie Blicke. »Ich kann die Schrift lesen«,
sagte die Kaiserin und verfärbte sich. Die Amme schauderte,
denn ihr waren die Zeichen undurchdringlich wie eh und

immer: Ein seltsamer, zweischneidiger Gedanke durchfuhr
sie, sie griff schnell nach dem Stein, sie wollte ihn wegreißen, die Schrift verdecken: es war zu spät, die Zeichen waren in Blitzeseile gelesen und sogleich der Sinn durchdrun-
gen. Mit erstarrtem Arm hielt die Kaiserin den Talisman vor
sich hin: es war, als sähe sie durch ihn in die Hölle hinab;
über ihren Mund kamen Worte nicht wie eines, der sein
Urteil abliest, sondern gräßlicher wie aus der Brust eines
Tiefschlafenden starr und furchtbar: »Fluch und Tod dem
Sterblichen, der diesen Gürtel löst, zu Stein wird die Hand,
die es tat, wofern sie nicht der Erde mit dem Schatten ihr
Geschick abkauft, zu Stein der Leib, an den die Hand gehört, zu Stein das Auge, das dem Leib dabei geleuchtet – innen der Sinn bleibt lebendig, den ewigen Tod zu schmecken
mit der Zunge des Lebens – die Frist ist gesetzt nach Gezei-
ten der Sterne.« »Mir ist«, sagte die Kaiserin und ließ den
Arm sinken, »ich weiß es von der Wiege an, vielleicht hat es
mein Vater mir, als ich schlief, ins Ohr geraunt, wehe mir,
daß ich es habe vergessen können!« Die Amme blieb still
wie das Grab. »Nun verstehe ich, was ich nicht verstand«,
sagte die Kaiserin und hing den Talisman an die Perlen-
schnur zwischen ihren Brüsten. Aber ihre aufgerissenen
Augen wußten nichts von dem, was ihre schlafwandelnden
Hände taten: »Der Schatten ist mein Schatten, den ich nicht
werfe, ich habe meinen Herrn dergleichen sprechen hören
mit einem seiner Vertrauten, er sagte: ›Ich will nicht zu Gericht sitzen über die Meinigen und kein Bluturteil sprechen,
ehe ich der Erde nicht mein Leben heimgezahlt habe.‹ Es ist
das Schattenwerfen, mit dem sie der Erde ihr Dasein heim-
zahlen. Ich wußte nicht, daß ihnen dieses dunkle Ding so
viel gilt. Fluch über mich, daß ich es alles habe gleichgültig
anhören können, als ginge es mich nichts an! Ich selber
werde sein Tod sein, darum, weil ich auf der Erde gehe und
keinen Schatten werfe!« Die erste Erstarrung wich einer

tödlichen Angst. Unsagbar war das Verlangen, den Geliebten zu retten. Sie umklammerte die Amme: ihr war,
als müsse Hilfe und Rettung von dieser einzigen Freundin
kommen, zu der sie als Kind mit ihren Ängsten und Be-
dürfnissen so oft geflüchtet war. »Du hast mich nie im Stich
gelassen«, rief sie und drückte heftig die Arme um den Leib
der Alten zusammen, »hilf mir, du Einzige! Du hast mir alles verziehen, nachgewandert bist du mir von unserer Insel,
bist über die Mondberge geklettert, drei Monate bist du in
den Städten und Dörfern herumgezogen, bis du erfragt hat-
test, wo ich hingeraten war, unter den Menschen hast du gewohnt, vor denen es dich schauderte, hast mit ihnen gegessen und geschlafen, ihren Atem über dich ergehen lassen,
und alles um meinetwillen, hilf mir du, dir ist nichts verborgen, du findest die Wege und ahndest die Mittel, die Bedingungen sind dir offenbar, das Verbotene weißt du zu umge-
hen! Hilf mir zu einem Schatten, du Einzige! Zeige mir, wo
ich ihn finde, und müßte ich mein Gewand abwerfen und
hinabtauchen ins tiefste Meer. Weise mich an, wie ich ihn
kaufe, und müßte ich alles für ihn geben, was die Freigebig-
keit meines Geliebten auf mich gehäuft hat, ja die Hälfte des
Blutes aus meinen Adern!« Das Schweigen der Alten ängstigte sie noch mehr, sie wollte ihr ins Gesicht sehen. Eben
brachen querüber die ersten Strahlen der Sonne wie Fackeln
herein. Der gräßlich verschlagene, an sich haltende Ausdruck im Gesicht der Amme durchfuhr sie, sie fühlte sich
verlassen wie noch nie im Leben, das seit der Kindheit Vertraute wich von ihr, sie war allein. Aber sie war von den
Wesen, deren Kräfte mit dem Widerstand wachsen. »Du
weißt es, böse Alte«, rief sie, »du hast es seit je gewußt, du
hast es kommen sehen und dich gefreut, du kennst wohl
auch die Frist, und dem Tag, der mich tötet, zählst du mit
Lust die Tage entgegen wie einem Fest. Dir ist er auch ein
Fest, er kommt und bringt dir Lohn oder Nachsicht der

Strafe, mein Vater wird wissen, womit er ein feiges, zwei-
deutiges Herz gekauft hat. Allein du hast dich verrechnet,
du wolltest mich bewußtlos meinem Unheil ausliefern, aber
es ist ein Vogel des Himmels gekommen und hat mich ge-
warnt. Ich wache und bin mir der Gewalt bewußt, die mir
über dich zusteht. Ich will die Frist nicht wissen, vielleicht
läuft sie in dieser Stunde ab, und ich könnte erstarren, wenn
ich es wüßte. Ich frage dich nichts, ich gebiete dir, daß du
mir einen Schatten schaffest, und müßtest du darüber dein
Leben lassen und ich mit dir, ja sollten wir beide dabei mit
lebendigem Herzen zu Stein werden. Mein Vater ist weit,
und ich bin dir nahe, auf und mir voran, ich hinter dir, und
schaffe mir, bei den gewaltigen Namen! den Schatten. Hier
und nicht anderswo wird der Weg angetreten, heute und
nicht morgen, in dieser Stunde und nicht, bis die Sonne höher steht.« Die Amme erzitterte, sie wußte nicht, was sie er-
widern sollte, alles, was ihre Schlauheit ausgesonnen hatte,
was sich ihr fast zur Gewißheit der Befreiung verdichtet
hatte, alles wurde verschwimmend vor ihrem Blick. Die
Schlafende, schmerzlich Zuckende, die einer irdischen Frau
glich, hatte sie mit verachtender Zärtlichkeit angeblickt und
beinahe gehaßt. Nun stand wieder die unbedingte Herrin
vor ihr, und die Lust des Dienenmüssens durchdrang die
Alte von oben bis unten. Sie fing etwas unbestimmtes Beruhigendes zu reden an. »Kein Wort«, rief die Herrin, »als das
Wort der Wegweisung, keine Ausflüchte, denn du weißt,
keine Zögerung, denn mir brennen die Sekunden auf dem
Herzen.« »Kind, wüßte ich gleich die Wege und ahndete
mir vielleicht, unter welchen Bedingungen ein Schatten sich
erwerben ließe . . .« »Das ist es«, rief die junge Frau, »dorthin! Du voran, ich hinter dir, in diesem Atemzug.« »Erwerben ist auch nicht das richtige Wort«, murmelte die Amme,
»abdienen vielleicht, ablisten noch eher dem rechtmäßigen
Besitzer.« »Hin dort, wo ein solcher wohnt, und wäre es ein

Drache mit seiner Brut!« »Vielleicht etwas Schlimmeres,
schwant dir nichts?« »Voran, du Umständliche, du Doppelzüngige«, schrie die Herrin zornig und zerrte die Alte
vom Boden auf. »Du bist mir schlimmer als ein Drache.«
»Schlimmer als ein Drache, abscheulicher dem Auge, widerwärtiger der Seele«, sagte die Alte und sah der jungen Frau
starr ins Gesicht, »ist ein Mensch.« »Führe mich zu dem
Menschen, dem sein Schatten feil ist, daß ich ihn kaufen
kann, ich will seine Füße küssen.« »Wahnwitziges Kind«,
rief die Amme, »weißt du, was du sagst! Schauderts dich
nicht vor ihnen bis in deine Träume hinein, so wenig du von
ihnen weißt? Und nun – hausen willst du mit ihnen! Handeln mit ihnen? Rede um Rede, Atem um Atem? Ihre
Blicke erspähen? Ihrer Bosheit dich schmiegen? Ihrer Niedrigkeit schmeicheln? Ihnen dienen? Denn auf das läufts hinaus. Graut's dich nicht?« »Ich will den Schatten«, rief die
Kaiserin, »hinab mit uns, daß ich ihrer einem diene um den
Schatten. Wo steht das Haus, bringe mich zu ihm! Ich will!«
»Das Haus?« entgegnete die Amme, und ihr Blick wurde
blöde, »wüßte ich, wo das steht, so wären wir weiter, als wir
sind. Wir müssen es finden.« Die Junge hing am Munde der
Alten: sie erkannte, daß das, was sie jetzt gesprochen hatte,
die Wahrheit war, und sie erblaßte noch tiefer. »Du weißt
nicht den Menschen noch das Haus«, flüsterte sie, »so gilt
es, daß wir beide suchen und beide finden, du voran, ich
hinter dir.« Ihr fester Mut loderte in ihr wie eine Flamme in
einem Gefäß von Alabaster. »Ich weiß, daß ihnen alles feil
ist, das ist alles, was ich weiß«, sagte die Amme. »Auf nun
du und schreibe einen Brief an deinen Gebieter.« »Was soll
ich schreiben?« fragte die Kaiserin gehorsam wie ein Kind.
Die kluge Alte riet ihr, wie sie den Brief abfassen sollte. Es
galt ihre Abwesenheit vom blauen Palaste unauffällig zu
machen, aber nichts sollte von dem gesagt sein, was sie ängstigte, noch weniger etwas von dem, was sie vorhatte. Sie

hielt das Blatt aus geglätteter Schwanenhaut zierlich auf der flachen linken Hand, sie malte mit der rechten die Zeichen hin, aber die Hand wurde ihr schwer, Seufzer über Seufzer drang aus ihrem Mund. Wie harmlos immer sie die Zeichen setzte, wie schön sie anordnete, immer wieder schien sich die Ankündigung des Unheils durchzudrängen. Alles schien ihr zweideutig, die schönen Zeichen selber wurden ihr fürchterlich, unter Seufzern brachte sie den Brief zu Ende, eine kristallene Träne fiel auf die Schwanenhaut. Die Amme sah zu, sie verstand nicht, was da so schwer war. Sie nahm den Brief aus der Hand, rollte und faltete ihn zusammen, umhüllte ihn mit einem perlengestickten Tüchlein und schob alles in eine flache Hülse aus vergoldetem Leder. Die Kaiserin zog ihr eigenes Haarband durch die goldenen Ösen an der Hülse, sie knüpfte es in einen Knoten, den nur der Kaiser zu lösen verstand. Der Brief war geschlossen und bald einem Boten übergeben, der wohlberitten und der Wege kundig war.

## Zweites Kapitel

Indessen er auf einem schnellen Paßgänger dahinritt, die Jagd einzuholen, glitt die Amme voran, die Kaiserin hinter ihr durch die Luft hinab und ließen sich in der volksreichsten Stadt der Südöstlichen Inseln zur Erde nieder. Sie hatten dürftige Kleider, das der Alten war aus schwarz und weißen Flicken zusammengesetzt, daß sie erschien wie eine gesprenkelte Schlange, die Junge sah noch unscheinbarer aus und ihr strahlendes Gesicht war durch Bestreichen mit einem dunklen Saft unkenntlich gemacht. Niemand achtete der beiden, sie schritten eilig am Gelände des Flusses hin, der die große Stadt durchfloß. Das gelbliche Wasser trug große Flecken von dunkler Farbe dahin, die sich aus dem

Viertel der Färber, das oberhalb der Brücke lag, immer er-
neuten; vom andern Ufer, wo die niedrigen Häuser der
Loh- und Weißgerber standen, drang der scharfe Geruch
der Lohe herüber und Häute von Tieren waren an den Ab-
hängen des Flusses mit kleinen Holzpflöcken zum Trock-
nen ausgespannt. Herüben wohnten die Huf- und Nagel-
schmiede, und die Luft war erfüllt vom Getöse fallender
Hämmer, vom Widerschein offener Feuer und vom Geruch
verbrannten Hufes. Die Amme ging rasch und sicher, als
folge sie einer Spur, die Kaiserin lief hinter ihr drein. Sie kamen auf eine Brücke, über die viele Leute sich schoben,
Lastträger, Soldaten, zweirädrige Wagen und Berittene. Die
Amme drang durch die Menschen hindurch, die Kaiserin
wollte dicht hinter ihr bleiben, aber es gelang ihr nicht. Das
Fürchterliche in den Gesichtern der Menschen traf sie aus
solcher Nähe wie noch nie. Mutig wollte sie hart an ihnen
vorbei, ihre Füße vermochten es, ihr Herz nicht. Jede Hand,
die sich regte, schien nach ihr zu greifen, gräßlich waren so
viele Münder in solcher Nähe. Die erbarmungslosen, gierigen und dabei, wie ihr vorkam, angstvollen Blicke aus so
vielen Gesichtern vereinigten sich in ihrer Brust. Sie sah die
Amme vor sich, die nach ihr umblickte, sie wollte nach, sie
ging fast unter in einem Knäuel von Menschen, auf einmal
war sie vor den Hufen eines großen Maulesels, der wissende, sanfte Blick des Tieres traf sie, sie erholte sich an ihm.
Der Reiter schlug den Esel, der zögerte, die zitternde Frau
nicht zu treten, mit dem Stock über den Kopf. – Ist es an
dem, daß ich mich in ein Tier verwandeln und mich den
grausamen Händen der Menschen preisgeben muß? ging es
durch ihre Seele und sie schauderte, dabei vergaß sie sich einen Augenblick und fand sich, vom Strome geschoben, am
Ende der Brücke, sie wußte nicht wie. Sie sah die Amme bei
einer Garküche stehen, einer offenen Bude, und auf sie warten. Die Leiber schöner kleiner rosiggoldener Fische lagen

da, in denen die Hände eines Negers wühlten. An einem
Balken hing ein enthäutetes Lamm mit dem Kopf nach ab-
warts und sah sie mit sanften Augen an. Ein Arm zog sie an
sich, es war die Amme, die gesehen hatte, daß sie sich ver-
färbte und für kurz die Augen schloß, und die sie aus dem
Gedränge in eine kleine Seitengasse riß. Hier gingen wenige
Menschen vorbei, sie waren mit Ballen Tuches beladen, an
den Häusern hingen hie und da große Streifen gefärbten
Zeuges von Trockenstangen herab. Halbwüchsige Kinder
schleppten Tröge und dunkelfarbiges Zeug zum Schwemmen. Die Alte war stehengeblieben vor einem niedrigen
Haus unter den Häusern der Färber und horchte auf die
Stimmen von Streitenden, die aus dem Innern klangen.
Mehrere Männerstimmen ließen sich aufgebracht vernehmen, die Stimme einer noch jungen Frau erwiderte ihnen
böse und herrisch; dann mischte sich eine andere Männer-
stimme ein von tiefem, gelassenem Klang, die anscheinend
zum Frieden redete. Aber die Stimme der jungen Frau erhob sich böser und herrischer als zuvor. »Die Stimme gefällt
mir«, sagte die Amme und winkte der Kaiserin, sich dicht
an die Mauer zu stellen. – Der Zank drinnen wurde heftiger,
endlich sagte die tiefe Stimme, die am wenigsten gesprochen
hatte, etwas Befehlendes sehr nachdrücklich, wenn auch
mit völliger Gelassenheit. Darauf näherten sich die anderen
Männerstimmen, die unzufrieden und mißtönend waren,
der Haustür. Die Amme tat, als ginge sie weiter, aber so
langsam, als wäre sie sehr alt und krank und vermöchte mit
jedem Schritt nur ein geringes zurückzulegen. Die Kaiserin
schlich neben ihr hin; aus dem Haus traten drei Männer, ein
einäugiger, ein einarmiger und ein dritter viel jüngerer, der
verwachsen war und aus gelähmter Hüfte hinkte. »Wahrlich, meine Brüder«, sagte der Einäugige, der der Älteste
schien, »der Büttel, der mir vor zweiundzwanzig Jahren
mein Auge ausstieß, hat an mir nicht getan wie unseres Bru-

ders Frau an unserem Bruder tut.« »Wahrlich nein«, sagte
der Einarmige, indem sie die Gasse hingingen, »und die verfluchte Ölmühle, die mir vor fünfzehn Jahren meinen Arm
ausriß, hat an mir nicht getan wie sie an ihm tut.« »Und das
Kamel, das mir vor neun Jahren meinen Rücken krumm
trat, nicht an mir!« setzte der Jüngste hinzu. »Wahrlich, dieses Weib, unsere Schwägerin«, sagte der Älteste wieder, »ist
durch ihren Hochmut und ihre Bosheit ein pestgleiches
Übel und darum bleibt sie unfruchtbar, obwohl sie jung
und schön ist und obwohl unser Bruder ein Mann unter den
Männern ist.« »Das ist unser Haus«, sagte die Amme und
wandte sich im Rücken der drei Männer wieder dem Färberhaus zu. Sie trat schnell ins Haus, glitt durch den Flur
und in einen niedrigen Schuppen, der vor Alter dem Zu-
sammenstürzen nahe war, und zog die Kaiserin hinter sich.
»Wir müssen warten, bis der Mann aus dem Hause ist«, flüsterte sie ihr zu, und zeigte auf einen Spalt in der Neben-
wand, an den sie ihr Auge legte. Sie wies der Kaiserin einen
andern Spalt, und beide blickten sie in das einzige Gemach
des Hauses. Die Kaiserin sah eine junge Frau, sehr ärmlich
gekleidet, mit einem hübschen aber unzufriedenen Gesicht
auf der Erde sitzen und festgeschlossenen Mundes ins Leere
schauen, und sie sah einen großen, stämmigen Mann von
etwa vierzig Jahren, welcher mit seinen dunkelblauen Händen einen ungeheueren Ballen von scharlachrotem Scha-
brackentuch aufschichtete und mit Stricken umwand, um
ihn seinem Rücken aufzuladen, der stark war wie der eines Kameles: das war Barak, der Färber. Unter der Arbeit
kehrte er der Wand sein großes Gesicht zu, worin die Stirn
niedrig, die Ohren wegstehend und der Mund wie ein Spalt
war. Er erschien der Kaiserin abschreckend häßlich, und die
junge Frau dünkte sie böse und gemein. Man konnte wahrnehmen, daß der Färber gerne zu seiner Frau gesprochen
hätte; als er das Bündel geschnürt hatte, trat er ungeschickt

mit seinen gewaltigen Füßen hin und her, tat, als höbe er
etwas auf, das nicht weit von ihr auf dem Boden lag, be-
schmutzte seine Hände in einer Pfütze abgeronnenen Farb-
wassers, murmelte etwas und sah seine Frau von der Seite
an; aber ihr Blick ging beharrlich an ihm vorüber ins Leere,
als wäre er nicht da. Endlich seufzte er, schwang mit einem
Hub die schwere Last auf seinen Rücken und ging gebeugt
wie ein Lasttier, aber mit festen, gleichmäßigen Schritten,
zur Tür hinaus. Als sich die Frau allein fand, stand sie sogleich auf. Sie ging träge durchs Zimmer und stieß mit
schleppendem Fuß einen alten Steinmörser um, der auf der
Erde stand, und das Gestoßene ergoß sich auf den fleckigen
Boden. Sie bückte sich halb, es aufzusammeln, aber mit einem verächtlichen Zucken ihrer Lippen ließ sie es sein. Sie
ging auf ihr und des Färbers niedriges Lager zu, das in der
hintersten Ecke an der Ziegelmauer aus ein paar alten Kissen und Decken zugerichtet war, und brachte es in Ordnung, indem sie, was schief war, mit dem Fuß gerade stieß.
Dann ging sie wieder weg und warf aus der Mitte des Zimmers einen bösen Blick auf das Bett. Gähnend machte sie
sich daran, aus einem Mauerloch einen dürftigen Vorrat
gelbgrünlicher Olivenzweige hervorzusuchen; sie warf das
Holz vor der Feuerstelle, die nichts war als ein rauchge-
schwärztes Loch in der Mauer, zu Boden und richtete sich
wie einer, der einer langen Arbeit satt ist, langsam auf. Ihre
Hände strichen seitlich an ihrem Leib herab, und als sie die
Schlankheit ihrer Hüften fühlte, lächelte sie unwillkürlich.
»Wir sind soweit«, flüsterte die Amme, »hinein mit uns«;
und sie glitten aus dem Schuppen und traten völlig in die
Tür des Wohngemaches. – Die Kaiserin hatte noch nie den
Fuß über die Schwelle einer menschlichen Behausung, mit
Ausnahme ihres eigenen Palastes, gesetzt; eine namenlose
Bangigkeit wandelte sie an, wieder mußte sie die Augen
schließen und fühlte sich taumeln, ja fast wäre sie über den

langen Stiel einer Schöpfkelle, die auf der Erde lag, hingeschlagen und um sich zu stützen griff sie nach einem an einer Kette hängenden Kessel, der nachgab und sie mit einer
scharlachroten Flüssigkeit bespritzte. Als die Frau über die
Schwelle, an der selten ein fremdes Gesicht erschien, eine
alte Person, die einer schwarz-weißen Elster glich, und eine
junge Stolpernde eilfertig eintreten sah, mußte sie laut auf-
lachen wie ein Kind und vermochte mit Lachen lange nicht
aufzuhören, indessen die Amme in einem augenblicklichen
Wortschwall, womit sie sich einführte, alles geschickt zu
wenden und zu nützen wußte. »Es sei kein Wunder«, fing
sie an, »wenn ihre Tochter gestolpert sei, wenngleich sie dafür um Verzeihung bitte, denn das Kind sei der Stadt unge-
wohnt und matt genug geworden vom Gassenablaufen,
Fragen und Suchen – es habe mancher sie unrecht gewiesen,
vielleicht aus Unkenntnis, vielleicht aus Bosheit, sie aber
habe nicht nachgelassen, bis sie das richtige Haus gefunden
habe, nun aber, da sie die auserlesene Schönheit ihrer jungen Herrin«, hier verneigte sie sich vor der Färbersfrau
und berührte mit ihrer Stirn den Boden und hieß ihre Tochter das gleiche tun, »mit Augen sehe, sei in ihr auch nicht
mehr der mindeste Zweifel, daß sie am richtigen Ort sei.«
Inwiefern am richtigen Ort? Wer sie denn geschickt? Zu
welchem Ende? Und was das alles heißen solle? fragte die
Färberin, zitternd vor Staunen. Als die Alte mit abermali-
gen Verneigungen vorbrachte, sie wisse wohl, daß ihre
junge Herrin Bedarf nach Dienerinnen habe, und sie bitte
inständig – hierbei küßte sie der Frau den Saum des Kleides
– die Erfahrenheit ihres noch rüstigen Alters und die An-
stelligkeit ihrer Tochter einer Probe zu würdigen, wollte
sich die junge Frau totlachen, besonders, weil jede der beiden Fremden von der Berührung des unreinlichen Fußbo-
dens einen dunkelblauen Fleck mitten auf der Stirn trug.
Darüber, wer es denn gewesen sei, der sie hierher beschie-

den und ihr den angeblichen Dienstplatz nachgewiesen
habe, ließ sie sich mit vielen Worten, aber doch nicht ganz
deutlich aus. Es wäre, soviel ergab sich denn endlich, ein Be-
gegnender auf einer Brücke gewesen, nicht auf der neuen
Brücke, sondern auf einer andern, ein junger Mann, fast
noch ein Knabe, ein recht zierlicher; vielleicht habe dieser
aber auch nur im Auftrage des andern gehandelt, eines etwas älteren, stolzen und vornehmen, wie ein Fürst dreinse-
henden, der sich zuerst seitwärts gehalten, dann aber doch
auch mit ihr geredet; ja, wenn sie es auch recht bedenke,
wäre es wohl dieser: an diesem habe ihre junge Herrin einen
wahrhaft anteilvollen Verehrer und Freund. Hier zwinkerte
sie mit den rotumränderten Augen so seltsam und bedeutungsvoll, daß die Färberin einen Schritt zurücktrat, und
mit dem süßen Schauder der Überraschung in sich schwor,
sie habe in der Welt draußen einen solchen Freund, wenngleich sie ihn nie gesehen, nie bis zu dieser Stunde ein Zeichen seines Lebens empfangen hatte. Die Alte war gleich
wieder dicht bei ihr, und eben weil sie fühlte, daß die Frau
sich nicht von ihr ab, sondern gerade jetzt im Innersten ihr
zuwandte, tat sie mit Verstellung, als befürchte sie das Ge-
genteil, und rief Gott zum Zeugen an, daß ein seltsameres
Mißverständnis kaum möglich sei, als wenn sie nun doch an
den unrichtigen Ort geraten wäre! Kaum getraue sie sich
nun zu fragen, ob denn die weiteren Zeichen stimmten, ob
die auserlesene schöne, junge Herrin in der Tat vermählt sei,
seit zwei Jahren vermählt und, seltsam genug, kinderlos bis
zum heutigen Tag – ei ja, dies wäre sie – und vermählt mit
einem Mann aus dem Färberstande von gesetztem Alter – er
könnte leichtlich der Vater seiner Frau sein – von plumper
Gestalt, mit einem klaffenden Mund und großen Ohren?
Ach ja doch, so ungefähr wäre Barak ihr Mann beschaffen.
Und ob drei unvermählte Schwäger im Hause wären, böse,
lästige Burschen, einarmig, einäugig und bucklig, zänkische

Nichtstuer und Schmarotzer am Tisch des Bruders, die der
geheimnisvolle Freund hasse bis auf den Tod um der Belä-
stigungen willen, die sie seiner schönen Freundin beständig
bereiteten. Von diesem Augenblicke an war für die schöne
Färberin nichts so unumstößlich, als daß sie einen verborgenen Freund von wunderbarer Zartheit des Denkens und
Fühlens besitze: das schien ihr vor allem köstlich, daß er
von ihrem Dasein bis ins einzelne wußte, über ihr wachte
und die Betrübnisse und Kränkungen, an denen ihr junges
Leben vermeintlich reich war, mit ihr teilte, wodurch sich
ihr die Öde ihrer Lebenstage von innen her so plötzlich
durchleuchtete, daß ein Widerschein davon auf ihrem
Gesicht aufflammte. »Wohl uns«, rief jetzt die Amme, »wir
sind vor die rechte Schmiede gekommen! Du bist es, die
Seltene, Auserlesene unter Tausenden, von der ich weiß,
was zu wissen mir das alte Herz im Leibe erwärmt. Du bist
es, die über ihren eigenen Schatten springt, die abgeschwo-
ren hat ihres Mannes unablässiger, vergeblicher Umarmung
und zu sich selber gesprochen: Ich bin satt worden der
Mutterschaft, ehe ich davon gekostet habe. Du bist es, welche die ewige Schlankheit des unzerstörten Leibes gewählt
hat und abgesagt in ihrer Weisheit einem zerrütteten Schoß
und den frühwelken Brüsten.« Die Alte sprach diese Sätze
mit lauter Stimme und mit einer Art von feierlichem Sing-
sang, und die abscheuliche Fratze, die sie sich für die Men-
schenwelt angelegt hatte, glich wirklich dem Kopf einer
aufgerichteten gesprenkelten Schlange. Die Färbersfrau sah
auf ihren zahnlosen Mund, in dem die zauberisch bered-
te Zunge zwischen dünnen Lippen eilig herumfuhr, und
wußte nicht, wie ihr war: etwas, das diesem ähnlich war, lag
seit dem zweiten Jahre ihrer unfruchtbaren Ehe dunkel in
ihr zwischen Schlafen und Wachen – sie hatte es nie ausgesprochen, auch nie zu sich selber, und doch war es vielleicht
unausgesprochen im Halbschlaf über die Lippen gekrochen,

wenn sie die unermüdliche Zärtlichkeit des starken Färbers
mürrisch und träge erwiderte wie ein unwilliges Kind – es
war ausgesprochen und niemand als Barak konnte es wissen, und wenn diesem sogar etwas davon in die Tiefe seiner
Seele gedrungen war, nie ging ihm solches über die schwere
Zunge, und nun sang es dieses fremde Weib ihr da in ihre
Ohren, daß es klang wie eine Lobpreisung, es war durchflochten mit Prophezeiung und verknüpft mit der reizenden Botschaft von einem unbekannten Liebenden; nie hatte ein Mensch so zu ihr gesprochen, vor Verlegenheit und
Wichtigkeit überlief es sie heiß und kalt, Neugier und
Scham riß sie weg und hin zu der Alten, sie fühlte, wie ihr
vor Aufregung das Weinen in die Kehle stieg, und verzog
den Mund, um es nicht aufkommen zu lassen, und kehrte
sich ab. Die Alte hinter ihrem Rücken machte der Kaiserin
heimlich Zeichen mit ihren schauerlich zwinkernden wimperlosen Augen, sie zeigte auf den schwachen Schatten, den
die Frau in dem halbdunklen Raum an die Erde warf, und
tat, als streichelte sie ihn, spreizte die Finger nach ihm aus,
als könnte sie ihn vom Boden wegreißen und ihrer Herrin
zustecken. Dann kroch sie um die Färberin herum und begann mit neuen zudringlichen Dienstesbezeugungen das
Feuer der Verwirrung zu schüren, das sie entzündet hatte.
»O Herrin, erbarme dich unser und willfahre uns, die wir
dir dienen wollen! Wie nur können wir deine Zufriedenheit
erwerben, daß du uns hier prüfest und dann später in dein
Freudenleben mitnimmst.« »Du Närrische«, sagte die Frau,
»hier und nirgends anders spielt sich mein Freudenleben ab.
Dort die Schöpfkellen sollen rein werden, die Rührstangen
abgekratzt, die Stampfmörser geputzt, der Zuber ausgeleert,
der Boden aufgewaschen, der Trog angefüllt, dem kalten
Kessel soll unterheizt werden und der heiße umgerührt,
die Tierhaut da soll glatt geschabt werden, und der Sack
voll Körner in der Handmühle gemahlen, Öl soll aus dem

Schlauch und Fische in die Pfanne, das Feuer soll brennen,
die Fische sollen braten und Ölfladen gar werden. Barak,
mein Mann, ist hungrig, und das Einaug, der Einarm und
der Buckel wollen auch essen.« »Heran, meine Tochter«,
schrie die Alte wie besessen, »heran und rühre die Hände,
wir müssen uns beglaubigen vor unserer Herrin, damit sie
uns aufnimmt in ihre Herrlichkeit!« »Was soll die närrische
Rede«, sagte die Frau und lachte. »Herbei ihr Pfannen und
Feuer brenne!« rief die Amme gellend, ohne ihr zu antworten. Die Pfannen flogen ihr durch die Luft in die Hände,
und die grünen Ölzweige fingen an zu knistern. »Wer seid
ihr«, sagte mit schwankender Stimme die Färberin, »wer ist
dort die Junge, ist sie wirklich deine Tochter, die Lautlose?
sie sieht dir nicht ähnlich, warum hält sie sich im Dunkeln
und was starrt sie so auf mich?« Das Feuer loderte auf und
der Schatten der jungen Frau fiel über den Lehmboden bis
an die drübere Wand. »Herzu, ihr Fischlein aus Fischers
Zuber!« rief die Alte und hantierte unablässig über dem
Feuer. Sieben Fischlein glitten durch die Luft und die dünnen Finger der Alten und landeten ihre rosiggoldenen Leiber nebeneinander auf dem Hackstock. »Wer seid ihr?«
fragte die Frau nochmals mit verlöschendem Atem. »Ge-
würze aus dem Gewürzgarten meiner Herrin!« rief die Alte
befehlend und steckte beide Klauen in die leere Luft, aus
der sie sich mit Gewürzen füllten, deren Duft das Zimmer
durchzog. »Welcher Herrin?« schrie die junge Frau, wie aus
dem Traume heraus, halb toll vor Angst und Neugierde.
Die Alte warf die Fischlein in die Pfanne und goß Öl über
sie und rückte sie ans Feuer. »Frage deinen Spiegel!« gab sie
über die Schulter zurück. »Ich habe keinen Spiegel«, rief hastig die Färberin, »ich mache mein Haar über dem Bottich.«
Das Feuer lohte höher auf und der Schatten bewegte sich
und wurde schöner und schöner. – Worauf läuft es hinaus?
dachte die Kaiserin und zitterte vor Fremdheit und Unge-

duld. – Ihr war, als gäben die Fischlein in der Pfanne alle zusammen einen klagenden Laut. Ja, sie riefen ganz deutlich in singendem Ton diese Worte:

Mutter, Mutter, laß uns nach Haus.
Die Tür ist verriegelt: wir finden nicht hinein.

»Wo bin ich«, sprach die Kaiserin, »höre ich es allein?« Der Laut traf sie an einer Stelle so tief und geheim, daß dort nie etwas sie getroffen hatte. Die Amme hantierte am Feuer wie eine Tolle, die Pfannen hüpften, das Öl sott, die Fische schnalzten, die Kuchen quollen auf. Sie schrie etwas in die Luft, in ihrer ausgestreckten Hand blitzte ein kostbares Band, durchflochten mit Perlen und Edelsteinen, jenem gleich, mit dem die Kaiserin ihren Brief gesiegelt hatte, in der andern ein runder Spiegel. Sie kniete vor der Färberin nieder, die sich zu ihr auf die Erde kauerte. Die Alte führte ihr die Hand, das Haarband flocht sich ins Haar, das junge Gesicht glühte aus dem runden Spiegel wie aus purem Feuer wiedergeboren. Kläglich sangen die Fischlein:

Wir sind im Dunkel und in der Furcht
Mutter laß uns doch hinein
Oder ruf den lieben Vater
Daß er uns die Tür auftu!

Hören die es nicht? dachte die Kaiserin, ihr wurde dunkel vor den Augen, aber die Sinne vergingen ihr nicht. Deutlich sah sie die beiden andern Gestalten. Die Junge lag gekauert und sah unablässig in den Spiegel, die Alte sprang zwischen ihr und dem Herd hin und her. »Mir hat Ähnliches geträumt«, sagten die Lippen der Färberin. Das Gesicht der jungen Frau war seltsam verändert und ihre nächsten Worte waren nicht zu verstehen. Die Alte sprang auf sie zu wie ein Liebhaber, sie kniete bei ihr nieder, ihr Mund flüsterte dicht am Ohr: »Hat dir auch geträumt, daß es auf ewig sein

wird?« Sie verstanden sich mit halben Worten. Die Junge
sank zusammen vor Glück, ihr Auge drehte sich nach oben,
daß man nur das Weiße aufleuchten sah. »Drei Nächte zuerst – wirst du stark sein?« zischte die Amme, »drei Nächte
ohne deinen Mann.« Die Junge nickte dreimal, – »das ist
nichts, aber was kommt dann?« flüsterte sie, »ist es arg? ist
es gräßlich, was ist es, das ich tun muß?« »O du Unschuldige«, rief die Amme, streichelte ihr die Hände, die Wangen,
die Füße. »Ein Nichts ist es.« »Wirst du zu meinem Bei-
stand bei mir sein?« hauchte die Färberin. »Sind wir nicht
deine Sklavinnen von Stund an!« rief die Alte. »Sag mir, wie
es sein wird«, fragte die Junge. »Du erwartest das Große
und wirst erstaunen über das Geringe«, entgegnete die
Amme. »Die drei Nächte und der feste Entschluß, diese
sind das Schwere.« »Der Entschluß ist gefaßt und die drei
Nächte sind mir leicht, sag mir, wie das Werk vollbracht
wird!«

»Du schleichst dich zwischen Tag und Nacht aus dem
Haus an ein fließendes Wasser«, sagte die Amme. »Der Fluß
ist nah«, lispelte die Junge.

»Dem fließenden Wasser kehrst du den Rücken und tust
die Kleider ab, behältst nichts an dir als den Pantoffel am
linken Fuß.«

»Nichts als den?« sagte die Färberin und lächelte ängstlich.

»Dann nimmst du sieben solcher Fischlein, wirfst sie mit
der linken Hand über die rechte Schulter ins Wasser und
sagst dreimal: ›Weichet von mir, ihr Verfluchten, und wohnet bei meinem Schatten.‹ Dann bist du die Ungewünschten
für immer los und gehest ein in die Herrlichkeit, wovon
dieses Haarband und das Mahl, das ich hier bereitet habe,
nur ein erbärmlicher Vorgeschmack ist.«

»Was soll das bedeuten, daß ich zu ihnen, die nicht gewünscht sind, sagen werde: Wohnet bei meinem Schatten?«

»Es ist ein Teil des Bundes, den du schließest, und soll heißen, daß in dieser Stunde dein trüber Schatten von dir abfallen wird und du eine Leuchtende sein wirst so von vorne als in deinem Rücken.« Die Frau sah mit einem verlorenen Blick über den Spiegel hinweg. »Ich werde es tun«, sagte sie dann. »Mutter o weh!« riefen die Fischlein mit ersterbender Stimme und waren fertig gekocht. Die Kaiserin allein hörte den Schrei und er durchdrang sie, und sie mußte für eine unbestimmte Zeit die Augen schließen. Als sie sie wieder aufschlug, sah sie beim Scheine des zusammengesunkenen Feuers, wie die Färberin sich bückte und der Alten die Hand küssen wollte. Vorne im Zimmer, nahe der Feuerstelle, war aus der Hälfte des Ehelagers für den Färber Barak eine Schlafstätte errichtet, hinten war vor das Lager der Frau ein Vorhang geschoben. Die Amme verneigte sich tief vor der Färberin und zog ihre Tochter nach sich zur Tür hinaus. »Was ist geschehen?« fragte die Kaiserin, als sie durch die Nacht hinschwebten. »Viel«, erwiderte die Amme. »Ist es vollbracht?« fragte die Kaiserin und rührte zutraulich die Amme an, vor der ihr nicht mehr graute, seit sie sie nicht mehr mit den Menschen sah. Die Alte gab ihr einen fast spöttischen Blick zurück: »Geduld!« sagte sie, »alles will seine Zeit.«

### Drittes Kapitel

Der Färber Barak kam spät nach Hause. Er fand das Gemach dunkel und erfüllt von Duft wie das Haus eines Reichen. Nachdem er ein Licht entzündet hatte, sah er zu seiner unmäßigen Überraschung das eheliche Lager entzweigeteilt, und die eine Hälfte an einer völlig ungewohnten Stelle nahe am Herd, die ihn zu erwarten schien, die andere mit einem Stück Zeug verhängt. Er ging hin, und indem er

das Licht mit der Hand verdeckte, schob er den Vorhang
beiseite und fand seine Frau, die mit geballten Fäusten
schlief wie ein Kind. Ihr Atem ging ruhig, und sie schien
ihm begehrenswert, aber er hielt sich im Zaum, ging mit leisen Schritten an den Herd und fand, dem Geruch nachge-
hend, den Rest einer köstlichen Mahlzeit von Fischen und
gewürzten, in Öl gebackenen Kuchen, derengleichen er niemals gegessen hatte. Er sparte sich einen halben Fisch und
einen Teil von den Kuchen vom Munde ab und trug diese
Reste mit leisen Schritten hinaus in den Schuppen, damit
sein jüngster Bruder, der Verwachsene, wenn ihm nachts
oder früh am Morgen noch nach Essen gelüstete, sie fände.
Dann ging er zu seinem Lager und verrichtete auf dem
Bette sitzend ein kurzes Gebet; nachher verharrte er noch
eine Weile regungslos und sah unverwandt auf den Vorhang
hinüber, der ihm den Anblick seiner Frau verwehrte. Aber
es regte sich nichts, und mit einem leisen Seufzer, der aber
doch wie bei ihm alles gewaltig war, streckte er seine Glieder und schlief sogleich ein. Am nächsten Morgen ging er
vor Tagesgrauen hinaus an den Fluß, er nahm einen Stampfmörser mit und verrichtete diese Arbeit draußen hundert
Schritte vom Haus, um mit dem Geräusch den Schlaf seiner
Frau nicht abzukürzen. Als er wiederkam, sah er zwei
fremde Frauen, die hereinschlichen und die Schwelle des
Wohngemaches überschritten, als ob sie hier zu Hause wären. »Das sind meine Muhmen, die mir dienen werden ohne
Lohn«, sagte die Frau, die zu seinem Staunen schon auf war.
Als die beiden Fremden sich bückten, um den Saum ihres
Kleides zu küssen, war ihre Haltung, mit der sie es geschehen ließ, von einer Anmut, daß er meinte, sie nie so schön
gesehen zu haben. Aber er hatte keine Zeit, seinen Blick an
ihr zu weiden. Er lud sich eine gehörige Last frisch gebeiz-
ter Tierhäute auf den Rücken, die Alte sprang herzu und
war ihm behilflich. Sie lief ihm voran an die Tür, tat sie für

ihn auf und verneigte sich, als er vorüberging. »Komm bald
wieder nach Hause, mein Gebieter«, rief sie dann, »meine
Herrin verzehrt sich vor Sehnsucht, wenn du nicht da bist!«
Dann war sie mit einem Sprung bei ihrer jungen Herrin
und zeigte ihr ein Gesicht, das den Hinausgegangenen lautlos verlachte. »Die Augenblicke sind rinnender Goldstaub«,
zischte sie, »heran, daß ich dich schmücke und mit dir aus-
gehe.«

»Wir haben nichts außer dem Haus zu suchen«, sprach
die Frau.

»So verstattest du, daß ich den rufe, der danach schmach-
tet, zu kommen.«

»Von wem redest du da?« sagte die Frau ganz kühl und
sah ihr hart ins Gesicht. Die Amme war betroffen, aber sie
ließ es sich nicht merken. »Von dem auf der Brücke«, gab
sie ohne Verlegenheit zurück, »von diesem rede ich, von
dem unglückseligsten unter den Männern! Verstatte, daß ich
ihn rufe und ihn hereinhole zur Schwelle der Sehnsucht und
der Erhörung!« »Ich will das Haus rein«, sagte die Färberin
und sah an der Alten vorbei, »die Kessel sollen blank werden und die Mörser gescheuert, die alten Rührstangen sollen aussehen wie neu, der Boden muß aufgewaschen sein
und so fort, eines nach dem andern.« »O meine Herrin«,
rief die Alte kläglich, »bedenke: es gibt einen, dem der Gedanke an dein offenes Haar die Knie zittern macht.« »Die
Küpen hinaus zum Schwemmen«, rief die Färberin, »du
Schamlose, die Tröge, Fässer rein, neues Brennholz aus dem
Schuppen, fünf Klafter geschichtet, Feuer unter die Kessel,
die Mühlen gedreht, daß die Funken stieben, die Betten gemacht, auf, eins, zwei! Vorwärts ihr beiden! Barak, mein
Mann, soll sich freuen, daß ich zwei Dienerinnen habe.«
»Wehe uns«, rief die Alte und fiel der Frau zu Füßen. »Hinaus mit uns, meine Tochter, wir sind der Herrin verächtlich,
und sie will nicht, daß wir ihr dienen zu wahrem Dienst!«

»Seid ihr mir in Dienst gestanden oder nicht?« schrie die Färberin böse und entzog der Alten ihren Fuß, daß sie taumelte. »Habt ihr mir geschworen oder nicht?« Und sie stampfte auf. Die Amme und die Kaiserin liefen, sie machten flink die Betten, sie trugen die Küpen und Zuber zum Schwemmen; dann schleppten sie das Brennholz aus dem Schuppen herbei und schichteten es auf, sie putzten die Mörser blank und kratzten die Schöpfkellen ab. Indessen hatte die Färberin sich unter ihrem Kopfkissen das köstliche Haarband und den Spiegel hervorgeholt. Sie saß an der Erde auf einem Bündel getrockneter Kräuter und schmückte sich, aber ihr Gesicht war unfreudig. »Ihr meint, ihr habt mich in der Tasche«, rief sie über die Schultern, »ja, da hättet ihr früher aufstehen müssen! Lauft nur und schwitzt.« »Du wirst hungrig sein, o meine Herrin«, sagte demütig die Alte. »Nichts macht so hungrig als arbeiten sehen«, und reichte ihr auf einem Teller eine Menge von kleinen Pasteten von zartem gewürztem Duft, derengleichen der Färbersfrau nie vor Augen gekommen: sie besah sie mit Verwunderung, nahm dann den Teller und aß eine der kleinen Pasteten nach der anderen. Als Barak mittags nach Hause kam, hatte sie keinen Hunger und ließ die Mahlzeit unberührt, welche die Amme gekocht und die Barak wohlschmeckte. Sie sprach auch wenig und antwortete nicht auf die Fragen ihres Mannes. Dieser aß kaum einen Bissen, ohne dazwischen seine kugeligen Augen, an denen man das Weiße sah, wenn er aufmerksam oder besorgt war, nach seiner Frau zu wenden. »Betet ihr, die ihr mit uns esset«, sagte Barak zu den Muhmen, die etwas entfernt an der Erde saßen und das verzehrten, was übrigblieb. »Betet, daß sie wieder essen könne, und daß es ihr gut anschlage. Ihr müßt wissen«, fuhr er fort, »daß ich vor einer Woche alle Frauen meiner Verwandtschaft ins Haus gebeten habe, und sie haben schöne Sprüche gesprochen, die Gevatterinnen, über

dieser da, meiner Frau, und ich habe, müßt ihr wissen, sie-
benmal vor Nacht von dem gegessen, was sie gesegnet hatten mit dem Segen der Befruchtung. Und wenn meine Frau
seltsam ist und anders als sonst, so preise ich ihre Seltsam-
keit und neige mich zur Erde vor der Verwandlung: denn
Glück ist über mir und Erwartung in meinem Herzen.« Der
jungen Frau Gesicht sah mit einem Male blaß und böse aus.
»Aber triefäugige Vetteln«, sagte sie mit schiefem Mund,
»müßt ihr wissen, die Sprüche murmeln, müßt ihr wissen,
haben nichts zu schaffen mit meinem Leibe, und was dieser
Mann in sich gegessen hat vor Nacht, müßt ihr wissen, das
hat keine Gewalt über meine Weibschaft.« Sie stand jäh von
der Erde auf, ging nach hinten an ihr Bette und zog den
Vorhang zu. Auch Barak war aufgestanden; sein Mund öffnete sich, als ob er noch etwas hätte sagen wollen, und sein
rundes Auge haftete auf dem Vorhang, der ihm seine Frau
verbarg. Schweigend machte er sich daran, eine ungeheue-
re Last von gefärbtem Zeug aufzuhäufen und sie seinem
Rücken aufzuladen. Als er beladen war, richtete er an der
Tür seinen gewaltigen Rücken nochmals ein wenig auf und
sagte zu den Muhmen, indem er sie freundlich ansah: »Ich
zürne der Frau nicht für ihre Reden, denn ich bin freudigen
Herzens, müßt ihr wissen, und ich harre der Gesegneten,
die da kommen.« »Es kommen keine«, flüsterte in sich die
Frau, »keine in dieses Haus, viel eher werden welche hin-
ausgehen.« Sie flüsterte es fast ohne Laut und hinter dem
Vorhang, so daß niemand es hören konnte; aber die Amme
hörte es doch, und ihre wimperlosen Augen zuckten.

Die Frau saß auf ihrem Bette und regte sich nicht, eine
volle Stunde lang. Die Amme lief nach einer längeren Zeit
an den Vorhang und flüsterte ans Bette hin; es kam keine
Antwort. »Wehe, mit diesen Wesen zu leben ist schlimmer,
als von ihnen zu träumen«, flüsterte die Kaiserin, »sag mir,
um was geht es zwischen diesem boshaften Weibe und ih-

rem häßlichen plumpen Mann?« »Um deinen Schatten«,
antwortete die Amme ebenso leise. Die Frau trat plötzlich
hervor. »Warum kommt er denn nicht, du Lügnerische, der,
von dem du immer redest?« sagte sie mit einem Male und
wurde im gleichen Augenblick, als sie es gesprochen hatte,
dunkelrot. »Ich weiß es, und du brauchst mir nicht zu erwi-
dern«, fuhr sie fort, »er ist selber ein Alter und Abscheulicher, das sehe ich daraus, daß er dich als Gelegenheits-
macherin vorschickt.« Die Amme erwiderte kein Wort.
»Gestehe mir«, rief die Färberin, »daß du eine bezahlte
Kupplerin und Betrügerin bist, und daß alles Gaukeleien
sind, womit du darauf aus bist, mir den Kopf taumelig zu
machen!« Die Alte blieb stumm. »Meinen Pantoffel in dein
Gesicht, du Hexe«, schrie die Junge, »da nimm dafür, daß
du mich mein Elend erst recht hast fühlen machen, da
nimm« – und sie schlug noch einmal zu – »dafür, daß du
mich aus dem Regen in die Traufe bringen wolltest, denn
wer wird er denn sein, der deinesgleichen mir ins Haus
schickt, – hat er mich vielleicht auf der Straße gesehen und
untersteht er sich, mich so ohne weiteres haben zu wollen?
– sag mir das noch, bevor ich dich hinausjage, und dann
frage ihn, wer ihm erlaubt hat, sein Auge zu mir zu heben!
Erzähle ihm ein wenig, daß Barak der stärkste unter den
Färbern ist und auch unter den Lastträgern nicht seinesgleichen hat.« Die Amme blieb regungslos und schwieg beharrlich; sie hatte ihren Kopf ein weniges von der Erde gehoben, aber es schien, sie getraue sich nicht, dem Blick ihrer
zürnenden Herrin zu begegnen. Erst als diese von ihr ließ
und mit schleppenden Schritten wegging, sah sie ihr nach
und flüsterte, wie ihrer selbst vergessen, ins Leere: »Sieh
hin, o mein Gebieter, hat sie nicht einen schwimmenden
Gang gleich einer verdürsteten Gazelle?« »Meine Finger um
deine Kehle«, schrie die Färberin, die jedes Wort verstanden
hatte, und wandte sich jäh um, »mit wem redest du, du

Hexe?« Die Röte war aus ihrem Gesicht geschwunden, sie
war blaß und sah aus wie ein geängstigtes Kind. »Mit ihm,
der draußen steht, mit ihm, der die Hände reckt gegen die
Türe deines Hauses, der den Kopf sich zerschlägt gegen die
Mauer deines Hauses, der sein Gewand zerrissen hat vor
Verlangen und vergeblicher Sehnsucht.« »Komm her zu
mir«, sagte die Färberin mit veränderter Stimme, »komm,
aber berühre mich nicht!« Sie setzte sich auf ihr Lager und
ließ die Alte dicht an sich herankommen. »Du bist eine
Kupplerin«, sagte sie, »wehe mir, und eine von den gewöhnlichen, und du bist an mich gekommen, weil ich arm
bin, und hast aufs Geratewohl deine gewöhnlichen Künste
gebraucht, verziehen seien sie dir. Jetzt aber laß ab von mir
und nimm diese mit dir, denn ich will euch nicht länger im
Hause behalten: das ist es, was ich bedacht habe, als ich auf
meinem Bette saß und stumm war. Ich will nicht mit dir gehen, und ich will den nicht sehen, der dich ausgeschickt hat;
denn ich bin seiner überdrüssig, bevor ich ihn gesehen habe.
Die Begehrlichen sind einander gleich auf dieser Welt, und
ihr Begehren ekelt mir.« Sie sah um sich im ganzen Raum,
als sinne sie über etwas nach. »Vieles war unrein, und ihr
habt es rein gemacht«, fuhr sie fort, »aber es ist nichts besser
geworden, die Geräte sind mir nicht lieber als zuvor, und
das Haus ist mir trauriger als ein Gefängnis. Du bist hereingekommen zur bösen Stunde, du hast mir ins Ohr geflü-
stert vom Freudenleben, das auf mich wartet, das war deine
schwärzeste Lüge, denn es kommt nichts für mich, als was
schon gewesen ist. Ich bin wie eine angepflöckte Ziege, ich
kann blöken Tag und Nacht, es achtet niemand darauf,
treibt mich der Hunger, so nehme ich mit meinem Munde
Nahrung in mich, und so lebe ich einen Tag um den andern,
und das geht so fort, bis ich dein runzliges Kinn habe und
deine rinnenden Augen, ich Unglückselige.« Die Tränen
überwältigten ihre Stimme, sie sank nach vorn, die Alte un-

terstützte sie. Ganze Bäche stürzten ihr über die Wangen, die Alte sah es mit Entzücken. Sie ließ die Weinende leise auf das Bett gleiten, sie streichelte ihr die Wangen, sie küßte ihr die Fingerspitzen, die Knie. »Oh, wie du bist, du Köstliche, wie Räucherwerk bist du, das seinen Duft lange in sich hält in der Kühle, du Strenge gegen dich selber.« »Warum zündest du Weihrauch an, ich will es nicht«, sagte die Frau mit schwacher Stimme und richtete sich in den Armen der Alten halb auf. »Es ist kein Ambra, es sind keine Narden«, murmelte die andere, »es ist der Duft der Sehnsucht und der Erfüllung.« »Sprich keine Zauberworte«, rief die Junge ängstlich und zuckte in den Armen, die sie fest umschlangen und auf das Bett niederdrückten. »Ruhig, du Unnennbare, du bist es selber«, rief die Amme, »dein Hauch ist süßer als Narden, deine Blicke sättigen mit dem Feuer der Entzückung.« Die Färberin wehrte sich gegen die Umschlingung der Alten und klammerte sich doch an sie, sie sah in einem Wirbel voller Angst und Wollust nach oben in das feurige Weben hinein, aus dem ein Etwas mit durchdringender Gewalt zu ihr wollte, ihr schwindelte, und sie mußte die Augen schließen. »O mein Gebieter, widerstehst du ihren Augen, wenn sie ersterben?« flüsterten dicht an ihrem Kopf die Lippen der Amme, sie flüsterten es nach oben. »Wer soll es sein, es gibt ihn nicht«, hauchte die Frau und fühlte, wie sie willenlos der Alten im Arm hing. »Mit wem redest du?« »Mit einem, der nahe ist und nach dir lechzt, mit einem, der mir zuruft: so verdecke ihr die Augen, und wenn du sie ihr wieder auftust, dann bin ich es, dessen Gesicht auf ihren Füßen ruht.«

»Die Augen«, sagte die Frau und riß sich los, »nicht um alles!« »Du tust es«, rief die Amme mit schmeichelnder Stimme, »du legst dich wieder auf dein Bette, du liegst schon, du lässest mich den Mantel über dich breiten, meine Tochter deckt dir die Füße zu und legt sanft ihre Hand auf deine Augen – du hast es gewährt, o meine Herrin!« »Es kann nie geschehen«, sprach die Kaiserin in sich, »sie will es ja nicht! Es kann nie geschehen«, wiederholte sie, indessen die Augen der Frau schon gegen ihre flachen Hände schlugen. Es war schon geschehen, indem sie es aussprach. Inmitten des Raumes stand ein Lebendiger, der vordem nicht dagewesen war. Sie nahm ihn nur aus dem Winkel des Auges wahr, seine Gegenwart war stark und lauernd wie eines Tieres. Die Kaiserin konnte es nicht ertragen, dies in ihrem Rücken zu haben. Sie trat zurück und gab die Augen der Färberin frei. Diese setzte sich auf und zitterte vor Furcht und Verlegenheit. Die Amme neigte sich zur Erde vor dem Ankömmling, und er schritt langsam auf die schöne Färberin zu. Die Kaiserin trat hinter sich; sie sah, wie das eine seiner Augen größer war als das andere und einen Blick von besonders tierhafter Heftigkeit auswarf, und sie erkannte, daß es einer von den Efrit war, welche beliebige Gestalten annehmen können, um die Menschen anzulocken und zu überlisten. Sie sah, daß er schön war, aber die unbezähmbare Gier, die seine Züge durchsetzte, ließ ihr sein Gesicht abscheulicher erscheinen als selbst eines der Menschengesichter, die ihr auf der Erde begegnet waren. Sie wußte, daß diese Efrit das Bereich der Lebenden umlauern, aber nie hatte sich einer von ihnen unterstanden, ihr so nahe zu kommen. Haß und Verachtung durchbebten sie, sie richtete sich hoch auf und blitzte vor Hochmut. Die Amme spürte ihren Zorn, sie glitt neben sie hin und faßte sie besänftigend an, sie schob sie zur Seite, der Efrit stand vor der Färberin und heftete seine Augen auf sie, vor denen sie die ihrigen niederschlug. »Da bist du«, sagte er mit einer Stimme, welche tiefer und seltsamer war, als die Kaiserin erwartet hätte, und der er einen schmeichelnden, beinahe unterwürfigen Klang gab, »du Köstliche, die auf mich wartet.« »Wartet«, sagte die Frau, »ich auf dich?«

»Du bist ein Weib, aber der den Knoten deines Herzens lösen soll, ist dir noch nicht nahe gewesen vor dieser Stunde.« Die Frau öffnete den Mund, aber es kam kein Laut hervor. Seine Hände lagen auf ihren Knien, er glitt neben sie hin, es war etwas vom Panther und etwas von der Schlange in ihm. Der Kaiserin riß es durch die Seele. »Hilf ihr von dem Unhold«, flüsterte sie der Amme zu, »siehst du denn nicht, daß sie ihn nicht will!« »Ins Schwarze treffen und der Scheibe nicht weh tun, das wäre freilich eine vortreffliche Kunst«, gab die Amme kalt zurück. Der Efrit ergriff mit beiden Händen die Handgelenke der Färberin und zwang sie, zu ihm aufzusehen; ihr Blick konnte sich des Eindringens der seinigen nicht erwehren; sie lag ihm offen bis ins Herz hinein. »Die Augen, heiße ihn die Augen wegtun«, rief die Frau, und es schien, sie wollte flüchten, aber der Efrit blieb dicht bei ihr, seine Hände lagen auf ihrem Nacken, und die Worte, die seinen Lippen schnell entflossen, klangen schmeichelnd und drohend zugleich. Die Kaiserin wollte nicht hinsehen und sah hin. Sie begriff nicht, was sie sah, und doch war es nicht völlig unbegreiflich: das beklemmende Gefühl der Wirklichkeit hielt alles zusammen. »Vorbei!« hauchte sie und drückte fest ihr Gesicht in einen Sack mit getrockneten Wurzeln. »Was ist er ihr, was ist sie ihm, wie kommen sie zueinander! Warum erwehrt sie sich seiner nur halb! Um was geht es zwischen diesen Geschöpfen?«

»Um deinen Schatten«, gab die Amme zur Antwort, und ihr Gesicht leuchtete auf. »Nein, nicht dies«, rief die Kaiserin dicht am Ohr der Alten. »Ruhig«, sagte die Alte, »ruhig, sie ist eine Verschmäherin und muß gebrannt werden im Feuer des Begehrens.«

»Verlocke sie mit Schätzen, es war von köstlichen Mahlzeiten die Rede – sie will ein Haus und Sklavinnen«, sagte die Junge, »gib ihr, was sie will, nicht dies!«

»Ein krummer Nagel«, antwortete die flinke Zunge der
Alten, »ist noch keine Angel, es muß erst ein Widerhaken
daran.«

Die Frau hatte ihre Hände freibekommen und war aufgestanden. »Ich will mich verstecken«, sagte sie, »hilf mir,
Alte, ich will mich vor diesem da verstecken! Was geht er
mich an, der fremde Mensch! Mag er gleich schön sein!« Die
Amme war schnell bei ihr: »Dir nicht fremd zu sein, du
Köstliche«, sagte sie mit einem unbeschreiblichen Ausdruck, »ist alles, was er begehrt.« »Ich will mich vor seinen
Blicken verstecken«, schrie die Frau und schob die Alte so
ungeschickt zur Seite, daß sie selbst dem Manne näher war
als zuvor. »Frage ihn, wie er sich unterfangen kann, von mir
zu verlangen, was er verlangt hat, er, den ich vor einer
Stunde nicht gekannt habe! Frage ihn! Er sagt, er verlangt
es als ein Pfand des Zutrauens und als ein Wahrzeichen, daß
mein Gemüt nicht karg ist!« »Wahrhaftig, da sagt er die
Wahrheit«, rief die Alte mit Begeisterung und tauschte einen Blick mit dem Efrit, »und daß du ihn vor einer Stunde
nicht gekannt hast, ist ein Grund mehr, dich großmütig zu
bezeigen: so ist es gesetzt zwischen Herz und Herz, und
wer dich anderes gelehrt hat, war schlechthin darauf aus,
dich zu betrügen, du Arglose.« »So ist es«, rief der Efrit,
aber die Alte winkte ihm, still zu sein. Sie horchte ange-
strengt nach außen. »Ihr müßt auseinander«, rief sie, »ihr
Liebenden, ich höre den Schritt des Färbers, der nach Hause
kommt. Er ist fröhlichen Herzens und trägt eine irdene
Schüssel in den Händen.« Der Kaiserin Herz schlug vor
Freude; sie konnte es kaum erwarten, den Großen, Starken
eintreten zu sehen. Warum stößt er nicht die Tür auf,
warum dringt er nicht herein, dachte sie und hob den Kopf.
Eine Art von Musik erklang von draußen, eine Art von
mißtönendem Gesang. Die Amme stand bei ihr und warf
ihr einen seltsamen Blick zu: »Auf, du, und heiße sie ausein-

andergehen für heute«, sagte sie, »es ist Zeit.« Der Efrit
hatte die Färberin um die Mitte gefaßt, er wollte sie mit sich
fortziehen, es schien, als söge er mit der Nähe der Gefahr
einen doppelten frechen Mut in sich. Er war bereit, seine
Beute hoch in der Luft über den Köpfen der Eindringenden
hinwegzutragen, und er war schön in seiner knirschenden
Ungeduld. Die Kaiserin trat ihm in den Weg. Ihr Mut war
dem seinen gleich, sie legte beide Arme um die Frau, der
Efrit wandte ihr sein Gesicht zu, das loderte wie ein offenes
Feuer; durch seine zwei ungleichen Augen grinsten die Abgründe des nie zu Betretenden herein, ein Grausen faßte sie,
nicht für sich selber, sondern in der Seele der Färberin, daß
diese in den Armen eines solchen Dämons liegen und ihren
Atem mit dem seinen vermischen sollte. Sie wollte die Färberin an sich ziehen, sie achtete es nicht, daß es ein menschliches Wesen war, um das sie zum ersten Male ihre Arme
schlang. Die Färberin hing ihr willenlos im Arm, ihre Augen sahen nur den Efrit, sie ging ganz in ihm auf. Ein ungeheures Gefühl durchfuhr die Kaiserin vom Wirbel bis zur
Sohle. Sie wußte kaum mehr, wer sie war, nicht, wie sie
hierhergekommen war. Eine wissende Schwäche fiel sie an,
– ihre schöne, reine Kraft selber fing an zu versagen, ihr
Denken, zum erstenmal zerrissen, suchte dahin und dorthin
nach Hilfe, in ihr rief es mit Inbrunst nach dem Färber Barak, und sie fühlte, wie er Schritt für Schritt auf die Tür zukam. Nun kam er herein, er trat ins Zimmer, fröhlich und
geräuschvoll, beladen und begleitet: sein Gesicht war vor
Freude und Aufregung gerötet, und er trug auf beiden Händen eine mächtige Schüssel, auf der köstliche Speisen gehäuft waren: eine Henne in Reis, Eingemachtes, in jungen
Weinblättern gewickelt, Kürbisse mit Pistazien gewürzt
und zehnerlei andere Arten von Zukost. Der Verwachsene,
der mit Blumen bekränzt war und die Maultrommel spielte,
drängte sich an ihm vorbei, der Einarmige schleppte einen

mächtigen irdenen Weinkrug, der Einäugige trug auf dem
Nacken eben jenes abgehäutete Lamm, dessen sanfte Augen
gestern beim Kommen den Blick der Kaiserin in sich gezogen hatten, Kinder, die sich scharenweise angesammelt hatten, angelockt von der Maultrommel und dem Geruch so
üppiger Speisen, lauerten in der Tür und begierige Hunde
mit ihnen. Dies alles drang ins Gemach, der Efrit im
Nu eines Blitzes war verschwunden, die aufgehängten Tücher schwankten, und ein Ziegel löste sich aus den Fugen,
in die Hände klatschte begrüßend die Amme und verneigte
sich in heuchlerischer Demut vor dem Hausherrn. In den
Armen der Magd richtete sich die Halbohnmächtige auf
und sammelte mit einem Blick, der nichts in dem Gemach,
nicht die Schwäger und nicht den eigenen Mann erkannte,
mit wilden Atemzügen und Stößen ihres zuckenden Herzens die fast dem Leib entflogene Seele. Aber so groß war
in der arglosen Brust des Färbers die Freude über seinen
unerhörten Einkauf und die Zurüstungen zu einem Mahl,
wie sein armes Haus es noch nicht gesehen hatte, daß er
nichts von der Verwirrung gewahr wurde, in der er seine
Frau vorfand. »Was sagst du nun, du Prinzessin«, rief ihr
mit mächtiger Stimme zu, »was sagst du mir zu dieser
Mahlzeit, du Wählerische, die mir das Mittagessen verschmäht, und wie findest du die Zurichtung?« Und als die
Frau stumm dastand und mit weit offenen Augen auf ihn
starrte wie auf einen Geist, so meinte er, es habe ihr vor
Freude und Staunen die Rede verschlagen, und mußte laut
über sie lachen. »Erzählt ihr ein wenig, meine Brüder«, rief
er, »damit sie sieht, was wir für Einkäufer sind. Wie war es
mit dem Schlachter! Und wie war es mit dem Gewürzhändler?«

»Schlag ab, du Schlachter, ab vom Kalbe«, sang der Bucklige. »Und ab vom Hammel und her mit dem Hahn!« fielen
das Einaug und der Einarmige ein. »Und Bratenbrater, her-

aus mit dem Spieß!« schrien sie alle zusammen, und der
Einarmige zog einen mächtigen Bratspieß hervor, den er
seitlich am Lendenschurz befestigt hatte. »Du Bratenbrater,
heraus mit dem Spieß!« jauchzten die fremden Kinder und
drängten sich herbei. »Und wie war es mit der Vorkost und
wie mit dem Wein!« schrie Barak lauter und fröhlicher als
alle. »So war es: Heran, du Bäcker, mit dem Gebackenen«,
antworteten die Brüder, »und du Verdächtiger, her mit dem
Wein!« »Ja, so war es«, rief stolz der Färber und kehrte
sein freudig gerötetes Gesicht allen im Kreise nacheinander
zu. Er ging auf seine Frau zu, zog sie an sich und bedeckte
ihren Mund und ihre Wangen mit Küssen. Die Amme
sprang dicht daneben und bog sich vor Lachen. Sie legte
überall Hand an, sie trat und stieß nach den Kindern, die
überall dazwischenkamen, mit den Fingern in die große
Schüssel fuhren, nach den brennenden Kienspänen griffen
und das tote Lamm anrühren wollten; der Verwachsene
spielte mit einer Hand die Maultrommel und half mit der
andern das Lamm an den Spieß stecken, der Einäugige goß
den Wein in irdene Scherben und fing mit vorgestrecktem
Maul auf, was danebenging, und Barak saß auf der Erde
vor der großen Schüssel, er hatte die Frau auf seine Knie
niedergezogen und liebkoste sie, indem er abwechselnd mit
den Fingern die besten Stücke hervorholte und ihr in den
Mund steckte, abwechselnd sie küßte und immer wieder
gewaltig an sich drückte. Er bemerkte es nicht, daß sie an
den Bissen würgte und unter seinen Liebkosungen starr
blieb wie eine Tote. Da sie ihm zu langsam von den köstlichen Dingen aß, stopfte er dazwischen den Kindern in
den Mund, die ihn umringten, während er selbst nur hie
und da ein Geringes zu sich nahm und kaum darauf achtete. »Heraus, du Bäcker, mit dem Gebackenen!« schrien
die Kinder und warfen herausfordernde Blicke auf den
Einarmigen und Einäugigen. »Wenn wir einkaufen, das ist

ein Einkauf!« sang der Verwachsene und griff mit seinen
langen Armen über alle hinweg in die Mitte der Schüssel.
»O Tag des Glücks, o Abend der Gnade!« sang Barak mit
seiner dröhnenden Stimme und nahm mit seiner freien Linken das kleinste von den Kindern, dann noch eines, indem
er es rückwärts am Gewande fest packte, und warf sie seiner Frau zwischen die Knie, aber behutsam, indem er vor
Freude laut lachte. Die Frau zog jäh die Knie nach oben, sie
streifte die Kinder von ihrem Schoß, daß sie hart ans offene
Feuer hinrollten, sie stieß Barak von sich, daß er taumelte
und dabei mit den Beinen die große Schüssel zerschlug.
Die größeren Kinder schrien und rissen die kleinen Geschwister aus dem Feuer, der Einäugige schlug unter sie und
rettete von den Speisen, was zu retten war. Die Amme ließ
das Lamm und den Spieß und sprang hin zu der Frau. Diese
lag auf den Knien, sie focht mit den Händen in der Luft,
und aus ihrem Mund drang ein langer gellender Schrei.
Schnell trugen die beiden Muhmen die Zuckende auf ihr
Bett. Barak war neben ihnen und getraute sich nicht, seine
schreiende Frau anzurühren, er lief ans Feuer zurück, sah
mit ratlosem Blick auf die Speisen, lief wieder ans Bett und
berührte angstvoll ihren Leib, der sich wild herumwarf wie
ein Fisch auf dem Trockenen: er glaubte sie vergiftet. Er
reichte der Alten ein Tuch und drängte die Brüder und Kinder hinaus, sie rissen das Lamm vom Spieß, und der scharfe Dunst von verbranntem Fett erfüllte den Raum. Das
Schreien hatte aufgehört, aber ein Krampf zerrte alle Glieder der Färberin. Sie bleckte die Zähne gegen ihren Mann,
als sie ihn gewahr wurde, und stieß zu der Alten hervor:
»Schaff mich fort, du weißt die Wege, schwöre mir, daß ich
nie mehr dieses Haus und dieses Gesicht sehen werde.« Die
Alte streckte drei Finger, dann schlug sie den einen ein und
deutete mit verstohlenem Blick auf die zwei, die noch blieben. Die Frau schloß die Augen, Barak hatte nicht gehört,

was sie sagten, er sah, wie die Alte zu ihr flüsterte, wie die Junge spärlich antwortete, aber nicht mehr mit verkrampftem Mund, wie sie allmählich ruhiger wurde und sanft dalag.

## Viertes Kapitel

Am Abend des dritten Tages zog sich die Jagd oben am Hange eines tiefen Tales hin, das sich immer mehr zur Schlucht verengte. Die Schlucht wurde schroff und abgrundtief, unten schoß ein schäumendes Wasser. Ober einer steinernen hohen Brücke, die den Abgrund übersprang, lag ein einsames Dorf, das schon von der Jägerei besetzt war. Der Kaiser kam über die steinerne Brücke geritten, er hielt sein Pferd auf der Straße an, die hinter ihm sprangen aus dem Sattel, alle erwarteten, daß er absteigen würde; zwei von den Vornehmsten eilten hin und hielten ihm Zaum und Bügel, aber mit einer lässigen Gebärde der schönen langen Hand winkte er ihnen ab und blieb im Sattel sitzen. Der Spaßmacher hatte nur auf diesen Augenblick gewartet, um eine Posse auszuführen, durch die er die gegenwärtige Sorge des Kaisers schmeichelnd mit einer derben Dorfhetze vermischen wollte; er sprang plötzlich seitwärts heran und zog einen Alten, der sich demütig dreingab, an seinem langen gelblichweißen Bart hinter sich her bis vor des Kaisers Pferd. »Hier, du Ältester eines verfluchten Dorfes«, schrie er ihn an, »hier wirf dich nieder und bekenne, daß ihr berüchtigte Falkendiebe seid, ihr Bergdörfler, und daß ihr Falken anzulocken versteht und sie zu ködern mit einem geblendeten Vogel, und daß ihr selber erpicht auf die Falkenjagd seid und Wilddiebe vom Mutterleib, und daß jeder von euch für einen roten kaiserlichen Falken, der – Gott verhüte es! – in eure Hände fiele, seine leibliche Mutter verkaufen

würde, geschweige denn sein Eheweib, die einem euresglei-
chen feil ist um einen auf Sperlinge abgerichteten Habicht!«
Der Alte zuckte mit den Augenlidern, er nahm alles für
bare Münze, der Tod schwebte ihm vor den Augen, er hob
beteuernd die Hände und sah sie schon abgehauen und verstümmelt. Er wollte eine Rede anheben, aber die eherne
Stimme des Possenreißers und das gewaltige Ansehen, das
er sich zu geben wußte, schlugen ihn zu Boden. Er sah mit
hilfeflehender Miene nach dem, der über ihm auf dem
Pferde saß, aber der blieb regungslos und würdigte ihn keines Blickes. »Bei meinen Augen«, rief der Alte verzweifelt,
»möge ich blind werden auf der Stelle! Wir sind armselige
Hirten, wir wissen nichts von der Jagd und vermögen einen
Falken nicht von einer Krähe zu unterscheiden!« In seiner
Angst faßte er mit den Händen in die Luft, zu nah vor den
Augen des Pferdes, daß es sich hoch aufbäumte und der
Kaiser mit der Rechten hastig nach der Hülse griff, die er
mit dem Brief der Kaiserin unterm Gewand am Halse trug,
um sie zu schützen, dann erst faßte er in die Zügel und beruhigte das Pferd; aber der Possenreißer, der ihm begierig
um ein Lächeln und Nicken am Gesicht hing, bekam keinen
Blick, die Augen des Kaisers sahen gerade vor sich, wie eines Adlers, den schläfert. Es war hoch am Nachmittag und
die Luft hier im innersten Bereich der sieben Mondberge so
rein, daß der Kaiser in einer großen Ferne denselben Fluß,
der tief unter seinen Füßen hinschoß, in seinem Ursprung
gewahren konnte, wo er als ein fadendünner Wasserfall
hoch droben an der Felswand hing und sich von dort in einen kleinen Wald hinabstürzte. Auf dem höchsten Wipfel
des Wäldchens sah man einen Falken sitzen, der einen Vogel
in den Klauen hielt und ihn rupfte. Der Kaiser winkte den
Obersten der Falkner herbei und zeigte ihm mit den Wimpern die Richtung; der Falkner hatte mit seinen weit ausein-
anderstehenden aufmerksamen Augen den Vogel längst ge-

sehen und erkannt, daß jener, der dort in der Ferne äste,
nicht der gleiche war, den sie suchten und den zu finden
und wieder anzulocken seine oberste Pflicht war, und indes
sein rotes Gesicht ober und unter der großen Narbe, die
quer über seine Nase lief, dunkler wurde, wandte er es wie
beschämt zur Seite. Aber des Kaisers Miene verfinsterte
sich, er neigte sich ein wenig gegen den Falkner. »Auf deinen Kopf«, sagte er leise, »daß wir in diesem Revier den roten Falken finden und ihn wiedergewinnen, wir beide, du
und ich.« Der Falkner wagte nicht, seinem Herrn ins Gesicht zu sehen, er hielt seine Augen fest auf die Brust des
Kaisers gerichtet; er wurde blaßgelb, und seine auseinander
stehenden Augen nahmen einen erschrockenen Ausdruck
an. Er lief hin, ließ zwei Maultiere vorführen, nahm einen
Filzmantel und einen Ledermantel an sich und hängte zwei
lederne Taschen an seinen Gürtel, von denen die eine Luft-
löcher hatte wie ein Käfig. Der Kaiser war vom Pferd gesprungen, er schwang sich auf das eine Maultier, ohne den
Bügel zu berühren, der Falkner stieg auf das andere; er
mußte sich am Sattelknopf anhalten, seine Glieder waren
ihm wie gelähmt, mehr als den Zorn seines Herrn und die
dunkle Drohung fürchtete er noch das Alleinsein mit ihm.
Hilflos drehte er sich im Sattel um, er sah, wie der Stallmeister einem der Knaben winkte, die ihm untergeben waren;
der Falkner, als hätte er nur darauf gewartet, warf dem Knaben die Mäntel zu. Der Knabe lauerte mit Begierde, er hatte
sich absichtlich herangeschlichen, seine Augen leuchteten,
flink war er auf einem dritten Maultier droben und trabte
hinter den beiden her.

Stumm ritten sie am Abhang hin, der Weg hob sich
schnell in die Höhe. Sie blieben hintereinander, die Maultiere setzten den Fuß über lose glänzende Blöcke und
Baumwurzeln, mit dem einen Knie hingen die Reiter über
dem Abgrund, mit dem andern streiften sie den Efeu, der

die schwarze Felswand umklammerte, kleine Vögel äugten
aus ihren Nestern auf sie herab und flogen hastig vor ihrer
Brust vorbei. Der Falkner hielt seine Augen auf den Rücken
des Kaisers geheftet, die Schultern und der Nacken erschienen ihm felsenstark, unnahbar, ohne Gnade. Sie waren
oben, der Kaiser sprang ab, der Kleine war schnell, wie eine
Katze, vom Pferd, der Kaiser achtete ihn gar nicht, aber das
Kind war selig, mit dem erhabenen Herrn allein zu sein,
denn der Falkner schlich sich seitwärts, immer die Augen
am Himmel. Der Kaiser sah hinab: Glanz ohnegleichen lag
auf den Tälern und Bergen, da und dort fielen Wasserfälle
ins Tal hinab und leuchteten, aus den tiefsten Schluchten
fing an bläulicher Nebel sich emporzuziehen. In der Ferne
kreuzten sich Bergkämme, dunkle Wälder standen auf den
Hängen, oben war alles kahl und zerrissen. Niemals glichen
sich zwei dieser Klippen, aber alles ging leuchtend ineinander über wie die Zeichen in dem Brief der Kaiserin, die alle
wundervoll waren, keines dem andern gleichend, und nirgends ein Anfang zu finden – das Ende verflocht sich mit
dem Anfang, so als ob in unsäglicher Scheu und Schamhaftigkeit die Anrede vermieden sein sollte; und ein solcher
reiner, starker Duft, wie über diesen Schluchten hin und her
wogte, drang aus dem Brief für den einen, dem er zu lesen
bestimmt war. In der Erinnerung schloß der Kaiser unwillkürlich die Augen, der Knabe las ihm jetzt Gnade und
Milde vom Gesicht, die Freude durchdrang ihn, er brach
vor Lust einen Zweig ab und warf ihn gleich wieder hin. Sie
traten ins Wäldchen und gingen zwischen Bäumen am Wasser hin, auf einen Weiher zu.

Der Falkner blieb dahinten, er spähte zum hundertsten-
mal den Himmel ab, der noch hell war und schon vom ersten Mondlicht durchströmt. Er sah gegenüber, zwischen
den zwei Zinken des höchsten Mondberges, die Sonne hin-
absinken, ihr letzter, ganz schwarzer Strahl durchfuhr den

Himmel und den Abgrund, hernach wanden sich einzelne
Wolken, wie Schlangen, aus den Klüften hervor. Er seufzte
auf: seine Hoffnung war gering, er vertröstete sich auf den
Morgen, aber er wollte nichts unversucht lassen. Er öffnete
die eine lederne Tasche, die er am Gürtel trug, und zog einen kleinen rostfarbenen Vogel heraus, der sich heftig
sträubte. Der Falkner, mit gerunzelter Stirn, befestigte mit
einem Lederriemen den Vogel an einem Dornstrauch. »Vorwärts du«, sagte er, »deine Angst sieht schärfer als das
schärfste Auge, melde mir du den, auf den ich warte, und
melde ihn bald oder es soll dein Tod sein. Denn so wie er da
hinten über mir ist, so bin ich über dir.« Es verging kurze
Zeit und der Vogel riß an seiner Fessel wie ein Verzweifelter
und stieß einen durchdringenden Angstlaut aus. Der Falkner konnte sich kaum fassen vor Unruhe und Erwartung.
Er warf sich hinterm Dorngesträuch an die Erde und ahmte
den Ruf der Ringeltaube nach, dreimal und öfter. Aus dem
Wäldchen bei dem Wasser strichen die männlichen Tauben
daher und suchten die Ruferin. Nicht lange und zuoberst
am Himmel erschien nun ein Vogel, der größer und größer
wurde. »Du bist es«, rief der Falkner voll Entzücken, »du
erinnerst dich deines Wärters, du kommst zurück zu der
Hand, die dir zuerst Speise gereicht hat.« Er riß eine kleine
Trommel vom Gurt und schlug mit den Fingerknöcheln auf
ihr einen besonderen Wirbel. »Erkennst du den Klang«, rief
er, »wir sind es, die Deinigen, die dich um Verzeihung bitten! Wir haben uns vergangen gegen deine edlen Sitten, wir
wissen nicht wie, aber du bist großmütig und hast uns ver-
geben!« Der angebundene Vogel bohrte sich vor Angst tief
ins Dorngestrüpp, die Tauben stoben auseinander, von oben
fuhr der Falke senkrecht nieder, über dem Falkner hielt er
sich in der Luft mit ausgebreiteten Schwingen, dann schoß
er schräg, ohne die Schwingen zu regen, auf das Wäldchen
zu. Dem Falkner stand das Herz still, ihm war, als hätte der

Falke mit rötlich glitzernden, ganz offenen Augen ihn zornig und gebietend angesehen, doch er war es, unverkennbar
war jeder Zug an dem herrlichen Vogel.

In großen Sätzen sprang er ihm nach ins Wäldchen, die
angepflöckten Maultiere schraken auf, für ihn ging es jetzt
um alles, er erstaunte und bangte, als er den Kaiser nicht
fand. Lautlos stürzte der Wasserfall von der Felswand herab, im Weiher spiegelte sich ein Stück des Himmels mit dem
Falken, der jetzt über den Wipfeln ruhig kreiste. Von Zeit
zu Zeit stieß er einen scharfen Ruf aus, wie ungeduldig, daß
er seinen Herrn nicht sah, von dem Diener sich nicht wollte
greifen lassen. Der Knabe hockte dem Wasserfall gegenüber
still wie eine Eule; aus ihm war nichts herauszubringen als:
der Kaiser sei dort hineingegangen. Er deutete auf eine
Höhle drüben an der Felswand, kaum über mannshoch; die
verfallene Schwelle war übersprüht von der Nässe des wehenden Schleiers, ein paar Stufen führten vom Wasser herauf, sie schienen von Menschenhand geglättet, aber uralt.
Der Kaiser habe für sich geredet, mit der Hand das Wasser
berührt, sein Obergewand abgelegt; dem Kind war ängstlich und schläfrig, ihm war, bei dem Mond, der von oben her-
einsah, wie eine Ampel, als hätte man ihn auf der Schwelle
vor dem kaiserlichen Schlafgemach vergessen, absichtlich
schloß er die Augen, bei dem stetigen Rauschen nickte er
ein. Auf einmal sei der Kaiser vor ihm gestanden, habe ihn
aufgerüttelt und gefragt, ob er singen höre. Er habe es ganz
in der Nähe vernommen, dann weiter weg. Der Kaiser habe
ihm plötzlich den Rücken gewandt, sei schnell auf die
Höhle zugegangen. Der Knabe traute sich zuerst nicht, ihm
unbefohlen nachzugehen, aber dann sei er nachgeschlichen
und habe den Kaiser nicht mehr gesehen. Die Höhle müsse
ein altes Gewölbe sein: sie habe behauene Wände und wohl
auch einen anderen Ausgang. Aber er warte nun schon
lange, bis der Kaiser wiederkäme. Der Falkner hörte kaum

zu, er konnte die Zeit nicht nachmessen, die ihm vergangen war in der zitternden Erwartung des Falken, der ihn nun wieder narrte mit beständigem Zuruf. Jetzt bäumte der schöne Vogel auf und äugte von dem obersten kahlen Stumpf einer blitzgetroffenen Eiche, die unten üppig fortgrünte, herunter. Der Falkner stand wie angewurzelt, endlich riß er sich los, schlich geduckt hinüber; er sah seine Hand rot vor sich, wie abgehauen, wenn er den Baum erkletterte und vergebens nach dem Falken griffe, im gleichen Augenblick der Kaiser aus dem Berg hervorträte, der böse Vogel sich höhnisch für immer nach oben schwänge. Der Knabe lief lautlos neben ihm. Der Falke hob die Schwingen, flog freundlich auf sie zu, dann warf er sich mit einem einzigen Flügelschlag hoch nach oben und seitwärts, fuhr dann sausend herab und mit einem Schrei wie Lust und Hohn durch den aufsprühenden Wassersturz in die Bergwand hinein. Mit unbegreiflichen Kräften begabt, mußte er dort einen Eingang wissen, den das stürzende Wasser verhüllte. Der Falkner, vor ohnmächtigem Zorn, verbiß die Zähne ineinander, er rollte die Augen um sich, in des Knaben Miene trat ihm ein verschmitzter Ausdruck entgegen, vielleicht vor lauter Verlegenheit über das Unerwartete. Der Falkner schlug ihn voll Zorn ins Gesicht. Der Knabe sprang ins Gebüsch und duckte sich, aber er freute sich im Innersten über die unverdienten Schläge, ein huldvolles, wunderbares Lächeln schwebte vor ihm, er wartete lautlos zwischen den Sträuchern, bis sein Herr wieder heraustreten würde.

Der Kaiser stieg die steilen glatten Stufen schnell hinab, er achtete nicht auf die Falltür in seinem Rücken; die singenden Stimmen, das Unerklärliche, die Umstände des Ortes bannten alle seine Sinne. Gerade hier drang alles tief in ihn, er war im Bereich seines ersten Abenteuers mit der geliebten Frau. Jene unvergeßliche erste Liebesstunde war ihm

nahe, sein Blut war bewegt, daß er die seltsame Grabes-
kühle kaum fühlte, die aus den Wänden des Berges und von
unten auf ihn eindrang. Für ein neues Abenteuer wäre kein
Platz in ihm gewesen – oder doch? wer hätte es sagen
können. – Er dachte nichts Bestimmtes, aber alles, was
ihm ahnte, verknüpfte sich innig mit seiner Geliebten. Er
konnte die Worte des Gesanges nicht verstehen. Von Stufe
zu Stufe schien es ihm, jetzt würden sie ihm gleich verständ-
lich sein. Eine gewisse Reihe kam öfter wieder. Er sprang
die letzten Stufen schnell hinab und fand sich in einer Art
Vorhalle, dämmerig erleuchtet; das Licht kam unter einer
Tür hervor, die ihm entgegenstand, aus Holz mit chernen
verzierten Bändern. Er fand kein Schloß und keinen Griff,
aber als er sich der Tür näherte, bewegten sich die Türflügel
in den Angeln. Deutlich hörte er in diesem Augenblick die
letzten von den Worten, die schon öfters wiedergekehrt waren. Sie hießen:

Was fruchtet dies, wir werden nicht geboren!

Er hatte keine Zeit, über den Sinn dieser Worte nachzudenken. Er war über die Schwelle getreten und die Türflügel schnappten hinter ihm leise wieder zu. Er stand in einem
geräumigen Saal, dessen Wände, wie ihm schien, aus nichts
anderem als dem geglätteten Gestein des Berges bestanden.
In der Mitte des Raumes war ein Tisch gedeckt, für je einen
Gast an jedem Ende. Zu jeder Seite des Tisches brannten
mit sanftem feierlichem Licht sechs hohe Lampen. Nirgend
war an den Wänden ein Gerät; trotzdem atmete das Ganze
eine seltsam altertümliche Pracht, die dem Kaiser die Brust
bewegte. Ein Knabe ging zwischen dem Tisch und dem
dunklen, der Tür entgegen gelegenen Teil des Saales ab und
zu. Es mußte dieser sein, der gesungen hatte. Er brachte
Schüsseln, die aus purem Gold schienen, und langhalsige,
mit Edelsteinen besetzte Krüge und ordnete sie auf die Tafel. Manche Schüssel mit ihrem Deckel war so schwer, daß

er sie nicht auf den Händen, sondern auf dem Kopf trug, aber er ging unter der Last wie ein junges Reh. Der Knabe kam aus dem Dunkel gegen das Licht, er sah den Kaiser in der Tür stehen und schien nicht überrascht. Er drückte die Hände über der Brust zusammen und verneigte sich. Von rückwärts rief eine Stimme: »Es ist an dem!« Doch war dieser Teil des Saales im Halbdunkel und erst später gewahrte der Kaiser, daß sich dort eine Tür befand, völlig gleich der in seinem Rücken, durch die er eingetreten war, und ihr genau entgegenstehend. Der laute Ruf verhallte nach allen Seiten und offenbarte die Größe des Gemachs. Der Knabe neigte sich vor dem Kaiser bis gegen die Erde und sprach kein Wort. Aber er wies mit einer ehrfurchtsvollen Gebärde auf den einen Sitz am oberen Ende der Tafel. Obwohl alle zwölf Lampen, welche die beiden langen Seiten des Tisches begleiteten, anscheinend mit gleicher Stärke brannten, mußte doch das Licht, das denen am oberen Teil entströmte, von der stärkeren Beschaffenheit sein und umgab diesen Platz und die Prunkgeräte, die dort angerichtet waren, mit strahlender Helle, die Mitte des Tisches war noch sanft und rein erleuchtet und das untere Ende lag in einer bräunlichen Dämmerung. Der Knabe sah mit Aufmerksamkeit auf den Kaiser hin, aber sein Mund blieb fest zu. Es dauerte einen Augenblick, bis sich der Kaiser besann, daß es in jedem Fall an ihm wäre, die ersten Worte zu sprechen. »Was ist das?« fragte er, »du richtest hier eine solche Mahlzeit an für einen, der zufällig des Weges kommt?« Die festverschlossenen Lippen des schönen Knaben lösten sich; er schien verlegen und trat hinter sich und sah sich um. Aber der Kaiser achtete schon nicht mehr auf ihn; denn drei Gestalten, die er nicht genug ansehen konnte, waren irgendwo seitwärts aus der Mauer herausgetreten. Die mittlere war ein schönes junges Mädchen, sie glitt mehr als sie ging auf den Kaiser zu, zwei Knaben liefen neben ihr und konnten ihr kaum

nachkommen, sie glichen dem Tafeldecker an Schönheit,
aber sie waren kleiner und kindhafter als dieser. Das Mädchen hielt einen gerollten Teppich in Händen, den sie vor
den Kaiser hinlegte; dabei neigte sie sich fast an den Boden.
»Vergib, o großer Kaiser«, sagte sie – nun erst, da sie sich
aufrichtete, sah er, daß sie trotz ihrer noch kindlichen Zartheit nicht um vieles kleiner war als er selbst –, »vergib«,
sagte sie, »daß ich dein Kommen überhören konnte, vertieft
in die Arbeit an diesem Teppich. Sollte er aber würdig werden, bei der Mahlzeit, mit der wir dich vorliebzunehmen
bitten, unter dir zu liegen, so durfte der Faden des Endes
nicht abgerissen, sondern er mußte zurückgeschlungen werden in den Faden des Anfanges.« Sie brachte alles mit nie-
dergeschlagenen Augen vor; der schöne Ton ihrer Stimme
drückte sich dem Kaiser so tief ein, daß er den Sinn der
Worte fast überhörte. Der Teppich lag vor seinen Füßen; er
sah nur einen Teil und nur die Rückseite, aber er hatte nie
ein Gewebe wie dieses vor Augen gehabt, in dem die Si-
cheln des Mondes, die Gestirne, die Ranken und Blumen,
die Menschen und Tiere ineinander übergingen. Er konnte
kaum den Blick davon lösen. Er besann sich mit Mühe auf
die Pflicht der Höflichkeit, und es verging eine kleine Weile,
bevor er einige Worte an die jungen Unbekannten gerichtet
hatte.

»Ihr seid vermutlich auf einer Reise«, sagte er mit großer
Herablassung, und indem er von seiner Stimme alles Gebie-
terische abstreifte. »Eure Zelte und die eures Gefolges,
denke ich, sind in der Nähe aufgeschlagen, und ihr habt der
Kühle wegen dieses alte Gewölbe aufgesucht? Ich möchte
nicht hören, daß ihr in diesem Berge wohnet!« Die Kinder
hingen mit der größten Aufmerksamkeit an seinem Munde.
Bei den letzten Worten, die unwillkürlich mit mehr Strenge
über seine Lippen kamen, zuckte ein Lachen über ihre Gesichter. Man sah, wie die drei Knaben sich bemühen muß-

ten, nicht laut herauszulachen. Das Mädchen aber war
gleich wieder gefaßt, ihre Züge nahmen wieder den Ausdruck der größten Aufmerksamkeit, fast der Strenge an.
»Oder ist eures Vaters Haus nahe?« fragte der Kaiser abermals; nichts an ihm verriet, daß er ihr unziemliches Betragen bemerkt hätte. Die drei Knaben mußten noch mehr mit
dem Lachen kämpfen, und der Tafeldecker bückte sich eilig
und machte sich an dem Tisch zu tun, um sein Gesicht zu
verbergen. »Wer ist denn euer Vater, ihr Schönen?« fragte
der Kaiser zum drittenmal mit unveränderter Gelassenheit;
nur wer ihn gut kannte, hätte an einem geringen Zittern seiner Stimme seine Ungeduld erraten. Das schöne Mädchen
bezwang sich zuerst. »Vergib uns, erhabener Gebieter«,
sagte sie, »und zürne nicht über meine jungen Brüder, sie
sind ohne alle Erfahrung in der Kunst des höflichen Gespräches. Dennoch müssen wir dich bitten, mit der geringen
Unterhaltung, die wir dir bieten können, für eine Weile vorliebzunehmen, denn es scheint, unser ältester Bruder hat
noch nicht alle Speisen und Zutaten beisammen, die er für
würdig findet, dir vorgesetzt zu werden.« Ihre Gebärde lud
ihn ein, sich dem Tisch zu nähern, und er fühlte, daß er fast
matt vor Hunger war, aber die Haltung der Kinder und die
unbegreifliche Anmut aller ihrer Stellungen, selbst der un-
gezogenen, entzückte ihn so, daß er keinen Gedanken an etwas anderes wenden konnte. Das Mädchen war am oberen
Ende des Tisches niedergekniet, sie breitete den Teppich aus
und lud ihn ein, sich darauf niederzulassen. Das Gewebe
war unter seinen Füßen, Blumen gingen in Tiere über, aus
den schönen Ranken wanden sich Jäger und Liebende los,
Falken schwebten darüber hin wie fliegende Blumen, alles
hielt einander umschlungen, eines war ins andere verrankt,
das Ganze war maßlos herrlich, eine Kühle stieg aber davon
auf, die ihm bis an die Hüften ging. »Wie hast du es zustande gebracht, dies zu entwerfen in solcher Vollkommen-

heit?« Er wandte sich dem Mädchen zu, das in Bescheidenheit einige Schritte weggetreten war. Das Mädchen schlug
sofort die Augen nieder, aber sie antwortete ohne Zögern.
»Ich scheide das Schöne vom Stoff, wenn ich webe; das was
den Sinnen ein Köder ist und sie zur Torheit und zum Verderben kirrt, lasse ich weg.« Der Kaiser sah sie an. »Wie
verfährst du?« fragte er und fühlte, daß er Mühe hatte, gesammelt zu bleiben. Denn jeder einzelne Gegenstand, den
sein Auge berührte, drang mit wunderbarer Deutlichkeit
in ihn: er sah vieles im Saal und glaubte von Atemzug zu
Atemzug mehr zu sehen. »Wie verfährst du?« fragte er
nochmals. Die junge Dame folgte seinem Blick mit Entzücken. Es verging eine Weile, bis sie antwortete. »Beim
Weben verfahre ich«, sagte sie, »wie dein gesegnetes Auge
beim Schauen. Ich sehe nicht, was ist, und nicht, was nicht
ist, sondern was immer ist, und danach webe ich.« Aber er
hörte sie nicht, so verloren war sein Blick im Anschauen der
herrlichen Wände, in denen das Licht der Lampen sich spiegelte. An der Spannung, mit der die Gesichter der Knaben
sich ihm zuwandten, erkannte er, daß die Antwort an ihm
war. Er war ganz gebunden von der Schönheit dieser Gesichter, auf denen ein Schmelz lag, wie er ihn nie auf den
Gesichtern von Kindern meinte gekannt zu haben, und in
den Augen, die sich gespannt auf ihn richteten, sah er, was
er nie in irgendwelchen Augen wahrgenommen hatte. »Sind
euer noch mehr Geschwister?« fragte er ohne Übergang den
einen, der ihm zunächst war. Er wußte nicht, wie ihm gerade diese Frage in den Mund kam. Sein Auge hing wie gebannt an ihren Gestalten. Die Lust des Besitzenwollens
durchdrang ihn von oben bis unten, er mußte sich beherrschen, sie nicht anzurühren. »Das hängt von dir ab«, gab
ihm nicht der Gefragte, sondern der andere der beiden zur
Antwort. Nun wandte sich der Kaiser an diesen und fühlte
selbst, wie er sich bemühte, der Frage einen spaßhaften Ton

zu geben. »Ist das Haus nahe oder ferne? Nun vorwärts,
seid ihr im Guten oder Bösen weggelaufen, wie?« Der
Knabe blieb die Antwort schuldig, er sah über den Tisch
den Tafeldecker an, sie hatten aufs neue Mühe, ihr Lachen
zu unterdrücken. Der Kaiser richtete sich in den perlenbe-
stickten Kissen, in denen er lehnte, etwas auf. Es kostete ihn
eine sonderbare Mühe, seine Stellung zu ändern; ein Gefühl
der Kälte, das von seinen Füßen und Händen ausging,
drang ihm bis ans Herz. Er sah die Kinder scharf an. »Habt
ihr vorausgewußt, daß wir einander begegnen werden?«
fragte er wieder, aber ohne sich an einen Bestimmten aus der
Gesellschaft zu wenden. »Ist das das Ende einer Reise oder
der Anfang? Liegt mehr vor euch oder mehr hinter euch?«
Der Ton seiner Stimme klang strenger in dem hohen Gemach, als er gewollt hätte, und seine Fragen folgten schnell
nacheinander. »Du liegst vor uns, und du liegst hinter uns!«
rief der Tafeldecker ganz laut, wobei er mit zur Erde ge-
streckten Händen, in denen er den goldenen Schöpflöffel
hielt, eine tiefe Verbeugung vor dem Kaiser machte. Der
eine von den Kleinen lief zu dem Kaiser hin, stellte sich
dicht an ihn, und indem er ihm mit gespieltem Ernst fest in
die Augen schaute, sagte er langsam und nachdrücklich:
»Deine Fragen sind ungereimt, o großer Kaiser, wie eines
kleinen Kindes. Denn sage uns dieses: wenn du zu Tische
gehst, geschieht es, um in der Sättigung zu verharren oder
dich wieder von ihr zu lösen? Und wenn du auf Reisen
gehst, ist es, um fortzubleiben oder um zurückzukehren?«
»Was sind das für Reden«, rief das Mädchen, und ihre Augen vergrößerten sich. »Hierher und hinter mich!« Der
Kleine sprang zurück an ihre Seite und küßte mit Reue und
Ehrfurcht immer wieder ihre herabhängenden Ärmel und
der andere auch, obwohl sie sich über ihn nicht erzürnt
hatte. Sie gab ihnen keinen Blick und hob ängstlich flehend
die Hände gegen den Kaiser. »O wie können wir deine Zu-

friedenheit erwerben, die wir so unvollkommen sind!« rief
sie voll Angst. Der Kaiser sah nur ihre Hand, die unvergleichlich schön war und von alabasterhaft durchscheinen-
dem Glanz. »Ihr seid's, die ich besitzen und behalten muß«,
rief er aus, »es sei auf welchem Wege immer!« Ihre Hand
zuckte zurück, ihr Auge traf ihn mit unsäglicher Scheu und
Ehrfurcht, er bereute seine überheblichen Worte, noch mehr
die unverhüllte Heftigkeit seines Tons, und setzte schnell mit
sanftem dringendem Tonfall hinzu: »Auf welchem Wege
werde ich mit euch für immer vereinigt? Denn das will
ich, und müßte ich Blut meines Herzens dafür hergeben!«
Das Mädchen erschrak abermals sichtlich. Es schien, als
wäre ihr diese Frage zu gewaltig für Worte und als vermöchte sie darauf nur mit den Augen zu antworten. »Ich
bin gewohnt, zu erreichen, was ich begehre!« rief der Kaiser.
Ihre ganze Seele lehnte sich aus ihrem Auge, und sie traf
den Kaiser mit einem langen Blick, in dem sich Ehrfurcht,
Zärtlichkeit und namenloses Bangen mischten und der so
stark war, daß der Kaiser sein Auge niederschlug, um sich in
sich zu sammeln zu einer entscheidenden Frage; ihm war,
als schwebte sie schon auf seinen Lippen, aber er vergaß sie:
denn als er die Augenlider wieder aufschlug, sah er den ganzen Tisch mit Blumen bedeckt, die im Licht der Lampe auf-
leuchteten wie ausgeschüttete Edelsteine, er sah noch, wie
die Hand des Mädchens die letzten an der Seite zu den übrigen hingleiten ließ, wie sie ihr aus den Händen flossen und
sich von selber ordneten und schließlich alle geordnet dalagen gleich einer herrlichen kunstvollen Stickerei. Er sah ihr
Gesicht leuchten, und wie sie mit den Augen liebevoll einem zuwinkte, der vordem nicht dagewesen war und der an
Größe und Schlankheit der Gestalt ihr selber glich, und er
gewahrte jetzt am entgegengesetzten Ende des Saales eine
Tür, gerade wie die, durch welche er selbst vor nicht langer
Zeit eingetreten war, deren Flügel jetzt offenstanden und

durch welche paarweise halbgroße Kinder eintraten, die verdeckte Schüsseln in Händen trugen. »Wer ist dieser?« fragte der Kaiser das Mädchen, indem er mit seinen Augen auf den wies, der vordem nicht dagewesen war. »Ist er der Küchenmeister?« »Es ist an dem!« rief dieser, als wollte er sich als solchen zu erkennen geben, denen mit den Schüsseln zu, und sie näherten sich paarweise, lautlos und sehr schnell, und trugen laufend auf, indem immer der eine auf das obere Ende des Tisches und den Platz des Kaisers zulief und der andere auf das entgegengesetzte Ende.

»Was soll dieses Wort, das ich zum zweiten Male höre?« rief der Kaiser aus. »Und warum vollzieht sich dies so schnell, daß ich kaum zu mir selber komme? Sage diesem, er solle sich die nötige Zeit lassen.« »Die Zeit?« sagte das Mädchen und sah ihn mit verlegenem Ausdruck an. »Wir kennen sie nicht, aber es ist unser ganzes Begehren, sie kennenzulernen und ihr untertan zu werden.« Die Verlegenheit stand ihr noch reizender. Der Kaiser weidete seinen Blick an ihr; aber es war nichts von Begehrlichkeit in seinem Entzücken.

Der Küchenmeister schlug in die Hände; die Auftragenden sprangen zur Seite und bildeten zwei Reihen. Wie ein blitzendes Licht kam zwischen ihnen ein Reiter herein und sogleich noch einer, der eine auf einem stahlgrauen Pferd, der andere auf einem feuerfarbenen. Sie trugen jeder eine verdeckte goldene, mit Edelsteinen gezierte Schüssel vor sich auf dem Sattelknopf. Sie parierten die Pferde einer nach dem andern; zu jedem sprang einer von den Vorschneidern und nahm mit höchstem Ernst die Schüssel in Empfang und präsentierte sie kniend von dort her dem Kaiser. Die Reiter rissen ihre Säbel hervor und begrüßten den Kaiser, indem sie gegen ihn anritten und sich blitzschnell aus dem Sattel senkten und zur Rechten und zur Linken des Tisches mit den Spitzen ihrer Säbel klingend den Boden berührten. Des

Kaisers Seele trat in sein Auge; mehr als alles entzückte ihn
die geschwisterliche Ähnlichkeit zwischen diesen Jünglingen und den kindischen Knaben, mit denen er vorher Gesellschaft gepflogen hatte. Er wünschte über alles nun mit
diesen Neuen zu sprechen, er gab ihnen Blicke der äußersten Huld und Vertraulichkeit, er winkte sie zu sich heran.
Aber alles war vergeblich. Als verstünden sie nicht, daß er
ihre Gesellschaft begehrte, ließen sie, indem sie mit einer
zauberischen Anmut in die Zügel griffen, ihre Pferde auf
dem glatten Steinboden zurücktreten und weiter zurück,
bis sie mit den Hinterhufen fast die Mauer berührten. Dann
brachten sie sie mit einem leisen Anzug der Zügel dazu,
sich hoch aufzubäumen, die Vorderhufe griffen in die Luft,
sie glichen Vögeln in der Beweglichkeit ihrer Hälse und
spielten mit ihrer eigenen Last wie schuppige Fische im
Mondlicht, der eine zur Linken, der andre zur Rechten des
Saales. Die Mienen der Knaben waren angespannt, doch
schwebte ein silbernes Lächeln auf ihnen, das sie beständig
dem Kaiser zusandten, es war klar, daß ihr Auftrag beendet
war und daß sie wieder aus dem Saale verschwinden würden,
aber daß sie aus Ehrfurcht ihrem Gast nicht den Rücken
wenden wollten. Sie glitten in die Wand hinein, ohne daß
man sehen konnte, wie die Wand sich auftat, ihr Lächeln war
das letzte, das noch aufleuchtete wie ein spiegelnder Schein.
»Wohin sind sie?« rief der Kaiser aus, und ein scharfer
Schmerz durchfuhr ihn. Er konnte nicht fassen, daß ein Anblick so schnell dahin war, den er so schnell liebgewonnen
hatte.

   Die Augen des Mädchens ruhten immer mit dem gleichen
Entzücken auf ihm; sie schien den Ausdruck des Staunens
von seinem Gesicht wegzutrinken, und sie rief: »Gleicht
dies, o großer Kaiser, nicht meinem Teppich und den Run-
dungen und Verschlingungen, die deinem gepriesenen Auge wohlgefällig waren, und bist du zufrieden mit diesem

Schauspiel, das mein zweiter und mein dritter Bruder dir
bieten?«

»Wahrhaftig, es ist das gleiche«, erwiderte ohne Atem der
Kaiser. »Aber warum diese Hast?« rief er und mußte ohne
seinen Willen laut aufseufzen. »Was sollen mir unmündige
Kinder zur Gesellschaft! Diese beiden hätten müssen zu
meiner Linken und Rechten sitzen, und ich will sie wiedersehen, denn jeder von ihnen hat ein Stück meines Leibes mit
sich genommen!« Niemand antwortete ihm. Die jungen
Wesen liefen und bedienten ihn, der Tafeldecker legte vor.
Andere kamen herein, sie gaben dem Vorschneider ihre
Schüsseln ab, sie kreuzten einander, aber nie stieß einer an
den andern. Der Küchenmeister lenkte alle mit seinem
scharfen dunklen Blick. Es waren noch andere da, Unsichtbare, wie Schatten, die ihnen aus dem Dunkel die Schüsseln
reichten; man hätte nicht sagen können, wer alles im Zimmer war und wer nicht. Sie knieten wechselnd mit den
Schüsseln zu seiner Linken und Rechten, jetzt kam ein
kleines Mädchen an die Reihe. Das Kind trug eine schwere
goldene Schüssel und konnte sie kaum erhalten; mit ange-
spanntem Ernst zwang sie sich, nicht zu zittern.

»Wie kannst du das tun, du Kleine, Zarte?« sagte der Kaiser. »Dienst ist ein Weg zur Herrschaft, es gibt keinen anderen, o großer Kaiser«, sagte das Kind, und über die Schüssel
hin traf ihn unter den reingezogenen Augenbogen ein Blick,
der weit über ihre Jahre war. Ihn verlangte, ihr zu antworten; aber schon mußte er darauf achten, daß zu seiner anderen Seite einer der Knaben hinkniete, die zu Anfang mit
dem großen Mädchen dagewesen waren, und ihm aus einer
mit Edelsteinen vollbesetzten tiefen Schale eingemachte Ge-
würze anbot. Er konnte nicht widerstehen, diesen schönen
Geschöpfen ein Gefühl zu bezeigen, das alle seine Adern
durchdrang; er wollte sie bei sich festhalten, geriete darüber
auch die Ordnung der Tafel und alles in Verwirrung. Er

griff mit der Linken und der Rechten in die Schüssel, die
eine von Gewürzen und Früchten duftende süße Speise enthielt. »Stellt eure Schüsseln zur Erde«, gebot er, »und haltet
eure Gesichter zu mir«, und er wollte den Mund der Kinder
mit der köstlichen Speise anfüllen, aber sie bogen sich nach
rückwärts und lehnten mit flehender Gebärde ab. Er griff
nach ihnen, aber er griff ins Leere, nur ein Anhauch eisiger
Luft, wie wenn eine Tür ins Freie sich aufgetan hätte, traf
seine ausgestreckte Hand und sein Gesicht. Die Kinder waren schon weit weg, sie sahen mit strenger Miene auf ihn
herüber, jetzt schienen ihm ihre Gesichter, seitlich gesehen,
weit älter, die Augenbogen des Mädchens schärfer, fremder,
so, als wäre für sie jeder Atemzug ein Jahr. Sie glitten in die
Schar der Auftragenden hinein, und wie sie sich mit diesen
mischten, waren sie auch wieder solche Kinder wie die anderen. Der Kaiser war betroffen wie noch nie. »Wer bin
ich«, sagte er zu sich selber, »und wo bin ich hingeraten?«
Seine Kehle trocknete ihm aus, unwillkürlich griff er nach
dem schweren goldenen Trinkgefäß, das vor ihm stand,
seine Lippen fühlten ein kühles, leise duftendes Getränk,
von dem er vordem nie gekostet hatte, er trank gierig, aber
er beherrschte sich schnell, und indem er das Gefäß erhob,
rief er: »Ich trinke euch zu! Ihr versteht es, Feste zu geben!
Lob und Preis dieser Begegnung und der staunenswerten
Erziehung, die ihr genossen habt!« »Alles ist staunenswert
in deiner Nähe«, erwiderte das Mädchen, die regungslos
hinter ihm stand, »und dieser Augenblick, da du unser Gast
bist, ist für uns über alle Augenblicke«, und ihr Gesicht
nahm einen solchen Ausdruck von Freude an, daß ihre Augen sich wie im Schreck vergrößerten. Der Kaiser winkte sie
nahe an sich heran. Ein Gefühl von Glück und Sicherheit
ohnegleichen stieg in ihm auf und ließ ihn die Kühle vergessen, die bis an seine Schultern drang und die Hüften umgab
wie ein eiserner Ring. Er hob und senkte zwei- oder drei-

mal wissend die Augenlider, bevor er sprach: »Ihr wisset um
ein Geheimnis, und es könnte mich selig machen, wenn ihr
mich daran teilnehmen ließet.« »Zwischen uns und dir gibt
es nur ein Geheimnis: die vollkommene Ehrfurcht«, antwortete das Mädchen. Des Kaisers Blick ruhte auf ihr ohne
Verständnis, aber mit Entzücken, und sein Kopf blieb ihr
zugewandt; zugleich sah er, aber ohne hinzusehen, daß
schon wieder einer mit einer frischen Schüssel neben ihm
kniete, indessen ein anderer den Deckel abhob. Er dachte
noch immer nach über die Antwort, die ihm mehr zu enthalten schien als eine bloße Höflichkeit, und zugleich griff
er in die Schüssel, aber ohne seinen Blick hinzuwenden.

»Du sprichst von dem, was wir dir sind, warum fragst du
niemals, was du uns bist?« sagte das Mädchen schnell und
leise wie ein Hauch. Des Kaisers Miene wechselte, und sein
Mund öffnete sich plötzlich und verriet, indem die Zähne
sich für einen Augenblick entblößten, eine Ungeduld, die
nicht mehr zu bezähmen war. »Ich begehre Auskunft von
euch, wie ich euch für immer an mich bringen kann!« rief er
laut und befehlend und erkannte kaum seine eigene
Stimme. Das Mädchen war plötzlich dicht bei seiner Schulter, wie ein Vogel, und bog ihr Gesicht zu ihm hinunter; die
Schönheit dieser blitzschnellen Bewegung beseligte ihn.
»Eben in dem Augenblick«, flüsterte sie, »da wir dir dies sagen werden, wirst du uns von dir treiben auf immer!«

Der Speisemeister sah sie über den Tisch an; sie ging gehorsam hinüber und stellte sich hinter den Bruder, seitlich
der Mitte des Tisches. Der Kaiser hob seinen Blick ihr nach.
Das Unbegreifliche ihrer Antwort verdroß ihn, sein Gesicht
verdunkelte sich, daß sie den Befehlen eines anderen in seiner Gegenwart gehorchte; er war nahe daran, den Tisch von
sich zu stoßen und sich zu erheben. In diesem Augenblick
kam das kleine Mädchen an ihm vorbei. Ihr Gesicht lächelte
ihn an, und die Worte: »Wahre Größe ist Herablassung, o

großer Kaiser!« kamen leise von ihren Lippen und beruhigten ihn, so daß er, wie ein unbefangen Speisender, gerade vor sich hinsah. So geschah es, daß er zum ersten Male seit Beginn der Mahlzeit seine Augen auf das dunkle Ende des Tisches ihm gegenüber richtete, und mit Staunen sah er, daß dort etwas vorging, dessen Bedeutung er noch minder erfassen konnte als alles frühere.

Er gewahrte, wie die gleichen, die ihn mit strahlendem Lächeln bedient hatten, dort zur Linken und zur Rechten des unbesetzten Sitzes hinknieten und wie sie einem Gast, der nicht da war, mit tiefem Ernst jede der Schüsseln anboten. Die Stehenden hoben den Deckel ab, warteten eine Weile mit der gleichen Ehrfurcht wie bei ihm selber, und schlossen die Schüsseln wieder. Wenn sich die Knienden erhoben und wegtraten, waren ihre Gesichter von Tränen überströmt, Tränen flossen über die Gesichter der Stehenden herunter, und unaufhörlich drangen Seufzer aus ihrer Brust. Neue traten hinzu, und wenn sie den Gast, der nicht da war, bedient hatten, weinten sie und seufzten wie die andern. Ihr Seufzen und halbunterdrücktes Weinen füllte den ganzen Saal.

Zugleich bemerkte er, daß die Lampen mit einemmal matter leuchteten, so als ob sie herabgebrannt wären. Er wandte sein Gesicht dem Küchenmeister zu und wollte ihm einen Wink geben, daß er sich um die Lampen bekümmere, die auszugehen drohten. Da traf ihn, aus der Miene des Küchenmeisters, von oben und seitwärts her, ein Blick, den er einmal im Leben ausgehalten hatte und nie wieder aushalten zu müssen vermeint hatte: es war der Blick, mit dem damals der blutende Falke seinen Herrn von einem hohen Stein aus zum letzten Male lange und durchdringend ansah, bevor er mit zuckenden, mühsamen Flügelschlägen in die Dämmerung hinein verschwand. Mit sehr großer Anspannung hielt der Kaiser den Blick des Wesens aus. »Wer bist

du?« rief er. »Herbei vor meine Füße!« und schlug die Augen nicht nieder. Der Küchenmeister wandte die seinen
langsam, wie verachtend, ab und gab ein einziges Zeichen. Alle hielten inne im Laufen und Schüsselreichen, im
Deckelheben und Vorschneiden. Überall standen Schweigende. Durch sie hin schritt er lautlos auf den Kaiser zu.
Die Prinzessin tat einen Schritt, als ob sie zwischen beide
treten wollte, dann blieb sie wie gebunden stehen. »Wer ist
dieser?« schrie der Kaiser über die Schulter gegen sie hin.
»Welche Überhebung in jedem seiner Schritte! Wer hat ihn
zu meinem Richter gemacht?« Er fühlte sein Herz in dumpfen Schlägen klopfen. Unter diesem hatte er sich langsam
vom Boden aufgehoben. Es war ihm so schwer, als ob er
eine fremde Last von der Erde aufrichten müßte. Er wandte
sich und sah über seine Schulter das Mädchen nahe stehen.
Hinter ihr waren zwei aus der Wand getreten und kamen
auf ihn zu, von denen der eine ein goldenes Waschbecken
trug, der andere einen kleinen Handkrug. Als sie dicht vor
ihm standen und sich anschickten, das Wasser über seine
Hände zu gießen, erkannte er in ihnen die beiden wunderbaren Knaben wieder, die als Truchsessen zu Pferde gekommen und rittlings in die Wand verschwunden waren. Der
Kaiser winkte ihnen zu; er öffnete willig und lächelnd seine
Hände gegen sie, aber sie schienen ihn nicht zu kennen. Er
öffnete die Lippen, um sie anzureden, aber die Anrede erstarb ihm in der Kehle. Fremd und trauervoll sahen sie ihn
an, der eine hielt das Becken hin, der andere hob den Krug.
Das Wasser sprang aus dem Krug, es fiel hart auf die Hände
des Kaisers und rann an ihnen herunter wie an totem Stein.
Der Kaiser sah, wie trostsuchend, hinüber auf das Mädchen;
sie hielt beide Hände nach oben gestreckt, ihr juwelenes
Gesicht strahlte, sie schien irgendwo hinzudeuten, wo Trost
und Hilfe war. Der Kaiser mühte sich, den Sinn ihrer Gebärde in seinem Inneren aufleuchten zu lassen, aber es wa-

ren nur trübe, unklare Empfindungen in ihm, von denen
eine die andere verdrängte. Seine ganze Aufmerksamkeit
war gespannt von dem Wissen, daß jener andere dort hoch-
aufgerichtet und mit langsamen, gleichsam strengen Schritten auf ihn zukam; an den dumpfen Schlägen seines Herzens gemessen, erschien es ihm unerträglich lange, bis dieser
den kurzen Weg zu ihm zurückgelegt hatte. Jetzt aber fühlte er ihn, ohne aufzusehen, dicht neben sich: es war eine
Kühle, die ihn aus nächster Nähe von den Schläfen bis zu
den Zehen anwehte. Durch die Wimpern blinzelnd, sah er:
das Wesen hatte, in die leere Luft fassend, jetzt ein weißes
Linnen in Händen und trocknete ihm damit in einer ehrer-
bietigen Haltung die Hände ab. Aber die wehende Berührung dieses Linnens kräuselte ihm das Fleisch. »O Kaiser«,
sagte jetzt die Stimme so dicht an seiner Wange, daß er den
kalten Hauch fühlte und vor Beleidigung über eine Unehr-
erbietigkeit, wie sie ihm nie im Leben widerfahren war, erzitterte, »bedauerst du nicht, daß wir umsonst für sie gedeckt haben?« Nichts kam der Gewalt des Vorwurfes gleich,
den diese einfachen Worte enthielten. Sein Herz krampfte
sich zusammen, kalte Tränen liefen ihm hinunter, sie er-
starrten ihm an den Wangen. Zum Zeichen, daß er nieman-
dem erlaube, zu ihm von seiner Frau zu sprechen, und daß
er sich von niemand zwingen lassen würde, preiszugeben,
was ihm allein gehörte, sah der Kaiser starr vor sich hin. Die
Kälte, die ihn umgab, tat ihm jetzt für einen Augenblick
wohl; nichts konnte an sein Herz heran. Sogleich öffneten
die Kinder rings im Saal den Mund. »Sie möchte kommen,
aber sie kann nicht!« riefen sie ihm entgegen. »Oh, daß wir
ihr Gesicht sähen!« riefen sie von allen Seiten und fingen an
zu seufzen und zu weinen.

»Was sind das für Klagen!« wollte er streng ausrufen,
aber die Worte kamen nicht aus seiner Kehle. Von der Mitte
des Gemaches her erhob sich ein Wind, ein schauerlicher

Anhauch. Zugleich traf ihn wieder die Stimme dessen, der ihm beständig zu nahe trat, halblaut, aber aus nächster Nähe. »Schlecht ist der Lohn dessen, der dir hilft zu gewinnen, was dein Herz begehrt! Das weiß dein roter Falke!« Bei der unverhüllten Erwähnung jener ersten Liebesstunde, die auf der Welt keinen Zeugen gehabt hatte als den stummen Vogel, knirschte der Kaiser laut mit den Zähnen. – Furchtbar war jetzt wieder die Stille. Der Wind hatte sich gelegt. »Erkennst du meinen ältesten Bruder nicht wieder?« lispelte das Mädchen ihm zu. »Er ist es, der mit seinen Schwingen ihre Augen schlug und dir geholfen hat, sie zu gewinnen.« Der Kaiser gab keine Antwort. »Sie sucht den Weg zu uns!« riefen die Kinder. »Segne du ihren Weg, das ist es, was wir von dir verlangen!«

»Was ist das für ein Weg?« rief der Kaiser zurück, und sogleich durchfuhr ihn Reue über seine Worte, aber schwer und dumpf, ohne daß er sich deutlich sagen konnte, warum. »Was fruchtet es, wenn wir dir sagen, was du nicht fassest!« entgegneten die Kinder. »Du trägst ihren Brief auf der Brust und verstehst nicht, ihn zu lesen.«

»Wie ist das?« rief der Kaiser. Er fühlte die Kälte seines Herzens, indem er redete.

»Sonst kenntest du ihre Not und verständest ihre Klagen«, antworteten sie. Der Kaiser griff unwillkürlich nach seiner Brust; aber er fühlte, daß nichts ihm gegen diese helfen könnte, und ließ es sein. »Du hast den Knoten ihres Herzens nicht gelöst! das ist es, worüber wir weinen müssen. So muß sie von dir genommen werden und in dessen Hände gegeben, der es vermag, den Knoten ihres Herzens zu lösen.« Der Wind hatte sich wieder erhoben und hauchte ihn an.

»Wer sagt euch dies alles?« kam es von seinen Lippen.

»Zwölf Monde sind vergangen, und sie wirft keinen Schatten!« riefen die Kinder.

»So wisset ihr alles?« fragte der Kaiser. »Wir wissen das
Notwendige«, antworteten die Kinder. »Du hast sie mit
Mauern umgeben«, riefen sie mit wechselnden Stimmen,
»darum muß sie hinausschlüpfen wie eine Diebin. Wie eine
verdürstete Gazelle schleicht sie hin zu den Häusern der
Menschen!« Auf welche Weise wagen sie es, mir diese
Dinge zu sagen? dachte der Kaiser. Er faßte auf, daß die
Kinder dies mit wechselnden Stimmen sangen. Dies ist der
Gesang, den ich hörte, als ich draußen stand, sagte er zu
sich.

»Sie tut die Dienste einer Magd«, sangen die schönen
Stimmen wieder, »aber es gereut sie nicht. Sie tut sie um un-
seretwillen, und kaum, daß das Licht der Sonne auf ist, sitzt
sie auf ihrem Bette und ruft mit Verlangen: ›Wo bist du, Barak? Herein mit dir! Denn dir, Barak, bin ich mich schuldig!‹« – »Dir, Barak, bin ich mich schuldig«, wiederholten
alle, mit strahlendem Klang, der oben ans Gewölbe schlug.

»Was sind das für Worte?« rief der Kaiser mit aufgerissenen Augen und dem letzten Atem seiner Brust, die schwer
wurde wie Stein.

»Die entscheidenden!« antworteten die Kinder. Sein Kinn
sank ihm schwer gegen die Brust. »O weh«, sagte er vor sich
hin, »wehe, daß mein Lustigmacher sich unterstanden hat,
von meiner Schwermut zu reden, ehe ich diese Stunde gekannt habe.«

»Heil dir, Barak!« sangen die Kinder mit wunderbarem
Klang, »du bist nur ein armer Färber, aber du bist großmütig und ein Freund derer, die da kommen sollen! und wir
neigen uns vor dir bis zur Erde.« Der Kaiser stand unbeach-
tet in der Mitte, sie neigten sich vor einem, der nicht da war,
ihre schönen Gesichter kamen der Erde so nahe, daß der
ganze Boden aufleuchtete wie Wasser. Das Mädchen stand
seitwärts. Ihr Blick ruhte unverwandt auf dem Kaiser mit
einer unbeschreiblichen Mischung von Liebe und Angst. Er

richtete seine Augen noch einmal auf sie. »Antworte mir
du«, sagte er. »Wer ist dieser Barak und welchen Handel hat
meine Frau mit ihm?« »O nur ein Gran von Großmut!«
riefen die Kinder durchdringend. »Welchen Handel?« fragte
er noch einmal streng und sah nur durch die Wimpern nach
ihr. Seine Augenlider wurden ihm schwerer als Blei. Er erwartete und wollte keine Antwort. Das Mädchen löste sich
von den anderen; es war, als ob sie mit geschlossenen Füßen
auf ihn zugehe; ihr betrübtes Gesicht schien ihm ein wunderbares Geheimnis anvertrauen zu wollen. »Nur ein Gran
von Großmut!« riefen die Stimmen. Mit Grausen erkannte
er, daß das Mädchen jetzt in unbegreiflicher Weise seiner
Frau glich. Aus ihren Augen brach ein Blick der äußersten
Angst und zugleich Hingabe; sie war das Spiegelbild jener
zu Tode geängsteten Gazelle. Er las in diesem Blick nichts
anderes als das Eingeständnis dessen, was er nie wollte genannt hören, und die Bitte um eine Verzeihung, die er nicht
gewähren konnte. Er haßte die Botschaft und die Botin und
fühlte sein Herz völlig Stein geworden in sich. Ohne ein
Wort suchte seine Hand nach dem Dolch in seinem Gürtel,
um ihn nach dieser da zu werfen, da er ihn nicht nach seiner
Frau werfen konnte; als die Finger der Rechten ihn nicht zu
fühlen vermochten, wollten ihr die der Linken zu Hilfe
kommen, aber beide Hände gehorchten nicht mehr, schon
lagen die steinernen Arme starr an den versteinerten Hüften
und über die versteinten Lippen kam kein Laut. »Es ist an
dem!« rief mit lauter Stimme der älteste Bruder. Die Lampen und der gedeckte Tisch waren im Nu verschwunden.
»Nur ein Gran von Großmut, o unser Vater!« riefen noch
einmal mit Inbrunst alle die schönen Stimmen, aber die Statue, die groß und finster in ihrer Mitte stand, regte sich
nicht mehr. Die Geschwister bewegten sich wie Flammen
auf und ab, von ihren Gesichtern leuchtete ein milder
Schein. Das älteste Mädchen war noch am längsten erkenn-

bar, ihre Augen hingen an der Statue. Die Wände rückten zusammen, die Türen waren verschwunden, das Gemach war kreisförmig. Von oben öffnete sich's, die Sterne sahen herein, die Gestalten waren verflogen, und in der Mitte die Statue des Kaisers blieb allein.

## Fünftes Kapitel

Als die Amme vor Sonnenaufgang zur Kaiserin hereintrat, fand sie zu ihrer Verwunderung diese schon wach und auf ihrem niedrigen Lager sitzen. Die Amme kniete bei ihr nieder und nahm das Alabastergefäß mit der schwarzen Salbe hinter dem Bett hervor. »Mir ist wohl«, sagte die Kaiserin, »ich fühle, daß wir heute den Schatten gewinnen werden.« Ihr Gesicht strahlte; die Amme verbrauchte die doppelte Menge von dem verdunkelnden Saft.

Sie stießen hinab und standen vor dem Färberhaus, nicht von der Gassenseite her, sondern neben dem Fluß, wo der Färber einen halboffenen Schuppen hatte, in dem er arbeitete; seitlich führte eine Leiter zum flachen Dach des Hauses, wo die Trockenstatt war. »Warte«, sagte die Amme, »wir wollen sehen, was das Weib vorhat. Es ist viel wert, sehen und nicht gesehen zu werden«, und sie traten hinter den Schuppen. Wie gerufen, kam die Frau aus dem Haus auf den Hof hinaus. »Sieh, wie sie in aller Früh schon blaß und hohläugig aussieht«, flüsterte die Amme. »Das wird ein Tag, wie wir ihn brauchen.« Die Färberin ging quer über den Hof, ohne auf irgend etwas zu achten. Sie war in ein finsteres Nachdenken versunken. Als die Amme und die Kaiserin aus ihrem Versteck heraustraten, war die Frau in keiner Weise verwundert, die beiden an dieser Stelle zu sehen. Sie schien sich gar nicht bewußt, daß sie sie seit gestern abend

nicht gesehen hatte. Sie schob die zerrissene Schilfmatte, die
vor der Haustür hing, zur Seite und ließ die Amme vorausgehen. »Du mach dich fort«, sagte sie, als die Kaiserin hinter
der Amme dreingehen wollte. »Dich will ich nicht sehen.«
Die Amme wollte ihre Tochter in Schutz nehmen. »Hinaus«, sagte die Frau, »mach dich dem Färber nützlich und
bediene den Buckel und das Einaug. Sie ist mir verhaßt an
Händen und Füßen, schweig mir von ihr«, setzte sie hinzu
und ließ die Amme allein eintreten. Sie wischte zwei Holzschemel ab und ließ sich auf den einen nieder. »Da, setz dich
zu mir«, sagte sie. »Ich habe dich zuerst für eine Lügnerin
und Windmacherin gehalten; ich muß dir abbitten. Du bist
hereingekommen und hast mir zugeschworen, es gebe einen
in der Welt, der meiner gedächte, und dann hast du mir den
Wildfremden hereingeführt, den meine Augen nie gesehen
hatten.« Sie sprach langsam und nachdrücklich, wie wenn
sie alles lange vorher genau überlegt hätte. »Nun gut, ich
habe ihn gesehen, dank dir, o meine Lehrerin; er ist schön«,
und sie vergrub ihr jäh aufglühendes Gesicht in den Händen, »und er will mich haben, das habe ich vernommen«,
setzte sie finster hinzu. »So höre du, was ich beschlossen
habe.« Sie unterbrach sich, schob den Türvorhang ein wenig
zur Seite und sah hinüber. Der Färber hatte sein Beinkleid
hinaufgerollt, so hoch es ging, den Zipfel seines Hemdes
hatte er im Gürtel stecken, und stand in einem halbhohen
Schaff, aus dem Dampf aufstieg. Mit einem Bein ums andere
gleichmäßig tretend, walkte er den Schmutz und das Blut
aus dem Gewand eines Schlachters. Die Kaiserin kauerte
seitwärts auf ihren Fersen an der Erde und sah auf ihn.
Zehn Schritte weiter lag der Einäugige und schlief wie ein
Stein, indes ihm die Sonne in die Nasenlöcher schien; der
Verwachsene war gerade aufgestanden und kratzte sich mit
aller Kraft seiner beiden Arme den Rücken, und der Einarmige lag auf dem Ellenbogen und gähnte mit Wollust, so

daß man nichts von ihm sah als seinen Schlund und die
schwarzen Haare, die den Kopf umgaben wie ein Gebüsch.

»Stumm hockt sie dort, die Krote, und schwitzt ihr Gift
aus«, sagte die Färberin plötzlich und warf der Alten einen
strengen Blick zu. »Was ist das für eine? Ist sie eine Unbe-
rührte oder wer ist der, dem sie gehört? Antworte mir!« Sie
wartete die Antwort nicht ab. Ihr Ausdruck wechselte vollkommen. Sie lächelte, und ihre Stimme zitterte und hatte einen kindlichen Klang. »Krank hast du mich gemacht, du
Alte«, sagte sie. »Ich habe gehört, es gibt welche, die können sich vor Durst nicht zur Quelle schleppen; so steht es
mit mir.« Sie setzte sich auf einen Sack mit dürren Wurzeln.
»Nicht du hast mich krank gemacht, sondern er«, sagte sie
wie zu sich selber. »Er hat mich um- und umgewühlt. Er
hat mich zur Frau gemacht, ohne mich zu berühren. Ahnst
du, was das bedeutet? Wer war einstmals dein Geliebter, du
Alte, und wer hat dich belehrt? Denn sie sind nun einmal
unsere Lehrer. Wer hat dich so klug und selbstmächtig gemacht, daß ein solcher sich von dir einführen läßt?« Sie redete weiter, ohne die Antwort abzuwarten, wie nur für sich
allein. »Ja, die beiden Arten des Errötens hat er mich gelehrt. Ich werde ihm verfallen sein zu allen Augenblicken
meines Lebens.« Sie lächelte und zugleich schossen ihr die
Tränen aus den Augen, versiegten aber gleich wieder. »Er
war in der Nacht bei mir«, fuhr sie fort. »Nicht wirklich, du
Närrin. Kann man nicht mit offenen Augen liegen und
träumen, so als ob es Wirklichkeit wäre? Kann man nicht
auf diesen Lumpen dort liegen und ein Bette aus Antilopen-
leder unter sich fühlen, und darüber eine Decke aus den zär-
testen Marderfellen, so leicht wie ein Flaum? Aber was
nützt das, es dauert die Herrlichkeit nicht lange, und es
steigt einem ein Geruch in die Nase, wie von einer Kindes-
leiche, die hinterm Bett in einer Ecke läge. Das muß abgetan werden.« Sie war aufgestanden und hatte sich von der

Stelle entfernt, wo sie gesessen war. Ihr Gesicht drückte
Ekel und Furcht aus, als läge dort wirklich etwas dergleichen. Dann horchte sie wieder mit krankhafter Aufmerksamkeit nach außen. Ein plötzlicher Windstoß bewegte die
Schilfmatte an der Tür und brachte ein Geräusch mit sich; es
konnte die Stimme des Färbers sein, aber auch eine fremde
Stimme von drüben jenseits des Flusses. Sie riß die Matte
zur Seite und stellte sich mitten in die Tür. Der Färber hatte
das ausgetretene Gewand auf reine Bretter ausgebreitet und
strich es aufs neue mit weißem Ton an. Die Kaiserin half
ihm dabei. Das blutig gefärbte Abwasser rann aus dem umgestürzten Schaff in die Gosse. Die beiden arbeiteten eifrig
und sahen nicht herüber. Als die Färberin sie anrief, hörten
sie nicht. Die Amme schlürfte von hinten an die Färberin
heran und berührte sie ehrerbietig am Ärmel. »Ruhe dich
jetzt«, lispelte sie, »und bedenke den heutigen Abend und
daß deine Haut golden sein muß und geschmeidig.« »Barak«, rief die Frau, »gehst du heute gar nicht aus dem Hause
deine Ware austragen?« Sie legte in die einfache Frage, die
sie ihm zurief, schneidenden Spott und Hohn. Der Färber
gab keine Antwort; er schien nichts gehört zu haben. »Du
kommst abends mit mir zum Fluß«, raunte die Alte von
rückwärts. »Er, von dem wir wissen, ist begierig nach der
Abendstunde und ein Held in der Dämmerung.« Die Frau
hatte sich umgewandt. »Die kann nicht dein Kind sein«,
sagte sie, und sah die Alte prüfend an. »Sie ist ungespren-
kelt. Wenige Gedanken faßt sie, aber diese wenigen leuchten auf ihrer Stirn wie Sterne.« Sie schwieg einen Augenblick. »Ich habe mir ausgedacht, daß ich sie henken lasse!«
rief sie und lachte dabei auf sonderbare Weise. »Und wie
werde ich den dort dafür strafen, daß er mein Schicksal geworden ist? Wie hat er es gewagt, sich mir so ohne Angst zu
nähern und sein rundes Maul an mich zu legen! Aber das ist
meine Sorge, und nicht die deine. Dies aber sage ich dir, und

es ist das Entscheidende, ich werde tun, was du verlangst. Und jetzt geh und hole den Färber herein, denn ich will ihm ein Wort sagen; er ist, scheint es, schwerhörig geworden und hört nicht, wenn ich ihn rufe.« Die Alte stand schon auf der Schwelle; sie wollte hinaus und die Botschaft bestellen, aber sie verging vor Begierde, zu hören, was noch aus dem Mund der Jungen kommen würde. »Hart war sein Gesicht«, sagte die Färberin wieder mit dem gleichen sonderbaren unterdrückten Lachen, bei dem ihre Miene ganz starr blieb, »aber schlau und mächtig wie eines Teufels; Hoffart, Unzucht und Habgier waren darin eingeschrieben, darum paßt er zu mir. Er wußte nicht zu reden, doch wußte er zu gewinnen.« Ein Lächeln stieg tief aus dem Innern auf und erleuchtete ihr finsteres Gesicht. Sie war schön in diesem Augenblick und von ihrem jungen Blut durchströmt, daß sie glühte, und die Alte betrachtete sie mit Lust. »Nein, nein«, rief sie plötzlich mit leidenschaftlichem Entzücken, »er ist schön, achte doch nicht auf mich, du Närrin, er ist schön wie der Morgenstern, und seine Schönheit, das ist der Widerhaken an der Angel, ich habe sie ja schon längst verschluckt und ich schieße dahin und dorthin, und du hast die Schnur zwischen den Fingern, das weißt du wohl!« Sie hing am Hals der Alten ganz zart und weich, sie ließ sich von ihr hätscheln wie ein Kind. »Nur das Zueinanderkommen ist schwer, nur der Anfang ist das Schwere«, seufzte sie. »Wie soll das gehen, o mein Gott!« Die Amme konnte sie nicht verstehen. »Was sorgst du dich«, rief sie, »wir werden Rat schaffen!« Die Färberin schüttelte den Kopf. »Meine ich das so, altes Weib? Ich meine es wahrlich anders, aber wie könntest du es verstehen?« Die Amme sah sie zwinkernd an. »Ohne dich soll er zu mir kommen, ohne dich!« rief ihr die Junge zu. »Denn ich verachte dich, das merke dir, und hasse das Niedrige in mir, das mit dir zu tun hat. Du kennst meine Niedertracht und die seine, und du möchtest seiner

und meiner Meisterin werden, aber daraus wird nichts!«
Die Alte zwinkerte mit den wimperlosen Augen und ihre
lange, dünne Zunge bewegte sich zornig im halboffenen
Mund, aber sie sagte nichts und ging schnell in den Hof
hinaus; sie fand den Färber, der ein riesiges Stück Zeug, ein
Gewebe aus feinem Ziegenhaar, dreizehn Ellen lang und
dritthalb Ellen breit, aus der Beize nahm, das vollgesogene
Zeug in ein Einschlagtuch tat und die triefende Last seinem
starken Rücken auflud, und die Kaiserin, die sich wie eine
Magd mit aller Kraft von unten gegen den riesigen feuchten
Klumpen stemmte, um ihm beim Aufpacken behilflich zu
sein. Die Amme wartete, dann winkte sie und die Kaiserin
lief zu ihr hin. »Ist sie willig«, fragte sie gleich, »gibt sie den
Schatten dahin?« »Es wird ihr nicht leicht«, gab die Amme
zur Antwort. »Die, welche nicht kommen sollen, kämpfen
um den Eintritt, und der mit dem breiten Maul ist ihr Vor-
kämpfer, aber er ist Gott sei Dank zugleich ihr Vernichter.«
»Ja«, sagte die Kaiserin, ohne zu hören, und sah über die
Schulter auf Barak hin, der sich mühsam und ruckweise die
steile Leiter hinaufarbeitete, den großen schweren Leib hart
an die Sprossen gepreßt, damit ihn die Last nicht hinten-
über zöge. »Schaff schnell den Schatten«, sagte sie. »Dieser
soll seinen Lohn haben.« »Lohn?« rief die Amme. »Womit
hätte der Elefant sich Lohn verdient? Aber hol ihn und heiß
ihn hineingehen ins Haus, das Weib will ihm etwas sagen.«
»Was willst du mit ihnen tun?« Die Amme verzog ihr Gesicht. »Laß mich, ich habe sie im Gefühl, wie die Köchin
weiß, wann das Huhn im Topf gar ist.« Damit kehrte sie der
Kaiserin den Rücken und schlürfte ins Haus zurück. Die
Kaiserin lief hin zur Leiter und lautlos die Sprossen hinauf;
sie fand auf dem flachen Dach den Färber, der noch keuchte
und dem der Schweiß mit blauer Farbe vermischt von der
Stirne rann, und sie wischte ihm mit ihrem Tüchlein das
Gesicht ab, indessen er mit den großen Händen ganz zart

die aufgehangenen Strähnen Blaugarn auseinanderlöste, daß
die Luft zu der inneren Farbe zutrete und sich auch im Innern das schmutzige Gelbgrün in leuchtendes Blau farbte;
das Kleid des Schlachters hing schon an der Trockenstange.

Als der Färber ins Haus trat, ging die Kaiserin hinter seiner Ferse drein und blieb an der Tür stehen. Blitzschnell
bückte sich die Färberin, nahm ein schmutziges Klemmholz
vom Boden auf und warf es mit aller Kraft nach der Kaiserin. Aber die Feentochter drückte sich zur Seite wie ein
Windhauch. Der Färber tat die schweren Lippen auseinander und wollte etwas sagen; da schickte ihm seine Frau einen solchen Blick zu, daß er still blieb. Er bückte sich und
fing an, unter dem Gerümpel, das an der Wand lag, herum-
zugreifen, als suche er nach etwas. Die Frau schwieg noch
immer. Aber ihr schönes Gesicht hatte einen bösen und entschlossenen Ausdruck. Der Färber richtete sich auf den
Knien auf; er drehte einen alten, hürnenen Löffel zwischen
den Fingern. »Ich habe viel geschafft seit heute früh«, sagte
er jetzt und sah liebevoll zu der Frau auf, »und mich dür-
stet. Gib mir zu trinken.« Die Frau reckte ihr Kinn; die
Amme lief, füllte einen irdenen Scherben mit Wasser und
hielt ihn dem Färber hin. Der Färber sah auf die Frau, als
wartete er auf etwas, aber als sie über ihn hinsah, wie wenn
er nicht da wäre, griff er nach dem Gefäß und trank es mit
einem Zug leer. »Was ist das?« rief er im gleichen Augenblick mit einem freudig erstaunten Blick und sank nach
rückwärts in Schlaf. Die Amme glitt zu der Frau hinüber.
»Du bist der Belästigung ledig«, flüsterte sie, »denn ich
habe in seinen Trunk getan, wovon ein Viertel hinreicht, um
einen Elefanten für zehn Stunden einzuschläfern.« »Verfluchte«, schrie die Frau, »soll er mir wieder und wieder
entkommen!« und trat zu ihm hin und sah ihn mit gerunzelter Stirne an. Die Amme konnte nicht begreifen. »Was
hast du mit ihm noch zu schaffen?« fragte sie verwundert.

Die Frau achtete ihrer nicht. Sie trat dicht an den Leib des
Schlafenden heran und sah ihn von oben herab finster an.
Dann seufzte sie aus der Tiefe ihrer Brust: »O meine Mutter«, und noch einmal: »O meine Mutter!« Lange blieb sie
stehen und sah ihn immer an. »Wehe«, sagte sie und seufzte
noch einmal, »werde ich das Korn sein, wird er das Huhn
sein und mich aufpicken! Werde ich das Feuer sein, wird er
das Wasser sein und mich auslöschen! Denn ich bin an ihn
gekettet mit eisernen Ketten.« Dann ging sie von ihm weg,
aber sie kehrte wieder zu ihm zurück. Sie berührte mit aus-
gestreckter Fußspitze den Liegenden. »Ja, es ist recht«, sagte
sie leise, aber mit festem Ton, »die Ungewünschten ab-
zutun, denn sie sind Mörder kraft ihrer unverschämten Begierde, hierherzukommen und den Weg durch meinen Leib
zu nehmen, und dieser ist ihr Helfershelfer!« Während sie
es flüsterte, kam eine fürchterliche Ungeduld über sie; sie
warf sich über den Liegenden und riß an ihm aus allen Kräften. »Barak«, schrie sie ihm ins Ohr, »du sollst mich hören,
denn jetzt gilt es!« Die Amme drehte sich jäh um, sie fühlte,
daß die Kaiserin hinter ihr stand; sie war hereingeglitten,
mit sprachlosem Staunen sah die Amme, daß ihr Wasser aus
beiden Augen schoß, daß ihr Gesicht in Schmerz und Tränen schwamm, wie das einer sterblichen Frau. Sie nahm sie
bei der Hand und schob sie sanft gegen die Wand; die Kaiserin leistete keinen Widerstand. Die Amme öffnete mit den
Fußzehen eine geflickte Holztür, die in rostigen Angeln
hing. »Schweig nur jetzt«, raunte sie ihr zu, »und wisse:
heute und in dieser Stunde wird unser Handel zu einem guten Ende kommen.« Die Kaiserin stand lautlos, von oben
hingen Büschel dürrer Pflanzen und berührten sie, die enge
Kammer war angefüllt mit Tiegeln und Krügen, die gegeneinander klirrten, Säcke mit getrockneten Wurzeln waren
aufeinander geschichtet und raschelten, sie durfte sich nicht
regen und atmete schnell und ängstlich. »Was willst du noch

von diesem?« rief die Amme und riß die Färberin weg von
dem Schlafenden. »Was ich will?« schrie das Weib. »Was
will denn der da! Ha, wer bin ich und wer ist das?« rief sie
verachtungsvoll und reckte sich hoch auf über den liegenden
Mann. »Wie komme ich zu ihm und wie kommt er zu mir?
Das sage mir einer!« Sie schrie es auf des Schlafenden Gesicht hinab. Er atmete ruhig und regte sich nicht. Sie wandte
sich wie vor Ekel halb ab und streckte schon den einen Arm
nach hinten, wie um einem, der nicht da war, sich um Brust
und Schultern zu ranken; aber ihr Gesicht haftete mit Qual
an dem Gesicht des Färbers. Plötzlich bleckte sie die Zähne
gegen ihn und stieß mit dem Fuß gegen seinen Leib. »Ich
will nicht das da im Rücken haben!« schrie sie. »Wecke ihn
sogleich.« Die Amme wußte sich nicht zu helfen; sie erlag
der Gewalt des unbändigen Willens. Sie kniete nieder und
rüttelte leise an dem Schlafenden; sie hauchte ihn dreimal an
und blies ihm in den Nacken. Barak lächelte im Schlaf, seine
Lippen bewegten sich, er murmelte etwas; seine Miene war
die gleiche, die er hatte, wenn er daheim zu seiner Frau oder
auf der Gasse zu fremden Kindern redete. »Höre mich«,
sagte die Frau und näherte ihr Gesicht um ein weniges dem
seinen, das langsam die Augen auftat mit einem fremden,
leeren Blick auf sie. »Ich bin es satt, bei dir zu hausen und
das Häßliche zu sehen, und ich habe einen gefunden, der
sich meiner erbarmen will. Die höchste Herrlichkeit wird er
mir für immer gewähren. Dafür muß ich opfern.« Die Kaiserin in der Kammer hielt sich die Ohren zu, die einzelnen
Worte drangen nicht zu ihr, aber der Klang der Stimme, die
ihr verhaßt war. »Wehe«, sagte sie zu sich selber, »die Fische
tauchen bei ihrem Anblick ins Wasser, die Vögel schwingen
sich in die Luft, die Rehe werfen sich ins Dickicht, und ich
habe mich unter sie mischen müssen.« Ihr Herz schlug
dumpf. Sie wollte nichts hören. Aber im Innersten traf sie
ein Laut, ganz zart, wie eines Kindes Stimme, und doch

mußte er aus des Färbers Mund gekommen sein. Sie begriff,
er redete aus dem Schlaf, die Zunge war gebunden, es wurden keine Worte, nur ein ganz hoher schmeichelnder Klang.
Es war unverkennbar, er redete zu Kindern, und seine
gewaltigen Hände begleiteten mit zarten Gebärden seine
Rede. Seine Frau sah ihm hart ins Weiße der blicklosen
halboffenen Augen. »Du redest«, rief sie, »also hörst du
mich. So höre! Abgetan sind die, mit denen du Zwiesprache
hältst. Verstehst du mich?« »Laß ihn«, schrie die Amme,
»was tust du?« Die Kaiserin ertrug es nicht länger, den starken Mann so ohnmächtig zu sehen unter den Händen der
beiden. Sie tat die Tür auf, ihre Augen vergrößerten sich,
wie ein Feuerstrom, den sie selber nicht zügeln konnte,
drang ihr Wille auf Barak. Die Alte konnte nichts gegen
ihre Herrin tun, wenn sie so vor ihr stand, sie wich zur
Seite. Ein Zucken ging durch den Leib Baraks; er stand auf
seinen mächtigen Beinen, sein Blick war ohne jedes Wissen,
blöde wie eines Toten; es riß ihn hin und her, er taumelte,
als ob er eine Binde vor den Augen hätte. In ihm kämpfte
das Zaubergift mit dem furchtbar gewaltigen Willen der
Feentochter. Das Unterste kam in ihm zu oberst, in sein
Gesicht trat ein Ausdruck von Stärke und Wildheit, die nie
ein Mensch an ihm gesehen hatte, die tiefste Kraft seiner
dunklen Natur trat heraus. Mit einer Stimme wie ein Löwe
schrie er nach seinen Kindern, so als seien sie ihm fortge-
kommen, die Hand griff nach einem schweren Hammer, der
in der Nähe lag, und er schwang ihn über sich. Die Brüder
stürzten zur Tür herein, er schien niemand zu kennen,
nichts zu unterscheiden, alle hielt er für die Mörder oder
Verberger seiner Kinder. Das Weib hatte sich auf den Knien
halb aufgerichtet, sie zitterte am ganzen Leib und biß
vor Angst und Verlegenheit in ihre Hände. Der Bucklige
fletschte häßlich die Zähne und drückte sich an die Wand,
der Einäugige und der Einarmige bargen sich hinter Kufen

und Fässern. Noch einmal schrie der Färber gewaltig nach
seinen Kindern. Die Brüder schrien auf ihn ein, der vertraute Laut ihrer häßlichen Stimmen schien ihm an die Seele
zu dringen. Er ließ die Hand mit dem Hammer sinken,
seine Miene entspannte sich, sein Auge drohte nicht mehr
so furchtbar nach allen Seiten hin. Im Nu war die Amme
neben ihm, sie zog ihm den Hammer aus der Hand, schmiß
ihn hinter die Fässer an die Wand; wie der Wind ging ihr
Mundwerk; sie beschuldigte ihn, er habe aus einer bauchigen Flasche was Fremdes getrunken, sich eine Stunde lang
an der Erde gewälzt, ungereimtes Zeug getan, unflätige,
wilde Reden geführt, sie rief die Brüder selbst zu Zeugen
an, für das, was sie unmöglich wahrgenommen haben konnten. Das junge Weib sah ohne Atem auf sie; bald wußte sie
selbst nicht mehr, was geschehen war, was nicht, sie wollte
auch nichts wissen, sie meinte in ihrem eigenen Blut zu ersticken. Sie sah wieder starr auf Barak, ihre Augen waren
noch voll Angst, aber ihr Ausdruck ging über in einen der
Verachtung, der ihr hübsches Gesicht verzerrte. Barak stand
jetzt beschämt da, die Brüder schrien auf ihn ein, mit Fragen und Vorwürfen, er bückte sich, las verschüttete Körner
zusammen, alles wie halb im Schlaf. Plötzlich trat ein Entschluß in sein Gesicht. Seine Miene erhellte sich. Die Brüder
sahen ihn zu ihrem äußersten Erstaunen niederknien vor
seiner Frau, sie um Verzeihung bitten. Sein Ton war demütig und feierlich: er bat sie um Vergebung dafür, daß er so
tölpelhaft gewesen, noch so spät zu heiraten, weil er auf
langes Leben, Kinder und Reichtum gehofft hatte. Er wollte
noch etwas sagen, aber es kam ihm nicht über die Lippen.
Die Amme und die Frau wechselten nur einen Blick, in dem
der Frau lag schon kalte Frechheit, noch zitterten ihr die
Knie, und doch entzog sie ihm ihr Gewand, das er angefaßt
hatte, sie gab ihm keine Antwort; sie sagte zu der Amme etwas von Maultieren, die so am schwindligen Abgrund hin-

gingen, Schritt für Schritt, und denen es versagt sei zu erstaunen und sich zu schrecken; denen gliche dieser da, ihr Mann, und unfruchtbar seien die ja auch. Er wandte sich an alle hier, wie um alle um Verzeihung zu bitten; dann deutete er auf die Frau. »Solche Worte«, sagte er, »muß man verzeihen, sie erleichtern die Seele; ohne sie wäre es den Menschen zu schwer ihre Last zu ertragen.« Die Brüder zogen die Schultern schief, ließen ihn stehen und schoben sich hinaus, um draußen über ihn zu maulen, der immer und immer wieder von dem jungen Weib nach Gefallen sich satteln und aufzäumen ließ. Er stand noch immer da, unschlüssig und beschämt. Die Kaiserin konnte ihn nicht ansehen; als das Weib ihm das Gewand aus den Händen zog, war in ihr ein Riß geschehen und etwas drang herein, wovon ihre ganze Seele zitterte. Barak wandte sich, hinauszugehen. Dann drehte er sich nochmals um, drehte die kugeligen Augen gegen die Amme und die Kaiserin, zögerte, bis das Wort aus dem Mund herausging, und sagte endlich: »Ihre Zunge ist spitz«, und er wiegte den Kopf gegen die Frau, »und ihr Sinn ist launisch, aber nicht schlimm, und ihre Reden sind gesegnet mit dem Segen der Widerruflichkeit um ihres reinen Herzens willen und ihrer Jugend, und ich bin froh, daß sie wieder gesund ist«, setzte er mit besonderem Ernst und einem unbeschreiblichen Blick des Einverständnisses auf die beiden hinzu, »denn gestern abend war sie sehr krank«, und ging langsam und mit gesenktem Kopf hinaus zu seiner Arbeit.

## Sechstes Kapitel

Die junge Frau hatte sich auf ihr Bette geworfen und ihr Gesicht vergraben. Vergeblich umschmeichelte die Amme ihre Füße. Die Junge ließ es geschehen, aber sie beachtete es

nicht. »O meine Mutter«, rief sie und seufzte laut auf. »O
meine Mutter«, sagte sie für sich, »welche Kräfte hast du
mir zugemutet, da du mir auferlegtest, den, welchen du mir
zugeführt hast, auf immer lieben zu können! und wo hättest
du dergleichen Kräfte mir mitgegeben?« Sie hauchte es leise
vor sich hin, die Lippen bewegten sich, aber man hörte
nichts. Plötzlich stand sie auf ihren Füßen. »Vorwärts«, rief
sie, »es ist Zeit, daß ich kein Kind mehr bin!« Sie schien es
wieder nur zu sich selber zu sagen. Sie warf ein Tuch über
und ging gegen die Tür. »Wohin, meine Herrin?« rief die
Amme. Die Frau schien sich erst jetzt wieder zu erinnern,
daß sie nicht allein war. Sie sah die Amme streng und aufmerksam an. »Es ist Zeit«, sagte sie, »daß ich mit meiner
Mutter rede und mich losmache, denn sie hat mir auferlegt,
was ich nicht länger tragen will.« Sie ging zur Tür hinaus.
»Vorwärts«, flüsterte die Amme, »denn sie wird unser be-
dürfen.« Die Kaiserin drückte sich zur Seite, sie wäre gern
dem Färber nachgeschlichen, aber die Amme nahm sie bei
der Hand und zog sie hinter sich drein.

Die Färberin ging mit schnellen kühnen Schritten wie ein
junges Pferd, das die Morgenluft einzieht, und die beiden
folgten ihr in geringer Entfernung. Sie gingen über den
Fluß, aber nicht in das Viertel der Hufschmiede sondern
rechts hinauf, wo der Boden anstieg, eine ärmliche enge,
von Menschen erfüllte Straße. Da wohnten die ärmsten
Leute, die Kesselflicker, die Lumpensammler, die Fallenstel-
ler, in dichten Klumpen beisammen wie die Ratten. An einer Ecke, wo zwei solche Straßen zusammenstießen, blieb
die Färberin einen Augenblick stehen; sie sah zwischen den
Wimpern in einen von Männern, Weibern und Kindern
wimmelnden Hof hinein und sagte vor sich hin: Schmutzig
ist ein kleines Kind und sie müssen es dem Haushund dar-
reichen, um es rein zu lecken; und dennoch ist es schön wie
die aufgehende Sonne; und solche sind wir zu opfern geson-

nen. – Es war ein ganz seltsamer, fast singender Ton, in dem
sie es sagte. Sie bogen ein, gingen weiter, endlich jenseits einen Abhang hinunter, zwischen alten halbverfallenen Mauern. Es war eine von den Schluchten, welche da und dort die
Stadt durchzogen, deren Abhang nicht bebaut war und nur
hie und da die Spuren längst verfallener Wohnstätten zeigte.
Unten war eine steingefaßte Zisterne und neben dieser ein
alter Begräbnisplatz mit ein paar Bäumen. Die Färberin
ging auf das Grab ihrer Mutter zu; sie stieg schnell über die
Grabsteine, ihr Fuß rührte den Staub nicht auf, der zwischen ihnen lag und die Tritte lautlos machte. Vor einem
kleinen Grabstein fiel sie mit ausgebreiteten Händen auf die
Knie. Sie bog die Stirn gegen den Stein, ein gekrümmter
Weidenbaum hing über ihr, sie schien mit dem ersten Atemzug in das tiefste Gebet hineingestürzt. Die Sonne versank
hinter ihr in schweren Dunst wie in einen Trichter. Säulen
von Staub hoben sich lautlos überall zwischen den Gräbern
auf und sanken in sich zusammen wie die Säcke. Ein Windstoß fuhr dahin; er riß das letzte Wort des Gebets von den
Lippen der Färberin. Sie stand jäh auf; ihr Aufspringen war
wie eines Tieres, in dessen Gebärde kein Gedächtnis wohnt
von der letztverstrichenen Sekunde. Ihr Gesicht glich sich
selber nicht mehr; sie war schöner als je; ihr Haar hatte sich
gelöst und flog um sie. »Was siehst du mich so an?« rief sie
der Amme zu, die mit Entzücken auf sie sah. »Jetzt habe ich
ein Joch abgeworfen und mich ausgedreht aus einem alten
Gesetz!« Sie ging schnell den Abhang hinauf; die Amme lief
hinter ihr drein. »Es muß nicht beim Wasser, es kann auch
beim Feuer geschehen, nicht wahr?« rief die Junge ihr über
die Schulter zu, »so war deine Rede, meine Lehrerin! die
habe ich mir zu Herzen genommen.« Der Wind kam den
dreien nach und riß an ihren Gewändern; er wirbelte den
Staub auf. Es war dunkel mittem am Tag, als wollte es augenblicklich Nacht werden. Vögel hasteten zwischen den

Häusern hin, Menschen liefen in einem braunroten Dunst
an ihnen vorbei, von oben legte sich Finsternis auf alles. Als
sie an die Brücke kamen, fing die Färberin mit eins an, langsamer zu gehen. Sie blieb stehen, tat wieder ein paar
Schritte. Sie taumelte, als hätte sie einen Schlag empfangen,
und fuhr mit der einen Hand zu ihrem Kopf, gegen das
Ohr hin. Sie kam dabei dicht vor einen Wagen. Der oben
saß, riß die Zugtiere zurück. Von den Vorübergehenden
blieben etliche stehen trotz ihrer Hast. »Was ist es, das dich
anficht?« rief die Amme und sprang zu ihr. Das junge Weib
lag ihr gleich im Arm, eisig kalt. »Die Stimme!« sagte sie
klagend. »Meiner Mutter Stimme! sie ist an meinem Ohr.
Hörst du sie nicht?« »Was sagt sie?« fragte die Alte. »Barak!« stöhnte die Färberin. »Nach ihm ruft sie. Sie sagt, er
solle mich binden. Sie will meine Hände halten, damit er
mich töten kann. Sie will nicht, daß ich lebe, um zu tun, was
ich zu tun beschlossen habe.« Ihr Gesicht war ganz grau,
die Augen bläulich unterlaufen. Die Alte faßte nach ihren
Händen, die glühend heiß waren; plötzlich riß sich die
Junge los, sie stürmte davon, zwischen den Leuten durch,
die Alte hinter ihr her. Als die Kaiserin sie einholte, in einer
Gasse neben dem Flußufer, lag das junge Weib auf der Erde,
den Rücken an eine Mauer gestützt, und atmete flach und
schnell; die Alte kauerte bei ihr. Etliche waren stehen geblieben und sahen auf die Liegende hin: ein paar alte Gevatterinnen, ein Eseltreiber und ein alter Mann. Die Kaiserin trat
mitten unter die Menschen; der Eseltreiber schob sie halb
zur Seite und lehnte sich auf sie, sie bemerkte es nicht. Die
Amme zischte: Hinweg mit euch! und deckte ihren dunklen
Mantel über die Liegende. Die Leute gingen weiter, nur ein
Kind stand noch da. Trinken! flüsterte die Färberin. Die
Amme winkte und das Kind hielt eine hölzerne Schale hin,
die angefüllt war; es war, als hätte es sie aus der Luft genommen. Von der Schale schwebte ein zarter und beklem-

mender Duft, ganz wie jener, der vor dem Kommen des
Efrits den Raum erfüllt hatte. Die Färberin bog ihren Kopf
der Schale entgegen, welche die Alte ihr hinhielt. Das Kind
war nicht mehr da. »Trink dieses«, sagte die Alte, »und
wisse: deine Mutter ist eine Doppelzüngige in ihrem Grabe
und eine Spielverderberin, und ihre Worte müssen dahinge-
blasen werden, denn es sind die Ungewünschten, die aus ihrem Munde sprechen.« Das Gesicht der Färberin veränderte
sich, sowie sie getrunken hatte: eine jähe Glut stieg ihr in
die Wangen, ihre Augen wurden schwimmend wie bei einer
Trunkenen. Sie stand auf ihren Füßen, in ganz sonderbarer
Weise schlug sie ihren Arm um den Nacken der Alten, und
sie wandten ihre Schritte wieder der Brücke zu. Die Kaiserin hielt sich dicht an ihnen; aber sie redeten eifrig miteinander, immer nach des anderen Seite hin, und sie konnte
nichts verstehen. Als sie dem Färberhaus ganz nahe waren,
sprangen ihnen aus dem Dunkel die Brüder entgegen, rissen
das junge Weib von den zwei Begleiterinnen weg und
schrien auf sie ein mit verzerrten Gesichtern. »Er verlangt
von uns seine hinweggebrachten Kinder!« schrien sie, »wo
hast du sie? Was hast du ihnen getan? Er mißhandelt und
würgt uns um deinetwillen, du Verfluchte, uns, die wir eure
Heimlichkeiten nicht kennen und von deinen Verbrechen
nichts wissen!« Die Färberin runzelte nur die Stirne; sie
würdigte die Schwäger keiner Entgegnung. »Was hast du
ihm in den Trunk getan, du Hexe«, schrie der Mittlere und
stieß mit dem einen langen Arm die Alte vor die Brust, »er
schaut auf uns und sieht uns nicht, aber sieht ihrer sieben,
die nicht da sind, an seinem Tisch sitzen und begrüßt sie als
seine Gäste.« Die Frau machte sich los. »Jetzt werden wir
sehen, ob meine Reden noch widerruflich sind!« sagte sie
und trat über die Schwelle. In der Herdasche hockte der
Färber. Sein Gerät lag in Unordnung vor ihm; alle seine
Spachteln und Schaufeln, hölzerne, zinnerne und hürnene

Löffel, groß und klein, als hätten Kinder alles im Spiel herumgestreut. Er drückte mit den großen Händen Malvenblätter sorgfältig in das schmutzige Farbwasser, das auf der Erde stand; das eine Bein hatte er mitten in einer scharlachroten Pfütze liegen. Die Frau blieb vor ihm stehen; er achtete nicht auf sie. Er sprach zu Kindern, die nicht da waren. »Fleißige Kinder«, sagte er, »reinliche kleine Hände«, sagte er und nickte gütig. Er zeigte ihnen, wie man arbeiten müsse. »Wir nehmen die Farben aus den Blumen heraus und heften sie auf die Tücher, so auch aus den Würmern, und von den Brüsten der Vögel dort, wo ihre Federn leuchtend und unbedeckt sind.« Er sprach es langsam, belehrend, in einem unbeschreiblich glücklichen Ton. Die Frau rief ihn an. »Barak!« Er horchte auf, aber nicht genau nach der Richtung, von der der Name kam, sondern mehr nach oben und seitwärts. Trotzdem stand er auf und ging auf sie zu. Das Heranschwanken seines mächtigen gleichsam von keinem Geiste gelenkten Körpers in dem nächtlichen Raum war so furchteinflößend, daß sie unwillkürlich einen Schritt zurück trat. Aber sie nahm sich zusammen, und ihr blasses Gesicht blieb fest und mutig. »Barak, hörst du mich«, rief sie ihm hart entgegen. »Sprich zu uns, unser Wohltäter«, rief der Einäugige. »Sie hat dich vergiftet, o unser Bruder«, schrie der Bucklige in Wut und Schmerz, »und du wirst die Deinigen nicht mehr erkennen können.« »Barak, schweige diese«, sagte die Frau, »daß sie nicht mehr heulen wie die Hunde. Denn ich habe dir etwas zu sagen. Ich höre, du redest mit denen, von denen du vermeinst, daß sie noch kommen werden. So wisse denn und erfahre endlich: diese sind dahingegeben, denn sie wollten mir einen üblen Streich spielen, und dafür verdienen sie, was ihnen widerfahren wird.« Barak trat dicht auf sie zu; seine Augen hatten sich mit Blut unterlaufen, und sie standen jetzt nicht hervor, sondern lagen tief in den Höhlen, und ihr Ausdruck war furchtbar. »Siehe«, sagte die Frau, »ich sehe, du verstehst: warum denn redest du nicht? Es ist das letztemal, daß wir beide unseren Atem austauschen.« »Zündet ein Feuer an«, sagte Barak. Seine Stimme war unerkennbar, so, als ob ein fremdes Wesen aus ihm heraus redete, aber die Brüder hingen mit den Augen an ihm, sie sahen, daß es sein Mund war, der sich bewegte. Der Verwachsene warf sich schnell zur Erde und blies in die Herdasche, ein Feuer schlug auf und die Frau stand gleich im vollen Feuerglanz, der an ihr auf und ab lief, und war schön und böse über die Maßen. Sie tat den Mund auf, und wie die Lippen sich bewegten, verachtungsvoll und doch nachdrücklich, unter den hochmütig gesenkten Wimpern, glich ihr Gesicht einer unnahbaren Festung. »Du hast ein Feuer anmachen lassen, so siehst du mich denn und erblickst noch einmal, was du bald nicht mehr erblicken wirst. Doch du sollst auch begreifen, denn ich will nicht, daß du verlacht werdest, wie einer, der tölpisch ist und dem man sein Bett unter dem Leib stehlen kann.« Der Färber stand im Dunkeln und regte sich nicht; nur seinen Oberleib lehnte er jetzt ein wenig vor, dabei wurden seine Zähne sichtbar und seine rotglühenden Augen. Die Frau senkte nur die Wimpern noch tiefer und sprach fort mit einer Stimme, die klang wie eine zum Reißen gespannte Saite: »Siehe, ich bin schön, und das ist nicht für deinesgleichen, und darum hast du den Knoten meines Herzens nicht lösen können. Meine Schönheit hat einen anderen gerufen, denn sie ist ein mächtiger Zauber«, ihre Stimme wollte umschlagen, aber die wilde Entschlossenheit ihres Herzens zwang sie, weiter zu sprechen, »darum habe ich einen Vertrag geschlossen, und gebe meinen Schatten dahin und die Ungewünschten mit ihm; und ein Preis ist ausbedungen, und ich nenne ihn dir: es ist die Zartheit der Wangen auf immer, und die unverwelklichen Brüste, vor denen sie zittern, die da kommen sollen, mich zu begrüßen

– und einer ist ihr erster: diesem gehöre ich von nun ab.« Sie
warf den Kopf in den Nacken und schwieg. Ein kurzer
Lärm drang aus Baraks Brust: er glich kaum einem menschlichen Laut, aber er bezeugte für alle, daß er die Rede der
Frau begriffen hatte. »Schnell«, rief die Amme und tat einen
Griff in die Luft: sie hielt in der schwarzen Klaue der Frau
sieben Fischlein hin: sie waren mit den Kiemen aufgereiht
an einer Weidenrute, wie Schlüssel an einem Ring. »Wirf sie
über dich ins Feuer und dann fort mit uns, denn es ist die
höchste Zeit!«

Die Färberin biß die Lippen aufeinander und griff nach
den Fischen. »Dahin mit euch und wohnet bei meinem
Schatten!« flüsterte die Alte ihr ein. Aber Barak tat jetzt einen Schritt auf die Frau zu und die Frau wich zurück. Ihre
Lippen bewegten sich, und sie murmelte die Worte, aber es
war, als wüßte sie es nicht; sie hob die Hand mit den Fischen über die Schulter und warf, aber wie im Schlaf; sie tat
das Bedungene, aber so, als täte sie es nicht: ihre Augen hafteten auf dem Färber, und ihre Lippen verzogen sich wie eines Kindes, das schreien will. »O meine Mutter!« rief sie,
ihre Stimme klang dünn wie die Stimme eines fünfjährigen
Kindes. Sie tat ein paar unschlüssige Schritte, nirgend sah
sie Hilfe und preßte den Mund zusammen und blieb stehen.
Der Färber war schon hinter ihr; in der Angst riß sie sich
zusammen und wie ein Pfeil schoß sie zur Tür hinaus. Er
wollte ihr nach, von hinten hängten sich die Brüder an ihn;
sie schrien, er dürfe nicht zum Mörder werden! Er schüttelte sie ab, die Brüder taumelten auf die Amme, die neben
dem Feuer kauernd mit beiden Händen nach den Fischen
haschte. »Hinweg mit euch, ihr Widerspenstigen!« schrie sie
und warf sie ins Feuer. Der Einäugige und der Einarmige
traten nach der Hexe, sie hatten jeder ein brennendes Scheit
aus dem Feuer gerissen und stürzten dem Bruder nach, die
Amme, als sie die Fischlein in der Flamme verzucken sah,

stürzte hinter ihnen drein. Draußen wehte ein Sturm, als
wären alle Elemente losgelassen. Die Finsternis brüllte und
wälzte sich heran, in dem undurchdringlichen Dunkel wehten dicke Staubwolken dahin, von dem halbabgedeckten
Schuppen stürzten die Ziegel, und zugleich schlug der Fluß
mit Gischt übers Ufer und riß an der Schwemmbrücke, daß
sie ächzte und die eisernen Ketten, an denen sie überm Wasser hing, einen Laut gaben, als ob sie reißen wollten.

Der Sturm jagte den zwei Brüdern die Funken ins Gesicht und blies die Feuerbrände nieder, daß sie nur mehr
glimmende Stummeln in den Händen trugen; sie stolper-
ten von der Schwelle hinab und schrien ins Ungewisse
nach dem Färber. Die Amme sah das Weib an der Wand
des Schuppens stehen und die Kaiserin ganz nahe vor ihr,
regungslos wie ein Standbild. Der Färber stand auf zehn
Schritte von seinem Weib, er hatte das Gesicht ihr zugekehrt, er mußte trotz der Finsternis sie sehen oder ahnen,
wo sie stand. Der Verwachsene war dicht bei ihm. »Feuerbrände heraus!« schrie der Färber mit einer Stimme, die den
Sturm und das Stampfen der Waschbrücke und alles Ächzen
des Schuppens übertönte, und er wies mit ausgerecktem
Arm auf seine Frau: denn der Feuerschein, der durch die offene Tür aus dem Haus fiel, zeigte sie ihm, und sie krümmte
sich vor Angst.

Die Amme glitt näher hin; nichts sah sie lieber, als wie
Menschen einander Gewalt antaten. »Wir haben ein Recht
erworben und machen einen Anspruch geltend!« murmelte
sie in sich hinein. »Den großen Schwemmkorb her!« schrie
der Färber. Der Verwachsene warf sich auf die Brücke und
machte den Schwemmkorb los, der an einer Kette im Wasser hing; dabei schlug das Wasser dreimal über ihn hin und
spülte ihn fast hinweg. Der Färber bückte sich; in dem
flackernden Schein, der aus der Haustür fiel, konnte man
sehen, wie er tastend mit den Händen nach dem großen

Malmstein suchte, der wenige Schritte seitlich auf der Erde
lag. Er hob ihn auf und ließ ihn in den Schwemmkorb fallen; der Korb war flach und groß genug, daß man einen
Menschen hineinzwängen konnte; als der schwere Stein
hineinfiel, spritzte es hoch auf. Der Buckel lief jetzt aus dem
Haus heraus, er hatte brennende Scheiter in einen Topf getan: ein grelles Licht fiel über alle hin. »Einen Strick her!«
rief der Färber. Die Brüder verstanden, was er vorhatte, und
sie warfen sich auf die Knie. »Kein Blut auf deine Hände,
mein Bruder!« riefen sie wie aus einem Munde. Sie sahen,
wie der Färber auf die Frau losging, und sie drehten ihre
Gesichter zur Seite. »Flieh!« schrien sie auf die Färberin hin
und wirbelten ihre langen Arme drohend wie gegen ein
Tier. »Hinweg mit dir und einer Hündin Geschick über
dich.« Sie bückten sich nach Steinen, der Bucklige wollte ein
brennendes Holz nach ihr werfen, dabei stolperte er, und
der Topf mit dem Feuer fiel ihm aus der Hand in ein Schaff,
das umgestürzt dalag, und alle standen im Dunkel, daß sie
nicht die Hand vor den Augen sahen. Die Amme allein, deren Augen, wie eines Nachtvogels, jede Finsternis durchdrangen, sah, wie das Weib in diesem Augenblick sich von
den Knien aufhob, ihr Gewand schürzte und blitzschnell
zwischen den Brüdern durch lief, gerade auf den Färber zu.
Die Amme sprang näher: ihr war, als sähe sie, wie der Schatten der Färberin am Boden hinzuckte, sich mit anderen
Schatten zu gesellen und ihr zu entkommen; da und dort
flatterten Fetzen von gefärbtem Zeug, die sich von der
Trockenstatt losgerissen und irgendwo festgeklemmt hatten, die plumpen Schatten der Tröge und Kufen mitten in
der schwankenden Finsternis sprangen auf und duckten sich
wieder. Dabei fuhr ihr durch den Sinn, daß sie für einen Augenblick die Kaiserin aus den Augen gelassen hatte. Sie sah
sich um; der Platz, wo die Kaiserin gestanden hatte, war
leer. Zu des Färbers Füßen lag eine weibliche Gestalt hinge-

streckt an der Erde, sie hatte das Gesicht an den Boden gedrückt, mit unsäglicher Demut reckte sie den Arm aus, ohne
ihr Gesicht zu heben, bis sie mit der Hand die Füße des
Färbers erreichte, und umfaßte sie. Der Färber schien sie
nicht zu beachten. Ein schweres Zucken hob in regelmäßigen Abständen seinen großen schweren Leib. Jetzt schob
sich die Liegende auf den Händen näher heran, und ihr
Kinn drückte sich auf die Füße des Färbers. Ihre Lippen
murmelten ein Wort, das niemand hörte. Dann lag sie in
dieser Stellung wie tot. Die Amme spähte hin, sie sah, wie
das Weib, das da lag, keinen Schatten warf, als nun der
Feuertopf aufflammte und das Schaff dazu, das Feuer gefangen hatte. Sie glaubte sich betrogen um den Schatten, vor
Wut und Staunen ging ihr die Zunge im zahnlosen Mund
nach links und rechts, sie wollte losspringen auf das liegende Weib, da spürte sie sich zur Seite, halb hinter ihr, ein
Lebendes und sah die Färberin dastehen, die ihrem Mann
die beiden Hände entgegenstreckte, und sie sah zugleich,
daß die Liegende die Kaiserin war, und erschrak so sehr, daß
sie hinter sich treten mußte. Die Miene der Färberin hatte
eine wunderbare und dabei unschuldige Schönheit angenommen: die ungeheure Angst verzerrte sie nicht, sondern
verklärte sie. Der Färber tat einen halben Schritt auf sie zu,
noch mit stierem Blick, wie einer, der halb träumt; dabei
stieß er im Wegtreten mit dem Fuß an den Kopf der vor
ihm Liegenden, aber er bemerkte es nicht. Die Fackel lohte
stärker auf, und das junge todbereite Gesicht vor ihm leuchtete ihm entgegen, so plötzlich und so nahe, daß er zurück-
fuhr. Etwas ging in seinem Gesicht vor, das niemand sehen
konnte; es war, als würde innerlich eine Binde von seinen
Augen gerissen, seine und seines Weibes Blicke trafen sich
für die Dauer eines Blitzes und verschlangen sich ineinander, wie sie sich nie verschlungen hatten. Er sah, was alle
Umarmungen seiner ehelichen Nächte, deren er siebenhun-

dert mit seiner Frau verbracht hatte, ihm nicht gezeigt hatten; denn sie waren dumpf gewesen und ohne Auge. Er sah das Weib und die Jungfrau in einem, die mit Händen nicht zu greifen war und in allen Umschlingungen unberührt blieb, und die Herrlichkeit und Unbegreiflichkeit des Anblicks schlug gegen seine Brust; er zog die Luft ein durch die Nüstern seiner breiten Nase wie ein Tier, das vor Schrecken stutzt, und seine riesigen erhobenen Fäuste zitterten. Das undurchdringliche Geheimnis des Anblicks reinigte ihn wie der Blitz von der Schwere seines Blutes; in der Größe seines gewaltigen Leibes glich er einem Kinde, dem das Weinen nahe ist.

Sie sah seinen mächtigen Leib vor sich und die gewaltigen Kräfte, die in ihn eingesperrt waren und aus den Augen, aus dem Mund und den beweglichen Gliedern hervorbrechen wollten, und weil sie dieses eine Mal nicht begehrend auf sie einstürmten wie ein Bergsturz, so war sie entzaubert und sah ihn mit einem durchdringenden Blick: seine Gewalt war ihr wie eines Löwen und seine Ohnmacht wie eines Kindes; sie erschrak über den ungeheuren Zwiespalt mit einem süßen Schrecken und öffnete sich ganz, diese Zweiheit in sich zu vereinen; ihre Knie gaben nach in jungfräulichem Schreck, und ihr Herz umfaßte den Gewaltigen mit mütterlicher Zartheit. Ihr Mund hing voller ungeküßter Küsse, perlend, und aus ihren Augen brachen wie Feuerketten die Beseligungen, die sie zu empfangen und zu geben fähig war. Sie gab sich ihm hin in dieser Sekunde, wie sie sich nie gegeben hatte, in einer Umarmung ohne Umschlingungen und einem Kusse, in dem die Lippen sich weder berührten noch trennten.

In diesem Augenblick waren sie wahrhaft Mann und Frau, und in diesem Augenblick, dem Bann gehorchend und in Gehorsam verbunden den ausgesprochenen Worten und den dahingegebenen Fischlein, deren letztes in diesem

Augenblick zu glühender Asche verbrannt war, löste sich
der Schatten vom Rücken der Färberin und huschte schneller als ein Vogel über die Erde hin aufs Wasser zu: denn das
Fließende wie das Lodernde zog ihn an, und er suchte sich
zu retten vor greifenden Händen und vor fremder Dienst-
barkeit. »Her zu mir!« schrie die Amme und beugte sich
vom Ufer übers Wasser, ihn in ihren Klauen zu fassen.
»Heran und ergreife, was dein ist!« schrie sie ohne Atem
über die Schulter auf die Kaiserin hin. Im gleichen Augenblick schrien die drei Brüder hinter ihr wie aus einer Kehle
einen Schrei des äußersten Erstaunens und Entsetzens: vor
ihren sehenden Augen waren der Färber und die Färberin
verschwunden. Von drüben bewegte sich ein Schein quer
den Fluß herüber: die Amme riß die Augen auf, und ohne
daß ihre Lider sich einmal bewegt hätten, starrte sie auf die
Erscheinung: ihr Haar sträubte sich und jede Nerve an ihr
spannte: es war der Geisterbote, der so unerwartet über das
Wasser hergeglitten kam, und die Oberfläche des Flusses,
die plötzlich still dalag, spiegelte den Harnisch aus blauen
Schuppen. Sein funkelndes Auge schien sie zu suchen. Starr
erwartete sie seine Annäherung. Sein Mantel schleifte hinter
ihm drein, jetzt hob er sich höher übers Wasser und streifte
im Bogen an ihr vorbei; an seinen wehenden Mantel hing
sich der Schatten der Färberin, und ohne ihr auch nur einen
Blick zu geben, glitten sie fort. »Auf du! und hinter ihm
her!« schrie sie und war in drei Sprüngen bei der Kaiserin,
»denn es gilt, daß wir erlangen, was wir zu Recht erworben
haben!« Die Kaiserin lag da wie eine Leiche, aber als sie ihr
sanft den Kopf aufhob, sah sie, daß die Augen offen waren.
Sie bettete sie in ihren Schoß, sie redete ihr zu. Nun richtete
sich der Blick, der gräßlich ins Leere ging, auf sie, sie schien
die Alte zu erkennen, aber ein Grauen malte sich in ihrem
Gesicht, und sie schloß wieder die Augen. Unerträglich war
es der Amme, das Gesicht zu sehen, das nun völlig dem Ge-

sicht einer irdischen Frau glich. Sie hob die Willenlose vom
Boden auf, der Kopf hing ihr übern Arm nach abwärts, sie
schlug ihren dunklen Mantel um sie beide, drückte ihr Pflegekind mit beiden Armen an sich, und sie fuhren durch die
Finsternis dahin. Die Amme wußte wohl, welchen Weg sie
zu nehmen hatte.


## Siebentes Kapitel

Auf dem Fluß, den die Mondberge mit steilen glatten Klippen einengten und der trotzdem ohne Wirbel ruhig, wenn
auch sehr schnell, dahinfloß, fuhr ein Kahn gegen das Innere des Gebirges; denn so ging hier der Zug des Wassers.
Er fand seinen Weg ohne Steuer, die Amme, die am hintern
Ende auf dem Boden saß, schien ihn mit dem aufmerksamen Blick zu lenken, den sie über das Vorderteil hin, immer
einen Pfeilschuß voraus, auf das schnelle Wasser gerichtet
hielt; zu ihren Füßen lag die Kaiserin und schlief.
    Allmählich traten die Klippen zurück, hohe Bäume stan-
den links und rechts am Ufer, alle schön, von verschiedener
Art, durcheinander wie in einer Au; hinter ihnen stiegen die
schwarzen glänzenden Felsen empor, aus deren finsterer
mächtiger Masse der ganze Bereich von Keikobads verbor-
gener Residenz aufgebaut war. Zwischen den Bäumen sah
sie mehrere von den Boten sich bewegen, deren allmonat-
liches Kommen sie ihrem Pflegekind immer sorgsam ver-
heimlicht hatte. Mit Unlust erkannte sie den Alten, dessen
weiße Gestalt gleich nach dem Verstreichen des ersten Monats nachts auf der Treppe zum blauen Palast aus der Wand
herausgetreten war und sie mit seinen leuchtenden und
strengen Blicken so erschreckt hatte. Auch den Fischer sah
sie in der Ferne gehen; er trug wie damals eine Art von kur-
zem Mantel, aus Binsen geflochten, und in Händen seine

Netze, an denen das Wasser glänzte, das rotgelbe Haar aber
hinten hinaufgebunden wie eine Frau. Aber keiner kümmerte sich um den Kahn und die Ankömmlinge. So blieb
die Amme ganz ruhig; mit ihrem Willen hatte sich der Mantel, in den gewickelt sie beide durch die Luft flogen, im Bereich der Mondberge, am Ufer des Flusses niedergelassen,
der sie quer durchschnitt und zu dem kein sterblicher
Mensch ungewiesen den Weg fand; ohne ihr Zutun hatte er
sich sogleich in einen Kahn verwandelt, groß genug, sie und
die Regungslose aufzunehmen, jetzt trug er sie dorthin, wohin sie mit ihrer Herrin zurückzukehren sich so sehnlich
wünschte. Sie fühlte Keikobads Gebot über dem allem, so
mußte er ihnen nicht mehr unerbittlich zürnen; sie war sich
bewußt, ihrer Herrin aufs Wort gedient und den Menschen,
die ihr abscheulich waren, einen Streich gespielt zu haben,
der ganze Handel erschien ihr in gutem Licht: sie war zufrieden und einer Belohnung gewärtig. Sie wunderte sich
nur, den im blauen Harnisch nicht zu sehen: ihm gedachte
sie entgegenzutreten und ihn zu beschämen; denn sie fühlte das Geisterrecht auf ihrer Seite. Nur den letzten Blick
konnte sie nicht vergessen, den ihr die Kaiserin gegeben
hatte, als sie sie dort an der Mauer des Färberhauses vom
finsteren Erdboden aufhob. Der Blick war ihr gräßlich in
seiner Mischung von verzweifelter Angst und düsterem
Vorwurf, dessen Sinn sie nicht begreifen konnte. Daß sie sie
hatte vor den Füßen eines Menschen liegen sehen, war ihr,
als ob es nie gewesen wäre. Sie neigte sich über Bord und
wusch sich, mit beiden Händen schöpfend, Augen und
Wangen mit dem dunklen reinen Wasser; noch rieb sie ihren
Hals und Nacken von der zauberischen Schminke, die keine
Spur auf den Händen zurückließ; da fühlte sie, daß der
Kahn seine Richtung änderte, so, als würde er von dem einen Ufer her an einem Tau gezogen. Kaum hatte sie sich
umgewandt, so sah sie den im blauen Harnisch auf einem

glatten Uferstein dastehen; er schien den Kahn erwartet zu haben, jetzt trat er zurück zwischen die Bäume. Sie sah ihn nur mehr im Rücken, das blauschwarze Haar trug er aufgeflochten im Nacken hängend, der Mantel war kurz über dem Harnisch gerafft; trotz seiner gedrungenen Gestalt nahm er sich schön und gebietend aus. Indem sie ihm nachspähte, war er auch schon zwischen den Stämmen verschwunden. Zugleich aber hatte der Kahn sich sanft dem Ufer angelegt, und schon hatte die Kaiserin den Schlaf abgeworfen und war leicht wie ein Vogel auf die feste Erde hinübergestiegen. Das graue Obergewand, in das sie sich für die Menschen verhüllt hatte, war abgefallen und blieb im Kahn zurück, nur ein leichtes schneeweißes Gewand trug sie um die Glieder fest gewickelt, man hätte es unter dem grauen Überwurf nie geahnt. Sie erkannte mit einem Blick die Gegend; als eine junge Schlange war sie oft hier gewesen, auch als Vogel hatte sie sich über diesen Büschen und dem Wasser gewiegt. Aber nichts von dem allem drang jetzt in sie hinein. Ihre Miene veränderte sich gleich, ihre strahlenden Augen wurden dunkel und zornig. »Wo bin ich?« rief sie und trat oberhalb hart an den Kahn heran. »Wo hast du mich hingebracht, während ich schlief und nichts von mir wußte! Wo ist der Mann? wo ist das Weib? Auf, und zurück vor ihre Füße, daß ich ihnen genugtue!« Vor Staunen über diese Rede verwandelte sich das Gesicht der Amme. Nichts von dem, was die Kaiserin bewegte, konnte sie begreifen. Als sie ihr Gesicht wusch, hatte sie auch die letzte Erinnerung an die zwei Menschen und ihr armseliges Haus weggewaschen; sie hatte völlig vergessen, wie der Färber und die Färberin aussahen. »Wer sind die, von denen du redest«, rief sie von unten hinauf, »wo wären sie des Atems wert, den du an sie verschwendest!« Dabei wandte sie den Kopf ab. Sie hatte bemerkt, wie jetzt am jenseitigen Ufer der Fischer zwischen den Büschen hervortrat.

Nicht gern fühlte sie seinen Blick auf dem Kahn und auf ihr
selber. Es war ihr unvergessen, wie rauh er sie behandelt
hatte, als er am Ende des siebenten Monats ausgesandt war,
zu erkunden, ob das Geisterkind schon einen Schatten
werfe. Immer war sie seitdem gewärtig, daß er, wie damals,
als sie am Rand des Teiches hinter dem blauen Palast dahinging, von hinten an sie heranträte, ihr das Netz überwürfe
und sie zu sich ins Wasser risse. Aber der Zorn ihrer Herrin
hatte mehr Kraft über sie als die Besorgnis vor dem Boten.
Nie hätte sie fassen können, daß diese, die unnahbar über
ihr stand und vor Zorn bebte wie eine in weißen Rauch ge-
hüllte Flamme, auf dunkler feuchter Erde vor den Füßen eines Menschen gelegen hatte. »Auf, und du voran«, rief die
Kaiserin, »und daß du sie mir wiederfindest, und wären sie
von Geistern verschleppt und auf tausend Meilen von ihrem
Hause. Denn wir sind Diebe und Mörder an ihnen geworden und alles Blut aus unseren Adern ist zu wenig, um gutzumachen, was wir an ihnen getan haben.« Die Amme
duckte sich zur Seite und hielt den Blick ihrer Herrin nicht
aus, und ihr war, als würde die Kaiserin von oben auf sie
niederstoßen wie ein Vogel und mit den Fersen ihrer leuchtenden Füße auf sie treten, so furchtbar war der Zorn in ihren Mienen. Aus dem Winkel ihres Auges spähte sie aber
gleichzeitig über den Rand des Kahnes: da sah sie, wie drüben der Fischer hart ans Ufer getreten war, daß das Wasser
sich an seinen Füßen staute, wie er gebieterisch den Arm
ausstreckte und ihr zuwinkte, ihn mit dem Kahn überzuho-
len. Schon fühlte sie, daß der Kahn von selber dem Wink
gehorchte und sich vom Ufer losmachte. »Heran zu mir!«
schrie sie der Kaiserin zu, denn sie begriff sofort, daß man
sie von ihrem Pflegekinde trennen wollte. Aber die Kaiserin
gab keine Antwort. Sie hatte die beiden Arme über die
Brust gedrückt und hielt den Kopf nach oben, aber mit geschlossenen Augen. Die Amme umklammerte eine Baum-

wurzel des Ufers, es war zu spät, der Kahn riß sie hinüber. Schon war der Fischer hineingesprungen, er warf seine Netze ab und stieß die Alte, daß sie auf die Netze hinfiel; mitten im Fluß lenkte er den Kahn nach abwärts, knirschend sah sie hohe Felsen vortreten, wie ein Tor zu beiden Seiten, der Kahn glitt zwischen ihnen durch, die Kaiserin war ihren Augen entschwunden. Auf den nassen Netzen kauernd überlegte die Alte, wie sie wieder in den Besitz des Kahnes kommen, ihn zurückverwandeln könnte in den Mantel, den sie jetzt nötiger brauchte als je. Der Fischer kümmerte sich nicht um sie; er streifte die Ärmel auf, griff tief ins Wasser und hob einen weidenen Korb heraus von länglicher Gestalt, wie ein großes Futteral; kein Tropfen Wasser hing an dem Korb, es war, als hätte er ihn von oben aus der glänzenden Luft geholt. Indessen war der Kahn langsamer geworden, er glitt an ein sanft abfallendes Ufer hin, zwischen Weiden und Erlen blieb er stehen. Der Fischer nahm den Korb untern Arm, warf die Netze über die Schulter und stieg ans Land. Er schlug einen Pfad ein, der zwischen den Erlen landeinwärts führte. Schnell dachte sie den Kahn vom Ufer zu lösen, aber zu ihrer Enttäuschung hatte der Fischer den Strick um den Stumpf einer alten Weide geschlungen und in einen Knoten geschürzt, den zu lösen ihr unmöglich war; sie begriff nicht, wie er dies so blitzschnell unterm Aussteigen vollbracht hatte. Zornig seufzend zog sie das Gewand der Kaiserin an sich und schlich dem Fischer nach; denn sie wußte, daß der Fluß sich durch die Mondberge hinkrümmte wie ein S, sie kannte weiter oben eine schmale gefährliche Stelle, wo sie sich an einem überhängenden Baum zu einer Klippe hinüberschwingen konnte, und sie hoffte, querüber durchs Gebirg zu dieser Stelle zu gelangen. Sie war auf dem ansteigenden Fußpfad noch nicht weit gegangen, so sah sie zwischen Birken und Haselbüschen die Hütte des Fischers liegen, von

der ein bläulicher Rauch aufstieg. Sie schlich an das Fenster
und blickte hinein. In einer Ecke der einzigen halbdunklen
Kammer lag auf einer Schilfstreu eine zartgliedrige junge
Frauensperson in unruhigem Schlaf. Zu ihren Füßen kniete
die Frau des Fischers, grauhaarig, aber mit einem noch leid-
lich jungen Gesicht, so daß sie im Alter zu ihrem Gatten
ganz wohl zu passen schien. Sie betrachtete mit der größten
Aufmerksamkeit die Hände der Schlafenden, die sich inein-
anderrangen und voneinander lösten wie in einem heftigen
bedrückenden Traum. Die Amme kannte dieses Weib le-
benslang; aber sie hatte sie nie leiden mögen. Die Fischerin
war neugierig über die Maßen und vermochte nichts für
sich zu behalten. Mut und Willenskraft besaß sie wenig;
aber sie konnte sehen, was durch eine Wand, einen Deckel
oder einen Vorhang verhüllt war, und sie verstand es, an al-
lerlei Zeichen etwas abzulesen, und konnte aus leisen Spuren vieles erraten, was andern verborgen blieb. Abgeschlossen von den Menschen, wie sie lebte, war sie voll Freude,
daß man die junge Frau ihrer Obhut anvertraut hatte. Jetzt,
als die Schlafende beim Eintreten des Fischers den Kopf bewegte, erkannte die Amme in ihr das Weib des Färbers, das
sie nie wieder mit Augen zu sehen verhofft hatte, und ihr
entfuhr ein zorniger Laut der Überraschung, den sie aber
halb noch in der Kehle erstickte. Die Fischerin hatte tausend Fragen auf den Lippen. »Warum hast du mir nichts gesagt«, rief sie dem Eintretenden entgegen, »daß es unter den
sterblichen Menschen solche gibt, die keinen Schatten werfen, auch wenn, wie es vor einer Stunde der Fall war, die
volle Sonne schräg zum Fenster hereinfällt! Und was hat
diese begangen, daß sie sich so fürchtet! Dabei ist sie eine
Kühne und Ungebändigte, das seh ich an ihren Händen,
und eine Träumerin, und ihr Herz ist rein, aber der Spielball
ihrer Begierden und ihrer Träume. Und was bringst du«,
unterbrach sie sich selber, »da für einen Korb, und was für

eine Bewandtnis hat es mit einem, der dir nachgeschlichen
ist und von hinten her das Haus umlauert, nicht Mensch
und nicht Tier, sondern irgendeiner unseresgleichen?« und
sie hob die Nase und witterte in der Luft. Der Fischer gab
ihr seiner Gewohnheit nach keine Antwort; er wickelte
seine Netze auseinander. Schon hatte sie sich aber dem
Korbe genähert, und indem ihre Augen das dichte Geflecht
durchdrangen, antwortete sie sich selber. »Ein Richtschwert
und ein blutroter Teppich!« rief sie halblaut. »Ist der Teppich für ihre Knie und das Schwert für ihren Hals?« flüsterte sie und deutete auf die Schlafende; diese zuckte zusammen, als ob sie es gehört hätte. »Wer wird Richter sein?«
fragte das Weib weiter. »Und soll sie vielleicht den Korb auf
ihrem eigenen Kopf bis zur Richtstätte tragen? Ist es darum,
daß du ihn hierher gebracht hast?« Sie ließ ab, auf die
Hände zu spähen, und heftete ihren Blick auf die Lippen
der Färberin, die sich kaum wahrnehmbar bewegten. »Wie
sie ergeben ist!« rief die Alte. »Lasset mich sterben‹, sagt
sie, ›bevor die Sonne auf ist. Zündet nur keine Fackel an.
Das Schwert blitzt ohnedies und der Teppich leuchtet von
dem vielen Blut, das er getrunken hat, so wird niemand sehen, daß ich keinen Schatten werfe.‹ – Zu wem spricht sie
das?« fragte die Alte neugierig ihren Mann, der sich auf
den Hackstock gesetzt hatte und anfing, an seinem Netz zu
flicken. »Ei«, sagte sie und rückte der Schlafenden näher,
»jetzt betet sie und küßt demütig eine große blauschwarze
Männerhand. ›Mir geschehe, wie du willst‹, sagt sie, ›denn
du bist mein Richter, und ich knie zwischen deinen Händen.
Aber wisse, daß ich dich erkannt habe in der letzten Stunde
meines Leben, und daß du den Knoten meines Herzens gelöst hast.‹ – Wer wird ihr Richter sein, gib mir Antwort!
Den ganzen langen Tag bin ich allein, und gibt man mir einmal ein fremdes Wesen zur Gesellschaft, so ist's eine Schlafende, die den Mund nicht auftut. Wer wird zu Gericht sit-

zen über dieser da?« »Das goldene Wasser!« antwortete der
Mann. »Das Wasser des Lebens?« rief die Frau mit über-
raschtem Ton. »Man hat mir noch nicht einmal gesagt, daß
es in den Berg zurückgekommen ist. Ja, kann es denn sprechen und ein Urteil verkünden?« »Nein, aber es verwandelt,
und das ist mehr.« »Verwandeln! das ist eine Gabe wie eine
andere«, gab sie zurück. »Verwandelt nicht der Alte, dein
Stiefbruder, alles Feindselige, das ihm entgegentritt, in
Tiere, die ihm gehorchen? Und ist es dir nicht wiederum gegeben, wenn du deine Arme ins Wasser tauchst, hervorzu-
nehmen, was niemand hineingelegt hat!« »Ja, aber das goldene Wasser verwandelt das Unsichtbare«, sagte der Mann.
»Es ist jemand am Fenster«, flüsterte die Frau und hob sich
blitzschnell vom Boden auf. Der Fischer trat vor die Schlafende hin und betrachtete sie. Sie seufzte im Schlaf, als
wollte ihr die Brust zerspringen, und Tränen traten ihr unter den Wimpern hervor und liefen über die Wangen.

Als das Weib hinaustrat, war die Amme auf und davon.
Fast schlimmer war ihr zumut als vor einem Jahr, als sie das
Feenkind verloren hatte und nicht wußte, wie ihre Spur
wiederfinden. Die Gegenwart des jungen Weibes hier im
Bereich der Geister erfüllte sie mit einer unbestimmten beklemmenden Furcht. Sie hastete vorwärts und aufwärts.
Nur mehr Felsen umgaben sie, zwischen denen es selbst für
ein Wesen von ihren Gaben nicht mehr leicht war, sich zu-
rechtzufinden. Doch wußte sie noch, wo sie war.

Nicht weit von hier mußte eine Kluft sein, darin sie im
vergangenen Jahr, dem verlorenen Kind mühselig nachwan-
dernd, die erste Nacht eine erträgliche Unterkunft gefunden
hatte. Nun erkannte sie den tief eingeschnittenen Hohlweg:
aus ihm kam ein Luchs hervor, der sich wartend nach hinten
umsah, wie ein Hund nach seinem Herrn. Sogleich sah sie
auch den weißgewandeten Alten hervortreten und an seiner
Seite ein Lamm, das klug zu ihm aufblickte. Aber in dem

Großen, der breitspurig und langsam nun aus dem Berg hervorkam und auf den der Alte wartete und ihm, wie ein Führer dem Gaste, ehrerbietig die sicheren Steinplatten zeigte, den mächtigen, des Gebirges ungewohnten Fuß aufzusetzen, erkannte sie den Färber und ihr grauste; ihr war, als ob ein Netz sich von weitem her um sie zusammenzöge, dessen Maschen sie nicht würde zerreißen können. Sie war seitlich zwischen Baumwurzeln und nackten Felsen emporgeklommen, oben hängend hörte sie, was die beiden miteinander redeten. »Wann werde ich sie wiedersehen?« fragte der Färber, und ein mächtiger Seufzer drang aus seiner Brust. »Wenn die Sonne über dem Fluß im Steigen ist«, antwortete der Alte. Sie redeten weiter, abermals schlug der Name des goldenen Wassers an ihr Ohr. Von Kindheit an war ihr vor diesem mächtigen Zauber eine scheue Furcht eingeprägt, sie wollte das Wort nicht mehr hören, sie klomm von Baum zu Baum, von Platte zu Platte. Sie meinte die Richtung inne zu haben, aber das Geklüft wurde immer wilder, die Bäume hörten jetzt auf: umsonst, daß sie horchte. Der Fluß rann tief unten ohne Rauschen hin, nirgends ein Zeichen, sie mußte sich eingestehen, daß sie den Weg verloren hatte. Sie rief gellend den Namen ihres Kindes, nichts antwortete, nicht einmal ein Widerhall. Nur ein Nachtvogel kam auf weichen Flügeln zwischen dem Gestein hervor, stieß gegen ihren Leib und taumelte gegen die Erde. Da warf auch sie sich zu Boden und drückte das Gesicht gegen den harten Stein.

Die Kaiserin indessen stand allein zwischen den Bäumen und dem Felsen, beschattet von der Felswand, hinter der seitlich das Licht zu sinken anfing. Alles warf nun lange Schatten über den grünen Waldgrund hin, von ihr allein fiel keiner. Sie hatte sich der Felswand zugekehrt, sie meinte die Stelle wiederzuerkennen: es war die deutlichste Erinnerung aus einer frühen Zeit. Hier war ihr Vater mit ihr herausge-

treten, hier hauchte er das Geheimnis der Verwandlung
in sie hinein: sie fühlte sich Vogel werden zum erstenmal,
fühlte sich aufschweben vor des Vaters Augen. Wenig von
seiner Erscheinung konnte sie erinnern; er trug keine
Krone, aber die Stirne selber glänzte wie ein Diadem, das
ahnte ihr noch. »Vater«, rief sie sehnlich, »Vater, wo bist
du?« Das Wort verhallte. Sie kam sich eingeschlossen vor in
ihren Leib, wie gefangen. Unwillkürlich griff sie nach dem
Talisman. Wie ein klares Licht durchzuckte es sie, sie begriff, warum und seit wann ihr die Verwandlung genommen
war, und er, der sie so gestraft hatte, war ihr näher als je. In
seiner Unnahbarkeit fühlte sie ihn, auf ihrer Stirne leuchtete
ein Abglanz von ihm.

Sie hörte hinter sich ein spritzendes Geräusch, als hätte
jemand aus dem Wasser sich ans Ufer geschwungen. Ein
Schauer lief ihr über den Rücken, sie wußte sich plötzlich
nicht mehr allein und drehte sich jäh um. Ein großer Knabe
stand da, zwischen ihr und dem Wasser, gedrungen stark.
Sie hätte glauben können, den Färber vor sich zu sehen:
die breitbeinige Gestalt, die gebuckelte Stirne, das krau-
se schwarze Haar; er trug ein Gewand von wunderbar
blauer Farbe, nicht so, als hätte man ein weißes Gewebe in
die Küpe gelegt, darin sich die Stärke des Indigo und des
Waid vermischten, sondern so, als wäre die Bläue des Mee-
resgrundes selbst hervorgerissen und um seinen Leib gelegt
worden. Er blieb an seiner Stelle und verneigte sich vor ihr,
die Arme über die Brust gekreuzt. Dann sah er sich im
Kreis um, wie wenn er einen Zeugen dessen, was er zu sagen hatte, gefürchtet hätte: er wiegte den runden Kopf be-
dächtig gegen den Fluß: »Halte das Weib weg!« rief er. Indessen hatte sein Gewand sich verändert: es glich jetzt dem
nächtlichen Schwarzblau, bevor die ersten Strahlen der
Sonne den Himmel erhellen. Ehe die Kaiserin ihm antworten konnte, war noch ein Wesen vor ihren Augen. War es

aus den Bäumen herausgetreten, war es aus der Erde her-
vorgekommen – es stand da. Es war ein kleines Mädchen
und von den zierlichen wie aus Wachs geformten Füßen bis
zu dem dunklen wie Kupfer schimmernden Haar glich es
der Färberin. Es tat seinen Mund auf im gleichen Augenblick, als es da war, und rief mit heller befehlender Stimme:
Stelle dich zu deinesgleichen! Zugleich wie vor Ungeduld
kam es näher an die Kaiserin heran; nicht mit Schritten,
sondern es glitt auf dem grünen Grund heran wie auf Glas,
mit geschlossenen Füßen, und keine Art sich zu bewegen
hätte besser zu der Zartheit seiner Glieder und zu den Farben, in denen es glänzte, passen können. Hinter ihr aber trat
nun eine andere hervor, weit älter als sie, ja größer und
mächtiger als der zuerst Gekommene. Stumm stand sie da,
einen Blick wie eines Tieres auf die Kaiserin geheftet, an ihr
hingen drei kleine Knaben und auch das Mädchen glitt zurück zu ihr, alle vier drückten sie sich an ihre große Schwester. Von dieser konnte die Kaiserin keinen Blick verwen-
den: wie sie nun die Kinder an sich drückte, mit sanften
Händen und sorglichen Blicken, wie ein Vogel seine Brut,
glich ihre Güte der Güte des Färbers, aber wenn sie herüber
sah mit einem kühnen und scheuen Blick, so war es der
Blick der Färberin. Wunderbar war sie aus beiden gemischt,
und doch kein Zug von keinem: nur die Vereinigung beider.
Die Kaiserin fühlte ihr Herz pochen, es zog sie hinüber zu
diesen Wesen – da war die Gestalt dahin. Der Bruder allein
stand da, er schien zu warten, daß die Kaiserin ihn anrede.
»Ihr bringt mir eine Botschaft?« rief sie und lächelte ihm zu.
Tief und dunkel glühte sein Gewand auf aus dem Violetten
ins Rote. Die Farbe schien aus der Ewigkeit her zu ihm zu
kommen, so auch die Antworten, die langsam in ihm auf-
stiegen und zögernd den Rand seiner Lippen erreichten.
»Wir bestellen nichts, wir verkünden nichts. Daß wir uns
zeigen, Frau, ist alles, was uns gewährt ist.« »Wo ist die an-

dere?« fragte die Kaiserin; ihr Blick deutete mit Begierde
nach den Bäumen, zwischen denen das Mädchen gestanden
hatte. »Da und nicht da, Frau, wie es dir belieben wird!«
sagte er und hob sich aus seiner leicht geneigten Haltung;
seine Mächtigkeit wurzelte auf seinen gewaltigen Füßen in
der Erde und sein Gewand war wie Blut, das sich in Gold
verwandelt; alle Bäume empfingen von ihm die Bestäti-
gung ihres Lebens, wie vom ersten Glanz der aufgehenden
Sonne. »Gibt es ein Drittes?« fragte die Kaiserin. »Die Vereinigung der beiden«, kam es von den Lippen des Knaben.
»Wo geschieht diese?« »Im entscheidenden Augenblick.«
Die Kaiserin trat einen Schritt auf ihn zu. »Führet mich zu
denen, von denen ihr wisset«, sagte sie. »Nicht wir sind es,
die dich führen werden, sondern andere«, gab er zur Antwort. »So bringet sie zu mir!« rief die Kaiserin. Der Knabe
sah sie blitzend an aus den Augen der Färberin mit dem
Blick des Färbers. Er hob mit sanfter Strenge die Hand gegen sie und glich jenem, seinem Vater, wie ein Spiegelbild
dem Gespiegelten; denn es schienen Sprüche der Weisheit
und der Erfahrung in ihm aufzusteigen, die über die schweren Lippen nicht zu dringen vermochten und sich stumm
entluden in den Gebärden der Arme und in der weisen Ent-
sagung der halbgehobenen Schultern. Die Farbe seines Gewandes sank aus dem Rot in das Violett gleich einer Wolke
am dunklen Abendhimmel. »Nicht dir werden sie vorgeführt werden, Frau, sondern du wirst vorgeführt werden,
und dies ist die Stunde.« Die Kaiserin trat hinter sich. »Wer
richtet über mich?« fragte sie leise. »Versammelt sind die
Unsichtbaren, Frau, wie es dir nun belieben mag!« sagte er
und verneigte sich ernst vor ihr; ein Todesurteil hätte er
nicht ernster verkünden können. Dunkel war wieder sein
Gewand, wie der nächtliche Himmel ohne Sterne. – Die
Kaiserin holte tief Atem. »Ich hab mich vergangen«, sagte
sie. Sie senkte die Augen und richtete sie gleich wieder auf

ihn, der mit ihr sprach. Das Wesen horchte, antwortete nicht sogleich. Die Seele trat in seine Augen; er schien die Worte zu liebkosen, die aus ihrem Mund kamen. »Das muß jeder sagen, der einen Fuß vor den andern setzt. Darum gehen wir mit geschlossenen Füßen.« Der Hauch eines Lächelns schwebte in seiner Stimme, als er das sagte; aber sein Gesicht blieb ernst, und in nichts glich er dem Färber mehr als in diesem tiefen Ernst seiner Miene. »Kann ich ungeschehen machen?« rief die Kaiserin. Ihre Augen hingen an seinem Mund, ihre Ehrfurcht vor ihm, der so mit ihr sprach, war nicht geringer als die seine vor ihr. »Das goldene Wasser allein weiß, was geschehen ist und was nicht«, gab er zurück. »Ist es meinem Vater untertan?« fragte sie. »Die großen Mächte lieben einander«, sagte das Wesen kurz. Es war, als flöge ein Schatten von Ungeduld über sein gewaltiges Gesicht. »Dürft ihr mir nicht mehr sagen?« rief sie. »Laß mich antworten!« rief eine helle Stimme. Sogleich war einer von den Kleinen vor ihr, sogleich der zweite neben ihm. Der erste, der so begierig war zu antworten, glich mit dem dünnen Mund und der hohen schmalen Stirn dem jüngsten Bruder des Färbers. Aber er glich ihm auch wieder nicht, denn er hatte gerade Glieder und einen glatten Rücken, und statt der armseligen Gewandung des Buckligen umgab ihn ein Kleid in herrlichen Farben, als wären sie von den Brustfedern eines Paradiesvogels genommen. Der zweite reckte ein Ärmchen gegen sie, das ohne Verhältnis lang war, wie das des Einarmigen, und er heftete die runden Augen des Färbers auf sie, und sein reizender Mund, der auch verlangte zu sprechen, zuckte zauberisch, wie der Mund der Färberin. Unbeschreiblich waren die Farben, in die er gekleidet war; er glich einem Blumenstrauß, gepflückt am frühen Morgen. »Merke, Frau«, rief der erste, »alle Reden unserer Mutter geschehen in der Zeit, darum sind sie widerruflich – aber deine«, fiel der zweite ein, »deine wird ge-

schehen im Augenblick und sie wird unwiderruflich sein: so
ist dein Los gefallen.« »Von welchem Augenblick redet
ihr?« rief die Kaiserin. »Von dem einzigen!« rief das kleine
Mädchen und flammte heran. »Was muß ich tun?« fragte die
Kaiserin und heftete ohne Atem ihre Augen auf die drei
Kinder. »Im Augenblick ist alles, der Rat und die Tat!« rief
ein kleiner breiter Mund, wie aus dem Mund des Färbers
herausgeschnitten, über einem breiten Leib, um den ein ko-
rallenroter Schurz wehte, unter einem Wust von schwarzem
Haar, dicht wie ein Gebüsch: das vierte Kind war zwischen
die drei hineingeflogen, sie umschlangen einander an den
Hüften und an den Schultern; sie standen lächelnd da und
glichen in der Buntheit ihrer zauberischen Gewänder und
im Glanz ihrer Augen, die sie wechselnd senkten und auf-
schlugen, einer blühenden Hecke, in der dunkeläugige Vögel nisten, und sie wiegten sich in einer Art von stillem Tanz
vor der Kaiserin hin und her wie eine Hecke im Abend-
wind. »Wer ist meinesgleichen?« fragte die Kaiserin schnell,
denn sie sah, wie die Wesen sich voneinander lösten und wie
sie mit einem schalkhaften Lächeln zu verschwinden drohten. »Wir doch, Frau, und die, mit denen wir eins sind!« riefen sie und waren schon dahin, keine Wimper hätte können
so schnell sich schließen. »Laßt mich euch einmal sehen!«
rief die Kaiserin und heftete in sehnlicher Erwartung den
Blick auf die Stelle, wo das große Mädchen gestanden hatte.
Sie hatte es noch nicht ausgesprochen, so stand die Große
drüben bei den Bäumen und aus der Luft glitten die kleinen
Geschwister ihr an die Brust und an ihre Hüften und
schmiegten sich an ihre Knie wie an die Knie einer Mutter.

Ein Wind wie ein langgezogener Atem kam jetzt aus
dem Berg hervor und das Laub fing an, heftig zu zittern.
Die laue Luft zwischen den Bäumen und dem Fluß veränderte sich in feuchte Kühle wie in einem Grabgewölbe.
Den Leib aller dieser Kinder durchlief eine solche Angst,

daß die Kaiserin mit ihnen erschrak bis ins Innerste. Das
große Mädchen bückte sich, sie preßte die Kinder an sich;
ihr Leib deckte alle zu. Angstvoll schickte sie die Blicke
nach allen Seiten; als wären ihre Hände verdoppelt, so faßte
sie alle die Leiber der Kinder zugleich. Aber sie schwanden
ihr zwischen den Händen dahin: mit sterbenden Mienen
hingen sie ihr im Arm, dann zergingen sie gräßlich in der
Luft wie farbiger Nebel, der ihren Leib umflatterte. Gruben
waren in dem Gesicht der Großen, graue Schatten des Todes; ihre Augen, wie aus dem Jenseits, sahen in die Augen
der Kaiserin; der schwoll das Herz dumpf, sie mußte ihre
Hände darauf drücken. Jetzt deckte der Bruder seinen Mantel, der schwarz war wie die Nacht, über die sich auflösende
Miene der Schwester, die im Vergehen dem wahrsten Gesicht der Färberin glich wie nie zuvor. So glich nun sein ge-
altertes schwer gewordenes Gesicht völlig dem Gesicht des
Färbers; er zog den Mantel über seinen Kopf und verhüllte
sich selber.

»Werde ich euch wiedersehen?« rief die Kaiserin; das Gefühl der Schuld umschloß ihr Herz mit Ketten, sie fühlte
sich an jene geschmiedet, in deren Dasein sie ungerufen hin-
eingetreten war. Der Verhüllte deutete stumm gegen den
Berg. Sie schloß die Augen.

Als sie sie wieder aufschlug, waren die Gestalten dahin;
ein bläulicher Glanz erhellte die Dämmerung zwischen den
Stämmen. Der Bote stand da. Noch war ihr der Sinn benommen, sie sah ihn, ohne ihn zu sehen. Er wartete, dann
neigte er sich gemessen vor der Kaiserin. Er wendete sich
sogleich und winkte ihr: er trat in die Felswand hinein und
die Kaiserin folgte ihm. Der Weg drehte sich mehrere Male
und es war nur der bläuliche Widerschein auf den glatten
Wänden, der sie leitete. Mit eins sah sie den Schein und die
Gestalt zur Seite verschwinden: als sie an die Stelle kam,

war dort nichts. Vor sich aber gewahrte sie eine andere Erhellung und ging darauf zu. Sie stand in einem runden hohen Raum; hinter ihr schloß sich der Stein. Hoch oben in einem metallenen Ring hing eine Fackel; sie leuchtete stark
und gab im Verbrennen einen wunderbaren Duft. Nichts
war sonst in dem kreisrunden Raum als eine niedrige Bank,
aus einem dunkelleuchtenden Stein geschnitten, die ringsum
lief. Die Kaiserin sah, daß es ein Bad war, in das man sie geführt hatte, aber schöner und fürstlicher als selbst die schönste der Badekammern in ihrem eigenen Palast. Sie verlor
sich, aber nur einen Augenblick, in dem Gefühl der uner-
warteten, geheimnisvollen Einsamkeit und in der Betrachtung des wunderbaren Beckens, an dessen Rand sie stand.
Dieses glich dem Gestein, aus dem die Wände geschnitten
waren, es leuchtete auch von Zeit zu Zeit auf, es waren nicht
funkelnde Adern, sondern ein dumpfes Aufleuchten in der
ganzen Masse, wie Wetterleuchten im dichten, gestaltlosen
Gewölk, und die Kaiserin hätte nicht ohne Furcht den Fuß
auf diesen Grund gesetzt. Zugleich aber kam ein himm-
lisches Wohlgefühl über sie, als dränge es mit dem Duft
der Fackel in alle ihre Glieder. Sie sank auf den Rand des
Beckens hin, in Scheu und Erwartung, wie eine Braut. Ihr
Geliebter mußte ihr ganz nahe sein, er mußte ihr näher sein,
als sie wußte. Immer war er zu ihr gekommen, nun kam sie
zu ihm, an dieser auserkorenen Stätte. Sie dachte es und ein
Ach! kam über ihre Lippen, schamhaft und sehnsüchtig zugleich, und der klanggewordene Hauch aus ihrem eigenen
Mund machte, daß sie erglühte von oben bis unten. Ihre
Glieder lösten sich, sie streckte die Arme gegen das Becken,
der Boden schwankte hin und her, wie ein finsterer von unten erhellter Nebel; von unten stieg ein Schwall von dunklem, goldfarbenem Wasser jäh empor, fiel wieder jäh hinab mit einem dunklen Laut wie das Gurren von Tauben.
Sie hätte sich hineinstürzen mögen in dieses dunkelleuch-

tende Auf und Ab wie in einen liebenden Blick. »Komm, komm!« rief sie, das goldene Wasser stieg in einem mächtigen Schwall nach oben, die Säule gab, wie das Licht der Fackel sie berührte, einen schwellenden Klang, der ihr vor Süßigkeit fast das Herz spaltete. Jetzt sank der Schwall in sich zusammen, wurde ganz golden leuchtende Fläche, erfüllte das Bad, ein goldener Nebel spielte darüber hin. In der Mitte der Kern von Finsternis, den die Säule emporgerissen hatte, lag still: er schien lastend wie ein mitten in den Teich gebautes Grabmal aus Erz. Gebettet auf einen viereckigen dunklen Stein lag die Statue da. Sie war aller Waffen entkleidet, nur den leichten Jagdharnisch trug sie noch, wie zum Schmuck; aber selbst die silbergeschuppten Beinschienen, die vor den Hauern eines Ebers oder den Zähnen eines Luchses schützen konnten, waren weg und die Beine nackt und völlig wie Marmor; so auch die Schultern und der Hals, von denen der Mantel abgefallen war.

Die Kaiserin schrie auf, sie warf sich hinein in das goldene leise wogende Becken; wie ein Schwan mit gehobenen Flügeln rauschte sie auf den Geliebten zu. Sie bog sich über ihn, aber zu küssen wagte sie nicht. Er lag still und unsäglich schön unter ihr, aber unsäglich fremd. Jeder Zug war da, Mann und Jüngling, der Fürst, der Jäger, der Geliebte, der Gatte, und nichts war da. Sie lehnte sich über ihm, sie wußte nicht wie lang; sie regte sich nicht. Sie glich selbst einer Statue, dem Teil eines Grabmals. Ihr Atem bewegte nicht die Brust, ihr Auge verriet nicht, was sie fühlte; zwei kristallene Tränen fielen nieder.

Die Fackel leuchtete stärker, sie zog den goldenen Nebel in sich, der von dem Wasser aufstieg, bald hatte sie ihn ganz aufgezehrt; nur mehr um die Sohlen der Kaiserin spielte das goldene Wasser, dessen Berührung nicht netzte, bald war es ganz dahin. Halb unbewußt war der Kaiserin scheu vor der Gegenwart dieses Lichtes droben, wie vor der eines leben-

den Wesens: sie zog den Mantel an sich, sie wollte ihn über
sie beide decken, sie wollte und hob den Arm und tat es
nicht. In solcher Nähe drang von der Statue ein Etwas auf
sie ein, es war nicht Kühle, nicht Kälte, aber das Gefühl einer unnahbaren Ferne, wie eine aufgetane Kluft, aber ins
Unendliche: je näher je ferner. Nun hob die Statue sich auf,
langsam und sonderbar, wie nie ihr Geliebter sich aufgehoben hatte, wenn er in ihrem Bette erwacht war. Er stützte
sich auf den einen Arm, die Augen schlugen sich mühsam
auf, der Blick begegnete dem starren, angstvoll hingerichte-
ten Blick, er streifte über die Kaiserin hin, fremd und gräßlich. Er ließ sie wieder, wendete sich über die Schulter nach
der Fackel hin. Mehr und mehr unter dem furchtbaren Blick
der Statue drängte sich jetzt das goldene Licht, das aus der
Fackel strömte, nach der einen Seite des runden Gemaches
zusammen, auf der andern breitete sich eine bräunliche
Dämmerung, in die der scharfe Schatten der sitzenden Statue hineinfiel.

Die Statue sah jetzt auf ihren eigenen Schatten hin und
drehte langsam den Kopf herum, dorthin, wo die Kaiserin
stand; sie suchte den Schatten der Kaiserin. Die Kaiserin
wich zurück, sie stand zwischen dem Licht und der Wand
und doch glänzte hinter ihr die Wand in vollem Licht, stärker als an irgendeiner andern Stelle, sie fühlte es wohl.
Furchtbar wurde die Miene, die sich anspannte, drohte und
doch nicht lebte. Es war, als müßte nun und nun ein gräßlicher Schrei die versteinerte Brust zerreißen. Die Kaiserin
konnte es nicht mehr ertragen, sie wandte matt ihren Kopf
zur Seite. Da drang ein bläulicher Schein aus der Wand heraus an der gleichen Stelle, wo sie selber eingetreten war; als
stünde dort der Geisterbote; ein Schatten trat hervor und
huschte zu ihr herüber. Jetzt sank er zu ihren Füßen hin,
das unerkennbare Antlitz bog sich nach unten und berührte
wie ein Hauch ihre Knie; ihr schauderte; sie wußte, es war

der Schatten des fremden Weibes, der ihr verfallen war. Die
Schattenarme reckten sich empor zu ihr, die Hände mit nach
oben gewendeten Flächen: es war die Gebärde des Sklaven,
der sich völlig dahingibt, auf Leben und Tod. Das kniende
Wesen zitterte dabei wie Espenlaub und die Kaiserin selbst
bebte bis ins Innerste. Die Handflächen schoben sich aneinander, auf ihnen ruhte eine runde Schale mit goldenem Wasser. Der Schatten hob die Arme höher und bot zitternd den
Trunk dar, und mit dem Trunk sich selber. Der Kaiser hatte
sich völlig aufgerichtet, stützte sich nur mehr auf den linken
Arm, den rechten hatte er vorgestreckt, in namenloser Begierde und Ungeduld. Seine Augen hafteten an der Hand
seiner Frau, mit einem Ausdruck, in dem sich Hoffnung
und Verzweiflung verknäulten wie kämpfende Schlangen.
Die Kaiserin bog den Arm: sie hatte die Schale gefaßt, ohne
es zu wissen. Er folgte ihrer Bewegung mit einer solchen
Beseligung, daß sich sein Gesicht verwandelte, wie eines
Liebenden in der Entzückung. Sie fühlte, wie sie die Sinne
verlieren und trinken würde. Aber wie fest ihr Blick auch
auf dem wunderbaren flüssigen Feuer haftete, das ihren
Lippen so nahe war, so sah sie doch aus dem Winkel des
Auges, daß hinter ihr die Wand sich abermals geöffnet
hatte, aber an der entgegengesetzten Seite, als wo der Schatten eingetreten war, und daß eine verhüllte Gestalt hinter
ihr stand. Ein Gewand floß nieder, dunkler als der sternen-
lose Himmel um Mitternacht; der Dastehende rührte kein
Glied. Sie sah ihn, ohne ihn zu sehen, und sie fühlte in der
Tiefe ihrer Eingeweide, daß die Gestalt, wenn sie ihre Verhüllung abwürfe, die Züge Baraks des Färbers enthüllen
würde, dem sie vor dreien Tagen ungerufen über die unschuldige Schwelle des Hauses getreten war, und daß er
seine Augen auf sie richten würde, gespiegelt in der Miene
seines ältesten ungeborenen Sohnes. Sie drückte die Schale
an sich, da fühlte sie, wie sich unter ihrem Gewand der Ta-

lisman an ihrer Brust verschob: gräßlich und fremd wie aus
der Brust eines Tiefschlafenden schlug aus der Tiefe ihrer
eigenen Brust der Fluch an ihr Ohr: Zu Stein auf ewig wird
die Hand, die diesen Gürtel löste, wofern sie nicht der Erde
mit dem Schatten ihr Geschick abkauft, zu Stein der Leib,
zu dem die Hand gehört – sie hörte innen ihr eigenes Herz
schwer und langsam pochen, als wäre es ein fremdes. Sie sah
mit einem Blick, als schwebe sie außerhalb, sich selber dastehen, zu ihren Füßen den Schatten des fremden Weibes,
der ihr verfallen war, drüben die Statue. Das furchtbare Gefühl der Wirklichkeit hielt alles zusammen mit eisernen
Banden. Die Kälte wehte zu ihr herüber bis ins Innerste
und lähmte sie. Sie konnte keinen Schritt tun, nicht vor-
noch rückwärts. Sie konnte nichts als dies: trinken und den
Schatten gewinnen oder die Schale ausgießen. Sie meinte
vernichtet zu werden und drängte sich ganz in sich zusammen; aus ihrer eigenen diamantenen Tiefe stiegen Worte
in ihr auf, deutlich, so als würden sie gesungen in großer
Ferne; sie hatte sie nur nachzusprechen. Sie sprach sie nach,
ohne Zögern. »Dir Barak bin ich mich schuldig!« sprach sie,
streckte den Arm mit der Schale gerade vor sich hin und
goß die Schale aus vor die Füße der verhüllten Gestalt. Das
goldene Wasser flammte in die Luft, die Schale in ihrer
Hand verging zu nichts, alles, was den Raum erfüllt hatte,
war dahin, die Statue allein lag wie finsteres Erz auf dem
schwarzen Stein und droben die Fackel leuchtete gewaltig.
Von unten her fing ein Beben an, ein mächtiges Tosen, von
steigenden und stürzenden Gewässern. Der Schwall brach
herauf und ergriff die Kaiserin und riß sie nach oben. Die
Fackel hatte sich in das goldene Wasser hineingestürzt und
durchdrang die dunkelleuchtende Finsternis mit Licht, abwechselnd überflutete strahlende Helligkeit und tiefe Nacht
das Gesicht der Kaiserin. Sie fühlte sich steigen und steigen,
etwas Dunkles stieg neben ihr, es war die Statue, die der un-

widersteheliche Schwall so schnell wie ihren leichten Leib
hinauftrieb. Nun lag sie mit der Statue Brust an Brust, die
steinernen Arme schlossen sich um sie zusammen, ein Blick
von nächster Nähe traf sie aus den steinernen Augen, so
jammervoll, daß er ein steinernes Herz hätte erweichen
können. Die furchtbare Last hing an ihr; sie selbst schlang
die Arme um den Stein, sie umrankte ihn ganz, das Steigen
hörte auf, sie fühlte sich hinabgerissen ins Bodenlose. Die
glatte furchtbare fremde Natur des Steins drang ihr ins Innerste. Vor unbegreiflicher Qual zerrütteten sich ihr die
Sinne. Sie fühlte den Tod ihr eigenes Herz überkriechen,
aber zugleich die Statue in ihren Armen sich regen und
lebendig werden. In einem unbegreiflichen Zustand gab
sie sich selbst dahin und war zitternd nur mehr da in der
Ahnung des Lebens, das der andere von ihr empfing. In ihn
oder in sie drang Gefühl einer Finsternis, die sich lichtete,
eines Ortes, der aufnahm, eines Hauches von neuem Leben.
Mit neugeborenen Sinnen nahmen sie es in sich: Hände, die
sie trugen, ein Felsentor, das sich hinter ihnen schloß, wehende Bäume, sanften, festen Grund, auf dem die Leiber gebettet lagen, Weite des strahlenden Himmels. In der Ferne
glänzte der Fluß, hinter einem Hügel ging die Sonne herauf,
und ihre ersten Strahlen trafen das Gesicht des Kaisers, der
zu den Füßen seiner Frau lag, an ihre Knie geschmiegt wie
ein Kind.

Seine Augenlider zuckten unter dem scharfen Licht, das
durch das Gezelt der Bäume hereinbrach, die Kaiserin erhob sich leise, sie trat zwischen den schlummernden Liebsten und die Sonne. Sie bog sich schützend über seinen
Schlaf, wie eine Mutter, und warf stille große Blicke auf ihn
herab. Mit süßem Staunen hatte sie erkannt, daß nichts
mehr an der schmiegsamen atmenden Gestalt an die fürchterliche Statue erinnerte. Ein unaussprechliches Entzücken
durchfuhr sie aber nun und ein Schrei drang über ihre Lip-

pen: denn ein schwarzer Schatten floß von ihr über den Liegenden, über den Waldboden hin. Über dem Schrei schlug
der Kaiser die Augen zu ihr auf, unerschöpfliches Leben
war in seinem jungen Blick, in dessen tiefsten Tiefen nur
blieb der erlebte Tod als ein dunkler Glanz früher Weisheit.
Sie hob ihn zu sich auf, sie umarmten einander ohne Worte,
ihre Schatten flossen in eins.

Unter ihnen an einer geborgenen Uferstelle lag der Kahn
und schien auf einen Fährmann und auf Reisende zu warten. In diesem Augenblick näherte sich vom einen wie vom
andern Ufer eine Gruppe von Gestalten dem Fluß, langsam
die eine, aus zwei Gestalten bestehend, schneller die andere,
ein Mann und zwei Frauen, von denen die eine auf dem
Kopf einen länglichen Korb trug. Die Sonne erleuchtete alle
fünf. Von der Korbträgerin allein fiel kein Schatten auf die
tauglänzende Weide, über die sie hingingen; fahl war ihr
Gewand wie ihr Gesicht und ihr Tritt unsicher. »Sieh, mein
Falke! sieh, auch er!« rief der Kaiser, der die Landschaft und
die Gestalten gar nicht sah, mit solchem Entzücken hing
sein Auge immerfort an dem leuchtenden Gewölbe des
Himmels, wo über dem rötlich glänzenden Grat eines Berges der wunderbare Vogel kreiste. Ein Wasserfall leuchtete
unter ihm. Zwischen dunklen Felsen, hohen dunklen Stämmen schwebte aus dem Bergesinnern ein bläulicher Schein
hervor. Der Geisterbote glitt an der steilen Bergwand herab,
jetzt riß sich unter seinen Füßen etwas Dunkles los und flog
blitzschnell auf das Ufer zu und über den Fluß. Sausend
flog der Schatten der Färberin auf seine Herrin zu und
schlug zu ihren Füßen hin. Sie wußte nicht, was es war, das
da hinschlug, ihr zum Letzten bereites Herz nahm alles
nur traumhaft mehr auf. Nur ihr Körper taumelte, und die
Frau des Fischers, die neben ihr ging, mußte sie stützen.
Der Korb schwankte auf ihrem Kopf. Seine Umrisse wur-

den unbestimmt, wie ein schwärzlicher Dunst; aus diesem
blitzte wechselweise das Schwert und leuchtete das Blut,
dann löste sich alles in ein wunderbares Spiel von Farben
auf, als wäre ein zusammengeballter Regenbogen in dem
Korb gewesen. Die Farben glitten wie Flammen an der Färberin herab, das zarteste Grün, ein feuriges Gelb, Violett
und Purpur; sie spielten an ihrem Leib und offenbarten die
ganze Herrlichkeit der Sonne, dann schwanden sie in das
Weib hinein, schneller als Worte es sagen können. Die Fischerin schlug vor Staunen in die Hände. Bunt stand die
Färbersfrau da, geschmückt wie eine Meereskönigin. Zugleich trat die Farbe des Lebens in ihr Gesicht, ihre Augen
leuchteten wie die eines jungen Rehes über den Fluß hinüber, zur Erde blickte sie nicht, sie ahnte nicht, daß ihr
Schatten zu ihr zurückgekehrt war. Jetzt erkannte vom andern Ufer der Färber sein Weib. »Nimm den Kahn!« rief
der Alte ihm zu, aber der Färber hörte es nicht; er war vom
Ufer in den Fluß hinabgesprungen, schon war er drüben,
schwang sich am Rand empor. Das junge Weib, wie sie vor
sich seinen gewaltigen Kopf auftauchen sah, schrie auf in
Angst. Sie riß sich von ihren Führern los und lief querfeld-
ein. Sie wähnte sich noch ohne Schatten, gräßlich bezeichnet, nun kam ihr Richter auf sie zu. Sie wollte sich verbergen, nirgend war ein Baum oder ein Strauch. In großen
Sprüngen sprang er ihr nach, mit ausgebreiteten Armen;
von seinen Lippen floß ein ununterbrochener Schrei der
Liebe und Zärtlichkeit. Sie fühlte ihn dicht hinter sich, in
ihrer Todesangst wandte sie den Kopf, den Vorsprung zu
messen, den sie noch hatte, da sah sie zwischen sich und ihm
ihren Schatten, der hinter ihr flog. Vor Seligkeit warf sie die
Arme in die Luft, die Arme des Schattens flogen auf vom
Grund und glitten zu den Knien des Färbers empor, denn
schon stand er da. Ohne Atem stand sie vor ihm, ihr Herz
riß sie fast zu Boden. Er drückte die Hände vor der Brust

zusammen und neigte sich vor ihr. Wie ein Stein schlug sie
vor ihm hin, ihre Stirne, ihre Lippen berührten seine Füße.
Ihr ganzes Selbst drang in einem Schluchzen aus ihr heraus,
sie erstickte alles in der Gebärde der Demut, so wie sie unter sich ihren Schatten zusammendrückte, auf dem sie lag.

   Dem Kaiser stürzten Tränen aus den Augen; wie dort die
Färberin vor ihrem Mann, warf er sich in den Staub vor seiner Frau und verbarg sein zuckendes Antlitz an ihren
Knien. Sie kniete zu ihm nieder, auch ihr war zu weinen
neu und süß. Sie begriff zum erstenmal die Wollust der irdischen Tränen. Verschlungen lagen sie da und weinten beide:
ihre Münder glänzten von Tränen und Küssen.
   Der weiß gewandete Alte indessen war von der einen
Seite, der Fischer und seine Frau von der andern auf den
Kahn zugekommen. Der Alte stieg hinein, die Fischersleute
wateten von drüben auf sie zu, das Wasser reichte ihnen bis
über die Brust. Im Wasser hangend reichten sie aus dem
Wasser dem Alten herrliche Dinge in den Kahn, glänzende
Gewebe, metallene Schüsseln und Geräte, bunte große Vögel und Früchte, in ganzen Körben, als wären da unten
Bergwerke, Forste und Fruchtgärten, in die ihre Hände
nach Belieben hineingriffen. Der Alte hatte Mühe, alles auf-
zustauen, so schnell hoben sie die gefüllten Arme zu ihm;
der Kahn füllte sich und ging fast über, aber er wuchs, indem der Alte immer eilig von einem Ende zum andern hin
und her ging. Bald war er so groß wie ein Salzschiff, die aus
dem Gebirge gegen die Ebene fahren, und beladen mit
Hausrat, um ein großes Haus, zweiflügelig gebaut, in zwei
Stockwerken übereinander, herrlich auszuschmücken, und
mit prächtigem Geflügel, bunten Fischen und Früchten, genug, um eine gewölbte, von lebendigem Wasser durchlau-
fene und mit riesigen Hängestangen und tausend Haken
versehene Speisekammer auf ein Jahr zu füllen.

Die Hände des Färbers hatten sein Weib vom Boden aufgenommen, mit einem gewaltigen Griff nach der Mitte ihres
Leibes, der wie eine wilde unbezähmte Liebkosung war,
und er riß sie über sich empor, so daß sie den Atem verlor
und das Herz ihr stockte, und trug sie hoch über sich gegen
das Ufer hin. Er warf den Nacken zurück, um sie, die er
über sich trug, zu gewahren und sie mit den Blicken unablässig zu liebkosen, und er hob seine Knie unter der Last
wie einer, der tanzen will, so daß sie vor Schreck in sein
dichtes Haar griff und sich daran festhielt. Aus ihrem Mund
drangen kleine Schreie von Ängstlichkeit und Lust, indessen ihr die Tränen über die Wangen hinabbrannten. Kaum näherte er sich mit seiner bunten Last dem Ufer, so kam der
hochbeladene Kahn mit großem Tiefgang und gewaltigem
Rauschen von drüben auf ihn zu, indessen der Fischer und
sein Weib neben ihm schwammen. Der Alte war am andern
Ufer zurückgeblieben. Der Färber warf sein Weib auf die
aufgetürmten Teppiche; er sprang selber hinein, und indem
er sogleich wieder den linken Arm um sein Weib legte, ergriff er mit dem rechten das gewaltige Steuerruder, das der
Fischer von hinten eingelegt hatte. So fuhren sie auf dem
Mantel der Amme flußabwärts. Der Kahn leuchtete in allen
Farben der Schöpfung und der Färber sang, wie ihn nie jemand hatte singen hören, weder seine Eltern noch seine
Nachbarn, als er ein Junggeselle war, noch auch seine junge
Frau in den dreißig Monden ihrer Ehe. Der Alte und der im
blauen Harnisch vom einen Ufer, die Fischersleute vom andern sahen ihnen nach, und der Kahn hinterließ im Glanz
der Sonne, die höher und höher stieg, eine goldene Spur auf
dem flimmernden Wasser.

Hoch über dem Fluß kreiste der Falke. Der Blick des
Kaisers hing an ihm lieber als an dem Prachtschiff. Höher
ins Unersteigliche riß sich der Vogel empor, leuchtende

Himmelsabgründe enthüllte sein Flügel; des Kaisers Blick
war über die Trunkenheit erhöht, so waren seine Glieder
übertrunken von der Nähe der herrlichen Frau, in deren
Arme er sich drückte. Ober ihm und unter ihm war der
Himmel. Sein Blick flog zwischen den Wimpern dem Vogel
nach, da sah er drüben gegen Norden, wo die Hügel noch
dunkler und ernster standen, die Seinigen heranziehen. Er
gewahrte die Pferde, die Hunde, die Falken, eine hohe
Sänfte schwankte daher, wie ein von Flammen umgebenes
Lustgemach: so glänzte die Sonne auf ihren goldenen Ziera-
ten. Die Kaiserin lag in seinem Arm, ihr schwimmender
Blick ging nach aufwärts: sie fand nicht den Falken im
höchsten strahlenden Haus des Himmels, aber sie hörte von
dorther einen Gesang. Unbegreiflich fanden zarte Worte,
leise Töne den Weg aus dieser Höhe zu ihr.

> Vater, dir drohet nichts,
> Siehe, es schwindet schon,
> Mutter, das Ängstliche,
> Das dich beirrte!
> Wäre denn je ein Fest,
> Wären nicht insgeheim
> Wir die Geladenen,
> Wir auch die Wirte?

Die schwebenden Worte sanken in sie wie Tauperlen. Das
Herz zitterte ihr, und die freien Hände – denn der Kaiser
war im Übermaß des Glücks zu ihren Füßen hinabgesun-
ken – falteten sich ihr in der Bewegung des Staunens über
dem Leibe. Sie wagte kaum zu fassen, was sie doch hörte,
kaum zu begreifen. Sie wußte nicht, daß auf dem Talisman
an ihrer Brust längst die Worte des Fluches ausgetilgt und
ersetzt waren durch Zeichen und Verse, die das ewige Geheimnis der Verkettung alles Irdischen priesen.

# Reise im nördlichen Afrika

## Fez

Das Haus, das ich bewohne, liegt am Rande der Stadt, keine hundert Schritt von der hohen alten Stadtmauer, die, mit Zinnen durchaus und je einem Turm alle tausend Schritt, die ganze über zwei Hügel hingestreckte Häusermenge umschließt und die Stadt erst zur Stadt macht, zur gewaltigen, seit tausend Jahren gesicherten, gegen das leere hügelige Land hin, das für die Reisenden und Schweifenden da ist; offen und öde, mit einem weißen rundkuppeligen Heiligengrab da und dort, oder einem einzelnen Baum, oder ein paar erdfarbigen Nomadenzelten, und in der Ferne die weißschimmernde Gipfelkette des hohen Atlas, aber in solcher Ferne am Horizont, daß dieser Streif von Grau und Silber mit seiner Last von leicht aufruhenden weißen Haufenwolken dem Himmel nichts von seiner Reinheit und Leere nimmt, nichts von seiner Höhe, aus der die klare kühle Nordostluft unablässig herabweht, durchschnitten vom ruhigen Flug der vielen Störche oder vom Flattern eines weißen Taubenschwarmes, über dem, ihn niederdrückend, die rosafarbigen Falken kreisen. Aber sowie ich die oberste Terrasse meines Hauses verlasse und die steile, enge Treppe hinabsteige, deren Stufen farbige Kacheln sind, mit einem marmornen Rand eingefaßt; sowie ich unten im Hof meines Hauses stehe, oder, um es besser zu sagen, im Garten, zwischen den Orangenbäumen, den Rosenbüschen und den steinernen Becken, in denen das Wasser immer von innen aufquillt und, über den Rand des Beckens hinabtriefend,

unten wie in einem winzigen Bachbette aus blauen Flie-
sen murmelnd wegläuft: so sehe ich von der unendlichen
Durchsichtigkeit und Weite dieses vor Klarheit fast strengen Himmels nur mehr ein kleines Stück; denn auch mein
Haus ist mit einer solchen rotgelben Mauer umgeben, die
zwei Stock hoch aufragt und gezinnt ist wie die Stadtmauer,
und dieses Heim, das sich ein Vornehmer und Reicher vor
hundert oder hundertfünfzig Jahren gebaut hat: dieser rei-
zende kleine aufgestufte Garten mit seinen bunten kleinen Treppen und den springenden und fallenden Wassern,
das Haupthaus oben, mit dem einen riesengroßen, pracht-
voll vergitterten Fenster, und die fünf Pavillons mit ihren
schneeweißen, flachen, dunkelgrün eingerahmten Dächern,
von deren einem man zum andern herabklettern kann, denn
die Stufung der Dächer wiederholt die des Gartens, diese
ganze Welt des mächtigen, genießenden Einzelnen ist in
eine Festung eingeschlossen. Trete ich in den untersten Pa-
villon, der schmal an der Mauer klebt und nur mein Zimmer und einen kleinen Vorraum enthält, so höre ich durch
die Wand, an der mein Bett steht, den gedämpften Lärm der
Stadt, der ich an dieser Stelle so fühlbar nahe bin, als ich im
oberen Teil des Gartens mir fern von ihr und über sie hin-
ausgehoben schien. Und an meinem Bette stehend und
meine Reisesachen und Bücher herauslegend, höre ich vor
allem den Aufschlag schrittgehender und auch leicht traben-
der Pferde und Maultiere aus solcher Nähe von meinem
Ohr, daß ich mir nichts anderes denken kann, als im Hause selbst werde in irgendwelchem Raum auf gestampftem
Lehmboden geritten. Ich gehe die enge Treppe hinunter, die
wieder, wie in all diesen arabischen Häusern, aus bunten
Kacheln und sehr steil ist – so steil, daß man immer an dies
»die Treppe hinunterstoßen« denkt, das in den arabischen
Erzählungen so oft vorkommt; da ist ein kleiner Vorraum;
auf einem Diwan sitzen ein paar junge arabische Diener; der

mir beigegebene steht auf und tritt, mir anständig den Weg
weisend, aus dem kleinen Raum, der nach oben mit uralten
Holzbalken gedeckt, nach beiden Seiten offen ist; und hier,
in dieser Art von Vorhalle, mit schmalen Bänken an der
Seite, auf deren einer ein blinder Bettler sitzt, bin ich noch
in meinem Haus – es sind auch Türen rechts und links mit
dicken Türflügeln aus einem Holz, das vor Alter fast aussieht wie Stein, so daß der Raum geschlossen werden
könnte –, aber ich bin auch schon auf der Gasse: Balök! ruft
eine Stimme in meinem Rücken: Gib acht, das Wort, das der
Reitende halblaut und nachlässig ausspricht als Warnung
für den Fußgänger in seinem Weg; und da kommt ein Alter
gemächlich auf seinem kleinen Esel und wirft mir, indem
ich beiseite trete, einen schnellen, scharfen, geringschätzigen
Blick zu; vielleicht weil ich zu Fuß gehe, wenn auch mit einem Diener – vielleicht auch ist dieser schnell sich abwen-
dende, verachtende Blick eben der, den er allein für die Begegnung eines »Rumi« übrig hat; denn noch ist in dieser
heiligen Stadt, dem Mekka des westlichen Islam, der Europäer das sehr Fremde; das, dessen eben nur mit einem solchen Blick gedacht wird. (Das französische Protektorat, mit
einer großen Zurückhaltung ausgeübt, umgibt den einzelnen mit dem Gefühl völliger Sicherheit; aber es sind nicht
mehr als zwölf Jahre, daß hier an einem Tage sämtliche
»Nazaräer« den Tod fanden; und ein Nachzittern davon ist
in vielen Blicken, die uns streifen.) Aber schon hat sich aus
der Öffnung eines Hauses heraus – oder ist es eine noch engere, noch finstere Gasse als die, in der ich meinem Führer
folge? – ein noch kleinerer Esel, auf dem zwei lachende
kleine Kinder in blauen Leinenburnussen sitzen, hervorge-
schoben, und nun überholt mich, so daß ich wieder beiseite
und dicht an die Mauer treten muß, ein sehr leicht und
schnell trabendes Pferd; ein berberisches Pferd, arabisch im
Gepräge, sehr mager und zartgliedrig; ein junger Neger rei-

tet es ohne Bügel auf einem zerfetzten Strohsattel und einem strohernen Zaum; unbeschreiblich frei und leicht das
Handgelenk der Linken, wie es den elenden Zaum regiert;
so der leichte Druck der herabhängenden nackten Beine,
mit den schön geformten Zehen, der edlen Ferse.

Nun aber ist mein Führer, scharf links sich wendend, in
ein Haus getreten; nein, es ist kein Hauseingang, sondern
eine neue Gasse, ein neuer solcher Schacht aus den fensterlosen Mauern hoher uralter Häuser; sie treten nach oben
hin zusammen, so daß das Gefühl, im geschlossenen Raum
zu sein, sich noch verstärkt; zugleich steigt diese Gasse an;
und von oben her, wo sie sich wieder krümmt und scheinbar wieder in ein noch finstereres Hausinnere verliert,
kommt mir auf einem schönen starken Maultier, das sie selber lenkt, eine verschleierte Frau entgegen. Die Straße ist so
eng, daß fast ihr Steigbügel mich streift und daß um ein
Nichts die Tücher und Schleier, in die ihre Gestalt gehüllt
ist, mich berühren müßten. Nichts von ihrem Gesicht ist
frei als der schmale Streif, aus dem die beiden Augen finster
blitzen; von der Gestalt nichts erkennbar in der wehenden
Verhüllung der weißen Schleier; wunderbar die junge,
starke Gebärde, mit der sie sich im Sattel strafft, entgegen
dem Abwärtstreten des Tieres. Da ist aber schon zwischen
mir und ihr auf einem dieser lautlos trippelnden kleinen
Esel ein stämmiger Neger, querüber sitzend, die beiden
Beine auf der einen Seite fast den Boden streifend; wulstige
Riesenlippen, eine knollige Nase, eine ungeheuerliche Perücke von krausem Haar, und quer über die ganze Wange
eine Narbe, tief, gräßlich und überlebensgroß wie das ganze
Gesicht; und da auch, von der anderen Seite her, auf einem
großen ruhig blickenden, isabellenfarbigen Maultier, auf
blaßgrünem Sattel ein vornehmer Alter; sehr gelassen über
mich hinblickend aus seinem violetten, auch das schöne Gesicht umgebenden Gewand; an jedem Steigbügel geht ein

Diener; schwarz der eine, weiß der andere. Und so bin ich
denn nach so wenigen Schritten mitten drin in dieser Stadt;
wie sehr ist man und wie schnell mitten drin in ihr; wie
schnell umgibt sie einen so vielgehäusig und geschlossen
und ausgangslos, als wäre man ins Innere eines Granatapfels
geraten. Denn da bin ich aus dem kellerartigen Schacht
dieser zweiten oder dritten Gasse nun auf einem Kreuzweg,
einer Art von kleinem Platz, wo alte Weiber, auf Matten
hockend, gesalzene Fische feilhalten; aber er ist mit einem
Balkengitter überdeckt, auf dem Schilf liegt, so daß auch
hier wieder jenes Gefühl bleibt, in einem Gehäuse zu sein
und daß all dies zusammenhängt, und daß man, ohne zu
wissen wie, von einem ins andere kommt. Und dieses Gefühl wird bleiben für alle Tage eines Aufenthaltes in Fez,
und wird alles, was man sieht und erlebt, begleiten und
wird sich, je mehr Tage vergehen, eher verstärken als ab-
schwächen. Denn der Diener stößt eine ganz kleine Tür auf,
in einer dieser fensterlosen Mauern, die vor Alter aussehen
wie nichts Gebautes, sondern etwas von Natur Gewordenes; und man betritt den Vorraum eines Palastes; da sitzen
auf einem Teppich die vier Söhne des Hausherrn und lesen
in einem Koran, den der älteste, mittelst sitzend, in seiner
Hand hält, lesen alle zugleich laut und bewegen ihre Köpfe
beim Lesen, und zwischen ihren wiegenden Köpfen sieht
man den offenen Hof mit den springenden Wassern, die
zarten Säulen des offenen Umganges, die Farben, die matten Vergoldungen, den ganzen Glanz des arabischen Hauses; und man stößt, fünfzig Schritte weiter, eine andere,
ganz so alte, ganz so niedrige kleine Tür auf, tritt zwei Stufen abwärts: und man ist im Gefängnis des Pascha. Auf einer Matte, seine Babuschen vor sich, im Koran lesend, sitzt
der freundliche alte Wärter. Ein Berber, mit verwildertem
Haar und einem scheuen Blick wie ein frisch eingefangenes
Tier, hockt halb unterirdisch im Halbdunkel hinter dicken

Eisenstäben. Man schiebt sich an diesem Verlies vorbei
längs einer Mauer, die wie alles hier bergsalt ist, der Führer
stößt wieder eine Tür auf, und man ist in einem niedrigen
Raum, in dem etwas leise behaglich surrt und stampft. In einem zarten gelbgrauen Halblicht gehen fünf Webstühle; an
jedem sitzt ein Mann und webt einen breiten Gürtel: die
Bänder aus fliederfarbenen Seidenfäden, silbern durchzogen, oder aus flammendem Gelb mit roten Mustern wie
Korallen, verbreitern sich fast zusehends unter dem lautlosen Griff dieser fleißigen Hände, dem leisen Tritt dieser
nackten Füße, dem gedämpften Surren und Stampfen dieser
Webstühle, die selber wieder uralt scheinen, alles an ihnen
von vielhundertjährigem Gebrauch poliert und vornehm
wie sehr altes Elfenbein. Aus der Bandweberei tritt man in
die Gasse der Gewürzhändler; ich hätte ebensogut gesagt in
die Halle oder Laube: denn dies ist abermals mit einem hölzernen Gitterwerk gedeckt, auf dem oben Wein gezogen ist,
eine steinalte Rebe mit tausend Seitentrieben. Von hier aus
aber trägt mich die Welle der Gehenden und Reitenden, der
kleinen Esel, die mich aus dem Weg schieben, der betteln-
den Kinderhände, die mich leise anrühren, in einen ganz
geschlossenen, ganz mit Menschen und Waren angefüllten
Raum; die kleinen Butiken, eine an der andern, keine breiter als ein Wandschrank, bis hinauf reichend an die gewölbte steinerne Decke (oder ist es wieder eine Decke aus
so altem Holz, daß es aussieht wie Stein?) und auf den Waren, auf dem Gewürz, auf den Datteln und Bananen, die jeden dieser offenen Schränke füllen, hoch oben thronend der
Verkäufer mit seiner Waage und dem großen Holzlöffel,
um die Ware herunterzureichen; und dieser völlig geschlossene Raum, dieses große längliche Zimmer, das so voller
Menschen und Ware ist, daß man nicht begreift, wie die ge-
duldigen kleinen Esel sich durchzwängen oder wie auf dem
eisengrauen Maultier noch ein solcher Vornehmer in seinem

blütenweißen Burnus und mit dem sanften geringschätzigen
Lächeln, in unendlicher Gelassenheit über dem Gedräng erhoben, hier hindurchfindet, dieses überfüllte Zimmer ist
eine Brücke; und durch einen Spalt irgendwo seitwärts sehe
ich unter uns das wilde, gelbbraune Wasser des Oued, und
sehe einen Teil des Ufers; finstere Häuserwände, fensterlos
bis auf einen eisenvergitterten Spalt, ein Guckloch da und
dort, und unten am Fuß einer dieser Hausmauern sogar
Schilf, blaßgrün und sonderbar hier mitten in der Stadt, und
sich biegend unter der Heftigkeit des Wassers.

So geht eins ins andere, und alles ist, als wäre es von im-
merher. Ja noch diese kleine Höhlung in der Mauer eines
besonders finsteren, drohend aussehenden Hauses, von im-
merher ausgenommen für den Leib des Bettlers, der dort
hockt, zwei furchtbare Armstummel vor sich hingestreckt
und mit geschlossenen oder blinden Augen immer das gleiche – ein Gebet, eine Bitte, eine Lobpreisung – mit fanati-
scher Kraft vor sich hinspricht. Und dieses Zusammen-
hängen aller Dinge mit allen, diese Verkettung der Behau-
sungen und der Arbeitsstätten und der Märkte und der
Moscheen, dieses Ornament der sich ineinander verstricken-
den Schriftzüge, das überall von den sich tausendfach ver-
strickenden Lebenslinien wiederholt wird, all dies umgibt
uns mit einem Gefühl, einem Geheimnis, einem Geruch, in
dem etwas Urewiges ist, eine Urerinnerung – Griechenland
und Rom und das arabische Märchenbuch und die Bibel –,
aber dem zugleich etwas leise Drohendes beigemengt ist, das
wahre Geheimnis der Fremdheit, und dieser Geruch, dieses
Geheimnis, dieses Drinnensein im Knäuel und die leise
Ahnung des Verbotenen, die niemals ganz schweigt, dies ist –
heute noch und vielleicht morgen noch – Fez; bis vor zwanzig Jahren die große Unbetretene; die strengste, die verbo-
tenste aller islamischen Städte; und der Duft davon ist noch
nicht völlig ausgeraucht.

## Das Gespräch in Saleh

Der Anfang war schwierig, sagte der Hauptmann de B. Ich war mit fünfundzwanzig eingebornen Reitern ganz allein dort unten im Atlas; das Gebiet, das ich »in Ruhe zu halten« hatte, umfaßte zehn Tagesreisen, mit einer Bevölkerung von vielleicht zweimalhunderttausend Berbern, nomadische und niemals zur Ruhe und zur Unterwürfigkeit geneigte Stämme; man war zu Anfang des großen Krieges und unsere Situation hier im ganzen höchlich auf der Schneide des Messers. Aber es war dies der große Moment des Marschalls Lyautey – einer der großen Momente seines Soldatenlebens – Sie haben davon gehört –, und wir sind imstande gewesen, unsere Aufgaben zu lösen, sowohl im großen ganzen als im einzelnen. Ich die meinige aber nur durch die Hilfe eines Deutschen.

Ich sah ihn an.

Dieser Deutsche befand sich nicht bei mir; ich habe ihn nie gesehen. Aber als ich mich auf meinen Posten begab, wußte ich, daß ich nichts ausrichten würde, wenn ich zu urtümlichen und kriegerischen Menschen durch den Mund eines Dolmetschers spräche – in einer Lage, in der alles auf die persönliche Geltung ankam. Es handelte sich um die Sprache, welche diese Stämme dort im Süden und auch weiter, südlich des großen Atlas, sprechen; um das »Schlö«, eine Sprache, deren Kenner in Europa damals wohl an den Fingern einer Hand hergezählt werden konnten. Aber ich hatte in der Tasche eine vollständige Grammatik der Schlö-Sprache, keine fünf Jahre alt, das Werk eines Deutschen.

Einer unserer fleißigen Reisenden, der vor eurer Ankunft das Atlasgebiet durchstreift und diese philologischen Kenntnisse gesammelt hatte, sagte ich.

Keines Reisenden. Dieser Herr hat sein Leipzig nicht verlassen und seinen Fuß nicht auf die afrikanische Erde ge-

setzt. Aber der Zufall hat einmal fünf Schlö-Tänzer nach
Leipzig verschlagen; sie sind, scheint es, dort in einem Zirkus aufgetreten.

Und mein Deutscher? das heißt, Ihr Deutscher?

Hat sich über sie hergemacht und sie nicht verlassen, bis
er diesen Menschen in Gott weiß was für Gesprächen, mit
Gott weiß welchem Aufwand an Ausdauer, Geschicklichkeit und philologischem Genie die Elemente ihrer Sprache
herausgelockt und diese in ein grammatisches System gebracht hatte, das ich heute, wo das Schlö mir in zehnjähriger
Übung geläufig geworden ist, nur noch mehr bewundere.
Wenn Sie jemals nach Leipzig kommen und Herrn Stumme
begegnen –

So werde ich diesem deutschen Gelehrten sagen, daß er
einem französischen Offizier einen sehr praktischen Gefallen erwiesen hat. Sic vos non vobis –

Das zarte, aber sehr feste Gesicht des Hauptmanns de B.
faßte sich aus der Gelöstheit des leichten Gespräches zu einem Ausdruck zusammen, der sehr militärisch war. So
mußte dieser Mann aussehen, wenn sich ihm Schwierigkeiten entgegenstellten. Aber die Schwierigkeit dieses Augenblicks war ganz innerlicher Art: dies verriet sich augenblicklich in einem leichten Erzittern der Augensterne. Er war in
der sympathischen Art verlegen geworden, in der sich bei
männlichen und entschlossenen Menschen die jähe Verlegenheit ausspricht; er sah in diesem Augenblick um zwanzig
Jahre jünger aus, als er war. Der Gedanke hatte ihn gestreift,
mich oder uns, nämlich mich und den abwesenden Unbekannten zusammen, möglicherweise verletzt zu haben.
Mein Zitat aus Vergil war für sein sehr empfindsames Zartgefühl schon zu scharf gewesen.

Aber, sagte ich schnell, um dies wieder gutzumachen, Sie
haben beide wunderbar kollaboriert, und es liegt darin, wie
der Deutsche aus einem Fast-Nichts von Gegebenheit ein

System von Erkenntnissen hervorspinnt und wie Sie sich
wieder dieses Resultates in der entgegengesetzten Sphäre, in
der des praktischen Lebens, bedienen – es liegt viel von dem
Wesen beider Nationen darin ausgedrückt. Aber, sagen Sie
mir dies, wenn ich Ihnen eine direkte Frage stellen darf: Sie
haben diese fünf Jahre bei dem Kaid eines berberischen
Stammes zugebracht als sein Hausgenosse. Es war ein Mann
um weniges älter als Sie, dieser junge Fürst, ein Soldat
wie Sie. Er war Ihr Verbündeter und Gastfreund. Sind sie
Freunde geworden, Freunde durch die Sympathie des Gespräches und durch die Sympathie des Schweigens, in einer
ähnlichen Weise, wie es mit einem Europäer fast unver-
meidlich gewesen wäre?

In einer besseren Weise als mit sehr vielen Europäern,
antwortete er; und was er sagte, um diese Antwort zu begründen, war mir schön und merkwürdig, aber ich zeichne
es hier nicht auf. – Wir saßen, als wir dies sprachen, auf dem
flachen Dach der Medersa von Saleh, der alten kleinen Stadt
der atlantischen Küste, deren Einwohner alle »Andalusier«
sind – einst Vertriebene aus den maurischen Königreichen
in Spanien – und daher von einem besonderen Stolz, einer
besonderen Wohlerzogenheit, einer besonders hohen Bildung. (In den Jahrhunderten aber, die dann folgten, liefen
von hier aus die gefürchteten maurischen Piratenschiffe, vor
denen die Küste von Cadix bis Genua oder Livorno zitterte.) Zu unseren Füßen lagen die engen Straßen der Stadt,
draußen das Meer, einwärts das Land; rechter Hand der
starke Fluß, der sich hier ins Meer ergießt, und überm Fluß
die größere Stadt Rabat, weiß und von einer hohen, gelb-
braunen Mauer umgeben. Ich sah aufs Meer hinunter, auf
Rabat hinüber. Störche flogen überall. Die Farben in dieser
Stunde vor dem Sonnenuntergang waren von einer un-
glaublichen Kraft: das Meer von der reinsten Bläue, die
Häuser der Stadt überm Fluß von leuchtendem Weiß. Über

dem Meer hatte sich aus dem goldenen Dunst des Abends eine einzige schmale Wolke gebildet. Sie glich einem Fisch, aus einer durchscheinenden Koralle geschnitten; an seinem Kopf ging das Korallenfarb in ein durchscheinend glühendes Gold über.

Der Hauptmann hatte sich in meinem Rücken zu den vier oder fünf anderen jungen Herren gesetzt, die uns begleitet hatten. Sie saßen auf einem schmalen Mauerrand, hoch über der alten Piratenstadt, die immer mehr ins vornächtliche Dunkel versank, und sprachen miteinander. Ich hörte ihnen zu und verlor mich zugleich an die Schönheit der Farben, mit denen alle Gegenstände im Bezirk des Meeres und der Erde über alle Begriffe geschmückt waren. Von einem einzelnen Baum, der zwischen der Stadt und dem Fluß stand und im reinsten Smaragdgrün leuchtete, schwang sich ein großer Vogel. Er schien wie aus Edelsteinen zusammengesetzt. Er flog über den Fluß, näherte sich den Mauern von Rabat, die wie vom Widerschein eines Brandes erglühten, – wich wieder zurück, überflog eine Mauerbresche und ließ sich im Gewipfel von schönen Bäumen nieder, dort drüben: das war Schella: der Wallfahrtsort, der murmelnde Quell, der kleine Friedhof mit den alten, verfallenen Sultansgräbern. Meine Phantasie war mit dem Vogel ganz dort drüben; zu sehr im Flug nur hatte ich die zauberische Stätte betreten, zu der ihn, sooft er wollte, die Flügel im schwimmenden Abendlicht zurücktrugen. Aber wir sind, gemäß dem Reichtum unserer Sinne, einer mehrfachen Aufmerksamkeit fähig. Ich verlor kein Wort von dem Gespräch, das ein paar Schritte von mir geführt wurde. Sie sprachen lebhaft, die jungen Stimmen kreuzten sich, aber das Gespräch blieb durchsichtig. Jeder von ihnen warf sich hinein, hielt wieder an sich, im Vergnügen des Zuhörens, warf sich wieder hinein; keiner rang nach Geltung, aber jeder kam zur Geltung.

Ich wandte mich zu ihnen um. Eure Sprache, sagte ich,
eure französische Sprache, welch ein Quell der Geselligkeit,
welch ein Zusammensein! Indem ihr sprecht, befindet ihr
euch in einem Saal, der die geistige Blüte der ganzen Nation
umschließt. Ebenso in eurer Gesellschaft wie die Ausge-
wähltesten der Mitlebenden sind auch die Toten – sie sind
es nicht nur, indem ihr sie beim Namen nennt, sondern
in tausend Wendungen und Schwebungen eurer Rede ist
ihre fortwirkende Gegenwart fühlbar. Euer Gespräch ist
schlechthin die geistige Allgegenwart der Nation. Aber
auch davor, daß die Sprache dadurch überfeinert und künst-
lich würde, hat euer Schicksal euch bewahrt. Nicht mehr
zwar erneuert sich euch aus dem tiefsten Quell, wie vielleicht den Deutschen, die volle Flut der Bilder, Gefühle und
Anschauungen; eure Sprache ist fertig, sie ist da, voll Bewußtsein, taghell; wie sie auserlesen ist als das Gedächtnis
der Jahrhunderte, ist sie voll Gegenwart als unmittelbares
Echo des Tages; und ohne große Schwünge und wilde Flüge
belebt sie sich immer wieder in sich selber. Ihr redet eine
Sprache aus dem Mund der liebenden Frau, des Gelehrten,
des Politikers, des Soldaten. Aus den Redensarten und
Wörtern, die der lebendige Alltag hervorbringt, schlagt ihr
doppeltes und dreifaches Kapital. Ihr braucht sie in der höheren, endlich in der höchsten Sphäre – so wird euch diese
nie dünn und gespenstisch. Alle Pulse eurer Sprache klopfen immer frisch, und wo man ihr begegnet, das ganze
Volksgemüt ist immer lebendig. – Ich sprach lebhaft und
aufrichtig, aber ich fühlte, indem ich sprach, daß ich nicht
ganz aufmerksam bei mir selbst war. Ich sah nach Schella
hinüber. Ich war mit meiner Phantasie, während ich weiter-
sprach, dort drüben in der Falte des Hügels, bei dem mur-
melnden Quell, über den sich Feigenbäume und wilde Birn-
bäume beugten. Ich sah noch die verfallenen Sultansgrä-
ber, um die mit sonderbaren Sprüngen und murmelnd ein

Schatzgräber kreiste, ein alter, wirrhaariger Mann, der fern
aus dem Sus gekommen war, angezogen von dem Geheimnis der Schätze des Goldes, die hier mit den großen vergessenen Sultanen begraben waren. Ich sah die zwei schönen
Greise, die von ihren Maultieren gestiegen waren, sinnend
unter einem gewaltigen Maulbeerbaum sitzen und den Frieden des Ortes genießen; und ich sah den kleinen Trupp von
Pilgerinnen aus dem Süden, wie sie, unter sich lachend, ihre
Schleier lüpfen, damit der Anhauch der Schattenkühle sie
treffe, oder der Blick von uns Vorübergehenden. – Ich hatte
zu schnell von dort wieder weg müssen. Der Fleck Erde
dort, und das Verschwundene – das Geheimnis der Zeiten
(denn es war vordem eine mächtige maurische Burgstadt
dort gestanden, und jene fürstlichen Gräber waren ihre
letzte Spur; und vordem waren die Goten dort gesessen,
und vordem die Vandalen, und vor diesen die christlichen
und die heidnischen Römer, und vor ihnen die Numider;
und vor diesen hatten die Karthager und die Phönizier auf
diesem Hügel gehaust, und der murmelnde Quell war ein
Heiligtum der Tanit, und auch davon: daß hier einer Lie-
besgöttin gedient wurde, davon umweht ein Etwas diesen
Hügel, davon haftet ein Etwas dunkel im Bewußtsein auch
dieser Pilgerinnen aus dem Süden, und die Schleier lüpfen
sich leichter als anderswo unterm Anhauch dieses feuchten
Quellgrundes); dies Verschwundene alles, auch im Wort nur
geisterhaft Gegenwärtige, und das, was noch dort war, die
Einmaligkeit des Ortes und der Stunde, die Kürze des Lebens, die Welt, die Fremdheit – dies alles bewegte sich in
mir und hob mich fast aus mir selber. Aber so weiträumig
ist unser Gemüt in manchen Augenblicken: auch noch einem anderen Gedanken folgte ich, und er bewegte sich wol-
kenhaft mit großen weiten Aspekten zugleich in mir und
vermischte sich noch mit jenem Mischgefühl aus halb sehnsüchtiger Ergötzung und staunender Bangigkeit, das auf

dem Grunde der Seele des Reisenden liegt und manchmal
überstark aufsteigt. Es war, indes meine Lippen noch das
Lob jener anderen Sprache formten und mein Auge sich an
diese abendliche Landschaft verlor, der Gedanke an die eigene Sprache, und wie unser ganzes Schicksal in ihr ist. Wie
die hohe Sprache bei uns aufsteigt ins unheimlich Geistige,
kaum mehr von den Sinnen Beglänzte, und wie der Sprach-
sinn dann müde hinabsinkt ins Gemeine, oder sich in den
Dialekt zurückschmiegen muß, um nur wieder die Erde zu
fühlen – und dazwischen ein Abgrund. Wie jeder sich die
Sprache neu schaffen muß und nicht weiß, ob er noch tut
was er darf, oder schon ins Müßige, Künstliche gerät, und
jeder in diesem Tun jeden bezweifelt und befeindet und oft
auch sich selber, und wie die Sprache doch durch die Herrlichkeit ihrer Aufschwünge und Offenbarungen wieder alles
Erlittene aufwiegt. –

Indem ich meinen zwiefachen Gedanken nachhing, von
denen die einen eine Träumerei der Sinne waren und die anderen ein plötzliches Wiedererleben von etwas oft Gedach-
tem und Gewußtem, und sich doch beide berührten in dem
besonderen Lebensgefühl dieses Augenblicks zu einer Einheit von wunderbarer Natur: Einsamkeit, Angst des Indivi-
duums – und die völlige Überwindung beider durch den
Geist, schlug es an mein Ohr, daß jetzt eine besonders junge
Stimme lebhaft sprach und daß das Thema der Unterhaltung gewechselt hatte. Ich sah hin. Dieser junge Herr trug
Zivil. Er mochte zum Zivilkabinett des Marschalls gehören
oder zu dem kleinen Stab junger Historiker und Orientali-
sten, welche ich beim Tee in der neugegründeten Bibliothek
in Rabat kennengelernt hatte. Er sprach von Deutschland,
von der Schönheit einer Stadt, einer Gegend, dem Zauber
eines kleinen Friedhofs: von dem Friedhof in Bonn, wo
Schumann begraben liegt.

Sie lieben Schumann? fragte ich.

Ich weiß, sagte er, man sagt in Deutschland, es ist nicht möglich, Schumann zu lieben, seit Wagner existiert hat, oder es ist nicht denkbar, daß man Schumann liebe, da es doch Bach gebe – aber ich weiß nicht …

Er wurde verlegen, da er sich vor dem Fremden zu tief in das weglose Dickicht der deutschen Komplikation verstrickt fühlte. Und da Verlegenheit immer verjüngt, so wurde er vollends zu dem hübschen Knaben, der er vor zehn Jahren gewesen war. Er sprang schnell ab und sagte: Es war eine Christnacht, in einem der Kriegsjahre, ich glaube 1917. Ich war damals ganz jung. Ich war im Graben irgendwo; der deutsche Graben war sehr nahe. Gegen Mitternacht hörte auf beiden Seiten das Schießen auf, und es wurde ganz ruhig. Die Sterne standen groß und still über den beiden Völkern. Aus der Ferne, dort wo unsere Linie umbog, hörte man die Marseillaise spielen, ganz leise und geisterhaft. Dann fing im deutschen Graben eine Stimme an zu singen. Es war eine wunderbare Tenorstimme, und sie sang Bach. O welche Sprache Sie haben! Denn das ist Ihre wahre Sprache.

Da stand P. V. auf, mit dem ich schon auf dem Schiff viel gesprochen hatte. Es schien ihm nicht recht zu sein, daß sein junger Freund (er selbst war in der Tat nur wenige Jahre älter) das frühere Gespräch mit dieser Wendung gleichsam abgeschlossen hatte.

Nein, sagte er. Eure Musik ist eine große Herrlichkeit, aber nicht sie ist eure Sprache. Sie ist euch neben eurer Sprache noch gegeben, als ein Mehr vielleicht, als ein Anderes – Aber die deutsche Sprache ist ein großes Geheimnis. Sie ist euer Schicksal, das des ganzen Volkes und das jedes einzelnen. (Mir war, als antworte er auf das, was ich früher gedacht, aber nicht ausgesprochen hatte.) Goethe hat unter ihr gelitten, und jeder, der nicht Goethe ist und sich in ihr wahrhaft ausdrücken will, läuft Gefahr, von ihr verschlungen zu werden. Sie ist unbequem, aber großartig. Ungesellig, ich weiß, daß ihr selbst sie manchmal so genannt habt, weltlos, ja, das mag sie sein, aber immer mit einer Welt trächtig. In einem ungeheuren ruhelosen Auf und Ab wandelt sie beständig Geist zu Leib, Leib zu Geist. So gebietet sie euch die Form eures Lebens: euer geistiges Leben ist immer erneute schmerzvolle Neugeburt. Eure Toten sind nicht beständig bei euch, sie sind nicht in einem Saal mit euch, wie die unseren. Aber sie werden euch in wilden Stürmen neugeboren. Heinrich von Kleist, Büchner, Hölderlin: ich sehe diese vor hundert Jahren Verstorbenen stärker in euer Leben eingreifen, als wen immer von den Lebenden. Und seid ihr nicht im Begriff, euer ganzes siebzehntes Jahrhundert umzuwerten? Denn ihr ruhet nicht auf dem Sein, sondern ihr habt euer Schicksal im Werden. Aber welch ein Wunder, eure Sprache! Welche Weite! Welche Befruchtung aus der Dunkelheit! Sie isoliert mehr, als sie verbindet: aber das Große isoliert immer, das Poetische isoliert, und das Genie ist immer einsam. Welche Möglichkeit aber für das Genie, in dieser Sprache fast über die Grenzen der Menschheit hinauszukommen!

Sein ernstes, oft einem leidenden Ausdruck nahes Gesicht belebte sich sehr, indem er sprach. Er war glücklich, so beredt und frei ein geistiges Phänomen zu bewundern und Sympathie zu äußern. Einzelnes, die Eigennamen natürlich, aber auch andere Wörter, sagte er auf deutsch, in einer sehr reinen hauchenden, schwebenden Betonung; so dies Wort »weltlos«, das »Weltlose«. Eigentümlich kamen mir diese deutschen Wörter in seiner Rede entgegen: so zart, wie gespiegelt, etwas geisterhaft.

Alles aber auch um uns sah in diesem wunderbaren Licht aus wie gespiegelt. Die Häuser uns zu Füßen, die hohen gelbroten Mauern drüben in Rabat, Tiere und Menschen am Ufer des Flusses, alles war völlig entkörpert. Die schmale

Wolke in der Gestalt eines Fisches glühte purpurviolett. Ein Starenzug flog von ihr aus gegen Osten hin, und dort ging das Türkisblau in ein zartes Grün über. Das Ferne schien sehr nahe – das Nahe ungreifbar vergeistigt. Alles bebte in sich, aber eine völlige Harmonie hielt alles in zauberhaftem Gleichgewicht, und die Offenbarung des Schönen schien eine ungeheure Bedeutung anzunehmen, die uns im nächsten Augenblick, fühlten wir, sich zu unverlierbarem Besitz enthüllen würde.

# Editorische Notiz

Die Texte der vorliegenden Ausgabe folgen der Edition:

Hugo von Hofmannsthal: Gesammelte Werke in zehn Einzelbänden. Hrsg. von Bernd Schoeller in Beratung mit Rudolf Hirsch. [Bd.:] Erzählungen. Erfundene Gespräche und Briefe. Reisen. Frankfurt a. M.: Fischer Taschenbuch Verlag, 1979.

Offensichtliche Druckversehen in dieser Ausgabe wurden stillschweigend verbessert. Bei einigen wenigen Textstellen erfolgten Emendationen nach der Kritischen Ausgabe von Hofmannsthals *Sämtlichen Werken* (Frankfurt a. M.: S. Fischer, 1975 ff.):

43,10 lustlose] luftlose
55,30 genommen] gekommen
142,7 Stelle] Welle
282,17 gefunden] ausgefunden
347,32 jeder] jede

Mit der Auswahl der Texte soll bewußt auf die fließenden Gattungsgrenzen zwischen Erzählung, erzählender Prosa, Prosagedicht, Reiseerzählung und Reiseessay bei Hofmannsthal aufmerksam gemacht werden.

## Nachweis der Erstdrucke*

*Der Geiger vom Traunsee* (1889)   Nachlaß. Erstdruck in: Hugo von Hofmannsthal: Sämtliche Werke. Kritische Ausgabe. Bd. 29: Erzählungen 2. Hrsg. von Ellen Ritter. Frankfurt a. M.: S. Fischer, 1978. S. 7–12.

* Nach: Horst Weber, *Hugo von Hofmannsthal. Bibliographie. Werke, Gespräche, Übersetzungen, Vertonungen,* Berlin / New York 1972, und dem genannten Band *Erzählungen. Erfundene Gespräche und Briefe. Reisen* der *Gesammelten Werke.*

*Age of Innocence. Stationen der Entwicklung* (1891)  Fragmente im Nachlaß. Erstdruck in: Neue Schweizer Rundschau. Jg. 23. H. 5. Mai 1930. S. 348–353. Erste Buchausgabe: Loris. Die Prosa des jungen Hugo von Hofmannsthal. Berlin: S. Fischer, 1930.

*Gerechtigkeit* (1893)  Nachlaß. Erstdruck in: Neue Freie Presse (Wien). 25. Dezember 1929. S. 3 f. Erste Buchausgabe: Loris. Die Prosa des jungen Hugo von Hofmannsthal. Berlin: S. Fischer, 1930.

*Das Glück am Weg* (1893)  Erstdruck in: Deutsche Zeitung (Wien). 30. Juni 1893 (Morgenausgabe). S. [1]–2. Erste Buchausgabe: Hugo von Hofmannsthal: Früheste Prosastücke. Leipzig: Gesellschaft der Freunde der Deutschen Bücherei, 1926.

*Das Märchen der 672. Nacht. Geschichte des jungen Kaufmannssohnes und seiner vier Diener* (1895)  Erstdruck in: Die Zeit. Wiener Wochenschrift für Politik, Volkswirtschaft, Wissenschaft und Kunst (Wien). Jg. 5. 2., 9. und 16. November 1895. (S. 79 f.; S. 95 f.; S. 111 f.). Erste Buchausgabe: Hugo von Hofmannsthal: Das Märchen der 672. Nacht und andere Erzählungen. Wien/Leipzig: Wiener Verlag, 1905. S. 7–46.

*Soldatengeschichte* (1895/96)  Nachlaß. Erstdruck in: Hugo von Hofmannsthal: Sämtliche Werke: Kritische Ausgabe. Bd. 29: Erzählungen 2. Hrsg. von Ellen Ritter. Frankfurt a. M.: S. Fischer, 1978. S. 50–62.

*Geschichte der beiden Liebespaare* (1896)  Fragmente im Nachlaß. Erstdruck in: Modern Austrian Literature 7 (1974) Nr. 3 und 4. S. 12–30. Erste Buchausgabe: Hugo von Hofmannsthal: Sämtliche Werke. Kritische Ausgabe. Bd. 29: Erzählungen 2. Hrsg. von Ellen Ritter. Frankfurt a. M.: S. Fischer, 1978. S. 65–80.

*Das Dorf im Gebirge* (1896)  Erstdruck in: Simplicissimus 1. Nr. 34. 21. November 1896. S. 3. Erste Buchausgabe: Hugo von Hofmannsthal: Früheste Prosastücke. Leipzig: Gesellschaft der Freunde der Deutschen Bücherei, 1926.

*Der goldene Apfel* (1897)  Fragment im Nachlaß. Erstdruck in: Die Neue Rundschau 41. H. 4. April 1930. S. 500–512. Erste Buchausgabe: Hugo von Hofmannsthal: Gesammelte Werke. Die Erzählungen. Stockholm: Bermann-Fischer, 1945.

*Reitergeschichte* (1898)  Erstdruck in: Neue Freie Presse (Wien). 24. Dezember 1899 (Weihnachtsbeilage). S. 29–31. Erste Buchausgabe: Hugo von Hofmannsthal: Das Märchen der 672. Nacht und andere Erzählungen. Wien/Leipzig: Wiener Verlag, 1905. S. 47–71.

*Erlebnis des Marschalls von Bassompierre* (1900)   Erstdruck in: Die Zeit (Wien). Nr. 25. 24. November und 1. Dezember 1900. S. 127–128 und 143 f. (Fußn. S. 143: »In der Annahme, daß Goethes sämmtliche Werke sich in den Händen des gebildeten Publicums befinden, fand ich es überflüssig, ausdrücklich darauf hinzuweisen, daß der anekdotische Stoff der obigen Novelle aus den Memoiren des Herrn von Bassompierre stammt und von Goethe in den ›Unterhaltungen der deutschen Ausgewanderter‹ in wörtlicher Uebersetzung und mit Citierung der Quelle mitgetheilt wird. Die betreffende Stelle findet sich im Original der ›Mémoires du Marechal‹, Köln, bei Pierre du Marteau, 1665, Bd. I, S. 160 bis 164, und in der Goethe'schen Uebersetzung Bd. XIX der Cotta'schen Ausgabe von 1840, S. 253, *woselbst sich der Leser über das Verhältnis des Ueberlieferten zu meiner dichterischen Ausgestaltung des Stoffes orientieren kann.* Wien, 27. November 1900. Hugo v. Hofmannsthal.«) Erste Buchausgabe: Hugo von Hofmannsthal: Das Märchen der 672. Nacht und andere Erzählungen. Wien/Leipzig: Wiener Verlag, 1905. S. 73–96.

*Das Märchen von der verschleierten Frau* (1900)   Fragment im Nachlaß. Erstdruck in: Corona 9 (1939) H. 4. S. 414–424. Erste Buchausgabe: Hugo von Hofmannsthal: Gesammelte Werke. Die Erzählungen. Stockholm: Bermann-Fischer, 1945.

*Sommerreise* (1903)   Erstdruck in: Neue Freie Presse (Wien). 18. Juli 1903 (Morgenblatt). S. 1–3. Erste Buchausgabe: Hugo von Hofmannsthal: Die Berührung der Sphären. Berlin: S. Fischer, 1931.

*Die Briefe des Zurückgekehrten (I–V)* (1907)   Erstdruck (*Brief I–III*) in: Morgen. Wochenschrift für deutsche Kultur (Berlin). Jg. 1. Nr. 2, 5 und 12. 21. Juni, 5. Juli und 30. August 1907. S. 53–57, 123–126 und 372–375. Erstdruck (*Brief IV, V*) in: Kunst und Künstler. Illustrierte Monatsschrift für bildende Kunst und Kunstgewerbe 6 (Februar 1908) H. 5. S. 177–182 (u. d. T.: *Das Erlebnis des Sehens*; mit dem Zusatz: »Aus den ›Briefen eines Zurückgekehrten‹«). Erste Buchausgabe für *Brief IV* und *V*: Hugo von Hofmannsthal: Die prosaischen Schriften. Bd. 3 (u. d. T.: *Die Farben. Aus den Briefen des Zurückgekehrten*). Berlin: S. Fischer, 1917. [So schon im Almanach S. F. V. Das XXVte Jahr. S. Fischer Verlag 1886, Berlin 1911. S. 191–204.] Erste Buchausgabe für *Brief I–III*: Hugo von Hofmannsthal: Die Berührung der Sphären. Berlin: S. Fischer, 1931.

*Die Wege und die Begegnungen* (1907)    Erstdruck in: Die Zeit (Wien). Nr. 6. 19. Mai 1907 (Morgenblatt). S. 1–3. Erste Buchausgabe: Bremen: Bremer Presse, 1913.

*Erinnerung schöner Tage* (1907)    Erstdruck in: Almanach. Velhagen und Klasings Monatshefte 1. Bielefeld/Leipzig/Wien 1908. S. 321–328. Erste Buchausgabe: Hugo von Hofmannsthal: Die Berührung der Sphären. Berlin: S. Fischer, 1931.

*Lucidor. Figuren zu einer ungeschriebenen Komödie* (1909)    Erstdruck in: Neue Freie Presse (Wien). 27.[!] März 1910. S. 32–35. Erste Buchausgabe: Berlin: Erich Reiss Verlag, 1919. (Mit 6 Originalradierungen von Karl Walser. 5. Prospero-Druck.)

*Dämmerung und nächtliches Gewitter* (auch *Knabengeschichte*; 1911–19)    Fragment im Nachlaß. Erstdruck in: Corona 10 (1943). H. 6. S. 762–767. Erste Buchausgabe: Hugo von Hofmannsthal: Gesammelte Werke: Die Erzählungen. Stockholm: Bermann-Fischer, 1945.

*Augenblicke in Griechenland* (1908 und 1909–14). *Das Kloster des heiligen Lukas*    Erstdruck in: Morgen. Wochenschrift für deutsche Kultur (Berlin). Jg. 2. Nr. 25. 19. Juni 1908. S. 792–796. *Der Wanderer. – Die Statuen.* Erstdruck und zugleich erste Buchausgabe für alle drei Texte: Hugo von Hofmannsthal: Die prosaischen Schriften. Bd. 3. Berlin: S. Fischer, 1917.

*Die Frau ohne Schatten. Erzählung* (1912–19)    Erstdruck: Berlin: S. Fischer, 1919.

*Reise im nördlichen Afrika. Fez* (1925)    Erstdruck in: Berliner Tageblatt. 12. April 1925. S. 2 f. Zugleich in: Neue Freie Presse (Wien). 12. April 1925 (Osterbeilage). *Das Gespräch in Saleh.* Erstdruck in: Neue Freie Presse (Wien). 31. Mai 1925 (Pfingstbeilage). S. 31 f. Erste Buchausgabe von beiden Texten: Hugo von Hofmannsthal: Die Berührung der Sphären. Berlin: S. Fischer, 1931.

# Literaturhinweise

## Ausgaben

Das Märchen der 672. Nacht und andere Erzählungen. Wien/Leipzig: Wiener Verlag, 1905. (Bibliothek moderner deutscher Autoren. 2.)

Die prosaischen Schriften gesammelt. Bd. 3. Berlin: S. Fischer, 1917.

Gesammelte Werke in sechs Bänden. Bd. 2. 3. Berlin: S. Fischer, 1924.

Gesammelte Werke in drei Bänden. Bd. 3. Berlin: S. Fischer, 1934.

Die Berührung der Sphären. Berlin: S. Fischer, 1931.

Gesammelte Werke in Einzelausgaben. [15 Bde.] Hrsg. von Herbert Steiner. Stockholm: Bermann-Fischer / [seit 1953:] Frankfurt a. M.: S. Fischer, 1945–59. [Bde.:] Die Erzählungen. 1945. Prosa I–IV. 1950–55.

Sämtliche Werke. Kritische Ausgabe. Veranst. vom Freien Deutschen Hochstift. Hrsg. von Rudolf Hirsch [u. a.]. Bd. 1 ff. Frankfurt a. M.: S. Fischer, 1975 ff. Bd. 28: Erzählungen 1. Hrsg. von Ellen Ritter. 1975. Bd. 29: Erzählungen 2. Aus dem Nachlaß hrsg. von Ellen Ritter. 1978. Bd. 31: Erfundene Gespräche und Briefe. Hrsg. von Ellen Ritter. 1991.

Gesammelte Werke in zehn Einzelbänden. Hrsg. von Bernd Schoeller in Beratung mit Rudolf Hirsch. Frankfurt a. M.: Fischer Taschenbuch Verlag, 1979. [Bd.:] Erzählungen. Erfundene Gespräche und Briefe. Reisen. 1979. [Bd.:] Reden und Aufsätze I (1891–1913). 1979.

## Forschungsliteratur

Alewyn, Richard: Über Hugo von Hofmannsthal. Göttingen 1958. 4., verm. Aufl. Göttingen 1967.

Apel, Friedmar: Das Märchen ein Traum. In: F. A.: Die Zaubergärten der Phantasie. Zur Theorie und Geschichte des Kunstmärchens. Heidelberg 1978. S. 257–275.

Assert, Bodo: Hugo von Hofmannsthal – Der ornamentale Raum. In: B. A.: Der Raum in der Erzählkunst. Düsseldorf 1972. S. 116–168.

Austin, Gerhard: Phänomenologie der Gebärde bei Hugo von Hofmannsthal. Heidelberg 1981.

Baumann, Hans-Heinrich: Fabel vom Eros und verbotene Tagträume. Kleiner Doppelkursus über Hofmannsthals *Reitergeschichte*. In: Zerstörung, Rettung des Mythos durch Licht. Hrsg. von Christa Bürger. Frankfurt a. M. 1986. S. 69–85.

Beiss, Adolf: *Das Glück am Weg* von Hofmannsthal. In: Germanistische Studien 2 (1970) S. 163–178.

Block, Ed Jr.: Journey as Self-Revelation: Hugo von Hofmannsthal's »Reiseprosa«, 1893–1917. In: Modern Austrian Literature 20 (1987) S. 23–35.

Böschenstein, Renate: Tiere als Elemente von Hofmannsthals Zeichensprache. In: Hofmannsthal-Jahrbuch 1 (1993) S. 137–164.

Bottermann, John: History and Metaphysics. Hofmannsthal's *Reitergeschichte* as a Realistic and Symbolic Novella. In: Modern Austrian Literature 21 (1988) S. 1–15.

Braegger, Carlpeter: »... ihre Bierhäuser ... ihre Hermannsdenkmäler«. Hugo von Hofmannsthals *Briefe des Zurückgekehrten* und *Der junge Menzel* von Julius Meier-Graefe (1906). In: Neue Zürcher Zeitung 15./16. März 1980. (Beilage Literatur und Kunst, Fernausgabe.)

– Palladio und der Kaiser von China. Die »Rotonda« im Hermetismus der Jahrhundertwende. In: Institut für Geschichte und Theorie der Architektur – Fünf Punkte der Architekturgeschichte. Festschrift für Adolf Max Vogt. Hrsg. von Katharina Medici-Mall. Basel/Boston/Stuttgart 1985. S. 11–33.

Briese-Neumann, Gisa: Ästhet – Dilettant – Narziß. Untersuchungen zur Reflexion der Fin-de-siècle-Phänomene im Frühwerk Hofmannsthals. Frankfurt a. M. 1985.

Brion, Marcel: Versuch einer Interpretation der Symbole im *Märchen der 672. Nacht* von Hugo von Hofmannsthal. In: Deutsche Erzählungen von Wieland bis Kafka. Interpretationen. Bd. 4. Frankfurt a. M. 1966. S. 284–302.

Broch, Hermann: Hofmannsthal und seine Zeit. Frankfurt a. M. 1974.

Burkhard, Marianne: Hofmannsthals *Reitergeschichte* – ein Gegenstück zum Chandosbrief. In: Amsterdamer Beiträge zur neueren Germanistik 4 (1975) S. 27–53.

Cohn, Dorrit: »Als Traum erzählt«: The Case for a Freudian Reading of Hofmannsthal's *Märchen der 672. Nacht*. In: Deutsche Vierteljahrsschrift für Literaturwissenschaft und Geistesgeschichte 54 (1980) S. 284–305.

Csúri, Karoly: Hugo von Hofmannsthals späte Erzählung *Die Frau ohne Schatten*. Struktur und Strukturvergleich. In: Studia poetica 1 (1980) S. 126–177.

Dengler-Bangsgaard, Hertha: Wirklichkeit als Aufgabe. Eine Untersuchung zu Themen und Motiven in Hofmannsthals Erzählprosa. Frankfurt a. M. [u. a.] 1983.

Durr, Volker O.: Der Tod des Wachtmeisters Anton Lerch und die Revolution von 1948: Zu Hofmannsthals *Reitergeschichte*. In: German Quarterly 45 (1972) S. 33–46.

Ehlers, Swantje: Die Psychologisierung der Leseerfahrung. Hugo von Hofmannsthal *Das Erlebnis des Marschalls von Bassompierre*. In: Germanisch-Romanische Monatsschrift 34 (1984) S. 177–182.

Exner, Richard: Ordnung und Chaos in Hugo von Hofmannsthals *Reitergeschichte*. Strukturelle und semiotische Möglichkeiten der Interpretation. In: Im Dialog mit der Moderne. Festschrift für Jacob Steiner. Hrsg. von Roland Jost und Hansgeorg Schmidt-Bergmann. Frankfurt a. M. 1986. S. 46–59.

Fiedler, Theodore: Hofmannsthal's *Reitergeschichte* und ihre Leser. Zur Politik der Ironie. In: Germanisch-Romanische Monatsschrift 26 (1976) S. 140–163.

Florack, Ruth: Ichverlust im schönen Schein. Ästhetizismuskritik in Hofmannsthals *Märchen der 672. Nacht*. In: Austriaca 16 (1991) S. 124–139.

Freye, Lawrence O.: Masking, Doubling and Comedic Strategy in Hofmannsthal's Narrative Prose. In: »Wir sind aus solchem Zeug wie das zu Träumen...«. Kritische Beiträge zum Werk Hugo von Hofmannsthals. Hrsg. von Joseph P. Strelka. Bern [u. a.] 1992. S. 139–168.

Frink, Helen: Animal Symbolism in Hofmannsthal's Works. Frankfurt a. M. [u. a.] 1987.

– Hugo von Hofmannsthal's »Knabengeschichten«. In: Modern Austrian Literature 17 (1984) S. 33–47.

Gilbert, Mary E.: Some Observations on Hofmannsthal's Two »Novellen« *Reitergeschichte* and *Das Erlebnis des Marschalls von Bassompierre*. In: German Life and Letters 11 (1957/58) S. 102–111.

Götz, Bärbel: Erinnerung schöner Tage. Die Reise-Essays Hugo von Hofmannsthals. Würzburg 1992.

Gray, Richard T.: The Hermeneut(r)ic(k) of the Psychic Narrative. Freud's *Das Unheimliche* and Hofmannsthal's *Reitergeschichte*. In: German Quarterly 62 (1989) S. 473–488.

Grossert, Niels Axel: Zur Symbolik, Stoff- und Entstehungsgeschichte von Hofmannsthal's *Die Frau ohne Schatten*. In: Text & Kontext 1987. S. 285–331.

Hagedorn, Günter: Die Märchendichtung Hofmannsthals. Diss. Köln 1972.

Hansen, Carl V.: The Death of the First Sergeant Anton Lerch in Hofmannsthal's *Reitergeschichte*. A Military Analysis. In: Modern Austrian Literature 13 (1980) S. 17–26.

Heimrath, Ulrich: Innerlichkeit und Moral. Ein Beitrag zur Charakterisierung des Erzählwerkes Hugo von Hofmannsthals. Diss. Bochum 1975.

Henning, Uwe: Die Torsi der Rotonda – Symbole natürlichen Verfalls oder Denkmale des Risorgimento? Überlegungen zu Hugo von Hofmannsthals capriccio palladiano *Sommerreise / Die Rotonda des Palladio* (1903/1919). In: Hugo von Hofmannsthal. Freundschaften und Begegnungen mit deutschen Zeitgenossen. Hrsg. von Ursula Renner und G. Bärbel Schmid. Würzburg 1991. S. 261–284.

Himmel, Hellmuth: Textkritisches zu Hofmannsthals *Frau ohne Schatten*. In: Modern Austrian Literature 7 (1974) S. 135–151.

[Hofmannsthal:] Hugo von Hofmannsthal. Hrsg. von Sibylle Bauer. Darmstadt 1968. (Wege der Forschung. 183.)

Hoppe, Manfred: Literatentum, Magie und Mystik im Frühwerk Hofmannsthals. Berlin 1968.

Hoppe, Otfried: Hugo von Hofmannsthals *Reitergeschichte*. In: Deutsche Novellen von Goethe bis Walser. Bd. 2. Hrsg. von Jakob Lehmann, Königstein 1980. S. 49–76.

Janz, Marlies: Marmorbilder. Weiblichkeit und Tod bei Clemens Brentano und Hugo von Hofmannsthal. Königstein 1986.

Kamala, Thomas A.: The Aestheticism-Decadence Dialectic in Hofmannsthal's *Reitergeschichte*. In: Orbis litteratum 44 (1989) S. 327–340.

Kaschnitz, Marie Luise: *Die Frau ohne Schatten*. In: M. L. K.: Zwischen Immer und Nie. Gestalten und Themen der Dichtung. Frankfurt a. M. 1971. S. 153–160.

Kern, Peter Christoph: Zum Wirklichkeitsbegriff Hugo von Hofmannsthals. Untersuchungen zu *Die Wege und die Begegnungen* und *Raoul Richter*. In: Literatur in Wissenschaft und Unter
richt 3 (1970) S. 69–86.

Kobel, Erwin: Hugo von Hofmannsthal. Berlin 1970.

Koch, Hans-Albrecht: Hugo von Hofmannsthal. Darmstadt 1989.

Koch, Manfred: ›Und wenn man tief bohrt, schwindet die Bildlich-
keit‹ – Erinnerung, Selbstgefühl und Reflexion in Hofmannsthals
Frühwerk. In: ›Sinnlichkeit in Bild und Klang‹. Festschrift für
Paul Hoffmann zum 70. Geburtstag. Hrsg. von Hansgerd Del-
brück. Stuttgart 1987. S. 327–350.

Kovach, Thomas A.: *Die Frau ohne Schatten*. Hofmannsthal's
Response to the Symbolist Dilemma. In: German Quarterly 57
(1984) S. 377–391.

– Hofmannsthal and Symbolism. Art and Life in the Work of a
Modern Poet. New York 1985.

Kraft, Werner: Von Bassompierre zu Hofmannsthal. In: W. K.: Wort
und Gedanke. Bern 1959. S. 132–173.

Kronauer, Brigitte: Die Dinge sind nicht unter sich! Zu Hugo von
Hofmannsthals *Märchen der 672. Nacht*. In: Phaïcon 3 (1978)
S. 57–69.

Kunz, Josef: *Reitergeschichte*. In: J. K.: Die deutsche Novelle im
20. Jahrhundert. Berlin 1977. S. 115–123.

Lehnert, Gertrud: Lüge und Wahrheit: C. F. Meyers *Gustav Adolfs
Page*, H. v. Hofmannsthals *Lucidor*. In: G. L.: Wenn Frauen Män-
nerkleider tragen. Geschlecht und Maskerade in Literatur und
Geschichte. München 1997. S. 89–100.

Le Rider, Jacques: Hugo von Hofmannsthal. Historismus und Moderne in der Literatur der Jahrhundertwende. Wien/Köln/Wei-
mar 1997.

– La *Reitergeschichte* de Hugo von Hofmannsthal. Eléments d'in-
terprétation. In: Hofmannsthal-Jahrbuch zur europäischen Moderne 3 (1995) S. 215–249.

Mauser, Wolfram: Hugo von Hofmannsthal. Konfliktbewältigung
und Werkstruktur. Eine psychosoziologische Interpretation. München 1977.

Mayer, Mathias: Hugo von Hofmannsthal. Stuttgart/Weimar 1993.

Mollenhauer, Peter: Wahrnehmung und Wirklichkeitsbewußtsein in
Hofmannsthals *Reitergeschichte*. In: The German Quarterly 50
(1977) S. 283–297.

Naumann, Walter: Die Quelle von Hofmannsthals *Frau ohne Schatten*. In: Modern Language Notes 59 (1944) S. 385 f.

Neumann, Gerhard: Hofmannsthals Text *Die Wege und die Begegnungen* und die Bremer Presse. In: Hofmannsthal-Blätter 40 (1990) S. 30–72.

– *Die Wege und die Begegnungen*. Hofmannsthals Poetik des Visionären. In: Freiburger Universitätsblätter 112 (1991) S. 61–75.

Neuse, Erna: Hofmannsthals *Erlebnis des Marschalls von Bassompierre*. In: Österreich in Geschichte und Literatur 22 (1978) S. 113–121.

Niefanger, Dirk: Produktiver Historismus. Raum und Landschaft in der Wiener Moderne. Tübingen 1993.

Nienhaus, Stefan: Das Prosagedicht im Wien der Jahrhundertwende. Altenberg-Hofmannsthal-Polgar. Berlin / New York 1986.

Paetzke, Iris: Erzählen in der Wiener Moderne. Tübingen 1992.

Pannwitz, Rudolf: Hofmannsthals Erzählung *Die Frau ohne Schatten*. In: Der neue Merkur 3 (1919) S. 509–512. (Auch in: Hofmannsthal-Blätter 5, 1970, S. 373–378.)

Pestalozzi, Karl: Der Mythos des erhöhten Augenblicks bei Hugo von Hofmannsthal. In: Melancholie und Enthusiasmus. Studien zur Literatur- und Geistesgeschichte der Jahrhundertwende. Hrsg. von Karol Sauerland. Frankfurt a. M. [u. a.] 1988. S. 13–31. (Auch in: Karl Pestalozzi / Martin Stern: Basler Hofmannsthal-Beiträge. Würzburg 1991. S. 129–138.)

Politzer, Heinz: Auf der Suche nach Agur. Zu Hugo von Hofmannsthals *Die Wege und die Begegnungen*. In: Herkommen und Erneuerung. Essays für Oskar Seidlin. Hrsg. von Gerard Gillespie und Edgar Lohner. Tübingen 1976. S. 319–335.

Remak, Henry H. H.: Novellistische Struktur: Der Marschall von Bassompierre und die schöne Krämerin (Bassompierre, Goethe, Hofmannsthal). Essai und kritischer Forschungsbericht. Bern / Frankfurt a. M. 1983.

Renner, Ursula: *Die Zauberschrift der Bilder* – Bildende Kunst in Hofmannsthals Texten. Freiburg i. Br. 2000.

Ritter, Ellen: Hugo von Hofmannsthal: *Die Briefe des Zurückgekehrten*. In: Jahrbuch des Freien Deutschen Hochstifts 1988. S. 226–252.

Robertson, Ritchie: The Dual Structure of Hofmannsthal's *Reitergeschichte*. In: Forum for Modern Language Studies 14 (1978) S. 316–331.

Rölleke, Heinz: Nochmals zum Rätsel der 672. Nacht bei Hofmannsthal. In: Germanisch-Romanische Monatsschrift N. F. 33 (1983) S. 344–345.

Ryan, Judith: Die ›allomatische Lösung‹: Gespaltene Persönlichkeit und Konfiguration bei Hugo von Hofmannsthal. In: Deutsche Vierteljahrsschrift für Literaturwissenschaft und Geistesgeschichte 44 (1970) S. 142–200.

Schäfer, Dorothea: Der Leserkontakt in den Erzählungen Hofmannsthals. Göttingen 1962.

Schings, Hans-Jürgen: Allegorie des Lebens. Zum Formproblem von Hofmannsthals *Märchen der 672. Nacht*. In: Zeitschrift für deutsche Philologie 86 (1967) S. 544–561.

Schmalstieg, Dieter-Olaf: Eros und Vogelflug. Hugo von Hofmannsthal als Hermeneut alttestamentlicher Weisheit. In: Deutsche Vierteljahrsschrift für Literaturwissenschaft und Geistesgeschichte 43 (1969) S. 274–288.

Schnitzler, Arthur: *Die Frau ohne Schatten*. In: A. Sch.: Aphorismen und Betrachtungen. Hrsg. von Robert O. Weiss. Frankfurt a. M. 1967. S. 490 f.

Scott, Marilyn: Order and Masculinity in Hugo von Hofmannsthal's *Reitergeschichte*. In: Geschichte der österreichischen Literatur. Tl. 2. St. Ingbert 1996. S. 500–517.

Simon, Ernst: ›Agur, fils d'Jaké‹. Hugo von Hofmannsthals jüdische Legende. In: Studies in Mysticism and Religion. Presented to Gershom Scholem. Jerusalem 1967. S. 235–260.

Steiner, Uwe C.: Die Zeit der Schrift. Die Krise der Schrift und die Vergänglichkeit der Gleichnisse bei Hofmannsthal und Rilke. München 1996.

Steinlein, Rüdiger: Hugo von Hofmannsthals *Reitergeschichte*. Versuch einer struktural-psychoanalytischen Lektüre. In: Zeitschrift für deutsche Philologie 110 (1991) S. 208–230.

Stern, Martin: *Lenau der Geiger*. Zu Hofmannsthals frühester Prosaerzählung. In: Lenau-Almanach 1980/81. Wien 1982. S. 73–87.

Stoupy, Joëlle: »Wenn das Haus fertig ist, kommt der Tod«: Bemerkungen über ein ›türkisches‹ Sprichwort in Texten des ausgehenden 19. Jahrhunderts [. . .]. In: Hofmannsthal-Blätter 41/42 (1991/92) S. 86–105.

Tarot, Rolf: Hugo von Hofmannsthal. Daseinsform und dichterische Struktur. Tübingen 1970.

Träbing, Gerhard: Hugo von Hofmannsthals *Reitergeschichte*. Beitrag zu einer Phänomenologie der deutschen Augenblicksgeschichte. In: Deutsche Vierteljahrsschrift für Literaturwissenschaft und Geistesgeschichte 43 (1969) S. 707–725.

– Hofmannsthals *Reitergeschichte*. Interpretationen und Observationen 1949–1976. In: Sprache im technischen Zeitalter 21 (1981) S. 221–236.

Turner, David: Was ist Subordination? Noch einmal Hofmannsthals *Reitergeschichte*. In: Studia austriaca 6 (1998) S. 137–155.

Verhofstadt, Edward: Hugo von Hofmannsthals *Märchen der 672. Nacht*. Eine soziopsychologische Interpretation. In: Theatrum Europaeum. Hrsg. von Richard Brinkmann [u. a.]. Festschrift für Elida Maria Szarota. München 1982. S. 559–575.

Volke, Werner: Hugo von Hofmannsthal in Selbstzeugnissen und Bilddokumenten. Reinbek 1995.

– Unterwegs mit Hofmannsthal. Berlin – Griechenland – Venedig. Aus Harry Graf Kesslers Tagebüchern und aus Briefen Hofmannsthals. In: Hofmannsthal-Blätter 35/36 (1987) S. 50–104.

Vordtriede, Werner: Das schöpferische Auge: zu Hofmannsthals Beschreibung eines Bildes von Giorgione. In: Monatshefte für deutschen Unterricht, deutsche Sprache und Literatur 48 (1956) S. 161–168.

Weissenberger, Klaus: Hugo von Hofmannsthals Entwicklung der Reiseprosa von der Allusion des Schöpferischen zu dessen dichterischer Darstellung. In: Wahrheit und Wort. Festschrift für Rolf Tarot zum 65. Geburtstag. Hrsg. von Gabriela Scherer und Beatrice Wehrli. Bern [u. a.] 1996. S. 499–517.

Wellbery, David E.: Narrative Theory and Textual Interpretation: Hofmannsthal's *Sommerreise* as Test Case. In: Deutsche Vierteljahrsschrift für Literaturwissenschaft und Geistesgeschichte 54 (1980) S. 306–333.

Werckmeister, Otto Karl: Hofmannsthal über van Gogh. In: Neue deutsche Hefte 1961. S. 40–60. (Auch in: O. K. W.: Ideologie und Kunst bei Marx u. a. Essays. Frankfurt a. M. 1974. S. 36–63.)

Wiethölter, Waltraud: Hofmannsthal oder Die Geometrie des Subjekts. Psychostrukturelle und ikonographische Studien zum Prosawerk. Tübingen 1990.

Wilpert, Gero von: Anton Lerch – geduppelt? Zum sogennannten »Doppelgänger« in Hofmannsthals *Reitergeschichte*. In: Seminar 29 (1993) S. 125–137.

Wilpert, Gero von: Hugo von Hofmannsthal *Die Frau ohne Schatten*. In: G. v. W.: Der verlorene Schatten. Varianten eines literarischen Motivs. Stuttgart 1978. S. 00 111.

Worbs, Michael: Nervenkunst. Literatur und Psychoanalyse im Wien der Jahrhundertwende. Frankfurt a. M. 1983.

Wunberg, Gotthart: Der frühe Hofmannsthal. Schizophrenie als dichterische Struktur. Bern/Köln/Mainz 1965.

# ›Reiseeindrücke der Seele‹

»Es wäre überhaupt ein Glück, wenn unsere Prosa und Poesie von dem Abenteuer der Untreue wegkäme«, schreibt der achtzehnjährige Schüler Loris alias Hugo von Hofmannsthal (1874–1929) seinem Freund Felix Salten, dessen Tiergeschichte *Bambi* später um die Welt gehen wird, »sie hat diese hübsche Weinbeere schon so ausgesogen [. . .], daß sie darüber schal und eklig geworden ist«. Wenn der Liebesverrat, der die Weltliteratur (und die Menschen) seit je in Bewegung und am Reden hält, kein Schreibimpuls mehr für die Jung-Wiener Dichter ist, was dann?

> Wir sehen doch eine Menge anderer Dinge und sehen sie anders als andre. Wir fürchten uns vor Gespenstern; wir reden gern von hübschen Einrichtungsgegenständen, wir sind alle ehrgeizig, ein bißchen verdorben durch Sensitivität, aber doch; wir lesen sogar manchmal das Memorial [Napoleons] von St. Helena; wir erleben bei 3 Seiten Nietzsche viel mehr als bei allen Abenteuern unseres Lebens, Episoden und Agonien, wir haben Hunde gern, wir sprechen gern und gut und erleben im Zusammensein, im schnellen Reden manchmal halb unbewußt sehr hübsche Dinge; ... warum verschweigen wir das alles so sorgfältig in unsern Büchern? Im Koran steht eine sehr hübsche Geschichte: Der Prophet lebte in einem kleinen Häuschen mit seiner kleinen Geliebten; sie hieß Fatme oder anders und betrog den Propheten mit einem jungen Kameltreiber. Darüber war der Prophet so betrübt, daß er sie zu

Tode prügelte; dann saß er 3 Tage und 3 Nächte neben
ihrer Leiche am Boden und schwieg, ohne Schlaf, ohne
Trank und Speise. Endlich war er des Schweigens und
des Lebens überdrüssig und steckte seinen Kopf in
ein großes gefülltes Wasserschaff, um zu ersticken. Da
wurde seine Seele entrückt und durchflog mit Gedan-
kenschnelle die Herrlichkeit der Welt und der Himmel:
sie flog über Bagdad und Bassora hin und trank im
Flug den Duft der persischen Rosengärten und den
Blutgeruch eines Schlachtfeldes; dann die Lieder von
Hirten in den Bergen und das Wehgeschrei Sindbads
des Seefahrers, der im Diamantental im äußersten In-
dien wimmerte; dann flog die Seele durch alle parfü-
mierte, berauschende Herrlichkeit der Himmel, und
vor der goldenen Tür des siebten Himmels wich sie geblendet zurück und flog heim in den Kopf des Propheten, der aus dem Wasserschaff emporschnellte; der sah
um sich, und ihn schwindelte: es war keine Zeit vergangen, die tote Geliebte lag noch immer da, und alles war
wie früher. Da wurde der Prophet weise und begrub
seine tote Geliebte und schrieb die Reiseeindrücke seiner Seele in ein heiliges Buch.[1]

Was der junge Hofmannsthal seinem Briefpartner ent-
faltet und im Gewande einer kleinen orientalischen Geschichte veranschaulicht, ist ein Erzählkonzept. Paradoxer-
weise geht es aus dem hervor, was verworfen wird, aus dem
»Abenteuer der Untreue« mit allem, was dazu gehört. Als
Palimpsest scheint darunter eine zweite Geschichte auf,
die der Autorschaft. Phantasie, Vision und Traum bringen
den Propheten zum Schreiben. Die »Reiseeindrücke seiner
Seele« entstehen aus einer Schwellenerfahrung und münden
in das »heilige Buch«, was ja im Grunde nichts anderes ist
als ›die Literatur‹, jenes Textkorpus, das Menschen weiter-

---

1 An Felix Salten, 27. [Juli 1892]; in: Hugo von Hofmannsthal, *Briefe 1890–
1901*, Berlin 1935, S. 56 ff.

erzählen oder aufbewahren, weil es ihnen etwas bedeutet
oder offenbart.

Indem Hofmannsthal sein Exempel nun seinerseits ›nur‹
nacherzählt (oder als Nacherzählung fingiert), setzt er sich
unter der Hand über die seit der Goethezeit vorherrschende
Auffassung hinweg, daß Literatur entweder originale Dichtung zu sein habe oder erlebte bzw. verbürgte Wahrheit. So
demonstriert Hofmannsthals kleine Erzählung, sein schönes poetologisches Lehrbeispiel, gleich mehreres: Dem
literarischen Text soll zwar eine Vision zugrunde liegen,
andererseits greift er auf immer schon Erzähltes oder Ge-
schriebenes, auf Mythos und Archiv, zurück. Es ist bemer-
kenswert, wie viele von Hofmannsthals Erzählungen dies
reflektieren bzw. markieren. Nach Michel Foucault findet
sich dieses Phänomen seit der zweiten Hälfte des 19. Jahrhunderts, zuerst bei dem Maler Édouard Manet und, in
der Literatur, bei Gustave Flaubert: »Das Imaginäre kon-
stituiert sich nicht mehr im Gegensatz zum Realen, um es
abzuleugnen oder zu kompensieren; es dehnt sich von
Buch zu Buch zwischen den Schriftzeichen aus, im Spiel-
raum des Noch-einmal-Gesagten und der Kommentare;
es entsteht und bildet sich heraus im Zwischenraum der
Texte.«[2]

Wenn alle Geschichten wiedererzählte Geschichten sind,
wenn das Imaginäre sich aus dem Archiv speist, wie kann
der Dichter dann dennoch Neues entdecken oder Altes ver-
lebendigen, im Sinne von Picassos berühmtem Diktum, daß
er nicht erfinde, sondern finde? Hofmannsthal selbst sagt:
»Wir sehen doch eine Menge anderer Dinge und sehen sie
anders als andre.« Das ist der Schlüssel für die Poetik der
klassischen Moderne. Um andere Dinge anders zu sehen als
andere, braucht es eine besondere Art der Aufmerksamkeit

2 Aus Anlaß der *Versuchung des Heiligen Antonius* von Gustave Flaubert;
vgl. Michel Foucault, »Un ›fantastique‹ de bibliothèque«, in: ders., *Schriften
zur Literatur*, aus dem Frz. übers. von Karin von Hofer und Anneliese Bo-
tond, Frankfurt a. M. 1988, S. 157–177, hier S. 160.

für die Gestalt der Dinge und ihren Zeichencharakter, in heutigen Begriffen für den Prozeß der Semiose. Die privilegierte Quelle dafür ist nach Auffassung der Jahrhundertwende das Reich der Seele. Wie aber können das Alleröffentlichste, das Schatzhaus der Tradition mit seinem Vorrat an Bildern, Geschichten und Texten, und das zutiefst Persönliche, die Seele mit ihrem Fundus an Wünschen, Phantasien und Träumen, zusammengehen? Es ist gerade eine solche Opposition von Wirklichkeit und Traum, Alltäglichem und Phantastischem, die Hofmannsthals Texte aufheben. 1892, in einem balladesken Entwurf über Alexander den Großen, dessen Gestalt ihn im Alter zwischen vierzehn und etwa einundzwanzig Jahren ungemein fasziniert hat, notiert Hofmannsthal: »Vor seiner Allmacht liegt seine Welt / Aus Traum und [. . .] Erlebnis gewebt / Er fragt sich nicht mehr: war das ein Traum [. . .] / Oder hab ich es nur erlebt«.[3]

Die »Reiseeindrücke der Seele« sind Bilder aus Zwischenreichen; in der zitierten Prophetengeschichte und in vielen anderen stehen dafür paradigmatisch die letzten Lebensstunden oder die Sphäre des Traums und der mentalen Bilder. Diese Bilder vermitteln zwischen Hier und Anderswo, Innen und Außen, Sein und Schein. Wer dafür sensibilisiert ist, sagt Nietzsche, »sieht genau und gern zu: denn aus diesen Bildern deutet er sich das Leben, [. . .] die ganze ›göttliche Komödie‹ des Lebens, mit dem Inferno, zieht an ihm vorbei, nicht nur wie ein Schattenspiel – denn er lebt und leidet mit in diesen Scenen – und doch auch nicht ohne jene flüchtige Empfindung des Scheins«.[4] In ihrer extremsten Form kann eine Erscheinung blitzartig existentielle Bedeutung bekommen (*Die Briefe des Zurückgekehrten, Augen-*

---

3 Hugo von Hofmannsthal, *Sämtliche Werke, Kritische Ausgabe*, veranst. vom Freien Deutschen Hochstift, hrsg. von Rudolf Hirsch [u. a.], Bd. 2: *Gedichte 2*, hrsg. von Andreas Thomasberger, Frankfurt a. M. 1988, S. 313.
4 Friedrich Nietzsche, *Die Geburt der Tragödie; Sämtliche Werke. Kritische Studienausgabe*, hrsg. von Giorgio Colli und Mazzino Montinari, Bd. 1, München 1980, S. 27.

*blicke in Griechenland*). Wie bei einem Vexierbild kann das Erlebnis aber auch in Melancholie umschlagen. Hofmannsthals Geschichten sind deshalb oft um eine Achse herum erzählt wie *Gerechtigkeit, Das Märchen der 672. Nacht*, die *Reitergeschichte*, das *Erlebnis des Marschalls von Bassompierre*[5] oder *Die Frau ohne Schatten*. Diese Struktur mag Hofmannsthal dazu geführt haben, verschiedentlich auf das Novellistische seiner Geschichten hinzuweisen; das *Glück am Weg* beispielsweise nannte er eine »allegorische Novelette«, die *Briefe des Zurückgekehrten* eine »Art Novelle in Briefen«.[6]

Es gehört zu Hofmannsthals Sprachspiel, traditionelle Gattungsmuster aufzurufen und sie zugleich durchzustreichen wie in *Lucidor. Figuren zu einer ungeschriebenen Komödie*. Erst recht gilt das für seine dramatischen »Bruchstücke«, Fragmente und Entwürfe, die er gelegentlich lieber als Gedichte bezeichnet wissen wollte. So wie der Prophet seine rigiden Handlungsmuster, Mord und Selbstmord, in die beweglichen Bilderketten seiner Visionen und dann in die Schrift überführt, arbeiten Hofmannsthals Texte an der Verflüssigung von verhärteten Grenzen – Grenzen zwischen Medien und Gattungen, zwischen Welt und Seele, Leben und Traum, Kunst und Wirklichkeit.

Ein wiederkehrender Erzählanlaß, der die Bilder der Seele ins Laufen bringt, ist die Reise. Das traditionelle (bildungsbürgerliche) Erziehungsprogramm eines Leben-Lernens durch äußere Fortbewegung erscheint bei Hofmannsthal zu ›Wegen und Begegnungen‹ verdichtet, bei denen sich das *imprévu* des Zufalls und das *déjà-vu* des Wiedererkennens geheimnisvoll vermischen. Es sind zumeist Selbst-Be-

5 Vgl. das Nachwort von Heinrich Bosse zu Hofmannsthals drei Erzählungen *Das Märchen der 672. Nacht, Reitergeschichte* und *Das Erlebnis des Marschalls von Bassompierre*, in: Hugo von Hofmannsthal, *Reitergeschichte und andere Erzählungen*, Stuttgart 2000 (Reclams Universal-Bibliothek, 18039).
6 17. Juli 1907; in: Hugo von Hofmannsthal, *Briefe 1901–1909*, Wien 1937, S. 283.

gegnungen, unerhörte (mystische) Erlebnisse, die in einem
weiten Spektrum zwischen ekstatischer Lust, Spiegelglück,
Doppelgängertum oder tödlicher Bedrohung erfahren werden können. Beinahe alle Geschichten suchen sich einem
solchen unerhörten Ereignis zu nähern und stehen damit
vor dem alten Problem, etwas begrifflich nicht Sagbares vermitteln zu wollen. Denn Begriffe als kategoriale Grenz-
ziehungen erscheinen Hofmannsthal, wo es um Psychisches
geht, ebenso unangemessen wie unzulänglich: »Die Griechen rechneten das Aussprechen gewisser Worte, die sich
auf schwerfassliche und heilige Dinge des Seelenlebens beziehen zu den Sünden: Die Gefühlsunverschämtheit, das
Entschleiern der Seele ohne Weihe, die Verletzung der inneren Harmonie, Tactlosigkeit in einem höheren Sinn, lauter
moderne Eigenschaften.«[7] Deshalb das Zeichendeuten, die
allegorischen Geschichten; ja, die Semiose ist Aufschub des
Todes: »das Leben ist ein Zeichendeuten, ein *unaufhörli-
ches*, wer nur einen Augenblick innehält thut seinem Tod
ein Stück Arbeit zuvor«, heißt es in einer Notiz Hofmannsthals.[8]

Welche komplexen Szenarien die Seele in einem einsamen, begabten Kind entwirft, davon erzählt *Age of Innocence*, das Rudiment einer Entwicklungsgeschichte. Schon
in den Kinderspielen des Knaben dort nistet ein fatales Er-
fahrungsdoppel, das auch im Kaufmannssohn des *Märchens
der 672. Nacht* wirksam ist und in der »Knabengeschichte«
*Dämmerung und nächtliches Gewitter* im Kontext von se-
xuellen Wünschen und Gewaltphantasien radikalisiert wird.
Da ist einerseits die theatrale Selbstinszenierung des Kindes (»Er spielte und sah zu«, 20[9]), andererseits die Erkennt-

---

7 Hofmannsthal an Marie Gomperz [Wien, 13./14. Mai 1892]; Nachlaß Marie
  Gomperz, Stadtbibliothek Wien.
8 Hofmannsthal, *Sämtliche Werke* (s. Anm. 3), Bd. 18: *Dramen 16*, hrsg. von
  Ellen Ritter, Frankfurt a. M. 1987, S. 16.
9 Hier und im folgenden verweisen bloße Seitenzahlen auf den Text der vorliegenden Ausgabe.

nis, daß sinnliches Wahrnehmen des eigenen Körpers und
der eigenen Handlungen ein Kommunizieren mit sich
selbst ist (»Er [...] brachte sich selbst Botschaft von sich
selbst«, 20). So kann man *Age of Innocence* auch als das
Psychostenogramm einer sich dissoziiert erlebenden Persönlichkeit lesen.

Wiedergänger finden sich allenthalben in der mit Spiegel-
und Spaltungserlebnissen durchsetzten Prosa Hofmannsthals, vor allem im *Andreas*-Roman, aber auch im *Märchen
der 672. Nacht*, in der so präzise gearbeiteten *Reitergeschichte*, im *Märchen von der verschleierten Frau*, das den
Stoff des *Bergwerks zu Falun* bearbeitet, in *Lucidor* und
in der *Frau ohne Schatten*. Gerade die letztgenannten Erzählungen mit ihrer Frage nach der Konstruktion von Ge-
schlechterrollen präsentieren aber auch ein romantisches
Zaubermittel für das zersplitterte »Dividuum« (Hofmannsthal) – die Alchimie der Liebe: »Wenn Liebe einen ›Zweck‹
hat, transzendent gesprochen, so müßte es der sein, daß
in ihrer Glut der beständig in innerste Teile auseinander-
fallende Mensch zu einer Einheit zusammengeschmolzen
wird.«[10]

Einer der Texte, der aus dieser Sentenz eine Geschichte
macht, ist *Lucidor* (1910). Die Erzählung erprobt, was für
Hofmannsthal selbst ein schwankender Boden war: die
Konstruktion von »Geschlecht«. Deshalb erscheint es nur
konsequent, daß die Erzählung schon im Untertitel neben
dem *gender-trouble* auch Gattungstrouble inszeniert. Die
»Figuren einer ungeschriebenen Komödie« werden später
in *Arabella*, einem Opernlibretto, wiederkehren. Mit dem
Moliéreschen Modell des *Dépit amoureux* (*Der Liebesver-
druß*) teilt die Erzählung die Verkleidungsgeschichte des
Mädchens Lucile, das sich als Knabe Lucidor ausgeben
muß, um die Familie vor dem finanziellen Ruin zu bewah-

---

10 Hugo von Hofmannsthal, *Gesammelte Werke in zehn Einzelbänden*, hrsg.
   von Bernd Schoeller in Beratung mit Rudolf Hirsch; *Reden und Aufsätze III*, Frankfurt a. M. 1997, S. 270.

ren, und das, weil es sich in den von der Schwester abgewiesenen Heiratskandidaten verliebt, tagsüber dessen Vertrauter und Reitgeselle und nachts in der Maskerade der Schwester dessen begehrenswerte Freundin ist. Angezettelt hat dieses Verkleidungstheater Frau von Murska, die verarmte adelige Mutter – schon »im zweiundvierzigsten Jahre bereits eine phantastische Figur«, meint der Erzähler ironisch. »Phantastisch« etwa ist ihre Vorstellung, als alleinerziehende Mutter lebe es sich leichter mit nur einer Tochter im heiratsfähigen Alter, der bevorzugten schönen, in Wahrheit aber kalten und hartherzigen Arabella. Obschon das erklärte weitere Ziel, einem dubiosen frauenfeindlichen und knabenfreundlichen Onkel auf diesem Wege Geld für ein Darlehen aus der Tasche zu ziehen, scheitert, ist das Unternehmen am Ende doch – wie es sich für richtige Komödien gehört – erfolgreich. Lucile und Wladimir, eine ausnehmend ›gute Partie‹, finden sich, obgleich der Schluß kokett darauf hinweist, daß dann, wenn der (Erzähl-)Vorhang fällt, noch viele Fragen offen sind . . .

Lucile, die »nichts als Herz« hat, kommt die von der Mutter verordnete Maskerade entgegen: Sie ist übermäßig schüchtern, reitet am liebsten im Herrensitz und trägt, seit sie Typhus hatte, ihre Haare wie ein Knabe. Sie hat nicht die geringste Lust, in die Rolle eines Weibchens zu schlüpfen, das wie ihre Schwester auf Männerfang ist, d. h. sie verweigert die Frauenrolle in dieser (hypokritischen) Gesellschaft. Ihre Liebe zu Wladimir erfährt Lucile/Lucidor bezeichnenderweise zunächst als tiefes Mitleid für den von Arabella Verstoßenen, später erst als Hingabe und Lust. Wie Wladimir sein männliches Begehren muß auch sie lernen, ihre abgespaltene Weiblichkeit zu integrieren. Durch die Liebesbriefe, die Lucile im Namen der Schwester schreibt und als *postillon d'amour* überbringt, und als nächtliches Double wird sie zur Frau und Arabella für Wladimir zur Rätselgestalt. Da ist die kalte, abweisende Arabella bei Tag, die abwesende, innig zugewandte der Briefe und schließlich die

leidenschaftliche Arabella/Lucile bei Nacht, die so aber nur
sein kann, weil sie im Mimikry der Schwester agiert. Der
beinahe karnevaleske, auf jeden Fall aber komödiantische
*gender-trouble* läßt die Partner eigene innere Spielräume erleben, die sie zu sich selbst und so erst zum anderen finden
lassen. Die Pointe dabei ist, und nur eine Erzählerinstanz
kann sie vermitteln, daß zweifelhaft bleibt, ob »Wladimir
ein genug wertvoller Mensch war, um so viel Hingabe zu
verdienen«. Andererseits muß man Wladimir zugute halten,
daß er immerhin staunen kann, denn seine Geliebte erscheint ihm wie ein Zauberbild: »Es ist Lucidor, aber wieder
nicht Lucidor, sondern Lucile [...] in einem Morgenanzug
Arabellas. [...] Es ist sein Freund und Vertrauter, und zugleich seine geheimnisvolle Freundin, seine Geliebte, seine
Frau.« Da in dieser Geschichte »Figuren zu einer ungeschriebenen Komödie« handeln, verlegt sie die Frage, wie es
weitergehen könnte – jetzt, wo die so zauberhafte Lizenz
zum unerhörten und faszinierenden Spiel mit den Ge-
schlechterrollen aufgehoben ist –, ins Jenseits des Textes.
Mit einem unnachahmlichen Unsagbarkeitstopos verläßt die
Erzählung ihr Terrain und verweist auf die Domäne der seit
Aristoteles' *Poetik* für Dialog und Handlung zuständigen
anderen literarischen Gattung, der Komödie, auf sich selbst
als Literatur: »Einen Dialog«, heißt es am Ende, nachdem
das grandiose Durcheinander aufgedeckt ist, »wie der sich
nun entwickelnde, kann das Leben hervorbringen und die
Komödie nachzuahmen versuchen, aber niemals die Erzählung.« So delegiert der Text die Zuständigkeit der Mimesis
des Sprechaktes an das Drama und beweist gleichzeitig, mit
welcher Meisterschaft das Erzählen hier vonstatten geht.

Wie sich eine Geschichte aus einer Vision, etwas Erlebtem
oder Gelesenem herauskristallisiert (ganz zu schweigen von
den Bedingungen der Möglichkeit, überhaupt ›Figuren‹ zu
finden), ist eine Frage, die Hofmannsthal unablässig beschäftigt. Insbesondere auf Reisen geht es häufig um die Suche nach Orten, an denen auch die Phantasie auf Reisen ge-

hen kann. Neben der im Grunde anthropologischen Frage
nach dem Ursprung von Kreativität stellt Hofmannsthals
Reiseprosa zumeist auch die damit verbundene poetologi-
sche Frage nach der Konstruktion von Bedeutung und Sinn:
In der kleinen »allegorischen Novelette« *Das Glück am
Weg* von 1893 etwa geht es auf der Ebene der ›Geschichte‹
(*story*) um eine Nicht-Begegnung, auf der Ebene des ›Gedankens‹ um eine Begegnung mit dem Schicksal, *La Fortune*. Dies wäre relativ banal, führte der Text nicht in der
Verkettung von Blick, Vorstellung und Bild jene Prozedur
vor, die das Sehen bedeutungsvoll werden läßt. Die Geschichte beginnt mit dem Blick des Ich-Erzählers vom
Schiff aus zurück auf die französische Riviera. Synästheti-
sche Wahrnehmungen, die der Verstandeslogik widerspre-
chen, weisen auf seine weit geöffneten Sinne: Er sieht alles
»scharf und springend, weil es verschwunden« ist; er glaubt
den Duft von Strand und Rosen zu riechen, *obwohl* der
Wind vom Meer kommt. Deshalb, so schließt er, könne es
sich nur um Täuschungen handeln.

Solche Täuschungen besitzen literarhistorisch, spätestens
seit Baudelaire, einen besonderen Status als Wahrheit der
Imagination. Sie markieren einen Ausnahmezustand, der
die »unerhörte Begebenheit« der kleinen Novelle erst eigentlich ermöglicht und die Semiose in Gang setzt. Den
Auftakt dazu bildet ein kurzes Schauspiel von drei Delphinen, die aus dem weinfarbenen Meer auftauchen.[11] Nach ihrem Verschwinden bleibt eine glatte Wasserfläche zurück

---

11 Vgl. dazu Hofmannsthals Brief von seiner Abitursreise an seine Mutter,
der das Erlebnis und etwas von seiner schöpferischen Umschrift erkennen
läßt: »Gestern [...] liessen wir uns von einem alten Fischer [...] im Segel-
boot nach dem nächsten Hafen, Port de Bouc, fahren, von wo wir mit
der Eisenbahn heute früh in ¾ Stunden nach Marseille fuhren. Die Boots-
fahrt dauerte 5 Stunden (bei fast völliger Windstille) und war auf dem
lichtblauen phosphorescierenden Meer mit Leuchtthürmen und aufsprin-
genden Delphinen bei durchsichtiger sternheller Dämmerung unsagbar schön.« Hofmannsthal, *Sämtliche Werke* (s. Anm. 3), Bd. 28: *Erzählungen 1*, hrsg. von Ellen Ritter, Frankfurt a. M. 1975, S. 199.

wie eine Art Leinwand. Auf sie werden die Bilder der Imagination projiziert: »So tanzen vor einem feierlichen Festzug radschlagende Gaukler und Lustigmacher, so lesen betrunkene, bocksfüßige Faune vor dem Wagen des Bakchos einher . . .« (32). Die äußere Wirklichkeit wird überblendet von einem inneren Bild, das auf Möglichkeit und Wunsch verweist. Daß es sich um ein Vorstellungsbild handelt, ist semantisch durch das mythologische Bildzitat bezeichnet, grammatikalisch durch den Übergang vom Indikativ zum Konjunktiv:

> Jetzt hätte es dort aufrauschen müssen, [. . .] hätten sich die triefenden Mähnen und rosigen Nüstern der scheckigen Pferde herausheben müssen, und die weißen Hände, Arme und Schultern der Nereiden, ihr flutendes Haar und die zackigen, dröhnenden Hörner der Tritonen. Und in der Hand die rotseidenen Zügel, an denen grüner Seetang hängt und tropfende Algen, müßte er im Muschelwagen stehen, Neptun, kein langweiliger, schwarzbärtiger Gott, wie sie ihn zu Meißen aus Prozellan machen, sondern unheimlich und reizend, wie das Meer selbst, mit reicher Anmut, frauenhaften Zügen und Lippen, rot wie eine giftige rote Blume . . . (32 f.)

Der Konjunktiv weist den Leser an, das Erzählte in den Raum der Imagination zu verlegen; zugleich markiert er die Fiktionalisierungsleistung des Textes.[12]

Die Vision erlischt, das Meer wird wieder Natur, obwohl es, einmal in einem mythischen Zusammenhang gesehen, nun auch an die griechische *Galene* denken läßt, jene »still strahlende, nur leise bewegte Meeresfläche«, die nach Epikur das Dasein symbolisiert. Wenn anschließend am Horizont eine Yacht auftaucht, auf der durchs Fernglas eine

12 Vgl. Wolfgang Iser, *Das Fiktive und das Imaginäre. Perspektiven literarischer Anthropologie*, Frankfurt a. M. 1993, bes. S. 37–48.

blonde junge Frau zu erkennen ist, so liest man dies bereits
auf eine doppelte – literale wie figurative, also allegorische
– Weise. Dem entspricht, daß der Text einen Rahmen kon-
struiert. Der Blick durch das Fernglas ist eine Art Fenster-
blick, ein intimes Schauen aus der Distanz, mit einem deutlichen Bildzentrum: »In der Mitte stand eine Art Feldsessel,
auf dem lag, mit geschlossenen Augen, eine blonde, junge
Dame.« (33) Die Requisiten und Gebärden der Frau – ein
Sessel, geschlossene Augen, dunkle Polster, in die sich die
Absätze kleiner Halbschuhe bohren, der moosgrüne breite
Gürtel mit halboffenen Rosen, ein heruntergefallenes Buch
– weisen allesamt auf die Frau als Liebesobjekt. Gürtel und
Blumen sind, seit die Antike Aphrodite und die Grazien damit ausstattete, Attribute weiblicher Schönheit und Anmut;
geschlossene Augen, eingedrückte Kissen, das herunterge-
fallene Buch bezeichnen im 19. Jahrhundert eine Frau, die
ihren Liebhaber erwartet.

   Der Umstand, daß die Frau dem Betrachter bekannt vorkommt, reflektiert das Erfahrungsmuster eines *déjà-vu*. Es
verallgemeinert den Einzelfall. Aus den beiden Grundmu-
stern erlebnisstiftender Erfahrung durch den Blick – der
Sehnsucht nach der unverhofften Begegnung (*imprévu*) und
dem Kohärenz stiftenden Wiedererkennen (*déjà-vu*) – kon-
struiert der Text die Geschichte einer schicksalhaften Begegnung. Die Frau gibt »allem einen Sinn«. Etwas »unsäglich
Beruhigendes, Befriedigendes« geht von ihr aus. Nicht sag-
bar ist aber auch, was diese Frau *eigentlich* bedeutet: »Solche Dinge *begreift* man nicht: man weiß sie plötzlich.« Bedeutung stellt sich nicht analytisch her, sondern in »taghel-
ler Mystik« (Musil). Mit dieser Art von Wissen können die
Phantasien des Betrachters in die Zukunft eilen. Er stellt
sich vor, wie er mit ihr in einer »besonderen Sprache« reden
wird, »leichtsinniger, beflügelter, freier«, aber auch »eindringlicher, feierlicher«. All dies *denkt* er nicht, sondern er
*schaut* es, wie bei Offenbarungserlebnissen, »in einer fliegenden, vagen Bildersprache«.

Die Schiffe gleiten auseinander; der Erzähler fühlt sich
um seinen Lebensinhalt beraubt. Was bleibt, ist »unendliche, blöde Leere« – Melancholie. In »hilfloser Angst« muß
er zusehen, wie die Frau unter Deck verschwindet, als
ginge sie in ein Grab. Als letztes sieht er nur noch den Namen des Schiffes, der auf einem Schild, das am Bug festge-
schmiedete Genien halten, aus der Tiefe hervorleuchtet: »La
Fortune . . .«.

Mit ihrem Schlußsatz liefert die Geschichte einen Deu-
tungsschlüssel, daß es hier um die schicksalhafte, aber rätselhaft bleibende Begegnung mit einer Frau geht, die das
(Lebens-)Glück verkörpert.[13] Auf dieses allegorisch-emble-
matische Erzählkonzept weist das Schild am Schiffsbug, das
nun auch die Überschrift in ein anderes Licht rückt. Auf der
poetologischen Ebene geht es um eine Autorphantasie von
der Geburt des Textes aus dem Blick. Das (innere) Auge
sieht mehr als da ist, es füllt ›Leerstellen‹ mit dem Imaginä-
ren, den Bildern des Begehrens.

Auch *Das Märchen der 672. Nacht* ist in seiner klaren
Zweiteiligkeit auf eine allegorische Lektüre angelegt. Dort
zieht sich ein junger, früh verwaister, reicher Kaufmannssohn aus der Gesellschaft zurück und lebt mit seinen vier
Dienern abwechselnd im abgeriegelten Stadthaus oder auf
seinem Landsitz im Gebirge. Isoliert von anderen Menschen und fern der Arbeitswelt widmet er sich in zweck-
freier Selbstbeschäftigung seinen Kunstschätzen. »Allmählich wurde er sehend dafür«, heißt es von ihm,

---

13 Dieses Thema hat Hofmannsthal hartnäckig beschäftigt, weil es offenbar an einen Ort führte, der nicht umfriedet werden konnte. Vgl. dazu
den »Kreuzwege« überschriebenen Abschnitt in *Age of Innocence* oder
*Das Märchen der 672. Nacht*. Die Reihe der Werke, von *Gestern* bis hin
zur *Frau ohne Schatten*, die nach einer Selbstaussage um die »Angst vor
dem Versäumen des Schicksals« kreisen, belegen diese Kontinuität in
seinem Œuvre. Vgl. Hofmannsthal, *Reden und Aufsätze III* (s. Anm. 10),
S. 607.

wie alle Formen und Farben der Welt in seinen Geräten lebten. Er erkannte in den Ornamenten, die sich
verschlingen, ein verzaubertes Bild der verschlungenen
Wunder der Welt. Er fand die Formen der Tiere und
die Formen der Blumen und das Übergehen der Blumen in die Tiere; die Delphine, die Löwen und die
Tulpen, die Perlen und den Akanthus; er fand den
Streit zwischen der Last der Säule und dem Widerstand des festen Grundes und das Streben alles Wassers
nach aufwärts und wiederum nach abwärts; er fand die
Seligkeit der Bewegung und die Erhabenheit der Ruhe,
das Tanzen und das Totsein; er fand die Farben der
Blumen und Blätter, die Farben der Felle wilder Tiere
und der Gesichter der Völker, die Farbe der Edelsteine,
die Farbe des stürmischen und des ruhig leuchtenden
Meeres; ja, er fand den Mond und die Sterne, die mystische Kugel, die mystischen Ringe und an ihnen festgewachsen die Flügel der Seraphim. Er war für lange
Zeit trunken von dieser großen, tiefsinnigen Schönheit, die ihm gehörte, und alle seine Tage bewegten
sich schöner und minder leer unter diesen Geräten,
die nichts Totes und Niedriges mehr waren, sondern
ein großes Erbe, das göttliche Werk aller Geschlechter. (38 f.)

Der lange, parataktische Satz mit den Parallelkonstruk-
tionen – den syndetischen und asyndetischen Zweier- und
Dreiergruppen der Substantive, den Aufzählungen, der
fünfmaligen anaphorischen Wiederholung von »er fand« –
erscheint wie die sprachliche Korrespondenz zu einem
ornamentalen Dekor. Die Gegenläufigkeit der Bewegung
(Lasten – Tragen, Aufwärts – Abwärts, Ruhe – Bewegung)
führt den wechselnd sich wiederholenden Rhythmus der
»ewigen Wiederkunft des Gleichen« vor Augen, von der
Nietzsche gesprochen hat. Sie bezeichnet nicht nur den Rap-
port der Kunst, sondern auch die Lebensweise des Kauf-

mannssohnes. Denn so wie eine Parataxe alle Aussagen gleichwertig nebeneinanderstellt, sich für kcin Über- und Unterordnen entscheidet und keine kausalen Zusammenhänge behauptet, ist auch dem Kaufmannssohn alles gleich sinnfällig. Musterhaft setzt dieser Satz in Szene, wie die Literatur des Symbolismus mit Sprache umgeht und ihr poetisches Verfahren selbst reflektiert. Die Vokalfülle, die Häufung der Alliterationen und Assonanzen und die Vielfalt rhetorischer Figuren belegen nicht nur die Qualität der lyrischen Prosa Hofmannsthals, sie sind auch Teil des Sprach-*bildes*, dem eine Aussagefunktion zukommt.

Der Kaufmannssohn bezieht aus dem prächtigen Dekor seiner Schätze eine Vorstellung des Kosmos, die ihn berauscht und ihn sein tradiertes Erbe begreifen lehrt, dem er allerdings als eigennamenloser ›Sohn‹ nichts produktiv hinzufügt. Wie in der seriellen Abfolge des Ornaments ergibt sich daraus zwar eine (Lebens-)Form, aber keine Aufgabe und kein Ziel. Er selbst ahnt bereits, daß ihm aus solchem Leer-Lauf der Tod crwachsen muß, dcn cr sich dicscr Struktur zufolge jedoch ebenfalls nicht anders als nur dekorativ-ästhetisch vorstellen kann.

So hat der Kaufmannssohn zwar die Herrschaft über seine Objekt-Welt noch nicht verloren, wohl aber, wie die Blicke seiner Diener zeigen, über sich selbst. Konnte der Naturalismus auf der Grundlage der wissenschaftlichen Glaubenssätze der Zeit noch kausale Zusammenhänge von Ursache und Wirkung konstruieren, bleiben solche Begründungen hier ausgespart. Sie sind Leerstellen des Textes, so wie das dekorative, aus seinen Funktionszusammcnhängen gelöste Kunstgewerbe des Kaufmannssohnes leer ist. Sie können dadurch zu einer Art Container werden, der imaginär gefüllt wird. Auch der Brief mit der geheimnisvollen Bezichtigung seines Dieners ist so eine Hohlform.

Die deterministische Ideologie des Naturalismus sah das Individuum durch Milieu, Erbfaktoren und prägende Lebenserfahrungen versklavt, der Kaufmannssohn wird als

Herr zum Sklaven seiner Diener, deren Blicke er auf sich
fühlt. Er ist »geheimen Mächten« ausgesetzt, einer diffusen
Lebensangst ebenso wie diffusen seelischen Triebkräften.
Im mehrfachen Sinne ist also dieses Ich – wie Freud es for-
muliert hat und Hofmannsthal präzise vorführt – nicht
mehr Herr im eigenen Haus.

Unter diesen Vorzeichen verwandelt sich der Landsitz
vom heterotopischen Spiegelraum zum Käfig, weil der
Kaufmannssohn ihn nicht mit gestalteten Beziehungen erfüllen kann. Das zeigt sein Verhältnis zu Frauen. Es gelingt
ihm nicht, seine Sehnsucht in Leidenschaft, seine Phantasien in Handeln oder passives Selbstbespiegeln in aktives
Sich-Binden zu überführen. Wie ein Kunst-Objekt nimmt
er den schönen Körper seiner jungen Dienerin als »rätselhafte Sprache einer verschlossenen und wundervollen Welt«
wahr. Er wird »ergriffen von ihrer großen Schönheit«,
merkt aber, »daß es ihm nichts bedeuten würde, sie in
seinen Armen zu halten [...], daß die Schönheit seiner
Dienerin ihn mit Sehnsucht, aber nicht mit Verlangen erfüllte« (45).

Alles in seinem Garten erscheint dem Kaufmannssohn in
einer geheimnisvollen *correspondance* zu stehen; gerade
deshalb aber erweist sich das Fehlen eines ›Schlüssels‹ als fa-
tal. Er weiß nicht, wofür die Dinge Zeichen sind und was
die »vielsagenden« Gebärden seiner Diener meinen. Ebenso
wenig kann er seine eigenen Wahrnehmungen deuten, die
sich an Schein-Zielen orientieren wie an einer Fata Morgana. So lösen die Nelken Sehnsucht nach seiner Dienerin
aus, aber »[a]ls ich dich fand«, heißt es am Ende des ersten
Teils im stellvertretenden Rollen-Ich eines Zitats, »warst
du es nicht, die ich gesucht hatte, sondern die Schwestern
deiner Seele«. Die Endlosschleife des ornamentalen Dekors
wiederholt sich als Echoform im menschlichen Verhalten.
Der Bezug zwischen Ding, Zeichen und Bedeutung ist
einem Leer-Lauf aus Analogien zum Opfer gefallen. Als
Krise der Autorschaft wird davon nur wenige Jahre später

Hofmannsthals berühmter *Brief* des Lord Chandos (1902)
epochales Zeugnis ablegen.

Konsequenterweise erscheint im zweiten Teil der Erzählung alles um den Kaufmannssohn wie ein Labyrinth. Das
vermeintliche, undurchsichtige Verbrechen seines Dieners
führt ihn in unbekannte Vorstadtgegenden. Der Schutzraum
des Gartens hat sich in ein Labyrinth aus Glashäusern und
Hinterhöfen verwandelt. In einem kleinen Juwelierladen
kauft er ein Geschenk für seine Dienerin. Im Gehen sieht er
durch das Fenster einen Garten mit Glashäusern, in denen
Narzissen, Anemonen und fremdartige Pflanzen wuchern.
Künstliche Wachsblumen erscheinen ihm wie Masken. Hatten die Blumen in seinem Garten den Kaufmannssohn sti-
muliert, konfrontieren diese ihn mit seinem unfruchtbaren,
todbringenden Dasein: Narzisse, Anemone und weiße
Wachsblumen sind hier wahrhaft ›sprechende‹ Blumen. Als
er endlich einen Ausgang findet, verstellen statt der Glas-
wände Mauern seinen Weg.

Der Kaufmannssohn gerät in den schmutzigen Innenhof
eines Soldatenquartiers. Ausgemergelte Gestalten reinigen
die Hufe häßlicher Pferde. Er kramt nach einem Geldstück,
verliert den Schmuck und wird, als er sich danach bückt,
von einem Pferd mit bösartiger Physiognomie dermaßen in
die Lenden getreten, daß er daran stirbt. In seinen Todes-
qualen verflucht er nicht nur seine Diener, von denen er sich
in den Tod getrieben fühlt, sondern sein ganzes verfehltes
Leben:

> Er haßte seinen vorzeitigen Tod so sehr, daß er sein
> Leben haßte, weil es ihn dahin geführt hatte. Diese
> innere Wildheit verbrauchte seine letzte Kraft. Ihn
> schwindelte, und für eine Weile schlief er wieder einen
> taumeligen schlechten Schlaf. Dann erwachte er und
> wollte schreien, weil er noch immer allein war, aber die
> Stimme versagte ihm. Zuletzt erbrach er Galle, dann
> Blut, und starb mit verzerrten Zügen, die Lippen so

verrissen, daß Zähne und Zahnfleisch entblößt waren
und ihm einen fremden, bösen Ausdruck gaben.  (58)

Hofmannsthals zweiteilige Menetekel-Erzählung zeigt
den Garten des Ästheten und seine Kehrseite, das Gefängnis aus Glashaus und Kasernenhof, in dem der Jüngling
schließlich wie ein Tier krepiert. In seiner ästhetischen En-
klave war selbst der Tod eine erhaben-schöne Phantasie; das
Sterben am Ende ist eine ekelerregende entwürdigende Prozedur. Wo die vielsagenden Zeichen an keine Kommunikation mit anderen gebunden werden, lebt das Individuum
wie in einem gläsernen Käfig, in dem das eigene Betrachten
sich in ein Angeschaut-Werden und schließlich den ›bösen
Blick‹ verkehrt. »Die meisten Menschen leben nicht im Leben, sondern in einem Schein, in einer Art von Algebra, wo
nichts ist und alles nur *bedeutet*. Ich möchte das Sein der
Dinge stark spüren und in das Sein getaucht, *das tiefe wirkliche Bedeuten*«, schreibt Hofmannsthal in einem Brief an
seinen Jugendfreund Edgar Karg von Bebenburg.[14] Man
kann diesen Unterschied zwischen »bedeuten« und »tiefe[m] wirkliche[n] Bedeuten« als den Unterschied zwischen
einem konventionellen, geregelten Diskurs und einer Haltung verstehen, die die eigene leib-seelische Existenz mit
dem Wahrgenommenen so in Beziehung setzt, daß dabei
eine nicht-automatisierte, persönliche ›lebendige‹ Kommunikation zustandekommt. Nur sie hält die Aufmerksamkeit für die spezifische Eigenart von Dingen wie Menschen
wach.

Deshalb weist auch das Kind im Treibhaus die im be-
schwörenden Opfergestus dargebotene Gabe mit Zorn und
Verachtung zurück und mündet der letzte Akt des Sich-
Loskaufens in den rächenden Todestritt. Denn die Geschenke als mehr oder weniger bewußte *deals* zeigen, daß

14 *Hugo von Hofmannsthal – Edgar Karg von Bebenburg: Briefwechsel*,
   hrsg. von Mary E. Gilbert, Frankfurt a. M. 1966, S. 81 (die 2. Hervorh.
   durch U. R.).

der Kaufmannssohn bis zum Schluß nicht verstanden hat,
worum es wesentlich geht – sich auf das Leben einzulassen und liebesfähig zu werden. »Die Süßigkeit der Verschuldung: weil sie Verknüpfung mit dem Leben, Durch-
dringen zum Sein ist. Die Lust daran anstatt des Grauens
davor«, schreibt Hofmannsthal in einer Notiz über sein
Frühwerk.[15]

Um Initiation ins Leben geht es auch in Hofmannsthals
später Erzählung *Die Frau ohne Schatten*. Sie ist die zei-
chengesättigte und im Sinne Foucaults vielleicht am stärksten aus dem Archiv der Literatur gearbeitete Geschichte
Hofmannsthals (sogar seines eigenen, denn er schrieb sie im
Anschluß an sein gleichnamiges Opernlibretto). Wenn die
Suche nach dem menschlichen Schatten, ohne den die Kaiserin aus dem Feenreich nicht Mutter werden und mit dem allein sie ihren Mann vor der Versteinerung bewahren kann,
als Erwerb, Kauf oder Tausch stattfinden soll, so muß man
an den Kaufmannssohn denken. Anders als dieser aber kann
die Kaiserin durch die heilsame Begegnung mit dem Färber-
paar am Ende ihren Irrtum korrigieren. Um ins Menschenleben zu finden und den schon versteinerten Kaiser zu erlö-
sen, verzichtet sie auf Macht und erkennt den unlösbaren
Zusammenhang von Verschuldung und Menschsein an. So
schreibt die Erzählung den Mythos vom Sündenfall fort
und um. Schattenlosigkeit und Versteinerung, Bilder des
Märchens für Unfruchtbarkeit und Geisterexistenz, sind, al-
legorisch gelesen, Zeichen für ein Dasein, das sich dem Leben verweigert. Und so ist am glücklichen Ende der Fluch
auf dem Talisman der Kaiserin ersetzt »durch Zeichen und
Verse, die das ewige Geheimnis der Verkettung alles Irdischen« preisen. Es ist die Erlösung aus einer im Wort-
sinne geisterhaften, furchterregenden Schatten-Existenz,
die sich nur in ihrer märchenhaften Einkleidung von jenen unterscheidet, die auch Ibsens Dramen, Hofmannsthals

---

15 In: Hofmannsthal, *Reden und Aufsätze III* (s. Anm. 10), S. 606.

*Märchen der 672. Nacht* oder D'Annunzios Romane entwerfen:

> [...] in ihren überwachen, sehenden Köpfen wußten
> sie alle Zeichen des Lebens. *Aber sie wußten nie, was*
> *an dem allen daran ist.* Sie waren wie Schatten. Sie waren ganz ohne Kraft. Denn die Kraft zu leben ist ein
> Mysterium. Je stärker und hochmütiger einer in wachen Träumen ist, desto schwächer kann er im Leben
> sein, so schwach, daß es fast nicht zu sagen ist, unfähig
> zum Herrschen und zum Dienen, unfähig zu lieben
> und Liebe zu nehmen, zum Schlechtesten zu schlecht,
> zum Leichtesten zu schwach. Die Handlungen, die er
> hinter sich bringt, gehören nicht ihm, die Worte, die er
> redet, kommen nicht aus ihm heraus, er geht fortan
> wie ein Gespenst unter den Lebendigen, alles fliegt
> durch ihn durch wie Pfeile durch einen Schatten und
> Schein.
> Es kann einer hier sein und doch nicht im Leben sein:
> völlig ein Mysterium ist es, was ihn auf einmal umwirft
> und zu einem solchen macht, der nun erst schuldig und
> unschuldig werden kann, nun erst Kraft haben und
> Schönheit.[16]

Die Gefahr einer solchen Lebensweise, die nach Hofmannsthal eine ganze Gesellschaft bedrohen kann, inklusive
ihrer Rettung, schildern die *Briefe des Zurückgekehrten*
von 1907. Wie der *Chandos-Brief* fünf Jahre zuvor erzählen auch diese *Briefe* von einer tiefen persönlichen Krise; nun
im Kontext einer zeitgenössischen Kulturkrise. Auch hier
geht es um einen Verlust der »Begriffe«, aber nicht im Zusammenhang der Kommunikation, sondern der Anschauung. Nicht die Worte zerfallen dem aus Übersee nach
Europa heimkehrenden Kaufmann wie modrige Pilze, son-

---

16 Hugo von Hofmannsthal, *Der neue Roman von D'Annunzio*; *Reden und*
 *Aufsätze I* (s. Anm. 10), Frankfurt a. M. 1980, S. 207 f.

dern er erlebt eine semiotische Krise. Ihm sind die sinnstif-
tenden Zeichen abhanden gekommen. »So bin ich nach
achtzehn Jahren wieder in Deutschland«, beginnt lakonisch
der erste von fünf Briefen an einen Freund:

> Auf dem Schiff machte ich mir Begriffe, ich machte mir
> Urteile im voraus. Meine Begriffe sind mir über dem
> wirklichen Ansehen in diesen vier Monaten verloren-
> gegangen, und ich weiß nicht, was an ihre Stelle getre-
> ten ist: ein zerspaltenes Gefühl von der Gegenwart,
> eine zerstreute Benommenheit, eine innere Unord-
> nung [...]. (164)

In der Fremde stand dem Schreiber seine Heimat manchmal ganz unwillkürlich vor dem inneren Auge. Ausgelöst
wurden diese besonderen Momente zumeist durch Seh-Er-
lebnisse, die ihn innerlich tief berührten. Der Verlust dieser
»heiligen Zeichen« nach seiner Rückkehr, der die tiefe Krise
des Kaufmanns auslöst, erweist sich als ein Symptom einer
allumfassenden Kulturkrise der deutschen Gesellschaft. Sie
umfaßt die kritisierten Geld- und »Gespenster«-Menschen
ebenso wie den, der sie kritisiert. »Krank werden fühlte ich
mich von innen heraus, aber es war nicht mein Körper [...].
Es war die Krise eines inneren Übelbefindens«. (183) Verloren gegangen ist der Zusammenhang, in dem Zeichen
überhaupt funktionieren, d. h. Sinn haben können. Nichts
anderes stellt aber nach Max Webers Definition aus dem
Jahre 1904 Kultur dar; sie ist »ein vom Standpunkt des
*Menschen* aus mit Sinn und Bedeutung bedachter end-
licher Ausschnitt aus der sinnlosen Unendlichkeit des Weltgeschehens«.[17] Der zurückkehrende Kaufmann erfährt die
»sinnlose Unendlichkeit des Weltgeschehens« als etwas, das
ihm die Brust entzweiteilt, »ein so unbeschreibliches Anwehen des ewigen Nichts, des ewigen Nirgends, ein Atem

17 Max Weber, *Die »Objektivität« sozialwissenschaftlicher und sozialpoli-
tischer Erkenntnis* (1904); *Gesammelte Aufsätze zur Wissenschaftslehre*; hrsg.
von Johannes Winckelmann, 7. Aufl. Tübingen 1988, S. 146–214, hier S. 190.

nicht des Todes, sondern des Nicht-Lebens, unbeschreiblich« (185).

Gerettet wird der Zurückkehrende durch eine Ausstel-
lung mit Bildern Vincent van Goghs, der ihm ganz und gar
unbekannt ist. Diese Bilder erneuern seine »Seele«. Sie be-
zeugen, wie sich im Prozeß der Semantisierung Spannung
entladen und aus sinnlos empfundener ›Unendlichkeit‹ Sinn
erwachsen kann.[18] Sie machen aus dem Kaufmann wieder
ein handlungsfähiges Subjekt, so daß er am Ende auch als
Geschäftsmann erfolgreich agieren kann.

Auf den Bildern, die der Zurückgekehrte sieht, kann er
zunächst nichts erkennen:

> [Sie] schienen mir in den ersten Augenblicken grell und
> unruhig, ganz roh, ganz sonderbar, ich mußte mich erst
> zurechtfinden, um überhaupt die ersten als Bild, als
> Einheit zu sehen – dann aber, dann sah ich, dann sah
> ich sie alle so, jedes einzelne, und alle zusammen, und
> die Natur in ihnen, und die menschliche Seelenkraft,
> die hier die Natur geformt hatte, und Baum und
> Strauch und Acker und Abhang [. . .] und noch das
> andre, das, was hinter dem Gemalten war, das Eigent-
> liche, das unbeschreiblich Schicksalhafte [. . .]. (188)

Außerordentlich genau wird hier der Prozeß vom nur
aufnehmenden, *scannenden* Sehen über die Gestalterfah-
rung bis hin zum Zeichenlesen und zur Interpretation beschrieben. Zunächst ist der Blick noch orientierungslos, er
nimmt lediglich Farbigkeit und Bewegung wahr (»grell und
unruhig«). Dann erst faßt er das einzelne Bild als Einheit
auf, danach das Ensemble der Bilder. Anschließend wandert
der Blick über das Bild und summiert die scheinbar kontin-
genten Einzelteile, aus denen sich schließlich die Gestalt
bildet. Nun erst können die Bilder ›bedeuten‹: Er erkennt
die »Natur«, dann die »menschliche Lebenskraft«, die das

18 Vgl. Iser (s. Anm. 12), S. 44 f.

Bild hervorgebracht hat, d. h. die schöpferische Potenz des
Künstlers, und schließlich »das was hinter dem Gemalten
war, das Eigentliche, das unbeschreiblich Schicksalhafte«
(188). Dieses Schicksalhafte ist etwas, das er selbst in sich
trägt und auf dem auch die Bilder gründen. Sehen als das
Überführen einer optischen Wahrnehmung farbiger Flächen
in Interpretation ist ein kreativer Akt des Betrachters, den
Hofmannsthal dem künstlerischen Schaffen an die Seite
stellt. Im Text geschieht das auf dem Wege einer Unter-
scheidung zwischen dem, was auf der Bildfläche sichtbar ist,
und jenem unsichtbar Sichtbaren, was »hinter dem Gemalten« ist, dem »unbeschreiblich Schicksalhafte[n]«. Der Autor Hofmannsthal gewann diese Dimension aus den damals gerade erschienenen, ihn tief bewegenden Briefen van
Goghs; seinen Zurückgekehrten läßt er diesen lebensge-
schichtlichen Hintergrund intuitiv sehen.[19]

Die Sujets der Bilder – Landschaften und Gegenstände –
sind einfach und unspektakulär. Doch die kraftvollen Farben lassen ihr »innerstes Leben« hervorbrechen und sie als
Phänomene sichtbar werden. »Da ist ein unglaubliches,
stärkstes Blau [. . .], ein Grün wie von geschmolzenen Smaragden, ein Gelb bis zum Orange«. Die Farbe bringt die
Gegenstände wortlos zum Sprechen. Sie verleiht den stummen Dingen das »Pathos des Alltäglichen«, wie es der
*Chandos-Brief* nennt, das die Wucht und die Wunder des
Daseins verbindet:

> [. . .] jedes Wesen [hob] sich mir wie neugeboren aus
> dem furchtbaren Chaos des Nichtlebens [entgegen. . .],
> daß ich wußte, wie jedes dieser Dinge, dieser Ge-
> schöpfe aus einem fürchterlichen Zweifel an der Welt
> herausgeboren war und nun mit seinem Dasein einen
> gräßlichen Schlund, gähnendes Nichts, für immer ver-
> deckte! [. . .] ich [. . .] konnte in dem allen ein Herz

19 Vgl. insgesamt dazu Ursula Renner, *»Die Zauberschrift der Bilder«. Bildende Kunst in Hofmannsthals Texten*, Freiburg i. Br. 2000.

spüren, die Seele dessen, der das gemacht hatte, der mit
dieser Vision sich selbst antwortete auf den Starrkrampf der fürchterlichsten Zweifel, konnte fühlen,
konnte wissen, konnte durchblicken, konnte genießen
Abgründe und Gipfel, Außen und Innen, eins und alles
im zehntausendsten Teil der Zeit, als ich da die Worte
hinschreibe, und war wie doppelt, war Herr über mein
Leben zugleich [...]. (189 f.)

Der Zurückgekehrte beschreibt einen komplexen Rück-
koppelungsvorgang.[20] Er sieht in den Bildern, daß sie aus
einem Selbstdialog, der Kommunikation des Künstlers mit
sich selbst und über dem abgründigen Chaos des Unbewußten entstanden sind. Gerade dadurch werden sie zu
Zeichen, die er mit sich selbst in Beziehung setzen kann.
Die wiederholten Geburtsmetaphern wie auch das ›Wissen‹
des Betrachters, daß van Goghs »Geschöpfe« aus »dem
fürchterlichen Zweifel an der Welt herausgeboren« wurden,
verbinden den Rezeptions- mit dem Produktionsprozeß.
Auf der Seite der Produktion ist es die Phantasie von der
Geburt der Kunst aus den abgründigen Tiefen der Seele, auf
der Seite der Rezeption die von der Wiedergeburt der Seele
durch die Kunst. Der Abgrund wird zur mütterlichen
Keimzelle, aus der heraus unter Schmerzen und »Zweifeln«
die Kunst zuwegegebracht wird, und ebenso wird durch sie
der Raum geschaffen, der die »Seele erneuert«.
    Der begeisterte Ton des Briefes erinnert an jene frühe Er-
fahrung des Kindes, das sich erstmals im Spiegel begegnet.
Die Identifikation durch die Aufnahme eines Bildes von
sich selbst als eines anderen bewirkt die Verwandlung im
Selbst. Man kann dieses sogenannte Spiegelstadium als
einen »Prozeß der Aufnahme der Andersheit in das Selbst«

20 Vielleicht könnte man psychoanalytisch auch von einem »Ins-Werk-Setzen
   der Realität des Unbewußten« in der Übertragung sprechen. Vgl. Jacques
   Lacan, »Was ist ein Bild/Tableau?«, in: ders., *Seminar XI: Die vier Grund-*
   *begriffe der Psychoanalyse*, Berlin 1987, S. 153.

verstehen. Der Spiegel katalysiert den Bruch zwischen dem
Selbst (›je‹) und seiner eigenen Realität. Es entsteht eine Beziehung zwischen dem Organismus und seiner Realität,
zwischen Innenwelt und Außenwelt.[21]

Der Kaufmann sieht in den (Spiegel-)Bildern van Goghs,
daß hier jemand die Kraft gehabt hat, aus dem Chaos heraus zu gestalten. Dieses Chaos und diese Kraft sind auch in
ihm. Sie kommen dem Betrachter aus den Bildern entgegen
und begründen einen Dialog mit einem unbekannten Du:
»hier gab eine unbekannte Seele mir Antwort«. Dieses
»imaginäre Gespräch« führt den Kaufmann, anders als den
Kaufmannssohn im *Märchen der 672. Nacht*, aus der melan-
cholisch-narzißtischen Position heraus.

> Wie kann ich es Dir nur zur Hälfte nahebringen, wie
> mir diese Sprache in die Seele redete, die mir die gigan-
> tische Rechtfertigung der seltsamsten unauflösbarsten
> Zustände meines Innern hinwarf, mich mit eins be-
> greifen machte, was ich in unerträglicher Dumpfheit zu
> fühlen kaum ertragen konnte, und was ich doch [...]
> aus mir nicht mehr herausreißen konnte – und hier gab
> eine unbekannte Seele von unfaßbarer Stärke Antwort,
> mit einer Welt mir Antwort [...]! Mir war zumut wie
> einem, der nach ungemessenem Taumel festen Boden
> unter den Füßen fühlt und um den ein Sturm rast, in
> dessen Rasen hinein er jauchzen möchte. In einem
> Sturm gebaren sich vor meinen Augen, gebaren sich
> mir zuliebe diese Bäume, mit den Wurzeln starrend
> in der Erde, mit den Zweigen starrend gegen die Wol-
> ken, in einem Sturm gaben diese Erdenrisse, diese Tä-
> ler zwischen Hügeln sich preis, noch im Wuchten der
> Felsblöcke war erstarrter Sturm. (189)

21 Vgl. Jacques Lacan, »Das Spiegelstadium als Bildner der Ichfunktion, wie
   sie uns in der psychoanalytischen Erfahrung erscheint«, in: ders., *Schriften I*, ausgew. und hrsg. von Norbert Haas, aus dem Frz. übers. von Ro-
   dolphe Gasché [u. a.], 3., korr. Aufl., Weinheim 1991, S. 61–70.

Daß aus dem Chaos, das wie ein »Taumel« feste Konturen auflöst und Schwindelgefühle produziert, Sinn und
Form entstehen, die dem Betrachter wieder »festen Boden
unter den Füßen« geben, ist das überwältigende Erlebnis in
den *Briefen des Zurückgekehrten*. Antwort zu bekommen
heißt, wieder kommunizieren und darin erfahren zu können, daß man kein »Gespenst« ist, sondern leibhaftig existiert. Es ist ein Prozeß, der von der prinzipiellen Offenheit
der Empfindungen auf den festeren Boden der verortenden
Zeichen führt. Beide Erfahrungen – einerseits Taumel, Sog,
Fluß und andererseits Gestalt, Zeichen, Symbolisierung –
sind notwendig, um die Seele zu erneuern. Der Kaufmann
nennt es das »Geheimnis zwischen meinem Schicksal, den
Bildern und mir« (188). Es löst den Knoten der Krise, und
er kann, nach vier Monaten, endlich in Europa ankommen.
Die persönliche Geschichte des Kaufmanns wäre damit
beendet, wenn nicht noch etwas anderes im Spiel wäre, die
Frage nämlich, ob und wie Kultur in der modernen westlichen Gesellschaft zu retten sein könnte. Zwei kleine Par-
allelgeschichten, die wie Echoformen das Van-Gogh-Erleb-
nis variieren und kommentieren, belegen, daß nicht der
physio-psychologische Wahrnehmungsvorgang, wie etwas
in der äußeren Welt gesehen wird, bedeutsam ist, sondern
das »Schauen« als »eine heimliche bildende Kraft«. Im
Schauen eine semiotische Energie zu aktivieren, ist nicht
nur Bedingung der Möglichkeit von Kunst; auch wer kein
Künstler ist, kann die »heimliche bildende Kraft« in sich
fühlen. Sie ist eine kulturelle Potenz. Der Zurückgekehrte
spricht dies indirekt aus, wenn er seine Frage »Aber was
sind eigentlich Farben?« ausweitet: »Hätte ich nicht ebensogut sagen mögen: die Gestalt der Dinge, oder die Sprache
des Lichtes und der Finsternis, oder ich weiß nicht welches
Unbenannte?« (191)
Die Farben, die Gestalt verleihen und somit sprachähn-
lich sind, machen es möglich, Kultur als Prozeß zu denken,

in dem Sinn entsteht und vergeht, in dem Zeichen sich bilden und verschwinden. Als Beispiel erzählt der fünfte Brief
eine fremde und eine eigene Geschichte: Die fremde berich-
tet von Rama Krishnas Bekehrung, als dieser sechzehn Jahre
alt war, die eigene von einer Art Selbsterfahrung auf dem
Meer.[22] Rama Krishna, so erzählt der Zurückgekehrte,

> sah einen Zug weißer Reiher in großer Höhe quer über
> den Himmel gehen: und nichts als dies, nichts als das
> Weiß der lebendigen Flügelschlagenden unter dem
> blauen Himmel, nichts als diese zwei Farben gegenein-
> ander, dies ewig Unnennbare, drang in diesem Augen-
> blick in seine Seele und löste, was verbunden war, und
> verband, was gelöst war, daß er zusammenfiel wie tot,
> und als er wieder aufstand, war es nicht mehr derselbe,
> der hingestürzt war.   (192)[23]

*Solve et coagula* lautet die alchimistische Grundformel
des Lösens und Verbindens, auf die Hofmannsthals *Andreas*-Roman einen solchen Verwandlungsvorgang bringt,
und eben dieses war dem Zurückgekehrten einmal in Ar-
gentinien geschehen.

> Sagte ich nicht, die Farben der Dinge haben zu selt-
> samen Stunden eine Gewalt über mich? [. . .] Diese
> Farbe, die ein Grau war und ein fahles Braun und eine
> Finsternis und ein Schaum, in der ein Abgrund war
> und ein Dahinstürzen, ein Tod und ein Leben, ein
> Grausen und eine Wollust – warum wühlte sich hier

22 Hofmannsthal entnahm es aus: Max Müller, *Râmakrishna. His Life and
   Sayings*, London/Bombay 1901.
23 Das Offenbarungserlebnis in den *Briefen* ähnelt auffallend der Reiher-Epi-
   sode von Stephen Däedalus in James Joyces *The Portrait of the Artist as a
   Young Man*. Möglicherweise hängt das mit einem gemeinsamen Intertext
   zusammen: Joyce bezog seinen Epiphanie-Begriff aus dem ersten Kapitel
   des *Fuoco* (*Das Feuer*) von D'Annunzio (»Epifania del fuoco«), das Hofmannsthal gut kannte. Vgl. dazu Umberto Eco, »Joyce und D'Annunzio«
   in: *Materialien zu James Joyces »Ein Porträt des Künstlers als junger
   Mann«*, hrsg. von Klaus Reichert und Fritz Senn, Frankfurt a. M. 1975.

vor meinen schauenden Augen, vor meiner entzückten
Brust mein ganzes Leben mir entgegen, Vergangenheit,
Zukunft, aufschäumend in unerschöpflicher Gegen-
wart [...].   (193 f.)

Beide Existenzerfahrungen basieren auf Seherlebnissen.
Sie bestehen aus dem Erblicken einer Bewegung vor einem
Hintergrund, aus einer Gestaltbildung und der Auflösung
im Chaos. Im einen Fall führt der Blick nach oben in die
unendliche, blaue Weite des Himmels, im anderen in die un-
endlich-abgründige Tiefe des grau-braunen Meeres. Beide
feiern emphatisch das körperunmittelbare Erleben einer reinen »unerschöpfliche[n] Gegenwart«, welche das ganze bis-
herige Leben einschließlich der Zukunft als geschlossene
Einheit momenthaft vor Augen stellt. Der Schluß bringt
diese Körperunmittelbarkeit noch einmal im Kontext der
Farben ins Spiel: »Und warum sollten nicht die Farben Brüder der Schmerzen sein, da diese uns wie jene ins Ewige ziehen?«[24] Nicht der Musenkuß, sondern Chaos und Schmerz
als Urgrund für Gestalt und Vision figurieren hier als Trieb-
federn der Kreativität.

Hatte nicht auch der Prophet, von dem der junge Autor
seinem Freund Felix Salten erzählt, seine Reiseeindrücke
an der Schwelle des Todes empfangen? Wenn es etwas gibt,
das Hofmannsthals so vielgestaltige und kunstvolle Erzählungen verbindet, so ist es vielleicht der Umstand, daß sie
das klassische Erzählmoment des Konfliktes nicht mehr so

24 Hier scheinen die Worte eines anderen großen Grenzgängers durch: »Wir
haben der Schmerzen nicht zu viel, wir haben ihrer zu wenig, denn durch
sie gehen wir zu Gott ein«. Georg Büchner, *Werke und Briefe*, hrsg. von
Fritz Bergemann, Leipzig [o. J.], S. 442. Hofmannsthal zitiert das aus den
Tagebuchaufzeichnungen von Caroline Schulz überlieferte Wort Büchners
im *Buch der Freunde*: »Georg Büchner auf dem Totenbett hatte in seinen
Delirien abwechselnd revolutionäre Gesichte, dazwischen ließ er mit feierlicher Stimme sich so vernehmen: ›Wir haben nicht zu viel, wir haben ihrer
zu wenig, denn durch den Schmerz gehen wir zu Gott ein. Wir sind Tod,
Staub und Asche – wie dürfen wir klagen?‹« (*Reden und Aufsätze III*,
s. Anm. 10, S. 256).

wichtig nehmen. Statt dessen wendet Hofmannsthal seine
Aufmerksamkeit, wie er es sich vorgenommen hatte, jener
»Menge anderer Dinge« zu, die darauf warteten, neu gesehen zu werden. Wie das geschehen sollte, sagt er noch einmal und wohl nicht zufällig kurz vor dem Ende des Ersten
Weltkrieges: »Nie das Innen ohne das Aussen statuieren,
nie das Aussen ohne das Innen«.[25]

*Ursula Renner*

25  8. August 1917; in: Hofmannsthal, *Sämtliche Werke* (s. Anm. 3), Bd. 31: *Erfundene Gespräche und Briefe*, hrsg. von Ellen Ritter, Frankfurt a. M. 1991,
S. 192.